Bryan Appleyard

DER HALBIERTE MENSCH

Bryan Appleyard

DER HALBIERTE MENSCH

Die Naturwissenschaften
und die Seele
des modernen Menschen

Aus dem Englischen von
Barbara Wolter

verlegt bei Kindler

Titel der Originalausgabe:
Understanding the Present. Science and the Soul of Modern Man
Originalverlag: Pan Books Ltd. (Pan Macmillan Ltd.)

Die Deutsche Bibliothek – CIP-Einheitsaufnahme

Appleyard, Bryan:
Der halbierte Mensch: die Naturwissenschaften und die Seele
des modernen Menschen/Bryan Appleyard. Aus dem Engl.
von Barbara Wolter. – München: Kindler, 1992
Einheitssacht.: Understanding the present <dt.>
ISBN 3-463-40156-8

Umschlaggestaltung: Graupner & Partner, München
Umschlagfoto: The Image Bank
Satz und Filmbelichtung: Compusatz, München
Umbruch: Ventura Publisher im Verlag
Druck und Bindearbeiten: Franz Spiegel Buch GmbH, Ulm
Printed in Germany

ISBN 3-463-40156-8

2 4 5 3 1

Für Fiona Appleyard

Je mehr Licht und Wohlstand es in unseren Häusern gibt,
desto mehr Gespenster kriechen aus ihrem Mauerwerk.

ITALO CALVINO

Um die Gegenwart zu verstehen,
muß die ganze Geschichte aufgeboten werden.

FERNAND BRAUDEL

Inhalt

Danksagung

Ich möchte folgenden Personen dafür danken, daß sie sich Zeit genommen haben, um mit mir über die in diesem Buch angesprochenen Themen zu diskutieren:

Don Cupitt, Dozent für Religionsphilosophie an der Universität Cambridge und Dekan des Emmanuel College.

Richard Dawkins, Dozent für Zoologie an der Universität Oxford.

John Durant, Gastprofessor für Geschichte und »Public Understanding« am Imperial College, London.

Professor Brian Hartley, Direktor des Zentrums für Biotechnologie am Imperial College, London.

Roger Penrose, Inhaber des Rouse Ball Lehrstuhls für Mathematik an der Universität Oxford.

John Polkinghorne, Präsident des Queens' College, Cambridge.

Michael Redhead, Professor für Geschichte und Philosophie der Wissenschaften an der Universität Cambridge.

Stephen Hawking, Inhaber des Lucasischen Lehrstuhls für Mathematik an der Universität Cambridge, der, wohl ohne es zu wissen, zum Entstehen und zum Inhalt dieses Buches beigetragen hat, als er mir in meiner Eigenschaft als Journalist für das Sunday Times Magazine 1988 ein Interview gewährte; ebenfalls seiner Frau, Jane Hawking.

Auch möchte ich Peter Straus und Giles Gordon für die Begeisterung und die Unterstützung danken, mit der sie mir bei diesem Vorhaben geholfen haben. Meine Familie, meine Freunde und viele andere haben die Besessenheit, mit der mich dieses Buch gefangenhielt, über lange Zeit ertragen müssen. Es mag unpassend sein, ihnen an dieser Stelle zu danken, doch ich möchte mich dafür entschuldigen, daß meine Arbeit mich so sehr in Anspruch nahm. Ich hoffe, sie sind der Auffassung, daß es sich gelohnt hat.

Einleitung

Ich bin im Schatten der Naturwissenschaften aufgewachsen. Früher habe ich das einfach für einen Hinweis darauf gehalten, daß ich aus einer Familie komme, die aus Wissenschaftlern besteht. Im Alter von sieben oder acht Jahren, ich kann mich noch gut daran erinnern, habe ich einmal meinen Vater, einen Ingenieur, gefragt, wieviel Wasser der Wasserturm in der Nähe unseres Hauses wohl enthalte. Er hat das sofort ausgerechnet. Ich war völlig sprachlos und fühlte mich durch diese Macht, die er dadurch in meinen Augen besaß, verunsichert. Das hat mich dann dazu veranlaßt, ihm nachzueifern, und so entwickelte ich eine Begabung fürs Kopfrechnen, mit der ich anderen Kindern gern imponierte.

Auf Vaters Seite hatte es eine Tante und einen Onkel von jeweils hoher Intelligenz gegeben, deren romantisches Schicksal ein viel zu früher Tod gewesen war, so daß ich sie nicht mehr kennenlernen konnte. Die beiden waren Physiker gewesen. Diese Berufsbezeichnung hatte für mich ebensoviel Magisches wie »Zauberer« oder »Priester«. Aufgrund dieser frühen Begeisterung ging man davon aus, daß ich einmal in ihre Fußstapfen treten würde. Ich bin aber im Jahre 1951 geboren und habe, wie die meisten meiner Generation, gegen die Vorstellungen der Älteren rebelliert, weil ich davon überzeugt war, daß es meine besondere Verpflichtung und mein Schicksal sein müsse, anders zu sein als meine Eltern.

Ich entwickelte mich zu einem sehr einseitigen Schöngeist und pochte stets auf den überlegenen Wert unwissenschaftlicher Kreativität, was ich dann dazu benutzte, meinen Bruder zu schikanieren, der sich seinerseits tatsächlich auf die vorgezeichnete wissenschaftliche Laufbahn begeben hatte. Im Lauf der Zeit aber, nachdem ich mehr geschrieben und nachgedacht hatte, erschien mir diese Sprache im künstlerischen Raum seltsam dünn. Mein Vorrat an kritischen Formulierungen und Behauptungen hatte sich nahezu erschöpft. Und plötzlich erschienen mir alle haltlos und leer. Ich begann damit, alle, die über Kunst sprachen, auch die Künstler selbst, hoffnungslos trivial zu finden. Sie redeten in einem winzigen Kämmerchen miteinander und achteten nicht darauf, daß draußen etwas Ungeheuerliches und furchtbar Wichtiges geschah.

Während der Arbeiten zu meinem Buch über die Kunst der Nachkriegszeit in Großbritannien, *The Pleasure of Peace,* kehrte ich allmählich zu den Naturwissenschaften zurück. Mein Anliegen war es zunächst, Künstler und Kritiker herauszufordern. Was wußten sie denn schon! Hier ging es um harte Tatsachen. Und es waren phantastische, ungeheuer bedeutende Tatsachen, die sich über das Ganze von Zeit und Raum erstreckten! Was die zeitgenössischen Künstler trieben, wirkte wie ein Kinderspiel im Vergleich zu diesen sagenhaften Unternehmungen. Ich kam zu der Einsicht, daß es sich hier um die echte Wahrheit der modernen Welt handele, welche von diesen reichlich abgehobenen Künstlern eifrig ignoriert wurde.

Vielleicht wollte ich damit einfach meine Kindheit wieder zurückholen. Ganz sicher jedenfalls habe ich alte Gewohnheiten wiederaufgenommen, denn jetzt fing ich an, mir bessere Kenntnisse im Umgang mit naturwissenschaftlichen Theorien anzueignen und diese dazu zu benutzen, meine künstlerischen Zeitgenossen zu demütigen.

Aber die Fähigkeit meines Vaters, das Wasservolumen im Turm berechnen zu können, hatte mir Unbehagen verursacht. Ich hatte gespürt, daß es sich bei dieser seltsamen Fähigkeit um etwas Gefährliches und Verhängnisvolles handelte. Im Verlauf von weitergehenden Studien und Diskussionen im Umkreis der Naturwissenschaften und mit tieferer Betrachtung der gegenwärtigen Welt begann ich, den Kern meines kindlichen Unbehagens zu erkennen. Mir wurde zunehmend klar, daß ich nicht der einzige war, der unter dem Einfluß der Naturwissenschaften aufgewachsen war.

Ich habe dieses Buch in der Überzeugung geschrieben, daß vor allem die Naturwissenschaften uns zu dem gemacht haben, was wir sind; die Naturwissenschaften sind unser Glaube und das besondere Kennzeichen unserer Zeit. Meine Schlußfolgerung ist entsprechend einfach: Wir müssen uns wehren, und jetzt ist der richtige Zeitpunkt dafür.

Weniger einfach ist die Aufgabe, meine Leser von meiner These und meiner Schlußfolgerung auch zu überzeugen. Ich fühle mich wie der Held in dem Film *Invasion of the Body Snatchers* (1957, *Die Dämonischen*), der durch die Stadt läuft und die skeptischen Leute warnend darauf hinweist, daß die Nachbarn in Wirklichkeit verkappte fremde Eindringlinge sind. Es gibt vieles, was dagegen spricht, das, was dieser Irre für die Wahrheit hält, auch anzunehmen. Die Wissenschaft ist, ebenso wie die Eindringlinge im Film, die wie Menschen aussehen und leben, tief in uns verborgen und eingegraben. Um ihre Funktionsweise freizulegen, müssen wir erst einmal die Beschaffenheit der gegenwärtigen Welt überprüfen. Das bedeutet unter anderem, zurück in die Vergangenheit zu schauen, was die Naturwissenschaften selbst selten nötig haben. Außerdem müssen wir unsere Vorstellungskraft bemühen, um erkennen zu können, auf welche Weise die Kämpfe der letzten 400 Jahre uns geformt haben und wie wir es mit dem Dämon unserer neuen Wissensform aufnehmen können.

Naturwissenschaftler selbst können erstaunlich wenig dabei helfen. Sie finden es schwierig, darüber zu reden, was sie tun, weil sie zumeist davon überzeugt sind, daß detailliertes Wissen notwendig sei, um Allgemeines verstehen zu können. Sie haben Schwierigkeiten mit dem Anliegen, die Bedeutung ihrer Arbeit einem breiteren Publikum nahezubringen, weil sie davon ausgehen, daß die Diskussion darüber auf einem niedrigeren Niveau stattfindet als die Fachdiskussionen im Kollegenkreis. Wenn die Wissenschaftler dann tatsächlich einmal generalisieren – oder sich populärwissenschaftlich äußern, wie das normalerweise mit deutlich verächtlichem Unterton genannt wird –, offenbaren sie leicht eine erstaunliche philosophische Naivität.

Ich habe vor einiger Zeit mit dem Physiker Stephen Hawking gesprochen. Als Antwort auf eine meiner Fragen zitierte er eine Bemerkung des Philosophen Ludwig Wittgenstein, die er meiner Meinung nach völlig mißverstanden hatte. Hawking wiederholt dieses Zitat in seinem Buch: »Alle Philosophie ist ›Sprachkritik‹ ... [ihr] Zweck ist die logische Klärung von Gedanken«, und er verhöhnt diesen Gedanken: »Was für ein Niedergang ...!«[1] Ich habe versucht, ihn zu korrigieren. Wie ich später in diesem Buch zeigen werde, hat diese Bemerkung gewaltige und tiefgründige Folgen. Aber Hawking wollte einfach nicht zuhören. Er sagte nur: »Ich denke nicht so.«

Dies ist ein gefährlicher Zustand. Naturwissenschaftler müssen mehr als alle anderen Mitglieder der Gesellschaft beobachtet und kritisiert werden. Ich sage das nicht nur im Hinblick auf die Schrekken, die ihre Laboratorien hervorbringen können, sondern auch deshalb, damit sie wie wir alle in die Pflicht genommen werden, moralisch und philosophisch Rede und Antwort zu stehen. Vor allen anderen Überlegungen ist dies der Grund, warum diese spezielle Geschichte der Wissenschaften nur von einem Nicht-Wissenschaftler geschrieben werden kann. Alle Rechenschaftsberichte aus dem Tempel der Wissenschaften tragen – oftmals unbewußt – unvermeidlich den Stempel der Verteidigungspropaganda.

So handelt dieses Buch also vor allem von der Geschichte der Naturwissenschaften und von unseren intellektuellen und moralischen Versuchen, mit ihrer Produktivität und Effektivität mitzuhalten. Viele werden diese Geschichte für eine Geschichte voller Vorurteile halten. Ich entschuldige mich nicht dafür. Wie ich zeigen werde, sind Vorurteile – äußerst bemerkenswerte Vorurteile – auch auf der anderen Seite eifrig am Werk gewesen.

Um die Gegenwart zu begreifen, ist es notwendig, erst einmal unter der Oberfläche der Erscheinungen und des Alltagslebens nachzuforschen, um die Ideen, Vorurteile und Beschränkungen aufzuspüren, die diesem Leben Form geben. Wenn wir unsere Welt beschreiben sollen, sprechen wir gewöhnlich über Politik, Wirtschaft, Soziologie, auch über Anthropologie, ganz so, als ob wir damit ein klares, sichtbares Bild von der Funktion oder Erscheinung der Dinge zeichnen könnten. Aber es handelt sich nur um eine Beschreibung! Ein Verstehen erfordert ein Verständnis der Antriebskräfte, die zu ebendieser Politik, Wirtschaft und Soziologie geführt haben. In anderen Zivilisationen mögen solche Antriebskräfte aus der Religion entsprungen sein oder aus irgendeiner sachlich begründeten Überlebensnotwendigkeit. Unser Antrieb, davon bin ich überzeugt, hat einen wissenschaftlichen Ursprung.

Das Verständnis der Gegenwart erfordert vor allem ein Verständnis der Naturwissenschaften. Dafür ist es nicht erforderlich, daß wir seitenlang Formeln lesen oder wissenschaftliche Theorien im Detail verstehen können. Sehr viel wichtiger ist es, ein allgemeines Verständnis von den Naturwissenschaften, ihrer Geschichte und ihrer

Bedeutung zu haben. Außerdem ist es notwendig zu zeigen, daß die Naturwissenschaften nur einer von vielen Bedeutungsträgern sind, die uns zur Verfügung stehen, und dennoch derjenige, der alle anderen zu übertrumpfen droht. Wenn es mir gelingt, dies zu verdeutlichen, wird man meine Ausgangsthese akzeptieren können. Doch um meine Schlußfolgerung akzeptabel zu machen, bedarf es noch zusätzlicher Anstrengung. Ich muß darauf hinweisen, wozu die Naturwissenschaften im Augenblick imstande sind und wozu sie wahrscheinlich bald imstande sein werden. Den furchtbaren Schaden, den sie in geistiger und seelischer Hinsicht angerichtet haben, müssen wir verstehen, und ebenso müssen wir wissen, wieviel größer er noch werden kann. Die Naturwissenschaften bringen uns ganz unbemerkt und unausgesprochen dahin, uns und unser wahres Selbst unbemerkt aufzugeben. Heute tun sie das mit durchschlagenderem Erfolg als jemals zuvor. Deshalb ist jetzt die Zeit gekommen, Widerstand zu leisten.

Das Buch ist wie folgt aufgebaut: Das erste Kapitel wirft alle strittigen Fragen auf. Es beschreibt die Wirkungskraft der Naturwissenschaften in unserer Welt und zeigt auf, wie die Wissenschaften üblicherweise dargestellt und gefeiert werden. Das zweite Kapitel leitet mit den Grundlagen der besonderen Art des Wissens, die wir heute Naturwissenschaft nennen, zu meiner Geschichtsauffassung über. Kapitel drei behandelt einige der philosophischen Folgerungen aus der neuen Wissenschaft des Galilei und Newton und führt die Geschichte fort bis zum geistig-kulturellen Schock, den der Darwinismus und die tragische Vision Freuds angerichtet haben. Kapitel vier befaßt sich mit den religiösen und moralischen Antworten auf die von der Wissenschaft erschaffene neue Welt. Kapitel fünf wendet sich einer besonderen, modernen Reaktion zu: dem Entsetzen, das sich im 20. Jahrhundert angesichts mancher abscheulichen Erfindung der Wissenschaft ausbreitet, und dem plötzlichen und explosiven Wachstum des Umweltbewußtseins, in dem ein Weg zu unserem Schutz vor den Auswirkungen der Wissenschaft gesehen wird. In Kapitel sechs wird die Frage aufgeworfen, ob wissenschaftliche Entwicklungen des 20. Jahrhunderts, wie Quantentheorie, Relativitäts- und Chaostheorie, den Charakter der Wissenschaft fundamental verändert haben, und in Kapitel sieben werden die zahlreichen Ansätze diskutiert, mit denen man zu beweisen versucht hat, daß wir irgendwo in unserer neuen Wissenschaft Gott finden können oder auch eine neue Lebensform. Kapitel acht behandelt den letzten Grenzbereich, den einzunehmen sich die Naturwissenschaften heute anschicken – den Grenzbereich des menschlichen Selbst. Alle diese Themen werden in Kapitel neun zusammengefaßt. In ihm lege ich auch die aus meiner Sicht einzig mögliche Antwort auf den ruhelosen, ungeduldigen Anspruch der Wissenschaft dar.

1. Wissenschaft funktioniert, aber ist sie die Wahrheit?

Die Zukunft gehört der Forschung und denen, die sich mit ihr anfreunden.   Nehru[1]

Am Ende seines Buches *Eine kurze Geschichte der Zeit* stellt Stephen Hawking das mögliche Ende der Physik zur Diskussion. Dieses Ende wäre eine vollständige Theorie, die Raum und Zeit allumfassend vereinigte – eine Theorie von Allem. Zumindest anfangs wäre sie nicht mehr als ein Formelsatz. Diese Gleichungen aber würden implizit alles enthalten, was je geschehen war oder je geschehen wird. Sie wären die Regeln, nach denen das Spiel der Existenz gespielt würde. Sie stellten ein mathematisches Modell für die gesamte Geschichte des Universums dar. Mit übermenschlicher Geduld könnten sie voraussagen, daß eine ganz bestimmte Schneeflocke auf einen ganz bestimmten Grashalm niederfallen oder daß der Leser dieser Zeilen gerade in diesem Augenblick diese lesen wird.

Hawking hält es für möglich, daß solch eine Theorie mit der Zeit jedermann verständlich werden könnte. Im mathematischen Detail würde sie natürlich auch dann noch nur von einigen Experten verstanden werden. Aber ihre weitgespannten Prinzipien würden langsam unsere Kultur durchdringen. Ähnliches ist schon früher geschehen: Die meisten von uns können heute die Physik Isaac Newtons verstehen, ohne seine Mathematik zu kennen, und sogar die Relativitätstheorie Albert Einsteins gehört allmählich zum Grundwissen der Moderne. Ebenso würde auch die Theorie von Allem einmal ganz selbstverständlich in unser Leben integriert werden.

»Dann«, so schreibt Hawking, »werden wir uns alle – Philosophen, Naturwissenschaftler und Laien – mit der Frage auseinandersetzen können, warum es uns und das Universum gibt. Wenn wir die Antwort auf diese Frage fänden, wäre das der endgültige Triumph der

17

menschlichen Vernunft – denn dann würden wir Gottes Plan kennen.«[2]

Die Tonart Hawkings und seine Einschätzung der Bedeutung seiner Arbeit sind typisch für eine bestimmte Art der Darstellung von Wissenschaft. Beinahe alle, die Wissenschaft einem breiteren Publikum nahegebracht haben, sagen dieselben Dinge, in jüngster Zeit zum Beispiel Jacob Bronowski und Carl Sagan. Sie behaupten, die Wissenschaft biete ein Schauspiel erhabener Weiterentwicklung, das trotz seiner scheinbaren Undurchsichtigkeit ein natürliches und unvermeidliches Produkt menschlichen Denkvermögens sei, das fundamentale Bedeutung für den Menschen habe und letztlich jede Frage beantworten könne.

Oft wird Gott beschworen. In seiner Einleitung zu Hawkings Buch sagt Sagan: »*Eine kurze Geschichte der Zeit* ist auch ein Buch über Gott ... oder vielleicht über die Nichtexistenz Gottes. Das Wort Gott ist auf diesen Seiten überall präsent.«[3] Indem man Gott in die mathematischen Gleichungen einsetzt, verleiht man den wissenschaftlichen Unternehmungen sowohl Sinn und Bedeutung als auch einen hohen Wert. Man legt uns nahe, sie seien die Fortführung der uralten religiösen Suche nach Gott und seinem Willen.

Die Botschaft lautet: Die Wissenschaft ist das menschliche Vorhaben überhaupt, für das wir prädestiniert sind und das das einzig wahre Abenteuer ist. Besonders Bronowski stellt Wissenschaft als dasjenige dar, was unserem Menschsein von Anfang an erst seinen Charakter verliehen habe. Wissenschaft und Technik begleiten danach alle menschlichen Gesellschaften und unterscheiden uns vom Tier. Sie ziehen sich wie ein roter Faden durch die gesamte Geschichte: die Relativitätstheorie und Mikrowellenherde sind eindeutig Nachfahren des ersten Pflugs oder des ersten Rads; sie entstammen demselben Impuls, derselben Eingebung. Was am meisten überzeugt: Pflüge und Mikrowellenherde sind als Produkte logischen Nachdenkens einzigartig im uns bekannten Universum.

Dies ist Propaganda, gefährliche, verführerische Propaganda! Sie führt in eine völlig falsche Richtung und kommt sogar einer Beleidigung des Lebens gleich, das wir in Wirklichkeit führen: Eine solche Sprache macht uns kleiner, als wir sind. Aufzuzeigen, wie und warum solches geschieht, soll der Zweck dieses Buches sein. Es handelt sich um eine Einstellung, die sich auf den sogenannten »Szientismus« stützt – die Überzeugung, daß die vollständige und einzige Erklärung von Allem in der Wissenschaft gefunden werden kann. Mir ist es wichtig, darauf hinzuweisen, daß die Wissenschaft alles unterdrückt – auch wenn wir oder die eher bescheidenen Wissenschaftler das vielleicht nicht wahrhaben möchten.

Dieser Szientismus findet sich überall in der Wissenschaft. Er unterdrückt jeglichen Ansatz der Opposition, bis der Schaden, den er angerichtet hat, nicht mehr wahrgenommen wird.

Das Erscheinen eines Hawking, eines Sagan oder eines Bronowski auf den Bestsellerlisten oder auf dem Fernsehschirm mag ein großes Medienereignis sein, aber es ist ein sehr seltenes. Etwa alle zehn Jahre scheinen wir aufnahmebereit zu sein für jemanden, der uns auf populäre Art und Weise mit Neuigkeiten über die weitgesteckten Ziele der spekulativen oder theoretischen Wissenschaft versorgt oder uns in unserem Glauben an deren Wert bestärkt. In den Zwischenzeiten verschwinden die Naturwissenschaften ganz harmlos im allgemeinen Hintergrundgeräusch unserer Kultur. In geschwätzigen Fernsehsendungen oder Magazinspalten wird diese oder jene Erfindung oder Neuerung gefeiert. Aber dabei handelt es sich nur um Lückenfüller zwischen den Meldungen, die wir für wichtige politische oder wirtschaftliche Nachrichten oder für solche aus dem zwischenmenschlichen Bereich halten.

Selbst das Wort »Naturwissenschaft« entzieht sich dem Zugriff. Sein Gebrauch erweckt vage Vorstellungen von Klassenräumen, Laboratorien oder Menschen im weißen Kittel, von einem Raketenabschuß, einer atomaren Explosion oder einer chemischen Fabrik.

Vielleicht stellen wir uns mathematische Gleichungen vor, Computer, Teströhrchen, Teilchenbeschleuniger oder bunte, spielzeugartige Molekülmodelle. Auch Technik und Technologie können mit dem Wort heraufbeschworen werden: Fernsehapparate, Autos, Herstellungstechniken, Baumethoden, Kommunikationssysteme. Wenn man uns nachdrücklich genug darauf aufmerksam macht, müssen wir vielleicht zugeben, daß wir uns in der entwickelten Welt ohne die Inanspruchnahme der Naturwissenschaften weder kleiden noch ernähren könnten, noch reisen, uns fortpflanzen oder unterhalten. Aber irgendwie halten wir alle diese Dinge für verschieden. Der Elek-

trokocher ist nicht dasselbe wie ein Flugzeug. Sicher, beide sind
Maschinen, aber das ist auch alles. Unser Begriff von der Naturwissenschaft ist also verwässert, und die wahre Identität der Naturwissenschaften bleibt uns verborgen.

Ohne daß es uns bewußt ist, bereitet uns unsere ungenaue Wahrnehmung und unsere Dankbarkeit für die Bequemlichkeit und Ver-
fügbarkeit von Technik und Technologie auf den größeren Anspruch der Wissenschaft vor, nämlich den, alleinige Wegweiserin zu
Gott zu sein. Weil wir ja ringsum wahrnehmen, was Wissenschaft
ausrichten kann, halten wir das für möglich. Die Naturwissenschaften haben so viele von unseren kleinen Problemen gelöst, vielleicht
können sie auch dieses große lösen. Beim Fliegen oder beim elektrischen Erhitzen von Wasser handelt es sich schließlich auch um
Wunderdinge, und zu unserer Vorstellung von Gott gehören normalerweise Wunder.

Die Trumpfkarte in der Hand der Wissenschaft ist ihre unbestreitbare und spektakuläre Effektivität. Was immer wir sonst von den
Naturwissenschaften halten mögen, wir müssen zugeben, daß sie gut
funktionieren. Penicillin heilt Krankheiten, Flugzeuge fliegen, Getreide wächst durch Düngergaben besser usw.

Allein die Wissenschaft könne die Probleme des Hungers und der
Armut lösen, sagte Jawaharlal Nehru, der erste indische Premiermi-
nister nach dem Rückzug der englischen Kolonialherren, und die
Probleme »des Schmutzes und Analphabetentums, des Aberglau-
bens und der lähmenden alten Gebräuche, der Verschwendung riesiger Naturschätze in einem reichen Land voller hungernder Menschen ... Wer kann es sich heutzutage leisten, nicht auf die
Naturwissenschaften zu achten? Die Zukunft gehört [der For-
schung] und denen, die sich mit ihr anfreunden.«[4]

Alle Versuche, die Gegenwart zu verstehen, müssen zuerst einmal
diese moderne Überzeugung in Rechnung stellen, daß es für jedes
Problem eine wissenschaftliche Lösung gibt.

»Der Priester überredet die einfachen Leute, ihr schweres Los zu
ertragen«, schreibt der Molekularbiologe Max Perutz, »der Politiker
fordert sie auf, dagegen zu rebellieren und der Wissenschaftler über-
legt, wie er das schwere Los aus der Welt schaffen kann.«[5]

Die Wissenschaft sagt uns, daß es Dinge gibt, die Probleme heißen, denen wiederum Dinge zugeordnet sind, die man Lösungen nennt, und sie teilt es uns mit, indem sie es uns vorführt. Du bist unzufrieden mit der Qualität und der Tonwiedergabe deines Plattenspielers? Hier ist ein Compact Disc Player. Du möchtest dich nicht von Pocken anstecken lassen? Hier ist ein Impfstoff. Du möchtest hinauf zum Mond? Hier ist eine Rakete. Du bist hungrig? Ich zeige dir, wie du mehr Nahrung erzeugst. Du bist zu dick? Ich zeige dir, wie du an Gewicht verlierst. Du fühlst dich schlecht? Hier ist eine Tablette, die deine Übelkeit vertreibt. Kein Problem, sagt die Wissenschaft. Wir haben uns so an diese Idee gewöhnt, daß wir vergessen haben, wie neu sie in der menschlichen Geschichte ist. Vielleicht ist es zu banal, darauf hinzuweisen, daß die alten Ägypter an den Pocken gestorben sind und ihre Wohnungen nicht mit elektronischen Geräten zur Tonwiedergabe ausgestattet waren. Aber es ist nicht banal, darauf hinzuweisen, daß sie nichts von alledem besaßen. Wissenschaft und Technik haben sich nicht langsam im Verlauf der gesamten Menschheitsgeschichte entwickelt, sie sind plötzlich rings um uns herum explosiv gewachsen. Ihre verschwenderische Effektivität ist etwas völlig Neues.

Bronowski würde dem widersprechen und behaupten, daß Wissenschaft und Technik so plötzlich erfolgreich geworden seien, weil der menschliche Verstand eine Art evolutionäre Absprungbasis erreicht habe. Nichts Ungewöhnliches sei geschehen, nur ein bißchen mehr von jener Eingebung sei hinzugekommen, die einmal zur Erfindung des Rades geführt habe. Ein zentraler Punkt meiner These ist der, daß dies falsch ist, daß Wissenschaft vielmehr eine fundamental neue Art der Erkenntnis und Vorgehensweise ist. Ich glaube, daß eine Untersuchung der Wissenschaftsgeschichte dies zutage fördern würde. Ich finde es absurd, wie Bronowski zu sagen, ein Pflug sei dasselbe wie ein Compact Disc Player. Das sind grundverschiedene Dinge! Der Erfinder des Compact Disc Players benötigt eine ganz andere Art von Wissen als der Erfinder des Pflugs.

Dies zu verneinen hieße, den Worten »neu« und »anders« ihren jeweiligen Sinn abzusprechen. Ich hoffe, ich werde das verständlich machen können.

Lassen Sie mich aber für einen Augenblick bei dem verführerischsten Aspekt der Wissenschaft verweilen – bei ihrer faktischen Wirksamkeit. Beim Wasserkochen oder bei der Krankheitsabwehr zeigt die Wissenschaft uns, daß wir, die menschliche Rasse, außergewöhnliche Dinge zustande bringen, die zugleich wunderbar und außerordentlich nützlich sind. Das ist tröstlich, drängt sich doch der Gedanke auf, daß wir nicht passive Opfer oder bloße Zuschauer unseres Schicksals zu sein brauchen. Wir können uns mit Hilfe unserer eigenen Gaben voranbringen. Dieses Voranbringen ist aber kein einfaches, unschuldiges Bessermachen, sondern hat ganz bestimmte Implikationen.

Denken Sie an die Idee der Landkarte. Wir benutzen dauernd Karten und denken nie darüber nach, wie sie funktionieren. Unsere modernen Karten sind komplett und deutlich; es fehlt nichts, und es gibt auch nichts, was wir nicht verstehen könnten. Alte Karten verzeichnen ein paar Gebiete mit einem ausreichenden Maß an Genauigkeit. Aber dann setzt die Kenntnis aus, und die Phantasie des Kartenherstellers kommt zum Einsatz. Das bekannte Gebiet löst sich an den Rändern auf in Mythen und Märchen – Drachen und Riesen am Ende der Welt, eine Landschaft des Chaos hinter den Grenzen der Ordnung. Damals zog man eine Linie, die die Grenzen der menschlichen Erkenntnis bezeichnete. Es gab ein Außerhalb, ein Darüberhinaus.

Heute sind unsere Karten vollständig, aber nicht deshalb, weil wir überall gewesen sind und alles gesehen haben, sie sind vollständig, weil wir die Art der Herstellung verbessert haben und jetzt ohne Drachen auskommen.

Tatsächlich ist der goldene Schlüssel zum Erfolg der Wissenschaft genau die Fähigkeit, Orte kartieren zu können, ohne dort gewesen zu sein. Mit dem Ziehen von Längen- und Breitengraden und durch astronomische Beobachtungen können wir ein wirkungsvolles Bild der ganzen Welt produzieren.

Stellen Sie sich einmal vor, Sie seien ein Entdecker, der sich in einer fremden Landschaft umsieht. Es gibt Bäume, Flüsse, Berge. Für sich selbst betrachtet sind diese aber bedeutungslos. Wo Sie sich befinden, können Sie allein aufgrund jenes Berges oder dieses Baumes nicht sagen. Sie können all Ihre Zeit damit verbringen, alles herauszufinden, was es zu sehen gibt. Das wird Ihnen jedoch keinen Aufschluß darüber geben, wo Sie sich befinden. Wenn ich Ihnen

aber eine gültige Karte gebe, auf der Ihr Berg und Ihr Fluß einge-
zeichnet sind, wird die Welt verändert. Sie können Ihren Standort
im Verhältnis zu allen anderen Standorten berechnen, können von
jedem Punkt zu jedem anderen reisen. Hier handelt es sich nicht
einfach um besseres Wissen, es geht um ein völlig andersartiges
Wissen.

Und wenn wir solch eine Karte in der Hand halten, wird die alte
Karte mit den unbekannten Regionen sofort naiv. Die neue Karte
läßt uns vermuten, daß letztlich nichts unbekannt sein kann. Es mag
sein, daß wir zwar nicht genau wissen, was wir vorfinden, wenn wir
irgendwo ankommen, wir wissen aber, daß der Ort sich in dieser
ganz bestimmten Lage zu diesem Meer, dieser Insel, diesem Berg
oder zu unserem Heimatort befindet. Weil sie nicht effektiv waren,
sind die Kenntnisse der Vergangenheit wunderlich geworden. Der
moderne Mensch mit seinen Karten hat unendlich mehr Macht als
jene armen Leute, die gedacht haben, am Ende der Welt gäbe es
Drachen; er ist wie Gott.

Ein Element des Wissens – das Werfen eines unsichtbaren Netzes
aus Breiten- und Längengraden über die Erdoberfläche – hat sich als
sensationell wirkungsvoll erwiesen. Das hat uns von unserer Macht
überzeugt. Der zivilisierte Mensch kann sich mit seiner Karte in Bereiche weit außerhalb der Zivilisation vorwagen und dabei untrennbar und sicher mit seinem Zuhause verbunden bleiben. Und wenn
diese unsichtbaren Linien einmal feststehen, folgen ihnen sichtbare:
Fernsehkabel, Radio- und Mikrowellenverbindungen. Schließlich
tragen wir noch unsere vollständige, moderne, kognitive Karte von
der Welt in uns: Sie ist ein blaugrüner Globus, eingebettet in ein
unsichtbares Feld von Stimmen und durchkreuzt von raschen Si-
gnaltönen und computerisierten Informationen. Wir haben die Drachen getötet.

Die Effektivität der Wissenschaft beschert uns also mehr als heißes
Wasser oder gute Musik, sie vermittelt uns das Gefühl, daß wir in der
Lage sind, alles zu verstehen, auch Dinge, die wir nicht sehen können. Unsere Karten überzeugen uns, daß zumindest auf einer Ebene
unsere Welt jetzt völlig bekannt ist. Einer primitiven Gesellschaft
ohne solche Karten sind wir überlegen, weil wir auf die Stelle deuten
können, an der sich diese Gesellschaft befindet, und imstande sind,

Aussagen zu machen über ihre Entfernung zu allen anderen Stellen. Sie selbst kann nur Mythen erfinden über die Orte, die sie nicht sehen kann.

Dies illustriert einen wichtigen, übergeordneten Aspekt in bezug auf die Effektivität der Wissenschaft. Es zeigt, daß die Technologie unsere neuen Fähigkeiten am offenkundigsten demonstriert; über alle technischen Kinkerlitzchen hinaus besteht ein Gefühl, daß Wissenschaft uns dazu verhilft, beinahe alles zu tun und zu wissen, was wir wollen. Indem sie uns mit Karten und Informationsnetzen versorgt, überzeugt sie uns davon, daß alles, was unbekannt ist, nur eine Frage des Details sein kann. Die Karte hat es uns ermöglicht, den Raum mit unserem Kopf zu kontrollieren, ohne daß wir ihn mit unseren Augen sehen müssen.

Dieser erhöhte Grad der Wirksamkeit veranlaßt uns, ein ungeheures Vertrauen in unsere Fähigkeiten zu setzen. Wir glauben, daß Probleme immer Lösungen haben, die irgendwann in der Zukunft gefunden werden. Die Techniken und Gebiete, in deren Bereichen diese Probleme gefunden werden können, sind uns bekannt. Man muß nur die richtige Karte genauer lesen. Zum Beispiel wissen wir fast auf den Zentimeter genau, wo sich der Planet Mars befindet; das Hinfliegen ist also nur noch eine Angelegenheit technischer Details. In unserem Bewußtsein sind wir schon so gut wie gelandet und haben ihn erobert.

Technologisch und vom Konzept her ist Wissenschaft eindrucksvoll und wirksam. Sie erweckt totales Vertrauen. Sie läßt sich nicht wegstreiten, auch wenn man die Kultur, aus der heraus sie entsteht, verwerfen sollte. Der irakische Präsident Saddam Hussein mag sein Land unter dem Zeichen einer islamischen heiligen Ordnungsmacht in den Krieg geführt haben, die dem Westen unerbittlich und feindlich gegenübersteht. Dennoch wußte er, daß er das Wissen des Westens brauchte, um seine Geschosse zu lenken und seine Bomben zu bauen. Er benötigte die exakte Durchschlagskraft und Simplizität der Wissenschaft. Ist ein Feind erst einmal von Computern und Satelliten zu einem Punkt auf der Karte vereinfacht worden, kann er zerstört werden. Ein Problem ist gelöst, und Christen werden genauso wie Muslime von modernen Waffen getötet. Die Naturwissenschaften vereinheitlichen unsere Begierden, vereinfachen unseren

Begriff davon, was deren Inhalt ist, und statten uns auf diese Weise mit Fähigkeiten aus, die weit über unsere Träume hinausgehen.

Saddam Husseins zwiespältige Haltung weist auf eine weitere wichtige Erkenntnis hin, die uns zum Verständnis der Naturwissenschaften und der Gegenwart führt. Denn die Naturwissenschaften sind etwas, was ausschließlich der Westen hervorgebracht hat, womit ich den europäisch-amerikanischen Kulturbereich meine. Kein anderer Kulturkreis hat dieselben Wissenschaften oder irgendeine andere ähnlich wirkungsvolle Art der Erkenntnis geschaffen. Sicherlich, es gibt andere Formen von Weisheit, aber keine, die diesen Grad an Effektivität hat. Wie Saddam strebten schon viele danach, sich vom Westen zu distanzieren, gleichzeitig aber von seiner Wissenschaft zu profitieren. Sie alle wollen in den Besitz der Macht gelangen, mit der die Naturwissenschaften diejenigen ausstatten, die sich ihrer bedienen. Keine buddhistische, muslimische oder konfuzianische Kultur hat einen besseren Weg gefunden, Getreideerträge zu vermehren, Krankheiten zu heilen oder Menschen zu töten, als die westliche. Wenn die Menschen dieser Kulturen essen, leben oder kämpfen wollen, wenden sie sich also den westlichen Wissenschaften zu.

Während sie das tun, gehen sie davon aus, daß Wissenschaft ein völlig neutraler Import sei, daß sie gute Buddhisten oder was auch immer bleiben könnten. Kein islamischer Staat zum Beispiel glaubt, daß seine religiösen Grundlagen gefährdet seien durch die westliche Technologie, mit der sein Öl gewonnen wird. Die Christen haben zufällig die Maschinen und die Muslime zufällig das Öl. Das ist von keinerlei übergeordneter Bedeutung.

Dem liegt die Annahme zugrunde, daß der Grad der Effektivität der Wissenschaft von irgendeiner tieferen Bedeutung losgelöst gesehen werden kann. Sie funktioniert, verschafft Macht und ermöglicht Kontrolle. Aber sie sagt nichts von unbedingter Bedeutung über die endgültige Wirklichkeit, also braucht sie unsere tieferen Überzeugungen nicht anzutasten. Der Koran ist das Buch der Wahrheit; die Naturwissenschaften sind nur das Buch, in dem geschrieben steht, wie man Dinge produziert.

Es handelt sich auf mindestens zwei Ebenen um ein Trugbild. Zunächst einmal sind die faktischen Auswirkungen der Naturwissenschaften auf die Welt mit Sicherheit nicht neutral. Zum zweiten be-

steht nur die fromme Hoffnung, Wissenschaft und Religion seien
unabhängige Bereiche, die leicht voneinander getrennt werden können. Es ist eine zentrale Behauptung dieses Buches, daß unsere Wissenschaft, so wie sie jetzt ist, unter keinen Umständen mit Religion
vereinbar ist.

Wissenschaft ist für moralisch neutral und faktisch nutzbar gehalten worden. Man glaubte, jede Kultur könne sie ohne Gefahr der
Verderbnis oder der Ansteckung anwenden. Der tatsächliche Einfluß der Naturwissenschaften auf nichtwestliche Zivilisationen ist
aber ganz offensichtlich, sein Muster sattsam bekannt. Stellen wir
uns ein krankes Kind eines isoliert lebenden Naturvolkes vor. Es
kann mit Penicillin geheilt werden oder sterben. Ein westlicher Arzt
versorgt es mit Penicillin und das Kind lebt. Das Volk möchte darauf-
hin mehr Penicillin haben und später auch andere Medikamente.
Bald will es zusätzlich andere Waren, einige, weil sie wie die Medikamente lebensrettend sind, und einige einfach deshalb, weil sie ihm
gefallen. Um diese Waren zu kaufen, muß es Handel treiben. Der
Handel zieht es in das wirtschaftliche System der westlichen Welt
hinein. Dieser Prozeß ist überall verbreitet und wahrscheinlich irre-
versibel. Er glättet lokale, kulturelle Unterschiede und vereinheit-
licht die menschliche Lebensweise. Wir alle wollen Penicillin, und
wir alle müssen dafür im großen und ganzen in gleicher Weise bezahlen.

Wenn wir jene Naturvölker schützen wollen, haben wir die Wahl.
Wir können ihnen im Hinblick auf ihre langfristig zu erhaltende
Selbständigkeit das Penicillin verweigern, das heißt, ihre Kinder sterben lassen, oder wir können ihnen das Medikament geben und hoffen, daß ihre Kulturen dennoch überleben werden.

Aber diese Hoffnung ist normalerweise nichts als fromm. Wenn
die Weisheit eines solchen Volkes Demütigungen durch die Wissenschaft erleidet und seine Kultur von der wissenschaftlichen Zivilisation überzogen wird, fällt es schwer, zu glauben, daß das, was bleibt,
noch in irgendeinem Sinne als einzigartige Kultur betrachtet werden
kann. Vielmehr wird dieses Volk zu einem verunsicherten, geschütz-
ten Museumsstück oder, was besonders traurig ist, zur Quelle für
modische Accessoires. Wir sammeln die handwerklichen Gegenstände der Völker und halten gelehrte Dispute über deren Bedeutung.

Oder wir kleiden uns in »ethnische« Gewänder, um zum Beispiel den amerikanischen Indianer zu feiern. Die Wahrheit aber ist, daß all die Handwerksgegenstände, Kleider und Rituale in dem Moment an Wert verloren, als das Penicillin erstmals verabreicht wurde. Ihre Bedeutung ist durch die niederschmetternde Effektivität der Wissenschaft relativiert worden.

An dieser Stelle gilt es, sich daran zu erinnern, daß diese Effektivität total ist. Die Wissenschaft befördert die Frage des Lebens auf der Erde aus dem Bereich des Moralischen oder Transzendenten in den Bereich des Möglichen: Dieses Kind *kann* geheilt werden, diese Bombe *kann* abgeworfen werden. »Können« hat Vorrang vor »sollen«; »Fähigkeit« Vorrang vor »Verpflichtung«; »kein Problem« Vorrang vor »Liebe«.

Die Wissenschaft ist keine neutrale oder unschuldige Annehmlichkeit, die die Menschen, die nur an dem materiellen Vermögen des Westens teilhaben wollen, einzig zu ihrer Bequemlichkeit verwenden können. Sie wirkt vielmehr geistig zersetzend, bewirkt die Auflösung alter Autoritäten und Traditionen. Sie kann nicht wirklich mit irgend etwas anderem koexistieren. Wissenschaftler schlüpfen ganz unvermeidlich in den Mantel der Hexenmeister, Zauberer und Medizinmänner. Ihre Wunderkuren schlagen uns in ihren Bann, ihre Experimente sind unsere Rituale.

Während die Wissenschaft also alle Konkurrenz auslöscht, stellt sich die Frage: Was für ein Leben ist es, das sie den Menschen bietet? Auf welche Weise ersetzt sie eine andere Weisheit, andere Bedeutungszusammenhänge? So lauten die Fragen nach der Beschaffenheit des wissenschaftlichen Lebens in der wissenschaftlichen Gesellschaft, und diese Fragen werden uns unweigerlich zurückführen zu Hawkings Gott.

Wissenschaft ist effektiv, aber was vermag sie uns über uns selbst und darüber, wie wir leben müssen, zu sagen? Die kurze Antwort darauf lautet: nichts! Die Wissenschaft hat immer eifrig versucht, zu vermeiden, eine Religion, ein Glaube oder eine Moral zu sein. Sie macht uns keine Vorschriften, warum wir bestimmte Dinge tun und wie wir leben sollen; sie bietet statt dessen Lösungen an. Das Leben ist eine Reihe von Einzelproblemen mit jeweils unterschiedlichen Antworten. Es ist eher ein Hort für Themen als selber ein Thema.

Das Charakteristischste dieser jeweiligen Einzellösungen ist, daß sie weder festgelegt noch endgültig sind. Sie erfüllen ihren Zweck im Augenblick. Wenn etwas Besseres daherkommt, können sie geändert werden. Der Kommunismus hat diesen Punkt außer acht gelassen. Er sollte ein wissenschaftlicher Weg sein, die Gesellschaft zu organisieren. Marx und Lenin aber haben die Wissenschaft naiverweise für ein endgültiges System gehalten, das die Geschichte vollständig erklären könne und dem man sich nur zu unterwerfen brauche. Aber die Wissenschaft kann Gesellschaften nur dann effektiv formen, wenn sie sich nicht endgültig auf eine einzige Lösung festlegt. Es ist möglich, im Recht zu sein, aber nicht, »mehr im Recht zu sein«. Dagegen ist es immer möglich, effektiver zu sein.

Die moderne westliche Gesellschaft, die ich als »liberale« Gesellschaft bezeichnen will, ist die Verwirklichung dieser wissenschaftlichen Methode. Die Regierungen verhalten sich neutral. Sie schaffen mit Recht und Gesetz einen Rahmen, in dem die Menschen innerhalb bestimmter Restriktionen ihrem jeweiligen Glauben anhängen können. Weder Regierungen noch Gesellschaften bieten moralische Richtungen oder einen Sinngehalt; sie schützen nur die Toleranz, damit einzelne oder Gruppen ihre Interessen verfolgen können. So kann man also von einer modernen Gesellschaft erwarten, daß sie eine ganze Reihe von einander widersprechenden religiösen Überzeugungen toleriert, deren Anhänger dazu verpflichtet sind, sich an eine bestimmte Anzahl allgemeiner Richtlinien zu halten, darüber hinaus jedoch keinen Restriktionen unterliegen. Sie dürfen nicht die Stätten der Gottesdienste der anderen anzünden, dürfen aber sehr wohl den Gott der anderen ablehnen oder ihn sogar beleidigen. Dies ist die effektive, wissenschaftliche Vorgehensweise.

Vor kurzem hat der Amerikaner Francis Fukuyama in seinem Buch *The End of History and The Last Man (Das Ende der Geschichte. Wo stehen wir?)* den Standpunkt vertreten, daß die liberalen Demokratien den Gipfelpunkt eines historischen Prozesses darstellen. Diese Gesellschaften haben sich aus der Geschichte verabschiedet, indem sie keinen ideologischen Streit mehr über die beste Form der sozialen oder politischen Organisation ausfechten. Der Schlüssel zu Fukuyamas Analyse findet sich ebenfalls in der Wissenschaft. Fukuyama ist der Überzeugung, daß die Naturwissenschaften zum erstenmal in der Geschichte für eine klare Richtung gesorgt haben, weil sie die Erkenntnisse, die sie gewonnen haben, nicht verwerfen, sondern aufeinander aufbauen. Sein Optimismus wird eingeschränkt durch die eigene Unsicherheit darüber, wo im Leben der liberale, demokratische und wissenschaftlich geprägte Mensch einen Sinn finden kann.

Wie ich aber schon gesagt habe, zeichnet sich die Wissenschaft durch einen Alleinvertretungsanspruch aus. Das gilt nicht nur dort, wo sie von einem Land in ein anderes exportiert wird, sondern auch dort, wo sie sich mit anderen Systemen innerhalb eines einzigen Landes mißt. Die auf den Wissenschaften fußenden liberalen Demokratien neigen also zur Eintracht im Unglauben.

Ich weiß, daß dies eine Streitfrage ist. Der religiöse Glaube scheint in Westeuropa an Bedeutung zu verlieren, sowohl was die Zahl seiner Gläubigen als auch seinen Einfluß betrifft, in den Vereinigten Staaten aber ist er stark, und in Osteuropa war das religiöse Grundgefühl ein entscheidender Faktor dafür, den Kommunismus zu Fall zu bringen. Es gibt widersprüchliche Angaben darüber, ob die Zahl der praktizierenden Christen in verschiedenen Ländern steigt oder fällt. Das, was ich behaupte, ist also meine persönliche Meinung, die sich auf meine Erfahrungen mit diesen Ländern stützt.

In jedem Fall aber ist dieser Punkt nicht unbedingt zentral. Es ist nämlich immer noch möglich, einige generelle Aussagen über die geistige Verfassung dieser entwickelten, wissenschaftlichen Nationen zu machen, auch wenn ihr religiöser Eifer nicht im einzelnen gemessen werden kann. Die Wissenschaft ist ohne weiteres in der Lage, Gläubige an den Rand zu stellen, ohne sie wirklich ihres Glaubens zu berauben.

Diese geistige Grundstimmung gründet auf der auferlegten Neutralität des wissenschaftlichen Liberalismus, wie ich ihn beschrieben habe. Um ihre Effektivität aufrechtzuerhalten, besteht die Wissenschaft auf einer offenen Weltanschauung, welche die ständige Möglichkeit von Veränderung und Fortschritt akzeptiert und willkommen heißt. Zu jedem beliebigen Zeitpunkt kann der wissenschaftliche Mensch sein Wissen nur als provisorisches betrachten, weil stets neues, effektiveres Wissen zu dem bereits vorhandenen hinzukommt oder es verändert. Im Privaten mag er absolute Werte in bezug auf seinen Glauben oder seine Moral hochhalten, öffentlich leben aber muß er in einer in Fluß befindlichen, relativen Welt. So kann er sich bei seiner moralischen Wahl niemals auf äußere Ordnungen oder Systeme beziehen, sie kann nur von ihm selbst kommen. Weil das so ist, wird er ständig gewärtig sein, daß es andere Kriterien der Wahl gibt, auf die andere Menschen sich beziehen. Er kann diese anderen Auswahlkriterien nicht völlig in Abrede stellen, er kann nur sagen, daß er sie für falsch hält. Und sogar diese Überzeugung muß einem Wechsel gegenüber offen sein! Es gibt nur ein relatives Richtig oder Falsch; keines von beiden gibt es in absoluter Form.

Davon betroffen ist auch die seelische Verfassung des wissenschaftlichen Menschen. Er mag seine eigene Identität und seinen Lebenssinn definieren, aber er muß das im Bewußtsein tun, daß auch andere Identitäten und Zielrichtungen gewählt worden sind, die als ebenso gültig respektiert werden müssen, solange sie in Übereinstimmung stehen mit den weitgefaßten Verhaltensnormen der liberalen Gesellschaft. Ja, er kann nicht einmal seinen Kindern mit Überzeugung sagen, daß sie das gleiche glauben sollen wie er selbst, weil es wahr sei. Die Kinder können ihn einfach darauf hinweisen, daß er ihnen keine zwingenden Tatsachen anbietet, sondern nur eine beliebige Meinung unter zahllosen anderen.

Es liegt auf der Hand, daß es unter diesen Umständen immer schwieriger wird, eine Moral oder geistige Überzeugung aufrechtzuerhalten. Der wissenschaftlich geprägte, freie Mensch wird täglich auf die Beliebigkeit seiner Anstrengungen aufmerksam gemacht. Er erlebt, daß er nicht einmal seine eigene Position verteidigen kann, weil alle Argumente in völliger gegenseitiger Toleranz versanden. »Wir stimmen darin überein, daß wir unterschiedliche Auffassungen haben« ist die Standardformulierung, zu der alle Auseinandersetzungen in der liberalen Gesellschaft tendieren. Und wegen der Unfruchtbarkeit solch einer Schlußfolgerung erschöpft sich auch alle Energie, sich noch unterscheiden zu wollen. Der liberale Mensch fällt, da er unfähig ist, sich selbst eine gewisse Festigkeit zu verschaffen, in einen Zustand seelischer Erschöpfung, eine Form der Apathie, in welcher er zu der Auffassung gelangt, daß weiter gespannte, über den Tag hinausgehende Fragen zu verfolgen sich kaum lohnt.

Die Symptome dieser Lethargie können wir überall beobachten. Pessimismus, Seelenqual, Skeptizismus und Verzweiflung, die wir in der Kunst und Literatur des 20. Jahrhunderts vorfinden, sind Ausdruck der Tatsache, daß es nichts »Großes« mehr gibt, über das zu reden, daß es keinen tieferen Sinn gibt, den hervorzuholen es sich lohnte.

In diesem Zustand ist der liberal-wissenschaftlich geprägte Mensch natürlich überhaupt nicht in der Verfassung, dem Typ von Antworten, den die Wissenschaftler anzubieten haben, etwas entgegenzusetzen. Als gewöhnlicher Mensch befindet er sich in Erwartung der Ankunft von Hawkings Gott.

Für Verteidiger der Liberalität besteht die Versuchung, diesen Zustand der Verstörung nicht als etwas Eigenartiges, sondern als ganz normales menschliches Schicksal anzusehen. Alle Menschen haben diese Verstörung erleiden müssen, sagen die Liberalen, indem sie ihre eigene Geschichte in die Vergangenheit fortschreiben. Daß dies eine absurde Behauptung ist, wird sogar in allerneuester Geschichte deutlich. Beim Zusammenprall zwischen dem fundamentalistischen Islam mit dem liberalen Westen entpuppte sich die Liberalität als kulturbedingte Entscheidung. Im Iran, im Irak, in Afghanistan und in der Innenpolitik fast aller arabischen Länder sind heftige Spannungen durch das Aufwallen einer Form des Islam entstanden, die der toleranten Koexistenz verschiedener Glaubensbekenntnisse kein Verständnis entgegenbringt und die durch diese sogar den Heilsprozeß bedroht sieht.

Besonders zugespitzt zeigte sich das in der Affäre um Salman Rushdie, dem britisch-indischen Romanautor, der von der iranischen Regierung zum Tode verurteilt wurde, weil er ein Buch schrieb, das als Angriff auf den Glauben interpretiert wurde, *Die Satanischen Verse*. Die liberalen Westler waren verstört darüber, daß ein Land sich das Recht nahm, einen Bürger eines anderen Landes zum Tode zu verurteilen. Diesen Menschen schien nicht nur das Recht der freien Rede nichts zu bedeuten, sie stellten die Anforderungen ihrer Religion sogar über die staatliche Souveränität!

Der nachrevolutionäre iranische Staat aber wurde auf der Überzeugung gegründet, daß der Islam absolut wahr und weltweit gültig sei. Und wenn die Religion wahr, unbestreitbar wahr ist, warum sollten die Iraner sich nicht im Recht fühlen? So fragte der iranische

Botschafter am Vatikan einen Tag, nachdem Rushdie vom Ayatollah Khomeini verurteilt worden war: »Warum finden Sie dieses Verhalten seltsam?«

Eine liberale Antwort auf diese Frage kann nur schwach und pragmatisch ausfallen: Wir finden es seltsam, weil wir festgestellt haben, daß die Toleranz eine wertvollere Tugend ist als die Rache an Ungläubigen. Aber, so könnte der Botschafter darauf antworten, wo steckt der Wert der Toleranz, wenn wir die Wahrheit gefunden haben? Und ganz sicher bedeutet es doch, daß man die Wahrheit gefunden hat, wenn man religiös ist! Liberale können nur vorgeben, private Wahrheiten zu haben, weil sie nicht dazu bereit sind, für diese auch mit ihrem Leben einzustehen.

Dies führt uns zu einem zweiten Punkt, der für den geistig-seelischen Zustand des wissenschaftlichen Liberalismus charakteristisch ist. Weil er keinerlei Wahrheit anbietet, keine Leitlinie und keinen Pfad, kann er dem einzelnen keine Auskunft geben über seine Stellung und seine Bedeutung in der Welt. In der Praxis wird diese Tatsache als großartiger, leuchtender Erfolg des Liberalismus deklariert, weil es der einzige Weg sei, eine Wiederholung der »Schrecken der Vergangenheit« zu vermeiden.

Die liberale Geschichtsschreibung sagt, daß Gesellschaften, die dem einzelnen seinen Platz zugewiesen haben, die ihm gesagt haben, wer er ist, wofür er da ist und wie er sich im einzelnen verhalten soll, unweigerlich grausam und zerstörerisch waren. Das nationalsozialistische Deutschland und Stalins Rußland seien dafür die bedeutendsten europäischen Beispiele aus neuerer Zeit. Aber auch vor dem Siegeszug von Aufklärung und Liberalismus litten die Menschen in allen Gesellschaften unter dem Übel institutionalisierter Intoleranz. Die Menschen kamen wegen ihrer nationalen, religiösen und moralischen Unterschiede um. Diese Unterschiede sind ihrerseits natürlich, sie stellen einen fundamentalen Aspekt im Leben der Menschen dar. Liberalität und institutionalisierte Toleranz erscheinen somit als der einzige Weg, ein stabiles Gesellschaftssystem zu errichten, das solch eine gesunde Vielfalt nicht unterdrückt, sondern toleriert.

Dies ist das Hauptargument, mit dem der Liberalismus seine Weigerung begründet, verbindliche Verpflichtungen zu formulieren.

Die Anhänger des Liberalismus geben zwar zu, daß die liberale Gesellschaft Mängel hat, doch behaupten sie, daß sie immer noch die beste sei, die wir bisher entwickelt hätten. 1947 sagte Sir Winston Churchill im House of Commons: »Man hat gesagt, daß die Demokratie die allerschlechteste Regierungsform sei – mit Ausnahme von all den anderen, die man ab und zu ausprobiert hat.«

Dies ist eine völlig vernünftige, wissenschaftliche Verteidigung der wissenschaftlichen Gesellschaft. So wie wir die Beschaffenheit der Materie nicht bis ins letzte verstehen und dennoch einen wirkungsvollen Laserstrahl herstellen können, so können wir auch die Gesellschaft nicht völlig durchschauen, wissen nicht, ob es vielleicht einmal ein besseres Gesellschaftskonzept geben wird, und haben mit der liberalen Demokratie doch das wirkungsvollste System zustande gebracht, das es je gab. Sie vermag viele gesellschaftliche Unterschiede zu integrieren.

So vernünftig diese Verteidigung auch sein mag, sie beendet den Streit nicht. Um nämlich auf diese Weise wirkungsvoll zu sein, hat der liberale Staat die Rolle eines Lieferanten geistiger Inhalte aufgeben müssen und den einzelnen in jenem Dilemma, das ich beschrieben habe, zurückgelassen. Vielleicht ist es besser verstört, reich und lebendig zu sein, als gläubig, arm oder sogar tot. Aber das kann nicht das Ende der Angelegenheit sein. Wie ich schon gesagt habe, ist Wissenschaft nämlich nicht neutral, sie dringt in jegliche private Sicherheitsstruktur ein, die wir als Schutzwall gegen die langweilige Welt der Liberalität, die sich nicht festlegen will, errichtet haben. Die Wissenschaft erschöpft unsere Energie. Es besteht die Gefahr, daß die liberale Gesellschaft, die wirtschaftlich und politisch triumphiert hat, auf ein Niveau unterhalb ihrer eigenen geistig-seelischen Unentschlossenheit zurückfallen könnte.

Fukuyama hat vielleicht zu früh das Ende der Geschichte verkündet, weil gerade dieses geistige Vakuum das instabile Element sein kann, das den liberalen Demokratien einmal ihren Todesstoß versetzen wird.

Toleranz wird zu Apathie, weil Toleranz allein aller logischen Überlegung nach weder positive Tugend noch Ziel sein kann. Deshalb kann die tolerante Gesellschaft leicht zu einer Gesellschaft verkommen, die sich nicht um ihre eigene Aufrechterhaltung oder ihr

Fortbestehen kümmert. Die Tatsache, daß die Schulen in demokratischen Gesellschaften ständig unter Krisen zu leiden haben, ist bedeutsam – sie ist ein Symptom für die grundsätzliche Unsicherheit darüber, was es zu lehren gilt, und ob es überhaupt etwas zu lehren gibt.

Kern dieses Problems ist der Mangel eines Gefühls für das Selbst. Ebenso wie der Liberalismus sich davor hütet, Aussagen über die Moral oder das Transzendente zu machen, so hütet er sich auch davor, den einzelnen mit einem Bewußtsein für seinen Platz in der Welt zu versehen. Auf den Karten, mit welchen die Wissenschaft uns versorgt, finden wir alles – nur nicht uns selbst.

Dieser Ausschluß des eigenen Selbst aus den Erklärungen der Wissenschaft ist eine komplexe und tiefgehende Angelegenheit, die in diesem Buch immer wieder aufscheinen wird. An dieser Stelle will ich nur soviel sagen, daß der wissenschaftliche Mensch durch den Ausschluß seines eigenen Selbst wie ein Schiff ohne Anker dahintreibt. Die Kunst der letzten 400 Jahre, dem Zeitalter der Wissenschaft, kehrt immer wieder zum Menschen selbst zurück, der verloren ist und etwas sucht, obwohl er selten genau weiß, was er da sucht. Sogar die gottergebene christliche Vorstellung spürte den Druck der Unsicherheit. Der französische Mathematiker und Philosoph Blaise Pascal schrieb 1660 – ein halbes Jahrhundert nach dem Beginn des modernen Zeitalters, den ich mit dem Jahr 1609 ansetze –, daß wir anscheinend niemals einen Weg finden werden, unseren Standort mit Sicherheit festzulegen.

»Denn, was ist zum Schluß der Mensch in der Natur? Ein Nichts vor dem Unendlichen, ein All gegenüber dem Nichts, eine Mitte zwischen Nichts und All. Unendlich entfernt von dem Begreifen der äußersten Grenzen, sind ihm das Ende aller Dinge und ihre Gründe undurchdringlich verborgen, unlösbares Geheimnis; er ist gleich unfähig, das Nichts zu fassen, aus dem er gehoben, wie das Unendliche, das ihn verschlingt.

Was also wird er tun, wenn er nichts anderes erkennt als in etwas den Anschein von der Mitte der Dinge, weil er weder ihren Grund noch ihr Ende erkennt? Alle Dinge entwachsen dem Nichts und ragen bis in das Unendliche. Wer kann diese erschreckenden Schritte mitgehen? Der Schöpfer dieser Wunder begreift sie; niemand anderes vermag es.«[6]

Das Problem ist, daß die Wissenschaft uns sagt, der Mensch habe keine besondere, privilegierte Stellung: Nichts ist endgültig, wir sind auf ewig »mittendrin in den Dingen«.

Schriftsteller beschreiben dies gelegentlich oder versuchen, dieses Problem damit zu bewältigen, daß sie es in ein Problem des Maßstabs verwandeln. Vielleicht haben wir die falsche Körpergröße. Lewis Carroll läßt seine Alice im Wunderland schrumpfen und wachsen, und Jonathan Swift macht das gleiche mit seinem Gulliver. Die Größe verändert die Perspektive und die Bedeutung. Unsere Kindermärchen sind voller Zwerge und Riesen. Wenn wir solche oder solche wären, wären wir uns sicherer darüber, wer wir sind. Wenn wir Zwerge wären, so klein wie Elektronen, würden sich die unverständlichen Geheimnisse subatomarer Physik vielleicht auflösen, und wenn wir Riesen von galaktischer Größe wären, würde Einsteins Relativitätstheorie vielleicht zu unserem Alltagsleben gehören. Der Kern der Aussage bleibt der, daß Wissenschaft uns zeigt, daß nichts Besonderes ist an der Art, wie wir die Dinge betrachten, nichts Besonderes an der Art, wie das Universum aus der Perspektive menschlichen Maßstabs aussieht. Kurzum, mit uns hat es keinerlei besondere Bewandtnis.

»Wir leben in der Zwischenwelt«, schrieb der Astronom John Barrow, »... zwischen der ›Scylla‹ der Quantenwelt und der ›Charybdis‹ des gekrümmten Raumes.«[7] Und der Physiker Freeman Dyson wiederholt den Gedanken: »Wir befinden uns ... auf halber Strecke zwischen der Unvorhersehbarkeit der Materie und der Unvorhersehbarkeit von Gott.«[8]

Alle Karten und Fertigkeiten der Wissenschaft scheinen sich niemals auf uns Menschen zu beziehen. Von uns wird einfach erwartet, daß wir uns mit den Dingen bewegen, während diese sagenhafte neue Wahrheit sich entfaltet. Der Philosoph Ludwig Wittgenstein schrieb: »Wir fühlen, daß, selbst wenn alle *möglichen* wissenschaftlichen Fragen beantwortet sind, unsere Lebensprobleme noch gar nicht berührt sind.«[9] Das ist der Kern des Ganzen. Wir wissen, daß Wissenschaft wirkungsvoll ist, und wir wissen, daß sie uns sagt, sie befasse sich mit der Wahrheit einer wirklichen Welt. Aber ist sie *die* Wahrheit? Ist sie *unsere* Wahrheit? Müssen ihre erstaunlichen Fähigkeiten bedeuten, daß sie viel mehr ist, als nur die Art, Dinge zu tun? Indem Hawking Gott beschwört, sagt er, daß dem so ist, daß die Wissenschaft möglicherweise ein schlüssiger Weg sei, alles zu wissen – daß sie *die* Wahrheit sei.

Hier muß die Geschichte beginnen. Wir haben gesehen, daß wir im Besitz einer noch nie dagewesenen, wirkungsvollen Art des Verstehens und Handelns sind, die Wissenschaft genannt wird, haben festgestellt, daß sie uns gegenüber gleichgültig sowie ruhelos und ehrgeizig ist, Religion und Kultur unterminiert, dennoch aber das Verlangen nicht befriedigt, auf das ehemals die Religionen und Kulturen eingegangen sind. Um zu verstehen, wie man das ändern kann, müssen wir wissen, wie es zu alldem kommen konnte, wie Wissenschaft entstanden ist und wie wir heute versuchen, mit ihrem erschreckenden Erfolg umzugehen.

2. Die Geburt der Wissenschaften

Was, lieber Leser, sollen wir nun mit unserem Teleskop anfangen? Sollen wir einen Zauberstab des Merkur daraus machen, mit dem wir den flüssigen Äther durchqueren können und wie Lukian eine Kolonie auf dem unbewohnten Abendstern gründen, angelockt von der Schönheit der Gegend?

Kepler[1]

Im Jahre 1609 schaute Galileo Galilei durch ein Teleskop auf den Mond. Dieser Augenblick hatte eine solche Bedeutung für die Welt, daß man ihn mit der Geburt Christi verglichen hat. Denn wie damals in Bethlehem war dies ein Augenblick, in dem das Unmögliche für die Menschheit wirklich wurde.

Jede Aussage darüber, an welcher Stelle etwas derartig Umfassendes und Entscheidendes wie die Naturwissenschaften begonnen hat, wird vermutlich umstritten bleiben. Man kann die Auffassung vertreten, Wissenschaft habe gar nicht an irgendeinem Punkt begonnen, sondern habe uns schon immer begleitet. Wie ich schon sagte, erscheint mir diese Vorstellung nichtssagend und falsch. Dieses Buch baut auf der Grundüberzeugung auf, daß die Naturwissenschaften ein neues Element in der Welt darstellen, das neue Reaktionen erforderlich macht.

Natürlich gab es Vorläufer der Naturwissenschaften. Es gibt zum Beispiel Theorien, die besagen, die Naturwissenschaften hätten sich aus den magischen Künsten des Mittelalters und der Renaissance entwickelt. Andere wiederum behaupten, sie entstammten der Wiederbelebung der klassischen Bildung, die sich im 15. und 16. Jahrhundert in Europa ausbreitete. All diese Theorien sind gewichtig und schlüssig, und alle weisen sie auf eine Abstammung hin, eine Art Ahnentafel der Elemente, aus denen sich die Naturwissenschaften formten. Mir kommt es hier jedoch darauf an, folgendes festzuhalten: Obwohl es Jahrhunderte gedauert haben mag, bis alle diese Elemente sich formiert und einander genähert hatten, war die kurze Zeitspanne, in der sie miteinander verschmolzen, eher explosiv als evolutionär. Sie dauerte etwa ein bis zwei Jahrzehnte. Ich wähle das Jahr 1609 aus dieser Zeitspanne aus, und zwar den Augenblick, in dem Galilei durch das Teleskop schaute, weil in ihm alles erfaßt ist, was in der Geschichte neu und revolutionär war. Und ich entscheide mich auch deshalb für diesen Augenblick, weil er einen festen Platz in der Überlieferung unserer Kultur einnimmt und unbestreitbar ist. Dieser Zeitpunkt markiert den Beginn gut, gerade weil er uns aus unseren Schulbüchern so vertraut ist. Das Bild, wie ein Mann in der Kleidung des frühen 17. Jahrhunderts durch ein primitives Teleskop späht, ist geradezu zum Sinnbild für unser Verständnis der modernen Welt geworden. Dabei hat Galilei nichts anderes getan, als dem zu trauen, was er mit eigenen Augen sah, unterstützt durch die recht roh geschliffene Optik seines Teleskops. Und er sah, daß die Oberfläche des Mondes schroff und bergig war. Der Mond, so schloß er mit einer völlig neuen Art von Selbstvertrauen, war der Erde erstaunlich ähnlich.

Nichts Geheimnisvolles umgab diesen Mann. Er war praktisch orientiert, untersetzt und rothaarig, politisch wach und wirtschaftlich gewitzt. Er besaß ein Talent dafür, das Interesse der Kaufleute für seine Erfindungen zu wecken und die Kardinäle von der Bedeutung – und eine gewisse Zeit lang auch von der Orthodoxie – seiner Wissenschaft zu überzeugen. Auf gleiche Weise, wie wir die hochentwickelten Zeugnisse der Kunst der italienischen Hochrenaissance schätzen, könnten wir von ihm sagen, daß er ein moderner Mensch war. Bei Galilei hat diese Vorstellung aber noch eine zusätzliche Bedeutungsdimension: Er erfand das Moderne.

Es ist daher notwendig zu verstehen, was genau Galilei »sah«, und wie das, was er sah, zu dem wurde, was wir heute alle sehen.

Wie ich schon sagte, sah er das Unmögliche. Es war unmöglich, weil die ganze Kultur, aus der Galilei hervorging, auf der zweitausendjährigen Überzeugung gegründet war, der Mond und alle anderen Himmelskörper könnten nicht wie die Erde beschaffen sein. Der Mond war anders, weil er nicht aus derselben Substanz bestand. Er bestand aus himmlischer Materie, die rein und unveränderlich war.

Alle Unvollkommenheiten, die man mit bloßem Auge wahrnehmen konnte, betrachtete man entweder als geringfügige Mängel, die infolge der Nähe zur Erde entstanden waren, oder man führte sie auf Fehler in unseren Sehorganen zurück. Diesen Standpunkt vertrat der Dichter Dante; er nannte den Mond die »ewige Perle«. Das war nicht Dichtung, sondern mittelalterliche Wissenschaft. Und diese mußte sich, anders als die heutige Wissenschaft, keinem Wechsel und keiner Veränderung unterziehen. Sie war endgültige Wahrheit. Sie war die vollständige Erklärung, bestätigt durch die Autorität Gottes und die der Kirche.

Diese Wissenschaft – vielleicht sollte man sie eher »Weisheit« nennen –, die vor Galilei existierte, unterschied sich in jeder Hinsicht von der Wissenschaft nach dem Augenblick des Jahres 1609. Sie gründete nicht auf Beobachtung und Experiment, sondern auf Autorität, die durch Vernunft erschlossen wurde. Und sie war untrennbar mit dem umfassenden Theoriengebäude der römisch-katholischen Kirche zur Erklärung der Welt und des Universums verbunden. Der Protestantismus hatte dieses Monopol schon lange vor Galilei angefochten, aber auch die radikalsten protestantischen Reformer waren noch der Überzeugung verhaftet geblieben, die Kenntnis der Welt könne nichts anderes bedeuten, als die Kenntnis eines Systems, das von Gott völlig determiniert war und seine Liebe und unendliche Weisheit eindeutig bewies. Unter diesen Voraussetzungen bedurfte es keinerlei Bestätigung der Wahrheit irgendeines kosmischen Systems durch den Menschen. Es handelte sich hier um Wahrheit kraft Autorität. Der dokumentarische Nachweis durch den Menschen war nur eine Bestätigung dieser Autorität. Letztlich aber war weder Galilei noch irgendein anderer dazu berechtigt, irgendwelche Einzelheiten in Frage zu stellen.

In Dantes *Göttlicher Komödie* (1307–1321), dem höchsten künstlerischen Ausdruck dieser vorgalileischen Sichtweise, wird der Kosmos als eine Maschine dargestellt, die um das Schauspiel der Erlösung herum konstruiert wurde. Ihre Bauelemente stammen aus einer geistigen Tradition, die sich von Aristoteles bis zu Thomas von Aquin spannt. Ihre Konstrukteure waren bedeutende Persönlichkeiten, doch nach christlicher Auffassung waren sie nur Werkzeuge Gottes gewesen und hatten seine Weisheit und Vernunft enthüllt. Für Dan-

te, der im mittleren Lebensalter von der Liebe zu seiner noch kindlichen Beatrice betört war und dessen Träume ihn in den zeitlosen
Abläufen seines Kosmos gefangenhielten, erschuf diese göttliche
Vernunft auch im kleinsten Detail eine unumstößliche Identität. Sie
war vollkommen und ohne Fehl. Das Anliegen Dantes in seinem
epischen Gedicht war die endgültige Offenbarung des genauen
Standortes, an dem sich der Dichter befand.

Das Problem war nur, wie Galilei später erkannte, daß Dantes Darstellung sichtbar falsch war. Die Karte, auf der er seinen Standort
bestimmt hatte, war nicht in Ordnung.

Im Universum katholischer Strenggläubigkeit befand sich die Erde
nicht nur im Zentrum des Universums, sondern sie war auch in ihrer
Beschaffenheit grundverschieden von ihm. Die Erde bildete das
Zentrum, weil alles, was veränderlich war, alle klumpige, schwere
Materie zwangsläufig zu diesem Mittelpunkt hingedrängt worden
war. Wir bewohnten diese rauhe Oberfläche und waren ebenfalls
dem Wandel und Verfall preisgegeben, waren aufgrund der Realität
Christi aber eingebunden in das große Erlösungsgeschehen. Wie auf
einem Pendel schwangen wir zwischen Tieren und Engeln hin und
her. Die Himmel waren im Gegensatz dazu unveränderlich und rein.
Himmlische Materie war geläutert und vollkommen, gänzlich anders
als die der Erde.

Aus heutiger Sicht scheint die zentrale Bedeutung, die dieses Bild
für den katholischen Glauben im frühen 17. Jahrhundert hatte, zunächst schwer verständlich. Wir können aber nur dann wirklich verstehen, wer wir sind, wenn wir begreifen, wie unterschiedliche Vorstellungen sich auswirkten. Wenn wir also unsere moderne Bildung
für einen Moment vergessen, können wir uns die Macht des Gedankens der himmlischen Reinheit durchaus vorstellen. Für das bloße
Auge, das von modernen Kosmologien nichts weiß, sieht der Himmel tatsächlich rein und unveränderlich aus. Der Nachthimmel vermag uns auch heute noch ein majestätisches Abbild von endgültigem Frieden und endgültiger Ruhe zu vermitteln. Wir selbst und
unsere ganze Welt erscheinen im Gegensatz dazu unordentlich,
schmutzig und chaotisch.

Was ich deutlich machen möchte ist, daß die vorgalileische Sichtweise eine Wahrheit besaß, die im Menschen gründete, auch wenn

wir diese Wahrheit heute gönnerhaft dem Bereich des »Dichterischen« zuordnen würden. Ich glaube nicht, daß Wahrheit so leicht aufteilbar ist.

Aus moderner, »wissenschaftlicher« Sicht jedoch erscheinen die aristotelische Kosmologie und Physik als seltsames, unwahrscheinliches System, das selbst elementarsten Beobachtungsergebnissen nicht hätte standhalten können. Zudem ist es eigenartig, daß ein System, das von einem vorchristlichen Philosophen erstellt worden war, solch einen Einfluß auf die Dogmen der christlichen Kirche ausüben konnte. Selbst die ehrfurchtgebietende Autorität und Großartigkeit des bedeutendsten Denkers des Altertums hätte sich doch vor dem geschichtlichen Wandel verneigen müssen, der mit der Geburt von Jesus Christus stattfand! Schließlich wurde auch Vergil, dem bedeutendsten Dichter der klassischen, vorchristlichen Welt, in der *Göttlichen Komödie* nur ein Platz in der Hölle zugewiesen – statt im Paradies. Für diejenigen, die vor Christus geboren waren, sah der mächtige Plan keinerlei Hoffnung auf Erlösung vor.

Die Kraft und Beständigkeit der alten klassischen Denkweise aber bewirkte, daß Aristoteles' Autorität den Beginn des Christentums unbeschadet überstand. Diese Denkweise war zu großartig, als daß sie von den Intellektuellen, die dem christlichen Glauben seine formale Struktur gaben, einfach hätte beiseite geschoben werden können. Diese Menschen stellten nicht in Abrede, daß das Christentum im Besitz der einzig gültigen Wahrheit sei. Aber sie wußten sehr wohl, daß es überhaupt nichts besaß, was selbst gebildete Kirchengelehrte mit Überzeugung neben die großartige, glänzende aristotelische Kosmologie hätten stellen können. Hinzu kam, daß die Wiederentdeckung der klassischen Bildung im Mittelalter wie ein Banner getragen wurde, mit dem man seine Kultiviertheit zur Schau trug; eine Kultiviertheit, in der die Menschen im Begriff waren, sich mit Feinsinnigkeit und Glanz aus der langen Nacht des finsteren Mittelalters zu lösen. Die kluge Übernahme vorchristlicher Weisheit war in der Tat ein Weg, dem Triumph des Christentums und seiner Herrschaft über alles Wissen zu huldigen.

In der *Summa Theologia* (1267–1273) des Thomas von Aquin hatte das Bedürfnis, christliches und klassisches Wissen zu vereinen, seine höchste Ausdrucksform gefunden. Dieses unvollendete Werk ist von einem modernen Theologen als der einzige geschichtliche Augenblick beschrieben worden, in welchem die Kunst der Theologie eine Theorie besessen habe; es stellt den Gipfel intellektuellen Christentums dar. Wie ein großer Berg steht es zwischen unserem und Christi Zeitalter, und heute kann man es als einen Drehpunkt in der Geschichte der internen katholischen Glaubenskämpfe betrachten.

Die *Summa* machte letztlich über alles eine Aussage. Sie war die theologische Version der Theorie von Allem, nach der Hawking und letztlich die ganze moderne Physik suchen. Sie bestätigte und verfeinerte Aristoteles und vollzog durch die Verbindung seiner Gedanken mit der christlichen Offenbarung die wichtigste Synthese des mittelalterlichen Geistes. Ihrer vereinenden Qualität, ihrer Vollendung und ihrem Ausmaß an Zuversicht entsprechen ihre märchenhaften und außergewöhnlichen Zeitgenossen: die gotischen Kathedralen Europas. Man befand sich im Zeitalter des Humanismus und seines siegesbewußten Vorhabens, die ganze Schöpfung und Geschichte in einem einzigen, geistigen Gebäude zusammenzufassen. Die neue Architektur verkörperte den neuen Geist und seinen Erfindungsreichtum, seine Klarheit und sein leidenschaftliches Streben nach dem Höchsten.

Alles an diesen Bauwerken war vernünftig und sinnvoll. Wo kein Druck war, gab es auch keinen Stein, nichts war überflüssig und verborgen. Man kann eine gotische Kathedrale betrachten und dabei den Weg zu ihrer Wahrheit *mit dem Verstand erschließen*. Die Figuren der demütigen Landleute in den bunten Glasfenstern der großen Kathedralen wurden in ein architektonisches Geschehen eingebunden, das in den Heiligenfiguren und in Gott selbst gipfelt. Die Kirchen waren jubelnder Ausdruck einer triumphalen christlichen Synthese, die emotionale Verwirklichung einer intellektuellen Perfektion. In Stein gehauen, hätte die *Summa* des Thomas von Aquin ausgesehen wie sie!

Aber der Rationalismus, dem diese Bauwerke und dieses Buch huldigten, war zweischneidig. Der Historiker Hugh Thomas wies darauf hin, daß man in diesen emporschwingenden, gewölbten Räumen wunderbar Musik hören, weniger gut aber Worte verstehen kann. Die Kathedralen feierten den Rationalismus, untergruben aber den Verstand. Sie waren Träume von Einheit und Vollendung, keine Tempel, in denen man Überlegungen anstellte. Im Grunde gab es nichts mehr, worüber man Überlegungen anstellen konnte: Alles Nachdenken hatte schon stattgefunden. Man konnte die Bauweise der Kathedralen genau untersuchen, sie aber nicht auf neue Art betrachten. Man konnte sich nur noch ein Verständnis dessen aneignen, was schon feststand.

Die Argumente des Thomas von Aquin waren wunderbar ausgefeilt. Er war Mitglied des dominikanischen Mönchsordens und teilte die Ansichten der rivalisierenden, demütigen Franziskaner nicht. Er betrachtete den Glauben vielmehr als ein vornehmlich geistiges Gebilde, einen Mechanismus, zu dem man mit dem Verstand Zugang finden konnte. Seine Persönlichkeit entsprach der in seinem Zeitalter neuentdeckten Zuversicht in die Macht menschlicher Vorstellungskraft. Im Humanismus war die Vorstellung undenkbar, die Errungenschaften der Antike unbeachtet zu lassen, und dank seines analytischen Genius war es Thomas bestimmt aufzuzeigen, daß das Klassische und das Christliche miteinander vereinbar waren.

Dieses Aufzeigen wurde zum Anliegen des gesamten Zeitalters. Die Kathedrale von Chartres wurde dreißig Jahre vor der *Summa* fertiggestellt. Sie ist vielleicht der beredteste Ausdruck des mittelalterlichen Humanismus und gotischen Geistes – die überwältigend konsequente Zelebration einer allumfassenden geistigen Synthese. Auch nach vielen Besuchen versetzt mich Chartres immer noch in sprachloses Staunen angesichts der Zuversicht und Einheit der zugrunde liegenden Vision. Das Bauwerk ist zweifellos wunderschön, in seiner Zielstrebigkeit jedoch auch brutal. Unter seinen Steinmetzarbeiten finden sich die reichskulpturierten, ausdrucksstarken Figuren von Pythagoras und Aristoteles, dem Mathematiker und dem überragenden Genie der klassischen Welt, in Eintracht mit der siegreichen Glorie des Christentums.

Es war Thomas' Bestreben gewesen, ein mittelalterliches Denkgebäude zu schaffen, das einem Vergleich mit denen der Antike standhalten konnte. Zum Ende des 12. Jahrhunderts lagen sowohl die Werke von Aristoteles als auch die des Ptolemäus, des bedeutendsten Astronomen der Antike, in Übersetzungen vor und waren damit den Gelehrten überall in Europa zugänglich. Ihre Gedankengebilde waren majestätisch und schlüssig, und der christliche Verstandesmensch, der vergleichbare Kosmologien und eine Physik entbehrte, konnte nicht umhin, sie zu übernehmen und das Antike mit dem Modernen zu verbinden.

Aber diese Verbindung brachte Gefahren mit sich, die jede Modernisierung für jeden Glauben zu jeder Zeit mit sich bringt – die Gefahren der Verwässerung und des Kompromisses. So gestand beispielsweise Thomas in seiner *Summa* ein, bestimmte Teile der Bibel seien nicht wahr. Einigen Schilderungen unterstellte er, es handele sich um beschreibende Metaphern, die Ungebildeten die zugrunde liegende Wirklichkeit anschaulich machen sollten. Das war schon früher geschehen – wahrscheinlich hat Thomas den Gedanken des heiligen Augustinus übernommen –, aber die Übernahme in die *Summa* ist entscheidend. Diese Schrift schien mehr als vernünftig, eine annehmbare, »hochgebildete« Art der Analyse. Doch bewirkte sie einen winzigen Riß im Gewebe des christlichen Glaubens, der sich niemals wieder schließen sollte, sich im 19. Jahrhundert vergrößerte und die ganze materielle Grundlage des Glaubens zerreißen sollte.

Eine weitere Gefahr für den christlichen Glauben lag darin, daß Thomas aufgrund seines überragenden Intellekts mit seiner Person selbst für eine grundlegende Modifikation des ursprünglichen christlichen Impulses stand. Max Weber, der große Religionssoziologe, betonte:

> »... der Umstand, daß ein ziemlich wesentlicher Teil der inneren Kirchengeschichte der alten Christenheit einschließlich der Dogmenbildung, die Selbstbehauptung gegen den Intellektualismus in allen seinen Formen darstellt, ist dem Christentum charakteristisch eigen.«[2]

Die Abwehr des Intellektualismus war auch charakteristisch für die Franziskaner. Der Glaube hatte die Armen im Geiste glorifiziert und nicht die Gelehrten; tatsächlich hat eine bestimmte Gruppe von Christen immer geglaubt, großer Scharfsinn und Gelehrtheit bereiteten der Sünde einen besonders fruchtbaren Boden. Die thomistische Synthese zeugt von höchstem Intellekt und aristokratischer Tonart. Im Detail sollte ihr von Galilei und Newton widersprochen werden. In dem wichtigen Sinne jedoch, in dem sie die Kraft des menschlichen Verstandes preist, muß sie als eine Art stilistischen Grundgerüsts der modernen Wissenschaft angesehen werden. So betrachtet ist es natürlich möglich, Thomas von Aquin für einen der größten Feinde des alten Glaubens zu halten, auch wenn er der Schöpfer des neuen Glaubens werden sollte.

Wie aber sah dieses klassisch-thomistische Universum aus, das im Geist der Menschen vorherrschte, als Galilei durch sein Teleskop sah? Im System des Thomas bildete die Physik das Gegengewicht zur Metaphysik und Theologie des Christentums. Die verstandesmäßige Autorität des Aristoteles wurde mit der moralischen und menschlichen Kraft, die von Christus ausging, vereint. Diese alte Kosmologie war zunächst einmal sehr mächtig. Unter Ptolemäus war die klassische Astronomie zu einem Werkzeug geworden, mit dessen Hilfe die Bewegungen der Sterne und Planeten mit außerordentlicher Genauigkeit berechnet und vorhergesagt werden konnten. Jeden Tag erwies sie sich offenbar von neuem als wahr wegen der Präzision, mit der der Himmel dem ptolemäischen Modell gehorchte.

Es war aber Aristoteles, der das thomistische Weltbild beherrschte. Er war und blieb die gültige Verkörperung menschlicher Weisheit. Im Jahre 384 v. Chr. geboren, war er zeitweilig Lehrer des jungen Alexander des Großen. Sein Einfluß beruhte hauptsächlich auf der Schule, die er in Athen gegründet hatte. Nach Alexanders Tod warf man ihm Gottlosigkeit vor. Im Gegensatz zu seinem Vorgänger Sokrates gab er sich nicht gehorsam selbst den Tod, sondern floh und starb ein Jahr darauf im Jahr 322 v. Chr. Aristoteles gab sich leidenschaftslos sachlich, kühl und analytisch, und sein Verstand war universal. Solche Details sind in diesem Falle wichtig, weil sie seine bodenständige, grundsätzlich vernünftige Denkart bezeugen – besonders da, wo er es vorzog, zu fliehen, statt sich für den herkömmlichen, noblen Freitod zu entscheiden. Die Physik und Kosmologie des Aristoteles, auf denen sich die mittelalterliche Gedankenwelt aufbauen sollte, gründeten vor allem auf dem Verstand, auch wenn sie uns heute reichlich seltsam und »dichterisch« anmuten.

In seinem Universum teilte sich die Schöpfung in zwei Bereiche, den sublunaren, unter dem Mond befindlichen, und den superlunaren, über dem Mond befindlichen. Der Mond markierte die entscheidende Trennlinie. Unter ihr befand sich alles, was dem Wechsel unterworfen und dem Verfall ausgesetzt war, sowie alles, was aus den vier Elementen Erde, Luft, Feuer und Wasser bestand. Darüber lag der unveränderliche, perfekte Himmel. Der Mond war die Übergangsstelle, und deshalb mochten die auf seiner Oberfläche zu beobachtenden Flecken von der Nähe zur Erde herrühren. Das bedeutete aber nicht, daß man – wie Galilei – hätte sagen können, der Mond sei der Erde gleich. Infolge der Nähe zur Erde verschmutzt, bestand er dennoch aus himmlischer Materie. Den superlunaren Bereich stellte sich Aristoteles als eine Reihe von ineinandergeschmiegten, konzentrischen Hüllen vor, deren Drehungen die Bewegungen der Himmelskörper, der Sterne und Planeten, erklärten. Diese Hüllen wurden von einer Art Reibungsdruck angetrieben, der sich von der einen auf die andere übertrug. Auf der Außenseite befand sich das *Primum Mobile*, die Hülle, die alle anderen antrieb. Sie bestanden aus einem kristallklaren Stoff, der als Äther bezeichnet wurde, und Aristoteles schloß, daß es fünfundfünfzig Hüllen gebe. Der Antriebsmechanismus wirkte sich auf das ganze System aus, und die Schlußfolgerung daraus, daß das gesamte Universum miteinander in direkter Beziehung stand, wurde zur Grundlage der Astrologie. Auf diese Weise konnten Ereignisse der Erde so betrachtet werden, als seien sie durch den Reibungsdruck mechanisch mit Ereignissen im Himmel verbunden.

Diese Anschauung sollte fast 2000 Jahre lang nach dem Tod des Aristoteles die Astrologie und Astronomie miteinander verbinden, und aufgrund der Attraktivität dieser bildlichen Vorstellung besteht die Astrologie noch heute. Sie ist jedoch immer recht ungern dem »offiziellen« Aristotelismus zugerechnet worden. Im Mittelalter versuchte die Kirche, das Studium der Astrologie zu unterbinden, weil diese nicht mit der christlichen Lehre vom freien Willen übereinstimmte. Hierin zeigt sich die Art der Spannung, die sich bei der Vereinigung von Christentum und klassischen Vorstellungen ergab – das Spannungsverhältnis zwischen der Theologie und der Logik der Physik.

In seinem *Almagest* schuf Ptolemäus um etwa 140 v. Chr. ein unendlich komplexeres System, das durch die Berücksichtigung von Verschiebungen und Nebenkreisen jede Bewegung im Himmel erklärte. Für ein System, das wir heute für völlig »falsch« halten, war es sensationell genau. Ptolemäus errechnete zum Beispiel, daß die Entfernung des Mondes von der Erde 29,5mal dem Durchmesser der Erde entspreche. Heute setzen wir dafür die Zahl 30,2 ein. Es ist ausgesprochen unklar, ob es sich bei Ptolemäus' Lehrgebäude um einen Versuch handelt zu beschreiben, wie das Universum aussieht, oder um ein Erklärungsmodell für die Bewegungsabläufe der Sterne und Planeten. Eine solche Doppeldeutigkeit tauchte in der Geschichte des westlichen Denkens immer wieder auf. Sogar in unserem Jahrhundert haben sich Atomtheoretiker darüber gestritten, ob unsere Vorstellung von einem Atom eine bequeme Erfindung oder ein Abbild der Realität sei. Dieser Punkt ist entscheidend in Hinsicht auf unser Verständnis davon, was die Wissenschaft ist und woraus ihre »Wahrheit« besteht.

Was immer Ptolemäus auch gemeint haben mag, sein System repräsentierte eine andere Seite der Klassik. Sie war dem Geiste des Klassizismus der Renaissance und dem der modernen Wissenschaft näher als dem des Thomas von Aquin und der scholastischen Theologen, denn sie stützte sich mehr auf Beobachtungen. Trotzdem blieb sie – meiner Definition nach – eine vorwissenschaftliche Theorie, weil ihr jene besondere Verbindung von Begründung und Beobachtung fehlte, die schließlich von Galilei vollzogen wurde.

Allen vorkopernikanischen und vorgalileischen Systemen ist gemeinsam, daß sie sich radikal von dem unterscheiden, was wir heute glauben. Unsere Verwunderung darüber, daß im Mittelalter das Bedürfnis bestand, an die Autorität des aristotelischen Weltbilds zu glauben, zeigt auf, wie weit wir uns von der Vorstellungswelt der Scholastiker und der Gläubigen entfernt haben. Mit einer einfachen Beschreibung ihrer Denkgebäude kann der große Unterschied zwischen der klassischen Wissenschaft und der unseren nicht greifbar gemacht werden. Um die Gegenwart zu verstehen, müssen wir herausfinden, auf welche Weise die Vorstellungen von der mittelalterlichen Kosmologie geformt wurden, denn daran können wir erkennen, auf welch andersartige Weise unsere Wissenschaft uns geformt hat.

Dieser Unterschied läßt sich auf vielerlei Weisen beschreiben, am geeignetsten erscheint aber der Weg über das Verständnis des aristotelischen Begriffs von der Kausalität. Hier zeigt sich, wie unsere allereinfachsten alltäglichen Wahrnehmungen durch ein geistiges und phantasieanregendes Umfeld verändert werden können.

Wie wir Kausalität verstehen, ist die Grundlage dafür, wie wir die Welt verstehen. Wir beantworten einfach jede Frage danach, warum Dinge geschehen. Im Alltagsleben ist das eine ganz triviale Angelegenheit: Ein Ball bewegt sich, weil er geworfen wurde; ein Stein fällt, weil er fallen gelassen wurde; wir weinen, weil wir unglücklich sind. Das Problem, Kausalität zu definieren, liegt darin, daß sogar diese elementaren Beispiele unendlich erweitert werden können, bis hinein in die Bereiche der Bewegungslehre, der Schwerkraft, Psychologie und so weiter, bis wir die entferntesten Winkel des großmaßstäblichen Universums erreicht haben oder aber das kleinmaßstäbliche Teilchen, das uns vielleicht Anlaß zum Tränenvergießen war. Es handelt sich also um eine einfache Vorstellung, aber sie ist wesentlich für unsere Wahrnehmungen und führt sehr schnell zur Komplexität. Solche Extrapolationen bis hinein in chaotische Vielfalt erschweren die genaue Definition der Kausalität. Aristoteles fand dafür eine äußerst kunstvolle Lösung. Für ihn gab es vier Arten von Ursachen, so wie es ja auch vier Elemente gab. Diese Arten waren: eine stoffliche, bewirkende, formgebende und zielgebende. So mag die stoffliche Ursache eines Hauses in seinen Ziegelsteinen und seinem Mörtel liegen, die bewirkende entspräche dem Akt des Erbauens, die formgebende wäre der Entwurf, den der Architekt gefertigt hat, und die Zielursache wäre die Schaffung eines Objektes, in dem man wohnen könnte.

Neben der Güte, die sich in diesem System ausdrückt, ist auffällig, wie fremd es unserer Denkweise ist. Die Zielursache gibt der ganzen Tätigkeit einen nützlichen Abschluß, der schon am Beginn impliziert ist. Solch eine Anschauungsweise verleiht dem Kosmos einen Sinn. Die großartigen Mechanismen der ineinandergeschmiegten Hüllen existierten anscheinend nur für die Erde, das winzige Objekt im Zentrum, die Zielursache des ganzen Systems. Für Aristoteles oder Thomas von Aquin hatte die Vorstellung, die Erde sei privilegierter Mittelpunkt der ganzen Schöpfung, nichts Eigenartiges. Wir empfinden sie dagegen als fremdartig. Der Vorstellung von der Zielursache im Falle des Hauses jedoch können wir beinahe folgen. Aber man denke hier auch an eine Pflanze oder einen Berg, denn diese vierfache Kausalität erstreckte sich auf das ganze Universum, und sie setzte etwas voraus, was wir normalerweise für unmöglich halten: die gleichzeitige Existenz von Ursache und Wirkung. Beim Studium der Evolution des Lebens beispielsweise würde uns die Vorstellung unsinnig erscheinen, daß der Mensch in einem Affen oder in einer Amöbe auf irgendeine Weise schon vorhanden sei oder bereits voll ausgeformt innerhalb eines solchen Organismuses existiere.

Tatsächlich beschäftigen wir uns heute nur noch mit den bewirkenden Ursachen, und wir neigen dazu, alle anderen Kategorien nur noch als Variationen der Idee von der Wirkungskausalität zu betrachten. Die Ursache, warum der Mensch sich vom Affen her fortentwickelt hat, liegt danach in der natürlichen Selektion – der biologischen Entsprechung zum Hausbau; in der Natur ist an sich keine Neigung vorhanden, Menschen zu produzieren.

In großem Unterschied zu unserer heutigen Denkweise schloß die aristotelische Kausalität die Menschen ein. Das Menschengeschlecht war Mittelpunkt, Herz und Zweck des ganzen Systems. Es wies uns selbst ganz deutlich einen Platz in der Karte des Universums zu. Unser System sieht keinen Platz für uns vor. Wir werden als Zufallsprodukt der Evolution betrachtet. Unsere Ursache liegt im Kosmos, aber wir sind nicht seine Ursache. Der moderne Mensch ist letztlich gar nichts. Er hat keinen Platz in der Schöpfung.

Wenn wir den Sturz der aristotelischen Physik im 17. Jahrhundert verstehen wollen, gilt es, das Konzept von der »natürlichen Bewegung« im Auge zu behalten. Dieser Begriff spielte in der Physik des Aristoteles eine zentrale Rolle. Sein Kausalsystem enthielt die Anschauung, die Dinge trügen schon eine Art Vorherbestimmung für ihr charakteristisches Verhalten in sich. Ein Stein fiel auf die Erde, weil er im Gegensatz zur himmlischen Materie rohes Material war und deshalb zum Zentrum der Erde gedrängt wurde, dem Zentrum des Universums. Das war die Beschaffenheit des Steins, das war es, was es bedeutete, ein Stein zu sein.

Zwei andere Details der alten Physik sollen an dieser Stelle noch erwähnt werden, weil sie von der neuen Physik verworfen werden sollten. Das aristotelische Bild vom Raum schloß die Möglichkeit eines Vakuums aus. Der Raum konnte allein dadurch definiert werden, daß ein Geschehen in ihm stattfand oder ein Ding ruhte; ein solcher Raum konnte nicht geleert werden. Materie und Raum waren unzertrennlich. Die aristotelische Bewegungslehre schließlich folgte ihrer eigenen fremdartigen Logik: Sie lehrte zum Beispiel, ein Stein, der durch die Luft fliegt, werde von der wirbelnden Luft angetrieben, die ihm folgt.

In fast jeder Einzelheit widerspricht das Lehrgebäude des Aristoteles dem unseren. Ich muß jedoch noch einmal betonen, daß wir nachvollziehen können, welchen Reiz es ausübte. Wie ich schon sagte, unsere »unschuldige« Reaktion auf den Himmel könnte eine klassische Himmelskunde leicht bestätigen. Und es gibt nichts, was offensichtlich falsch wäre an Aristoteles' Kausalität oder an seiner Vorstellung von natürlichen Bewegungen. Wenn wir unsere eigene Logik für einen Augenblick außer acht lassen, können wir diese andere Logik mit vollkommener Klarheit erfassen. Unsere Art zu sehen ist uns so sicher »beigebracht« worden, wie dem mittelalterlichen Menschen die seine. Im Mittelalter aber bot diese Lehre die einzige, mächtige, vollständige und zusammenhängende Erklärung, die es gab, und sie war von den Autoritäten bestätigt worden. Sie war *die Wahrheit.* Durch die einenden Bemühungen des Thomas von Aquin wurden Aristoteles' Worte zu mehr als Vermutungen oder auch Erklärungen, sie wurden abhängig von der Autorität der Kirche und unterstützten diese ihrerseits. Aristoteles anzuzweifeln oder zu versuchen, ihn zu widerlegen, hätte eine Herausforderung des Glaubens selbst bedeutet. Wie bei den Kathedralen handelte es sich bei dieser Lehre nicht um ein spekulatives Gebilde, das anzuzweifeln jedermann offenstand, hier war eine einzigartige, Autorität verbreitende, solide Struktur, die aus aristokratischen, gelehrten Träumen entstanden war.

Natürlich gab es gelegentliche Anfechtungen, aber das abweichlerische Moment gewann erst im 16. und 17. Jahrhundert die Kraft, diese Lehre zu überwinden. Es wäre eine Aufgabe von gigantischen Ausmaßen, all die verschiedenen Strömungen und Faktoren zu erörtern, die zu dieser Revolution führten, gehören dazu doch die Renaissance, die Reformation, die Gegenreformation, die Entdeckung Amerikas und bestimmte entscheidende technische Fortschritte – nicht zu vergessen die Erfindung des Teleskops. Aber eine wesentliche Tendenz ist klar: Man fand heraus, daß die Welt und das Univer-

sum nicht mit dem aristotelisch/thomistischen Modell überein-
stimmten, und mit diesem plötzlichen Bruch begann der lange,
schmerzhafte Prozeß, mit dem die dogmatische Autorität untergraben wurde.

Ich habe schon darauf hingewiesen, daß man diese Geschichte an
jedem Punkt aufrollen kann. Der Anfang der modernen Wissenschaft kann auf Thomas zurückverlegt werden, weil seine Synthese
die Theorie bildete, die selbst zum Zerstörungswerk wurde und
durch ihre radikale Abweichung von der frühchristlichen Lehre ihre
Nachfahren schuf. Auf seiten der Religion folgte die das Individuum
betonende, existentielle Seelenqual des Martin Luther und das ganze umfassende Geschehen der Reformation. Es gab das plötzliche
Aufblühen der wissenschaftlichen Neugier und Erkenntnis im 16.
Jahrhundert. Es erwuchs ein schöpferischer Genius von giganti-
schem Zuschnitt, den wir Renaissance nennen. Diese war auch eine
Rückkehr zur Klassik, die sich im Unterschied zum Mittelalter dem
klassischen Humanismus zuwandte, dem Glauben, daß der Mensch
das Maß aller Dinge sei. Die Architektur der Renaissance war klassisch, nicht gotisch, und in einer klassischen Kirche kann das gespro-
chene Wort gehört werden. Der Verstand regiert, und der Verstand
kann gefährlich neugierig sein.

Der lebendigste Vorbote der neuen Welt, die da entstehen sollte,
ist vielleicht der einfachste und der berühmteste: die Entdeckung
Amerikas durch Christoph Columbus im Jahre 1492.

Ptolemäus hatte gelehrt, die Erde sei rund, und Columbus griff
diesen unwahrscheinlichen Gedanken als junger Mann auf. In der
von Zuversicht geprägten, merkantil orientierten Stimmung im Spanien und Italien des späten 15. Jahrhunderts bot es sich geradezu an,
diese Hypothese zu nutzen, um einen neuen Seeweg nach Indien
ausfindig zu machen, auch wenn es sich um ein außerordentlich
mutiges Unterfangen handelte. Der revolutionäre Impuls, den Columbus verspürte, läßt sich schon an der einfachen Tatsache ablesen, daß er sich überhaupt zum Segeln entschloß: Eine Hypothese
sollte anhand der wirklichen Verhältnisse überprüft werden. Aus-
schlaggebend für diese Erprobung des Wissens waren eindeutig
kaufmännische Gründe; im Handelsverkehr war man immer schon
bereit gewesen, Doktrinen um des Profites willen abzuändern. Wahr-

haft bedeutsam aber war, daß Autorität ohne weiteres auf die Rechtmäßigkeit ihrer Aussage hin überprüft wurde.

In diesem Falle sollte sich herausstellen, daß die Autorität sowohl
recht als auch unrecht hatte. Wohl war die Erde rund, aber im Westen lag Amerika zwischen Europa und Indien, was bis dahin keiner
Autorität bekannt gewesen war. Diese Entdeckung bedrohte die vor-
herrschende strenggläubige Ordnung nicht sofort. Europa wurde
zwar von der Vorstellung dieser unentdeckten Wildnis erschüttert,
doch konnte dieser neue Kontinent in die bestehende Weltanschauung integriert werden. Allerdings brachte er die Gelehrten insofern
in Verlegenheit, als er ein offenes Ende allen Wissens anzeigte. Was
konnte man wohl noch alles finden, wenn schon ein riesiger Kontinent außerhalb unserer Wahrnehmung und Kenntnis vorhanden
war?

Diese Lektion wurde sofort begriffen. Das Motto auf der Krone der
spanischen Monarchen Ferdinand und Isabella, die Columbus finan-
ziert hatten, lautete »nec plus ultra« – »bis hierhin und nicht weiter«.
Dieses Motto umschlang im Wappen die Säulen des Herkules, das
legendäre Bauwerk, von dem man annahm, es markiere das Ende
der bekannten Welt. Nachdem Columbus Amerika entdeckt hatte,
wurde das »nec« entfernt. Jetzt lautete es: »darüber hinaus«. In dieser königlichen Geste lag keine Bescheidenheit, vielmehr verkündete sie stolz, daß das spanische Königshaus jetzt Torhüter der neuen
Welt war. Im philosophischen Sinne aber bedeutete sie weit mehr.
»Plus ultra« sollte über ein Jahrhundert später zum Leitspruch der
neuen Wissenschaft werden. Mit ihm huldigte man der Möglichkeit
zu unendlichem Fortschritt, zu unbegrenztem Wissen, zu einer ewigen Reise.

»Möge Ihnen dieser Effekt der Natur, den Sie vorhin für unmöglich hielten, begreifbar machen, daß es noch anderes geben kann,
was Sie noch nicht wissen«, sollte Pascal einmal schreiben. »Folgern Sie aus Ihren Kenntnissen nicht, daß Ihnen nichts mehr zu
wissen bliebe, sondern daß unendlich viel zu wissen bleibt.«[3]

Die Entdeckung Amerikas machte deutlich, daß der Mensch möglicherweise unwissend war und es wahrscheinlich unendlich viel zu

wissen gab. Diese Erkenntnis ließ die verhängnisvolle Unvollständigkeit aller vorhergegangenen Weltmodelle deutlich werden. Die gebildeten, ausgetüftelten, äußerst komplexen Lehrgebäude des Aristoteles, Ptolemäus und Thomas von Aquin hatten Vollständigkeit für sich in Anspruch genommen, hatten Grenzlinien gezogen. Unkenntnis konnte es nur bei Detailfragen geben. Darüber hinaus gab es nichts. Mit Columbus aber wurde uns offenbart, daß wir möglicherweise kaum etwas wußten. Ein ganzer Kontinent war uns schließlich völlig entgangen, für wie verständig und maßgeblich wir uns auch gehalten haben mochten. Daraus ließ sich ableiten, daß Wissen ein dynamischer Zustand ist. Wissen war ein Prozeß, der sich das Unbekannte im Voranschreiten aneignete. Und es war dieser Wechsel vom Statischen ins Dynamische, der den Sturz der alten Lehrgebäude charakterisierte und an ihre Stelle die alles andere überdeckende, gefährliche, ruhelose Form des Wissens setzte, die wir heute einfach als Wissenschaft bezeichnen. Die gebildeten Menschen des 17. Jahrhunderts nannten sie *Scienza Nuova*; dieser Begriff ist allem Anschein nach von dem Mathematiker Niccolò Tartaglia im 16. Jahrhundert geprägt worden.

Nuova – neu: darum ging es. Galilei sollte immer auf der absoluten Neuheit seiner eigenen Entdeckungen bestehen, und vom 17. Jahrhundert an bis zum heutigen Tage sollte unsere Kultur sich zunehmend und mit beachtlichen Konsequenzen für jede Neuheit öffnen. Das Bedürfnis nach Innovation wurde mit der Wissenschaft geboren.

Der Gedanke an das Unternehmen des Columbus und an seine Errungenschaften bereitete das geistige Europa auf das Kommende vor. Im Jahre 1543 gab es zwei weitere Vorboten. Zwei wichtige Bücher wurden veröffentlicht. Das eine von dem Flamen Andreas Vesalius; *De humani corpore fabrica (Über den Aufbau des menschlichen Körpers)* stellte den Menschen als eine empirisch beobachtete anatomische Erscheinung dar. Es bedeutete eine Rückkehr zur griechischen medizinischen Tradition, die ihren Gipfel mit Galen erreicht hatte. Die Bedeutung dieses Buches zu dieser Zeit bestand aber darin, daß es die Menschen lehrte, die Dinge dieser Welt *als Dinge* zu betrachten und nicht als symbolische Darstellungen einer anderen Realität. Hier zeigte sich der kühle, klare Blick der Renaissance und nicht das visionäre, träumende, vereinheitlichende Denken des Mittelalters.

Doch es sollte das zweite Buch sein, das die Welt veränderte, das der Menschheit regelrecht den Boden unter den Füßen wegzog. Sein Titel lautete *De revolutionibus orbium coelestium (Über die Kreisbewegungen der Himmelskörper)*, und der Pole Nikolaus Kopernikus war sein Verfasser. Nichts an diesem Mann oder an diesem Buch wiesen darauf hin, daß sie eine Revolution in Gang setzen sollten, nichts darauf, daß Kopernikus die Rolle eines Johannes des Täufers für den »Christus« Galilei spielen sollte. Der Astronom war ein konservativer Schüler des Ptolemäus und ein Anhänger der aristotelischen Physik, und das Buch war eine überaus technische und mathematische Abhandlung. Wie bei Ptolemäus' großartigem Werk war es auch hier möglich, die Schrift sowohl für ein Werkzeug als auch für eine Beschreibung zu halten. Dieses war es denn auch, was Kopernikus, der ein Mann der Kirche war, die Verfolgung ersparte, unter der seine Anhänger später leiden sollten. Der Obrigkeit war es freigestellt, *De revolutionibus* als nichts anderes als ein nützliches Modell zu betrachten, als eine »Phänomenbeschreibung«, die für Vorhersagen genutzt werden konnte, daneben aber keinerlei Wahrheitsgehalt hatte.

Das Problem mit der Ausrede der Phänomenbeschreibung sollte allen begegnen, die den Siegeszug der Wissenschaft über die folgenden 450 Jahre zu hinterfragen versuchten. Es war das Problem des Erfolgs, der enormen Wirkkraft der neuen Erkenntnisse. Im kopernikanischen System wurde Geostasis, die feststehende Erde, von Heliostasis, der feststehenden Sonne, ersetzt, und der Geozentrismus, nach dem die Erde den Mittelpunkt des Universums bildet, vom Heliozentrismus, der die Sonne ins Zentrum setzte. Damit war im Vergleich zu allem, was vorangegangen war, mit wenigen Mitteln ein System von unerreichter Klarheit geschaffen worden. Kopernikus konnte Entfernungen und Zeiten berechnen, die vor ihm als außerhalb menschlicher Reichweite gegolten hatten und sogar Ptolemäus' Künste weit hinter sich ließen. Um der Gerechtigkeit willen sollte man hinzufügen, daß erst Johannes Kepler das System richtig zum Funktionieren brachte. Wie dem auch sei, die überwältigende Botschaft der kopernikanischen Wende war: Es funktioniert! Man konnte zwar immer noch behaupten, das Ganze sei nicht mehr als ein erfolgreiches Modell, doch diese Behauptung verlor angesichts der überwältigenden Wirkungskraft des Systems immer mehr an Bedeutung.

Hier begann der Lauf der Dinge, den ich in meinem ersten Kapitel beschrieben habe: Die neue Art der Erkenntnis beginnt in der Welt zu wirken wie das Penicillin bei einem abgeschieden lebenden Volksstamm, und ihre Wirkkraft ist so groß, daß sie nicht mehr rückgängig gemacht werden kann. Stammesgötter werden von dieser neuen, machtvollen Wahrheit gedemütigt und zu Museumsstücken degradiert, und Bedeutung und Einfluß werden ihnen genommen. Genau dies sollte jetzt Aristoteles und Thomas von Aquin widerfahren.

Man muß berücksichtigen, daß es bei weitem sinnvoller schien zu glauben, Kopernikus sei auf eine Idee gestoßen, die der Wahrheit wesentlich näherkam als je irgendein Traum seiner Vorgänger, als zu glauben, er habe nur ein besseres Modell konstruiert. Der Zweifel bedrohte die alten Götter. Sogar die protestantischen Radikalen erfaßten das Ausmaß der Bedrohung, die der Heliozentrismus darstellte. Luther nannte Kopernikus einen »Emporkömmling der Astrologie«, und Calvin fragte: »Wer will es wagen, die Glaubwürdigkeit des Kopernikus über die des Heiligen Geistes zu stellen?« Die Antwort darauf sollte »Galilei« lauten.

Das sonnenzentrierte Universum bedeutete tatsächlich eine Bedrohung für die Orthodoxen, auch wenn diese anfangs wegen der Doppeldeutigkeit der Ansprüche, die das kopernikanische System stellte, noch nicht zum Ausdruck kam. Eine zentrale Sonne verdrängte die Erde aus dem Brennpunkt der Schöpfung. Die Erde konnte nicht länger ein bevorzugter Ort bleiben, sie war nur noch ein Planet unter vielen. Und doch hing das ganze Geschehen der christlichen Schöpfung, so wie es bis dahin verstanden worden war, damit zusammen, daß die Erde und das Menschengeschlecht die Ursache für das Ganze waren, die aristotelische Zielursache. Wir Menschen waren letztendlich der Fixpunkt, der Zweck, die vernünftige Achse, um die sich die riesigen ätherischen Hüllen drehten. Zog man erst einmal am kopernikanischen Faden, würde sich zuerst die aristotelisch/thomistische Physik auflösen und dann der Glaube selbst.

Zu einer Zeit, als die Reformation ihre volle Wirkung entfaltete (drei Jahre später sollte Luther sterben), mußte die katholische Kirche zumindest ihr geistig-intellektuelles Gefüge bewahren. Das war weit dringlicher und ernster als eine Glaubenskrise, denn es ging um Politik.

In den nächsten 150 Jahren aber sollte der Faden gnadenlos aufgezogen werden. Die Scienza Nuova sollte eine Energie und Lebenskraft entwickeln, wie man sie zuvor in der Ideengeschichte nie erlebt hatte. Der menschliche Geist schien eine geheimnisvolle Kraft entfesselt zu haben, die nicht daran gehindert werden konnte, alle bisherigen Grenzen zu sprengen. Sie war unaufhaltsam, weil sie funktionierte.

Diese Kraft ging von genialen Menschen aus – anfangs besonders eindrucksvoll von Galilei und Isaac Newton. Nach und nach erkannten diese Männer und ihre Nachfolger, daß viele entscheidende Bestandteile in der beobachteten Welt nicht so beschaffen waren, wie die Obrigkeiten es forderten. Darüber hinaus entdeckten sie, daß der menschliche Geist weitaus mehr verstehen konnte, als man jemals zuvor für möglich gehalten hatte! Aller Verzweiflung der Moderne steht die Überheblichkeit zur Seite. Mit unserer Vertreibung aus dem Zentrum des Kosmos begannen wir, zu tragischen Göttern zu werden, geschlagen von unserem Schicksal, aber dennoch mächtiger als alles andere in der Schöpfung.

Es muß noch ein weiteres Schlüsselelement dieser Revolution angeführt werden: Die Wiederbelebung der eigenen Wissenschaftssprache – der Mathematik – durch die Einführung der arabischen Ziffern in Europa. Diese hatten ihren Ursprung in Indien, und sie waren über die arabische Welt bis nach Spanien gelangt. Es ist eine traurige Ironie, daß die muslimische Besetzung Südspaniens zur Einführung der modernen Ziffern in Europa führte, einschließlich der unschätzbaren Neuerung der Zahl Null. Doch Ferdinand und Isabella, den Schutzherren der neuen Welt und der neuen Erkenntnisse, gelang es schließlich, die Araber endgültig aus Spanien zu vertreiben. Boabdil, der letzte maurische König Spaniens, wurde 1492 aus seiner Hauptstadt Granada vertrieben, im Jahr der Seereise des Columbus. Der arabische Einfallsreichtum hatte die Hauptsprache der neuen Wissenschaft entwickelt, doch infolge des Niedergangs ihrer Macht blieb den Arabern von einer Revolution, für die sie den Text verfaßt hatten, nur das Recht der Nutznießung aus zweiter Hand. Als

Boabdil beim Zurückblicken auf seine verlorene Alhambra weinte, weinte er um einen viel größeren Verlust, als er es je ahnen konnte. Die heutigen arabischen Führer, die sich mit dem Westen anlegen, Gaddhafi und Saddam Hussein, sind seine Nachfolger im Verlieren.

In der Mathematik entdeckte die neue Naturwissenschaft die Sprache, in der sie sich verständigen konnte. Nachdem die Zahlen ihre moderne Form angenommen hatten, wurden sie zu Werkzeugen von verblüffender Stärke. Durch irgendeinen dunklen Zauber schienen diese menschlichen Erfindungen das ganze Universum vermessen zu können. Wie schon die Wissenschaft selbst, waren sie durch diese außergewöhnliche Kraft magisch geworden und effektiver als die Träume der Vernunft. An späterer Stelle werde ich die schwierige Frage behandeln, ob Zahlen auch Maßstab und Modell für den menschlichen Geist sein können – das nämlich glauben heute viele Wissenschaftler.

Neben der Mathematik benötigte die Wissenschaft auch die technischen Fertigkeiten, die in dieser Zeit in rasantem Tempo entwickelt wurden. Dies erscheint paradox, denn die Technik müßte als Anwendung von Wissenschaft logischerweise der zweite Schritt sein. Doch die geschickten Handwerker des Mittelalters und der Renaissance entwickelten Technologien, welche der Wissenschaft, die deren volle Bedeutung erst erschließen sollte, tatsächlich Vorgriff leisteten und sie erst inspirierten.

Die wichtigsten Entwicklungen sind offensichtlich diejenigen, die dem Menschen Kontrollmöglichkeiten über Raum und Zeit an die Hand gaben. Man stelle sich für einen Augenblick eine Welt ohne Uhren, Karten oder Teleskope vor! Dies nämlich war die Situation vor dem 14. Jahrhundert. Die Zeit war ein ungenauer Begriff, und der Ort war nicht kontrollierbar, denn er wurde für nicht existent gehalten, wenn noch niemand dort gewesen war. Die immensen Entfernungen des Himmels schließlich waren begrenzt durch die Reichweite des menschlichen Auges.

Die Technik begann dies alles zu verändern, als im frühen 14. Jahrhundert in Deutschland die Räderuhr mit Gewichtsantrieb erfunden wurde. Sofort wurden überall in Europa öffentliche Zeitmesser eingeführt, welche die alten Stundengläser und Sonnenuhren ersetzten. Zeit wurde zu einem exakten Begriff. Man konnte sein

Leben mit absoluter Genauigkeit einrichten. Das Aufstellen von Uhren an zentralen öffentlichen Plätzen brachte zum Ausdruck, daß die Zeit jetzt eine personenunabhängige Autorität war, eine Existenz, die über den Menschen hinausreichte, aber dennoch durch sein Wissen kontrolliert werden konnte. Die subjektive Zeit, unser eigenes, persönliches Gefühl für die Dauer von etwas, wurde stillschweigend in den Schatten gestellt, und unser heutiger Gehorsam der objektiven, gemessenen Zeit gegenüber war geboren.

Des weiteren regten große Seereisen, wie die des Columbus, zur Kompilation von Karten an. Im 16. Jahrhundert entwickelte Mercator – unter diesem latinisierten Namen war der flämische Geograph Gerhard Krämer bekannt geworden – sein Projektionssystem, das es dem Steuermann eines Schiffes ermöglichte, Kompaßpeilungen genau abzustecken. Wie ich im ersten Kapitel dieses Buches darlegte, ist eine Karte die stark objektivierte Form unseres Wissens von einer Region. Hätten wir keine Karten, könnten wir einfach sagen, wir wüßten nicht, was hinter dem nächsten Hügel liegt. Karten helfen unserer Unkenntnis durch eine Projektion des Gebietes und seine Aufteilung in einem Gitternetz ab. Vielleicht wissen wir dann immer noch nicht, was sich hinter dem nächsten Hügel befindet, aber wir sind dann zumindest in der Lage, unsere Unwissenheit einzugrenzen und genauer zu bezeichnen.

Uhren legten die Zeit fest und Karten erfaßten Räume, indem sie dem Unbekannten Strukturen gaben und etwas Absolutes, vom Menschen Unabhängiges, einführten. Raum und Zeit in Land- oder Seekarten und Uhren hatten auch ohne den Menschen Bestand. Wenn wir die Gegenwart verstehen wollen, ist es sinnvoll, darauf hinzuweisen, daß die enormen Auswirkungen dieser technischen Entwicklung erst in unserem Jahrhundert spürbar sind. Sowohl der praktische Nutzen der Karten und Uhren als auch die neuen Wissenszweige, die mit ihnen entstanden, waren zunächst das Privileg einer reichen Elite, sie hatten keine direkten Auswirkungen auf das Leben der meisten Menschen. Erst die industrielle Entwicklung brachte eine Veränderung und rückte die Technik ins Zentrum unseres Lebens. Im 20. Jahrhundert erreichte dieser Prozeß dann seinen Gipfel; Zeit und Ort zu kennen, ist für uns lebensnotwendig geworden.

Im 17. Jahrhundert wurde der Grundstock hierfür gelegt. Vor allem im Denken Isaac Newtons sollten Zeit und Raum zu unbeeinflußbaren Voraussetzungen des Kosmos werden – absoluter Raum und absolute Zeit. Die Begleiterscheinungen solcher Vorhaben und Möglichkeiten durchdrangen langsam das europäische Bewußtsein, als sollte damit Newtons Geburt vorbereitet werden. Zu Beginn des Jahrhunderts aber konnte keine technische Neuerung die Menschen derart schockieren, das Wissen untergraben und letztlich alles verändern, wie das Teleskop. Um seine Entstehung ranken sich viele Erzählungen. Es heißt, es sei durchaus bekannt gewesen im Mittelalter, und dann wiederum, es sei zuerst in Italien oder Holland gefertigt worden. Doch die Erfindung selbst ist nur die eine Hälfte der Geschichte, die andere ist die, daß 1609 ein Teleskop in die Hände eines Genies gelangte. In diesem bedeutsamen Jahr schrieb Galilei: »Vor ungefähr zehn Monaten kam uns das Gerücht zu Ohren, von einem Mann aus Flandern sei ein Sehglas konstruiert worden, mit dessen Hilfe man sichtbare Gegenstände, auch wenn sie ziemlich weit vom Auge des Betrachters entfernt sind, so klar sehe, als seien sie in der Nähe . . .«[4]

Galileis großer Zeitgenosse, der Astronom und Mathematiker Johannes Kepler, hielt sich weniger zurück.

»Was, lieber Leser, sollen wir nun mit unserem Teleskop anfangen? Sollen wir einen Zauberstab des Merkur daraus machen, mit dem wir den flüssigen Äther durchqueren können und wie Lukian eine Kolonie auf dem unbewohnten Abendstern gründen, angelockt von der Schönheit der Gegend? Oder sollen wir ihn zum Pfeil Cupidos machen, der, nachdem er durch unsere Augen gedrungen ist, in unserem Innersten das Feuer der Liebe zu Venus entfacht? . . . O Teleskop, Werkzeug zu soviel Wissen, kostbarer als jedes Zepter! Wird nicht, wer dich in Händen hält, zum König und Herrn über alles, was Gott gemacht hat?«[5]

Diese flammende Rhetorik birgt die ganze Gefahr des Unterfangens. Ein Teleskop konnte einen Menschen in die Lage versetzen, es mit Gott aufzunehmen! Sein Gebrauch war ein prometheisches Verbrechen, eine Art von Hochmut. Tatsächlich haben einige Strenggläubige im 17. Jahrhundert die Anhänger der Scienza Nuova mit den Erbauern des Turms von Babel verglichen – auch diese Anhänger der neuen Wissenschaft würden für ihre Anmaßung ins Chaos hinabgestürzt werden.

Von all den komplexen Konvergenzen, die schließlich zur neuen Wissenschaft führten, ist diejenige, die unsere Phantasie am meisten beschäftigt, ein Zufall. Vom heutigen Standpunkt aus erscheint der Umstand, daß Galilei und eines der frühesten Teleskope zur gleichen Zeit auf der Welt existierten, wie ein Zusammentreffen von ehrfurchtgebietender Schönheit und Symmetrie. Dieses prometheische Instrument war in die Hände eines der größten Astronomen und Physiker gelangt und hatte ihm die Möglichkeit gegeben, in den Himmel zu schauen und die neue Ordnung zu *sehen*. Hinter dem Wort »sehen« verbirgt sich die Revolution. Mit dem Teleskop brauchte Galilei keine komplizierten Modelle errichten, welche die groben Vereinfachungen wieder ausglichen, denen uns der bloße Augenschein aussetzte. Er mußte sich nicht mit der »Phänomenbeschreibung« herumplagen, um die Theologen friedlich zu stimmen. Er konnte seine Ideen in einer Weise ausprobieren, wie das Ptolemäus und Kopernikus nicht möglich gewesen war. So wie Columbus sich aufgemacht hatte, um festzustellen, ob die Erde rund war, konnte Galilei nun die Zusammensetzung des ganzen Kosmos erforschen. Wie Columbus war er in der Lage, große Entfernungen zu überbrücken und den Horizont des Menschen weiter zu spannen. Es stand ihm frei, fortwährend lange Reisen zu unternehmen.

Vielleicht sollte ich eher sagen, er konnte den Horizont *eines* Menschen weiterspannen. Diese neuen Erkenntnisse wurden nämlich von einzelnen Menschen entdeckt, die alleine arbeiteten. Die Autorität sollte von einem einzelnen Menschen unterworfen werden, von einem Individuum, das ein von Menschen gefertigtes Objekt an sein Auge gehalten hatte.

Mit der ihm eigenen, vernichtenden Direktheit schrieb Galilei: »Die Autorität von Tausenden gilt in der Wissenschaft nichts gegen den Funken Verstand eines einzigen.«[6] Diese Behauptung ist schockierend und ketzerisch. Aber Galilei besaß dieses neue Selbstvertrauen, diese neue Erkenntnis, zu der ihm seine Augen, sein Teleskop und sein Verstand verholfen hatten. Die phantastischen Träume des

Aristoteles, des Thomas von Aquin und Dantes sollten als solche entlarvt werden: nämlich als Träume. Zu diesem Zeitpunkt waren die Menschen im Begriff aufzuwachen – so wenigstens denken wir heute.

Auch ohne Teleskop hatte Galilei das aristotelische Universum schon schwer beschädigt. Im Jahr 1604 hatte er nachgewiesen, daß ein neuer Himmelskörper in der Sternenkonstellation Serpentarius ein echter Stern war, daß er sich – mit anderen Worten – in superlunaren Räumen befand. Weil dieser Stern gerade erst erschienen war, bewies er die Möglichkeit von Veränderungen am Firmament. Das war eine aktuelle, für Aristoteliker verhängnisvolle Wiederholung der Beobachtung des dänischem Astronomen Tycho Brahe, der 1572 eine Nova in der Cassiopeia beobachtet hatte. In beiden Fällen konnte man das Fehlen einer meßbaren Parallaxe nachweisen, das heißt, von verschiedenen Punkten der Erdoberfläche aus gesehen, waren ihre Erscheinungen nicht verschieden. Wären die Himmelskörper der Erde nahe gewesen, hätte man eine Parallaxe feststellen können. Folglich mußten sie sehr weit entfernt von der Erde sein – in der angeblich unveränderlichen Himmelsregion.

Das Teleskop aber sollte das Schicksal des Aristoteles – und ebenso das unsere – besiegeln. Zuerst betrachtete Galilei den Mond. Er sah und berechnete sogar die Höhe seiner Berge mit einer Genauigkeit, die von heutigen Messungen bestätigt wird. Er bewies, daß die Erde leuchtete wie die anderen Planeten auch, indem er eine indirekte Beleuchtung auf der Mondoberfläche beobachtete. Er entdeckte die Monde des Jupiters und zahllose Sterne. Galilei entdeckte das, was wir das Universum nennen. Diese neuen Erkenntnisse bedeuteten im Grunde genommen eine katastrophale Erschütterung der bis dahin gültigen Lehren, doch zunächst waren Galilei und die Scienza Nuova in Sicherheit. Der Eifer, mit dem das alte Wissen verteidigt wurde, war vorübergehend eingeschlafen. Die liberal denkende Gesellschaft der italienischen Spätrenaissance bestimmte das politische und soziale Klima, und solche Entdeckungen wie die Galileis wurden zunächst einmal mit Freude begrüßt und nicht als Bedrohungen wahrgenommen. Kardinal Maffeo Barberini verfaßte sogar ein Gedicht zu Ehren Galileis. Die Ironie bestand darin, daß dieser Barberini später als Papst Urban III. das Gerichtsverfahren der Inquisition gegen Galilei wegen der Anschuldigung der Ketzerei verfügen sollte.

An dieser Stelle sei darauf hingewiesen, daß der nachfolgende Kampf zwischen der Orthodoxie und der Wissenschaft nicht einfach in dem offensichtlichen Gegensatz der Anschauungen begründet war. Die Wissenschaft, der »Funke des Verstandes«, wurde von Anfang an nicht nur als Bedrohung für das Lehrgebäude der dogmatischen Religion angesehen, sondern auch als Feindin des neuen Humanismus der Renaissance betrachtet. Noch ehe dieses neue Wissen als Wissenschaft bezeichnet werden konnte, fragte sich der Dichter Petrarca, welches Gut letztlich aus dem alles sprengenden Wachstum des Wissens über die ihn umgebende Natur erwachsen könne.

> »Und wenn es auch schließlich wahr wäre«, schrieb er, »so würde es doch nichts zu einem seligen Leben vermögen. Denn ich bitte dich, was nützt es, die Natur der Tiere, Vögel, Fische und Schlangen zu kennen und dafür die Natur des Menschen, seinen Zweck, seine Herkunft und sein Endziel nicht zu kennen oder gar zu mißachten?«[7]

Der fehlende Zusammenhang zwischen wissenschaftlicher Erkenntnis und menschlichem Glück klingt zu allen Zeiten an. Die Frage, ob sie die Relativitätstheorie verstehe, beantwortete die Frau Albert Einsteins negativ; obwohl ihr Mann oft versucht habe, sie ihr zu erklären, sei doch das Verständnis der Theorie nicht nötig für ihr Glück. Hier erhebt sich die Frage, für was denn eigentlich dieses Verständnis überhaupt notwendig ist?

In Petrarcas Schwermut lag etwas Hellseherisches. Er hatte den pessimistischen, unmenschlichen Aspekt der Wissenschaft wahrgenommen. Sie war eindeutig vom Menschen erschaffen worden, und doch sah sie keinen Platz für die Menschen und ihre Anliegen vor. In der Tat sollte es den Anschein haben, als ob ihr Erfolg geradezu auf dem Ausschluß des bloß Menschlichen aufbaute. Mit Petrarca kamen die ersten Zweifel an den Wissenschaften auf; außerdem legte er den tief zugrunde liegenden Widerspruch in der Art unseres Wissens offen, auf den ich noch zurückkommen werde.

Im liberalen Klima des Katholizismus der Renaissance aber wurde die Wissenschaft geduldet, gönnerhaft unterstützt und sogar als vornehme Beschäftigung bewundert. Aber diese Flitterwochen dauerten nicht lange. Vor allem die gebildeten Jesuiten erkannten plötzlich, was da auf dem Spiel stand, und das Klima schlug sehr schnell um. Sie hatten bemerkt, wie weit Galilei den Faden schon aufgezogen hatte.

Es ging nicht nur um sein Beharren darauf, daß die Sonne im Zentrum stehe, wie man das üblicherweise denkt und lehrt. Für diesen Bereich gab es immer die kopernikanische Ausfluchtklausel von der »Phänomenbeschreibung«. Das eigentliche Problem, das Galilei verursachte, bestand darin, daß sein Erfindungsreichtum universelle Qualität besaß: Er befaßte sich nicht nur mit geheimnisvollen astronomischen Entwürfen, er vollführte auch Experimente mit der Schwerkraft und der Bewegungslehre und stellte Vermutungen über die Beschaffenheit der Materie an. So hat auch der Schriftsteller Pietro Redondi aufgezeigt, daß die schärfste Herausforderung an die bestehende Obrigkeit eher von seiner Physik als von seiner Astronomie ausging.[8]

Wie bereits dargelegt, hatte die geniale Schöpferkraft des Thomas von Aquin im wesentlichen in der Formulierung und Verteidigung der Glaubensdogmen unter Berücksichtigung der aristotelischen Physik bestanden. Das Dogma von der Transsubstantiation sollte sich als das entscheidendste und inhaltschwerste herausstellen. Es handelte sich dabei um den Vorgang der Wesensverwandlung, der die »reale Anwesenheit« Christi in Brot und Wein bei der Eucharistiefeier erklärte. Der sinnlichen Wahrnehmung der Gläubigen nach war das Brot noch Brot und nicht Fleisch, und der Wein noch Wein und nicht Christi Blut, und zwar auch dann noch, nachdem der Priester verkündet hatte, Brot und Wein hätten sich in Christi Fleisch und Blut verwandelt. Die thomistische Erklärung beruhte auf einer feinen Unterscheidung zwischen der Substanz und den ihr zugeordneten Qualitäten. Die Qualitäten – Farbe, Geschmack, Geruch, Struktur – waren irdische Zufälle, die Substanz war die sich darunter verbergende Wirklichkeit, die sich während der Eucharistiefeier wandelte. Daher der Begriff »Transsubstantiation«.

Diese thomistische Erklärung war ausreichend, bis die Dispute der Reformation die Genauigkeit des Wortes einer harten Prüfung unterzogen. Die Protestanten verwarfen die thomistische Doktrin, und die Jesuiten verhärteten ihren Standpunkt als entschlossenste, unbestechlichste und eifrigste Verfechter des orthodoxen Glaubens. Im gegenreformatorischen Glaubenseifer des Konzils von Trient (1545 bis 1563) geriet die Bekräftigung des vorreformatorischen Katholizismus und seiner Dogmen zum Widerstand gegen den Protestantismus. Die Transsubstantiation wurde zum zentralen Glaubensartikel erklärt.

Die Kirche hatte sich damit in gefährliche Abhängigkeit von einer physikalischen Theorie gebracht. Hätten die Katholiken schlicht verkündet, Christus sei während der Wandlung im Geiste anwesend, wäre kein Problem entstanden, weil man den Vorgang symbolisch hätte verstehen können. Indem die Katholiken aber darauf bestanden, daß er in der Substanz gegenwärtig sei, beharrten sie auf einem Terrain, in das die Scienza Nuova bald erobernd eindringen sollte.

In einem symbolischen Sinne kann man diesen seltsamen Streit heute auch als den Hintergrund verstehen, vor dem sich der Übergang von einer Hierarchie in eine andere vollzog. Die Theologie, die Königin der Wissenschaft, sollte ihre Krone an die Physik verlieren; diese regiert heute noch. Die Jesuiten aber fühlten sich zunehmend zum Kampf herausgefordert. Die liberalen Neigungen von Papst Urban konnten nicht geduldet werden. Das Zeitalter des Dreißigjährigen Krieges war angebrochen, und der protestantische König Gustav Adolf tobte mit seinem Heer quer durch Europa gen Süden. Urban mußte den Verteidigungsstrategien der Jesuiten zustimmen. Galilei wurde vor Gericht gestellt, eingekerkert und ruhiggestellt.

Nur selten gab es im Laufe der Geschichte einen derart höllischen Abgrund zwischen dem Sieg in einem Kampf und der Niederlage in einem Krieg. Vier Jahre nach der Verurteilung Galileis (1633) veröffentlichte René Descartes seinen *Discours de la Méthode* und dreiunddreißig Jahre danach schliff Isaac Newton in Cambridge seine eigenen Linsen, um die Beschaffenheit des Lichtes besser verstehen zu können.

Newton hatte selbst die Funktion einer Linse, eines Brennglases für alles, was zeitlich vor ihm gewesen war. Irgendwie gelang es ihm zu verstehen, was dies alles bedeutete; er bündelte die Lichtstrahlen, bis sie alles verbrannten, worauf sie fielen. Von allen großen Gestalten der Wissenschaft hebt er sich als die größte ab, weil er den Zugriff des neuen Wissens bis ins Unendliche ausdehnte. Damit hinterließ er den nachfolgenden Generationen die Aufgabe, alles menschliche Wissen neu zu definieren. Seine Größe besteht aber auch darin, daß er niemals nur Wissenschaftler war. Sein Geist bewegte sich im Grenzbereich zwischen allen Formen menschlicher Erkenntnis: Magie und Wissenschaft, Alchemie und Physik, Mathematik und Gott. Unser Zeitalter ist verarmt, weil wir es vorgezogen haben, nur einen Teil von Newtons Vermächtnis zu übernehmen, den Teil, den wir heute als Wissenschaft bezeichnen, den er aber als »Philosophie« bezeichnete.

Galilei hatte die kulturelle Krise, die er beschleunigt hatte, mit unglaublicher Klarheit beobachtet und analysiert. Newton aber blieb es vorbehalten, ein universales System von solcher Stringenz und Perfektion zu entwerfen, daß seine Genauigkeit auch heute noch dazu ausreichen würde, einen Menschen zum Mond reisen zu lassen, und nur Newtons mathematischen Verallgemeinerungen sind unter extremen Bedingungen Unzulänglichkeiten nachgewiesen worden.

Die Wissenschaften hätten damit fortfahren können, das Universum der Christen stückweise zu demontieren. Aber Newton schien den ganzen Prozeß zu beenden. Die Newtonsche Mechanik ist keine partielle Erklärung der Vorgänge; sie ist ebenso vollständig, wie das Werk des Thomas von Aquin es war.

Wissenschaftler zu verstehen heißt normalerweise nichts anderes, als ihre Ideen zu begreifen. Newton zu verstehen ist aber nicht möglich, ohne einen Begriff von seiner Persönlichkeit zu haben. Und für diese Persönlichkeit waren das Zuendedenken von Gedanken und das Bedürfnis, einen Weltzusammenhang herstellen zu können, Notwendigkeiten seiner Psyche.

Sein Biograph Frank E. Manuel urteilte: »Dieser angstbesessene Mann hatte das zwingende Bedürfnis, alles zwischen Himmel und Erde in einen festen, geschlossenen Raum zu pressen, aus dem nicht einmal das kleinste Detail ausbrechen und sich befreien konnte.«[9]

Einem Metaphysiker ähnlicher als einem Wissenschaftler, schien Newton nichts verstehen zu können, wenn er nicht alles verstand. Seine Notizbücher waren voller fast kindlicher Fragen: Was ist Licht? Was ist Feuer? Was ist Bewegung? Was ist Materie? Was ist Seele? Was

ist Gott? Dahinter verbirgt sich die Grundfrage seines ganzen Zeitalters: Was ist das? Gib mir eine Beschreibung, Erklärung, Gewißheit.
Er war besessen von seinem eigenen Schicksal, allein mit seiner
Schöpferkraft. Ihm war klar, daß die Synthese, auf die er hinarbeite-
te, nur von ihm selbst abhängig war; für die Bereitstellung elementa-
rer Dinge, die er für seine Experimente benötigte, sorgte er selbst.
Der Umstand, daß er seine eigenen Linsen schliff, war von historischer Bedeutung. Anders als die Anhänger der alten Wissenschaften
sollte er den Weg zur Wahrheit nicht durch Nachdenken suchen,
sondern indem er die Natur durch physikalische Manipulationen
dazu brachte, ihre Beschaffenheit zu offenbaren.

Im Namen der Wahrheitssuche sollte auch sein eigener Körper
Leiden ausgesetzt werden, die denen Christi entsprachen. Mit dem
folgenden außergewöhnlichen Abschnitt eines Briefes an den Philosophen John Locke beschreibt er den Effekt seiner experimentellen
Versuche, die Sonne direkt anzuschauen.

»Binnen weniger Stunden hatte ich meine Augen dahin gebracht,
daß ich mit keinem mehr etwas Helles anschauen konnte, ohne
die Sonne vor mir zu sehen, so daß ich nicht mehr schreiben
oder lesen konnte und mich, um mein Augenlicht wiederherzustellen, drei ganze Tage lang in mein verdunkeltes Zimmer einschloß und alle Mittel anwandte, um meine Vorstellung von der
Sonne abzuhalten. Denn wenn ich an sie dachte, stand ihr Bild
sofort vor meinen Augen, obwohl ich mich im Dunkeln befand.
Weil ich aber im Dunkeln blieb und meinen Verstand mit anderen Dingen beschäftigte, gelang es mir nach drei oder vier Tagen,
meine Augen wieder etwas gebrauchen zu können, und nachdem
ich noch mehrere Tage vermied, auf helle Gegenstände zu sehen,
wurden sie wieder recht gut hergestellt, dennoch aber nicht so
gut, als daß nicht noch einige Monate lang das Spektrum der
Sonne zurückkam, wann immer ich begann, über das Phänomen
nachzudenken, auch wenn ich um Mitternacht bei geschlossenen
Vorhängen im Bett lag.«[10]

Das Bemerkenswerte an diesem Briefabschnitt ist, daß er über die
klinische Symptombeschreibung hinaus die Ungeheuerlichkeit des-

sen verdeutlicht, was Newton unternahm. Die Sonne hatte mehr getan, als sein Augenlicht beschädigt, sie hatte ihn besessen gemacht. Er erholte sich nicht einfach, indem er seine Augen ausruhte, sondern mußte auch darum kämpfen, seinen Geist von der Sonne zu befreien.

Mit Beobachtung und Theorie hatte man begonnen, das Universum in die Gewalt zu bekommen. Mit einem Schlag aber schien Newtons arrogante Besessenheit das Wie und das Warum zu liefern. Seine Schwerkraftkonstante und seine Bewegungsgesetze durchdrangen den Kosmos, und »seine« absolute Zeit und »sein« absoluter Raum erschlossen den Himmel mit einer Karte, die sehr viel großartiger war als die Mercators. Hier war die Theorie von Allem, die Thomas' Lehrgebäude ersetzte. Die elliptischen Umlaufbahnen der Planeten zum Beispiel, die sich aus dem System von Kopernikus und Kepler ergeben hatten, wurden durch die vereinigten Kräfte von Schwerkraft und Impuls erklärt. Die Eigenschaft von Körpern, sich mit gleichbleibender Geschwindigkeit auf einer Geraden zu bewegen, und die Schwerkraft, die Newton gemessen und beschrieben hatte, ließ die Planeten in einem immerwährenden Prozeß fallen. Die Schwerkraft von den Keplerschen Gesetzen abzuleiten, war eine Meisterleistung. Alles andere sollte daraus folgen . . . auch wir.

Die Details des Newtonschen Systems und die Mathematik, die er erfand, um diese zu beschreiben, bilden eine der größten Leistungen menschlicher Vorstellungskraft. Das Newtonsche Modell ist einzigartig in der Geschichte der Naturwissenschaften. Daß seine Grundlagen später korrigiert wurden, vermag seine Bedeutung nicht zu mindern. Was diese in unserem Zusammenhang hier anbelangt, so liegt sie nicht in den genauen Gesetzen und Berechnungen des Systems, sondern in seiner allgemeinen Struktur und der zugrunde liegenden imaginativen Kraft.

Newton war als Mensch ebenso mit der Erde verwurzelt wie wir alle: Er hatte niemals einen Körper in gleichbleibender Bewegung gesehen, der keinen äußeren Einwirkungen unterlag, dieses ideale Objekt, mit dem er seine Gesetze erklärte. Wollte man Wissenschaft als bloße Synthese von Beobachtungen definieren, würde man in seinem Falle das Wesentliche außer acht lassen. Seine spekulative Kraft erlaubte es ihm, Gedankensprünge weit über das Experiment und die Beobachtung hinaus zu machen. Ebendies gelang 250 Jahre später auch Albert Einstein, als er die Allgemeine Relativitätstheorie formulierte, die er nur auf minimale Beobachtungsergebnisse stützen konnte – eine leichte Störung in der Umlaufbahn des Merkur. In diesem Falle mußte die Theorie noch auf eine weitere Bestätigung durch die Beugung des Sternenlichts um die Sonne herum warten. Ähnlich sollte Newton erst lange nach seinem Tod (1727) im Jahre 1785 triumphierend bestätigt werden. Edmund Halley sagte auf der Grundlage Newtonscher Mathematik die Lebensdauer eines Kometen vorher – 75,5 Jahre. Diese Prognose stellte sich als korrekt heraus, und eine ehrfürchtig staunende Welt erkannte, daß der menschliche Geist mit der Erklärung der Himmelserscheinungen die Zukunft eingeholt hatte. Es funktionierte.

Hinter all dieser revolutionären Mathematik verbarg sich Einfaches. Sowohl Galilei als auch Newton gingen von der Annahme aus, die Natur gründe sich auf Effektivität. Erklärungssysteme mußten so einfach und wirkungsvoll wie möglich sein. Man könnte zu Recht behaupten, daß sie diese Überzeugung mit Aristoteles teilten; auch er hatte behauptet, die Natur mache nichts vergebens, nichts, was überflüssig sei. Es war ein Glaubenssatz, daß unnötige Ausschmückungen kein Teil der Physik sein konnten. Experiment und Theorie befaßten sich mit der Erschaffung von Idealzuständen, mit der reibungslosen Bewegung oder dem freien, durch Luftdruck unbehinderten Fall. Und diese Idealzustände würden dann in Gesetzen zusammengefaßt werden, welche die allgemeinste und einfachste Aussage über die Beobachtungen ergaben. Man ging davon aus, daß diese Gesetze überall wirksam sind, und örtliche Störungen, wie Luftdruck oder Reibung, wurden später hinzugefügt, um die genauen Rahmenbedingungen zu erklären.

Newton aber erkannte, daß die aristotelische Physik tatsächlich weit entfernt davon war, einfach zu sein. Tatsächlich war sie zu echter Einfachheit ungeeignet. Mit ihrer Betonung der spezifischen Eigenschaften der Materie erschuf sie eine Welt, die eine Ansammlung von getrennten Objekten war. Solch eine Welt konnte nicht reduziert werden, sie ließ sich nicht auf allgemeingültige Gesetze vereinfachen. Newtons Wissen konnte also nur mit »algorithmischer Komprimierung« erlangt werden, wie dies manchmal genannt wird.

Stellen wir uns eine Reihe von Zahlen vor: Wenn diese Reihe völlig willkürlich ist, wird es keinen kürzeren Weg geben, diese speziellen Zahlen anzugeben, als den über die Wiederholung der ganzen Reihe. Wenn sie jedoch nicht willkürlich ist, können wir das Prinzip ihrer Abfolge herausarbeiten, und dieses Prinzip wird jemand anderem genügen, um daraus dieselbe Zusammenstellung abzuleiten. Dieses Prinzip könnte heißen »Addiere eins zur vorhergehenden Zahl« oder etwas Komplizierteres. Dieses Prinzip ist ein »Algorithmus«, ein Begriff, der von der mittellateinischen Namensform Algorismi des persischen Mathematikers Mohammed ibn Musa Al-Charismi (9. Jh.) abgeleitet ist. Wenn man etwas durch einen kürzeren Ausdruck vollständig spezifizieren kann, spricht man von einer algorithmischen Komprimierung. Die ganze Wissenschaft dreht sich um solche Komprimierungen. Wenn wir sagen: $E = mc^2$, oder: Fallende Körper unterliegen einer Beschleunigung von 9,8 Metern pro Sekunde^2, dann komprimieren wir damit die Beobachtungen der Natur, um Vorhersagen über zukünftiges Verhalten anstellen zu können.

Eine aristotelische Welt aus klar voneinander unterscheidbaren Objekten, denen ihrer Natur nach deutliche Eigenschaften zugeschrieben sind, ist selbstverständlich nicht komprimierbar. Mit Newtonschen Begriffen kann man also über sie nichts aussagen. Sie kann nur durch die Erstellung eines kompletten Duplikats beschrieben werden, und das hat nichts mit Wissenschaft zu tun, sondern ist nur ein Katalogisieren. Als Komprimierung des Weltkatalogs könnte man zum Beispiel die Gesamtheit aller wissenschaftlichen Vorhaben bezeichnen. Beide, die Einfachheit und Universalität, die Newton forderte und verlangte, enthielten revolutionäre Botschaften. Die Natur war einfach, weil sie neutral war. Die Planeten verfolgten ihre Bahnen nicht mehr um einer transzendenten Ordnung willen, sie begaben sich einfach in Zustände mechanischen Gleichgewichts, und ebenso strebte das Wasser nach seiner vorbestimmten Oberflächenhöhe. Darüber hinaus mußte jedes so beschaffene mechanische System allgemeingültig sein, weil diese Neutralität bedeutete, daß kein Teil des Universums mit irgendwelchen Privilegien oder Ausnahmen versehen sein kann. Alles unterlag überall denselben Gesetzen. Oberhalb des Mondes gab es keine reine Materie und unterhalb nichts besonders Unreines. Einstein sollte diese Botschaften später mit typischem Optimismus in einer Rede zum 60. Geburtstag seines großen Zeitgenossen Max Planck zusammenfassen:

>»Höchste Aufgabe der Physiker ist also das Aufsuchen jener allgemeinsten elementaren Gesetze, aus denen durch reine Deduktion das Weltbild zu gewinnen ist. Zu diesen elementaren Gesetzen führt kein logischer Weg, sondern nur die auf Einfühlung in die Erfahrung sich stützende Intuition. Bei dieser Unsicherheit der Methodik könnte man denken, daß beliebig viele, an sich gleichberechtigte Systeme der theoretischen Physik möglich wären; diese Meinung ist auch prinzipiell gewiß zutreffend. Aber die Entwicklung hat gezeigt, daß von allen denkbaren Konstruktionen eine einzige jeweilen sich als unbedingt überlegen über alle anderen sich erwies. Keiner, der sich in den Gegenstand wirklich vertieft hat, wird leugnen, daß die Welt der Wahrnehmungen das theoretische System praktisch eindeutig bestimmt, trotzdem kein logischer Weg von den Wahrnehmungen zu den Grundsätzen der Theorie führt. Dies ist es, was Leibniz so glücklich als ›prästabilierte Harmonie‹ bezeichnete.«[11]

Einfachheit, universale Ordnung und objektive Wirklichkeit der Welt – diese Begriffe bilden eine Brücke, um Einstein mit Newton zu verbinden, und Wissenschaft als einen andauernden Bewegungsablauf nach vorne ins Ungewisse zu definieren, in die prästabilierte Harmonie. Doch Einstein verteidigte auch das Ideal der klassischen Physik gegen neue und wie ihm schien fehlgeleitete Entwicklungen im 20. Jahrhundert.

Es ist traurig für Einstein, aber die moderne Wissenschaft weigerte sich, diesem Ideal zu entsprechen und seltsamerweise hatte auch Newton ihm nicht entsprochen. Der vielleicht eigenartigste Widerspruch bei letzterem liegt darin, daß er zwar einerseits das moderne Universum erschaffen hatte, neutral, mechanisch und wertfrei, daß eine andere Seite seines Wesens aber eine fremdere, dunklere Welt widerspiegelte. Newton beschrieb ein Universum, das voller Leben war – »so mögen die Himmel über uns voller Wesen sein, deren Beschaffenheit wir nicht verstehen«.[12] Er veröffentlichte diese Gedanken niemals, aber sie gehörten zu einer spekulativen Vision, die er mit einem anderen Kosmologen des 17. Jahrhunderts, dem Holländer Christian Huygens, teilte; der sprach davon, daß andere Planeten »ihr Kleid und ihr Mobiliar« hätten, »und vielleicht auch ihre Bewohner wie diese unsere Erde«.[13]

Dies sind eigenartige Gedanken. Weil sie den Menschen aus seiner bevorzugten Stellung entließen, meinten beide, Newton und Huygens, darauf bestehen zu müssen, daß er nicht auf sich allein gestellt sei, daß die Natur voller fremder Wesen sei, von denen wir nichts wüßten. Ganz sicher bezog Newton aus seinem Werk niemals die Sicherheit, die wir heute aus diesem Werk ableiten und die unsere Tragödie ist.

»Ich weiß nicht, als was ich der Welt erscheine«, sagte er gegen Ende seines Lebens zu seinem Neffen, »aber mir selbst bin ich immer nur wie ein kleiner Junge vorgekommen, der am Strand spielt, und ich habe mich damit vergnügt, ab und zu einen glatteren Kiesel oder eine hübschere Muschel als die gewöhnlichen zu finden, während der große Ozean der Wahrheit sich vollkommen unentdeckt vor mir erstreckte.«[14]

Newton und Huygens sollten die letzten Wissenschaftler sein, denen es freistand, Spekulationen anzustellen über ein warmes, bewohntes Universum.

»Das 18. Jahrhundert brach trübe an, unter einem Himmel, der leer und tot geworden war«, schreibt Freeman Dyson. »Die Kosmologie hat sich seitdem nur noch mit dem leeren, toten Universum befaßt. Als Newton beschloß, seine jugendlichen Visionen vom Kosmos zu unterdrücken, tat er nur, was man von jedem guten Wissenschaftler erwartet, nämlich gnadenlos eine wunderschöne Theorie zu verwerfen, wenn sie von experimentellen Tatsachen nicht gestützt wird.«[15]

Es kommt hinzu, daß ein großer Teil von Newtons Arbeitsleben den Wissensgebieten zugewandt war, als deren hauptsächlicher Zerstörer er gilt: der Alchemie und der Astrologie. Wenn wir uns sein Leben vor Augen halten, stellt sich die Newtonsche Mechanik nur als ein Teil seiner machtvollen Vorstellungskraft dar. Wie vor ihm Shakespeare, sprach auch er mit vielen Stimmen. Newton war ein Mann, dessen Geist zumindest von zwei Welten gleichzeitig erfüllt war, die wir heute für einander widersprechend halten: Die eine war magisch, die andere wissenschaftlich.

Der britische Wirtschaftswissenschaftler John Maynard Keynes schrieb:

> »Newton war nicht der erste Mensch des Zeitalters der Vernunft. Er war der letzte Magier, der letzte Babylonier und Sumerer, der letzte große Geist, der auf die sichtbare und intellektuelle Welt mit denselben Augen schaute wie jene, die vor 10 000 Jahren oder weniger angefangen haben, unsere geistige Überlieferung aufzubauen.«[16]

Die Klarheit seiner Wissenschaft übertrug sich auch auf Newtons Bewußtsein von seiner eigenen Rolle. Er sah genau, wo er stand, und wies auf die bedeutende Lücke zwischen Wissenschaft (»Philosophie« in seinen Worten) und Religion hin: »Wir dürfen keine göttlichen Offenbarungen in die Philosophie und keine philosophischen Aussagen in die Religion einführen.«[17] Das war das Abgrenzungskriterium seines Zeitalters, und es bestimmt heute unser Leben. Es sagt aus, daß kein Wert in der Welt vorhanden ist und daß es keine Wissenschaft gibt, die auf den Bereich des Transzendenten angewandt werden kann. Beide haben nichts miteinander zu tun. Wir können Gott nicht finden, indem wir den Himmel betrachten, noch können wir die Bewegungsgesetze auf ein Leben nach dem Tod anwenden. Der Mensch wurde zweigeteilt, halbiert. Dennoch war, wie Keynes behauptet, Newton auch hier nur auf zwiespältige Art modern, denn er hat sich selbst nicht als Entdecker verstanden, sondern als jüngsten Propheten in einer langen Tradition. Er war einfach derjenige, der seiner Generation die Wahrheit Gottes überbrachte. Heute wissen wir, daß er eine Wandlung der menschlichen Vorstellungswelt auslöste. Seine Behauptung, sehr wenig zu wissen, und das Bild, in dem er sich selbst als kleinen Jungen am Strand darstellte, zeugen von einer realistischen Einschätzung davon, wieviel Wissenschaft es noch zu erarbeiten gilt – oder sie deuten auf ein echtes Unwissen über die Schöpfung Welt hin. Aus unserer Sicht sind beide Aussagen zutreffend. Sicher waren in diesem vielgestaltigen Magier und Philosophen beide Aspekte angelegt.

Doch die Welt zog es vor, sich für die Wissenschaft und nicht für die Magie zu entscheiden, denn sie hielt die Wissenschaft für »wahr«, weil sie funktionierte. Es darf aber niemals vergessen werden, daß es tatsächlich eine bewußte Entscheidung war; wir haben uns für eine bestimmte Perspektive entschieden, eine Perspektive, die mit Newtons Augen betrachtet, nur das halbe Bild von der Welt wiedergibt. Die andere Hälfte bestand für ihn in der Geisterwelt der Alchemie, der Zauberei und der Dämonen.

Mit dieser Entscheidung haben wir etwas über uns selbst und über die Art der Wahrheit ausgesagt, die wir von dieser Welt erwarten. Nach zweieinhalb Jahrhunderten anscheinend unaufhaltsamen Fortschritts dieses Teilstücks vom Newtonschen Modell und Ideal sollte der Philosoph Ludwig Wittgenstein darauf hinweisen, daß der Umstand, die Welt mit den Mitteln der Newtonschen Mechanik betrachten zu können, uns nichts über die Welt sagt; daß wir sie tatsächlich so betrachten, sagt uns alles. Und weil wir sie so betrachten, ist die menschliche Vorstellungskraft seit 1700 überzeugt davon, daß die Schöpfung völlig verstehbar ist, wenn wir sie als eine Reihe von Differentialgleichungen, als algorithmische Komprimierung sehen.

Auf diese Weise hat Newton, für den wir uns entschieden haben, *unser* Newton, uns geformt. Newton, der Mechaniker des Kosmos, hat als erster den Grundstoff unserer modernen Überzeugung destilliert, nämlich den, daß Wissenschaft effektiv sein kann und effektiv sein muß. Ihr Ruhm gründete darin, abgeschlossen, vollständig und ungeheuer wirkungsmächtig zu sein. Die Macht der Wissenschaft und die Magie, die von ihren Zahlen ausging, verblüfften und überwältigten uns. Sie sollten im Laufe der Zeit jede Möglichkeit der Welt zu anderen Erklärungen ausschließen. Viele Gestalten sind uns als »Macher der modernen Welt« vorgestellt worden, aber Newton ist der einzige, der diesen Titel verdient.

Trotz ihrer hellseherischen Fähigkeiten haben sich Newton und Galilei aber nicht mit dem drängendsten Problem befaßt, das aus ihren Werken folgte. Vielleicht, weil das, was wir heute unter Philosophie verstehen, nicht ihr Handwerk war. Vielleicht, weil sie glaubten, daß ihre eigenen leichten Änderungen der Religion ausreichend seien. Nach Newtons Auffassung hatte Gott den Mechanismus nur in Bewegung gesetzt, und nach Galilei hatte Gott einfach zwei Bücher geschrieben, eines über die Erlösung des Menschen und eines über die Natur.

Ein anderer Mann des 17. Jahrhunderts aber sah das Problem, das durch die Wissenschaft entstanden war, deutlicher als diese beiden. So wie Galilei die Moderne erfand und Newton die Himmel bezwang, schrieb dieser Mann die Regeln auf, nach denen zu leben wir uns entschieden hatten. Er sah, daß der Erfolg der Wissenschaft eine neue Untersuchung darüber erforderlich machte, was denn das Wesen der Erkenntnis sei. Er war ein ruheloser, neugieriger Franzose, der ausgedehnte Reisen durch Nordeuropa unternahm und Zeuge war, als die Kardinäle sich während jener Jahre in Rom versammelten, in denen die Kirche vorsichtig über die Bedeutung der neuen Wissenschaft beratschlagte. Dieser Mann stand physisch und geistig mitten im Geschehen.

Am 10. November 1619 machte er Rast in Ulm, der Stadt, in der später Albert Einstein geboren werden sollte. Es war ein kalter Tag, und der durchfrorene Mann suchte eine Ofenstube auf. Als die Wärme seinen Körper durchdrang, hatte er die Vision von einer Vereinigung aller Wissenschaften. In der folgenden Nacht träumte er von drei Begebenheiten: Im ersten Traum wurde er von einem Wirbelwind herumgeschleudert und von Geistern erschreckt. Der Wind ließ nach und er wachte auf. Im zweiten Traum wurde sein Zimmer von Blitz und Donner erschüttert. Der dritte Traum war ruhig, er las Gedichte von Ausonius: »Welchen Pfad im Leben soll ich wählen?« hieß eine Zeile. Dann erschien ein Mann und zitierte noch weitere Gedichte. Der Träumer suchte nach seinem Buch, doch es war verschwunden, der Traum war zu Ende.

Darauf unternahm er eine Pilgerreise zur Heiligen Mutter von Loreto und betete dort. Er kam zu der Erkenntnis, daß die nächtlichen Visionen Vorboten seines Schicksals waren und daß seine Aufgabe die Vereinigung aller wissenschaftlichen Erkenntnisse sei. Achtzehn Jahre später sollte René Descartes, der neue Träumer des Traums unserer Zeit, genau dies auch tun.

3. Die Erniedrigung des Menschen

Ebenso könnte ein Hund über den Geist von Newton nachdenken. Soll jeder Mensch hoffen und glauben, was er kann.

4. 1. 1643.

Darwin[1]

Im Jahre 1642, dem Geburtsjahr Newtons, starb Galilei. Er war im Jahre 1564 geboren worden, dem Jahr, in dem Michelangelo starb und in dem auch Shakespeare geboren wurde. Die großen Männer des ersten wissenschaftlichen Zeitalters waren durch ein magisches Band miteinander verbunden. Der englische Philosoph Bertrand Russell kommentierte diese Tatsache mit trockenem, herablassenden Humor: »Ich erwähne diese Daten für Leute, die womöglich noch an Seelenwanderung glauben.«[2]

Russell war ein Apologet der Wissenschaft. Er degradierte die Philosophie zu ihrer Magd. Die Seelenwanderung, die Newton zu einer Reinkarnation Galileis hätte werden lassen können, war für ihn nichts anderes als ein ungereimter alter Aberglaube. Diese Verkettung von großen Seelen war ihm zufolge nicht mehr als ein Zufall. Warum aber fasziniert diese Tatsache uns dennoch? Weil es zwischen Himmel und Erde weit mehr gibt, als Russells Philosophie es sich erträumen kann.

Galilei war erblindet gestorben. Er, der den Blickwinkel der Menschen weit über den Himmel ausgedehnt hatte, beendete seine Tage eingeschlossen in das dunkle, enge Gefängnis seiner selbst. Die Ironie, die darin lag, bemerkte er, da er ein moderner Mensch war, mit gequältem Schmerz.

1727!

Newton starb 1772 im vollen Besitz seiner Sinne. Ein Freund war verstört darüber, daß Newton nicht um die Letzte Ölung gebeten hatte, tröstete sich aber mit der seltsamen Feststellung: »Man kann sagen, daß sein ganzes Leben eine Vorbereitung auf einen anderen Zustand war.«[3]

Newton selbst verglich sich letztlich mit einem kleinen, unwissenden Jungen am Strand; Galilei sah sich als gebrochenen Menschen. Sie hatten alles und doch gar nichts erreicht. Sie waren zu Erniedrigten geworden, hatten die Welt, nicht aber ihre eigenen menschlichen Verhältnisse verändert. Sie hatten den Hunger nach einer Nahrung geweckt, die sich noch keiner vorstellen konnte. Diese Nahrung würde der menschlichen Seele Kraft einflößen müssen angesichts der kosmischen Einsamkeit, welche von der Wissenschaft als ihre »wahre« Befindlichkeit enthüllt worden war. Jetzt, wo sich das Universum endgültig verändert hatte, bestand die Notwendigkeit eines Verbindungsgliedes zwischen der inneren menschlichen Wirklichkeit und der äußeren kosmischen Ordnung, die diese Männer aufgedeckt hatten. Newton selbst, der letzte große Magier, brauchte ein solches Bindeglied nicht. Sein Geist hielt beide Welten im Gleichgewicht. Galilei war ein begeisterter Verfechter der Scienza Nuova, dem es ein selbstverständliches Anliegen war, mit der Wahrheit voranzukommen.

Was aber war die Wahrheit? Allein schon die Vorstellung von ihr entglitt leicht, war schwer faßbar und unsicher geworden, nachdem die alte Autorität untergraben war. Der Begriff hatte schon die ersten mit Ironie gefärbten, modernen Zwischentöne angenommen. Wir benutzen ihn heute nicht mehr, außer in den peinlichen Situationen, wenn uns kein anderer passender Ausdruck dafür einfällt. Die heute verbreitete Scham großen Ideen gegenüber ist ein eigenartiges Vermächtnis der Wissenschaft.

Die Wahrheit durfte nicht so leicht entgleiten, wenn die Wissenschaft auf einem ebenso festen Fundament wie ihr aristotelischer Vorgänger stehen sollte. Sie sozusagen in Schach zu halten sollte die Aufgabe René Descartes' werden. Er wurde 1596 geboren und starb 1650, war also ein Zeitgenosse von Newton und Galilei. Descartes sollte die Spielregeln und das Drehbuch für die Wissenschaft verfassen, obwohl er die Blütezeit der Erkenntnisse, die er kodifizierte, die endgültige Entdeckung der Mechanik Newtons, nicht mehr erleben sollte.

Wie Newton der letzte Magier, sollte Descartes der erste neue Philosoph werden. Er wird gewöhnlich als »Vater der modernen Philosophie« bezeichnet. Das hat insofern seine Richtigkeit, als er die

Begriffe prägte, die in nahezu allen späteren philosophischen Debatten Verwendung fanden.

Im Jahre 1637 erschien der *Discours de la Méthode pour bien conduire sa raison, et chercher la vérité dans les sciences (Abhandlung über die Methode, seine Vernunft richtig zu leiten und die Wahrheit in den Wissenschaften zu suchen)*. Es handelte sich um eine sechsteilige Schrift, die als eine Art Vorbericht zu drei Essays über die Optik, die Meteorologie und die Geometrie fungierte. Descartes war nicht nur ein Philosoph, sondern auch ein bedeutender Naturwissenschaftler und Mathematiker, und es handelte sich um ein naturwissenschaftliches Buch. Heute bringt man Descartes meistens mit diesem Vorbericht und mit seinen späteren philosophischen Schriften in Verbindung. Die hier formulierten Thesen sind in gewisser Weise in unser heutiges Leben eingeflossen. Denn Descartes hatte es unternommen, den Geist des beginnenden Zeitalters ebenso genau zu definieren, wie Newton die Mechanik definieren sollte. Der Philosoph Alasdair Macintyre schrieb:

»Es sollte sich erweisen, daß Descartes verschiedene Hauptthemen, die Leben und Gedankenwelt des kommenden Zeitalters bestimmen sollten, in ein einziges rationales System hineinwob: den einzelnen, auf sich allein gestellten Menschen, der selbständig erkennt und handelt; das Vorbild der mechanischen Erklärung; die Reduktion Gottes auf einen bloßen Garanten dafür, daß die Lücken in der logischen Schlußfolgerung geschlossen und die Handlungen der Individuen harmonisiert werden können; die Dualismen von Vernunft und Leidenschaft sowie von Geist und Materie. Cartesianismus ist das neue Bewußtsein, das sich als Doktrin äußert.«[4]

»Das kann ich Descartes nicht verzeihen«, schrieb Pascal, der dessen zentrale Bedeutung bestätigte, ihm aber absprach, weise zu sein. »Er hätte am liebsten in seiner ganzen Philosophie Gott nicht bemüht; er aber kam doch nicht umhin, ihn der Welt, um sie in Bewegung zu setzen, einen Nasenstüber geben zu lassen; danach hat er nichts mehr mit Gott zu tun . . . Descartes überflüssig und unschlüssig.«[5]

Pascal nahm die furchtbare Wahrheit seiner Zeit wahr. Er erkannte, daß Descartes viel geschaffen, die Position Gottes – und damit den Sinn des Menschen – aber nicht abgesichert hatte.

Um verstehen zu können, wie radikal Descartes wirklich war, lohnt es, sich einem etwas früheren Versuch zuzuwenden, die philosophische Grundlage für die neue Wissenschaft bereitzustellen. Francis Bacon war ein englischer Jurist, der sich ein ehrgeiziges Werk vorgenommen hatte, eine mehrteilige Schrift namens *Instauratio magna* *(Große Erneuerung)*, die eine vollständige Methode zum Aufschlüsseln der Geheimnisse der Natur und eine Rechtfertigung für dieses Unterfangen zur Verfügung stellen wollte. Bacon starb 1626, ehe er sein Vorhaben beenden konnte, aber sein Entwurf und seine Absichten sind deutlich.

Der Verfasser der *Instauratio* war ein Experimentator und lehnte daher die Abstraktion der thomistischen Scholastik ab. Sein Ansatz nahm die Praxisbezogenheit vorweg, mit der Newton später seine eigenen optischen Gläser zurechtschliff. Die entscheidende Neuerung, die Bacon brachte, war die Auffassung, daß wir unseren Weg zur Wahrheit nicht einfach mit dem Verstand erschließen können. Auch Experiment und Beobachtung sind erforderlich – mit dem Verstand allein können wir Bacon zufolge die Gültigkeit unserer Schlußfolgerungen nicht absichern. Damit bewies er einen ausgeprägten Sinn für das Praktische, wie er später, in den Zeiten der industriellen Revolution, als typisch englischer Charakterzug gelten sollte.

Dennoch hat Bacon die Grundzüge der aristotelischen Weltsicht nicht verleugnet. Er war offensichtlich fasziniert von der Vielfalt der Einzelerscheinungen auf der Welt, die es zu katalogisieren galt, und kann deshalb als unbedingt treuer Anhänger von Aristoteles eingestuft werden. Damit steht er auf halbem Wege zwischen alter Weisheit und neuer Wissenschaft. Sein Vorschlag war ein wirklichkeitsnäherer Entwurf, sich Wissen anzueignen, als es der scholastische war, aber er war beträchtlich weniger radikal als der Descartes'.

Bacon hielt Wissenschaft für eine gewaltige, gemeinsame Anstrengung, etwas herbeizuführen. Er stellte sich vor, daß Sachverhalte aus dem Bereich der Natur angesammelt und mit Hilfe dieses großen Wissenskörpers dann allgemeine Gesetze formuliert werden könnten. Dieses Unternehmen war insofern praktisch orientiert, als es darauf abzielte, das Los der Menschen zu verbessern. Man könnte Bacon daher nachsagen, den Gedanken der Technologie kodifiziert zu haben und, soweit es den Aspekt des gemeinschaftlichen Forschens betrifft, auch die Grundlagen der großen wissenschaftlichen Gesellschaften definiert zu haben, die im 18. Jahrhundert gegründet wurden.

Mit niedrigen Temperaturen machte er leidvolle Erfahrungen – wie später auch sein Nachfolger Descartes. Zeitlebens neugierig und experimentierfreudig, starb er an einer Erkältung, die er sich zugezogen hatte, als er ein totes Huhn mit Schnee ausstopfte, um herauszufinden, ob die niedrige Temperatur das Fleisch frisch halten konnte. Sie konnte es!

Bacon hatte auf den ständig wachsenden Erfolg der vorgalileischen, für die Renaissance typischen Wißbegier über die Welt reagiert, indem er so etwas wie einen Mittelweg formulierte zwischen den Schutzbehauptungen, an die sich die Jesuiten klammerten, und dem aggressiven Rationalismus, der sich aus der Macht des neuen Wissens nährte. Wir können seine Denkungsart mit der vieler heutiger Wissenschaftler vergleichen – wirklichkeitsnah, praktisch, vorsichtig gegenüber Abstraktionen und optimistisch. Bacon bleibt für jene Naturwissenschaftler ein Vorbild, die Verdienste hauptsächlich im Bereich Aufrichtigkeit, Realitätsbezug und praktischer Durchführbarkeit anstreben. Ein Bacon-Typ kümmert sich darum, daß seine Arbeit Fortschritte macht.

Bacon kam aber leider zu früh und erklärte und rechtfertigte die vielseitige Wißbegierde des sechzehnten, und nicht die blendenden Enthüllungen des 17. Jahrhunderts. Daher erfaßte er verhängnisvollerweise nicht die wahre Herausforderung der Wissenschaft an die bestehende christliche Ordnung, obwohl uns seine Methode doch so vertraut und vernünftig erscheint. Die ableitende, induktive Art Bacons kann letztlich nicht christlich sein – wenigstens nicht für die gebildeten Erben der scholastischen Überlieferung. Jede monotheistische Religion muß ihrer Natur nach auf die Vereinigung des Wissens zustreben. Ein Gott bedeutet auch: ein einziges Grundmuster. Sicherlich suchte Bacon auch nach Gesetzen, sein vornehmliches Interesse aber galt dem riesigen Projekt der Katalogisierung von Tatsachen.

Die wesentlich komplexere Frage nach den tieferen Auswirkungen der Wissenschaft auf die Grundlagen unserer Erkenntnis beschäftigte ihn nicht. Sie mußte das echte Anliegen einer monotheistischen Kultur in der Nachfolge des Thomas von Aquin sein, und es sollte der Begabung Descartes' vorbehalten bleiben, zu erkennen, daß dies das eine Thema war, das die Welt der Zukunft definieren sollte. Der wirklichen Stimmungslage der modernen Welt entspricht nämlich nicht die dreiste Sicherheit eines Bacon, sondern die kultivierte Besorgtheit des Descartes.

Der *Discours de la Méthode* beschreibt vier wesentliche Bestandteile der wissenschaftlichen Methode: nur das zu akzeptieren, was der Verstand billigen kann; große Probleme in kleinere zu unterteilen; vom Einfachen zum Komplexeren hin zu argumentieren; und schließlich: zu überprüfen. Das war einfach genug, aber hinter dieser Einfachheit lag die radikalste Antwort auf die Verwirrung, den Skeptizismus und die Zweifel seiner Zeit. Ebenfalls im *Discours de la Méthode* stand nämlich der cartesianische Leitspruch: »Cogito ergo sum.« – Ich denke, also bin ich.

Hinter aller Energie und Begeisterung der Scienza Nuova stand das Problem der Erkenntnis. Bacons Lösung hatte sich mit einem Rückfall in handfesten aristotelischen Empirismus zufriedengegeben. In Wahrheit tat aber gerade eine neue Lösung unbedingt not. Ein in der Theorie perfekter Katholik beispielsweise brauchte keine Lösung. Bei der Betrachtung einer thomistischen Welt durch die Brille des Glaubens konnte er überzeugend für sich in Anspruch nehmen, alles zu »wissen«. Im Aristotelismus des Mittelalters erlangte man Wissen, indem man von grundlegenden Prinzipien ausging. Wirkungen wurden auf Ursachen zurückgeführt, und Behauptungen mußten notwendigerweise wahr sein, wenn sie der Logik entsprachen. Die Logik sicherte die Immunität der Theorie vor jeder experimentellen Herausforderung, Beobachtung und vor jedem abweichenden individuellen Argumentieren. Sie war die Wahrheit des Gelehrten und rechtfertigte sich durch ihre innere Schlüssigkeit. Es wurde natürlich viel disputiert, aber das Hauptanliegen war deutlich: Es gab eine von Gott verfügte Wahrheit, zu der unser Verstand uns hinführen konnte.

Die Jahrhunderte der Renaissance, der Reformation und der Entdeckungen sowie der Aufruhr durch die Kriege, die sich in der Folge ergaben, stürzten alle diese Gewißheiten nach und nach um. Die alte Ordnung unterlag den gewaltsamen Veränderungen, die heute den Grundstock der uns vertrauten Klassenzimmer-Geschichten bilden. Im Vergleich zu diesen Veränderungen könnte die Wissenschaft als ziemlich zerbrechliches, kopflastiges Gebilde erscheinen. Bei genauem Hinschauen aber entpuppt sie sich als Destillat aus allen diesen Veränderungen. Kriege kommen und gehen, aber dieses Mal kennzeichneten sie eine grundsätzliche Wandlung der menschlichen Seele, die sich für die alte Ordnung weitaus verheerender auswirkte als jedes noch so große Kriegsheer, und die dauerhafter war als die letztlich vorübergehenden Forderungen aus irgendeinem politischen, wirtschaftlichen oder territorialen Interesse. »Eine neue Philosophie zieht alles in Zweifel«, schrieb der englische Dichter John Donne.[6]

Wie ich gezeigt habe, hatte man erkannt, daß das Universum, selbst was die einfachsten Dinge anbelangt, völlig anders beschaffen war, als Glaube und Obrigkeit es verkündet hatten. Wichtiger noch, die Grundlage der Erkenntnis war verschwunden. Das alte System war *per definitionem* so vollständig gewesen, so abhängig vom eigenen inneren Zusammenhang, daß die Zerstörung seiner Form auch die Vernichtung seiner Methoden bedeutete. Es war, als erwache man und finde plötzlich heraus, daß die eigene Heimatstadt die ganze Zeit über nur eine Filmkulisse war, eine zweidimensionale Täuschung aus Holz und Leinwand. Und Descartes sollte sich gerade anschicken, ein Streichholz an diese Kulisse zu halten.

Wenn man dies versteht, versteht man sehr viel, versteht vielleicht alles, was seither geschehen ist. Ganz sicherlich versteht man die dunkle, pessimistische Seite der modernen Welt, die das Denken und die Vorstellungswelt des 20. Jahrhunderts so sehr beschäftigt hat. Denn wir befinden uns in der erschöpften, desillusionierten Phase des cartesianischen Entwurfs vom Universum. Der anfängliche Optimismus, der sich aus den wissenschaftlichen und technologischen Triumphen genährt hatte, ist abgeflacht. In der Krise, die der Verlust eines übergeordneten Rahmens für unser Wissen oder unser mögliches Wissen verursachte, wurde die moderne Welt erschaffen.

Worin, könnte man fragen, lag aber dann das Problem? Die Wissenschaft schien doch zu zeigen, daß wir die Wahrheit über die Natur herausfinden können. Zugegebenermaßen war diese Wahrheit anders als jede vorangegangene, aber – so war sie eben.

Das Problem bestand einfach darin, daß diese neue Wahrheit anscheinend wenig Grundlagen hatte. Als Galilei sein Auge ans Teleskop gehalten und das Unmögliche gesehen hatte, war er mutig und genial genug, zu glauben, daß er ganz allein etwas fundamental Neues entdeckt hatte. Die Idee von Neuigkeit, von andauerndem Wechsel, Entdeckung und Erfindung war ebenso wie die moderne Vorstellung in die Welt gesetzt worden, ein Wissenschaftler könne in der Lage sein, etwas ganz allein zu verstehen. Woher aber rührte diese Erkenntnis? Sie stammte allein von Galilei, einem Menschen unter vielen. Pascal bezichtigte ihn der Anmaßung.[7]

Man betrachte im Vergleich zu diesem neuen Wissen das Wissen und die Weisheit der Kirche. Hier handelte es sich um ein im Laufe von Jahrhunderten zusammengetragenes Werk zahlloser Heiliger, Seher, Gelehrter, genial schöpferischer Menschen, Päpste und Priester. Es gibt keinen Grund zu behaupten, Galilei sei ein größeres Genie gewesen als Thomas von Aquin oder der heilige Paulus. Warum also befand er sich offensichtlich mehr im Recht? Warum war sein Geistesblitz mehr wert als die Autorität von Tausenden?

»Worauf wird der Mensch die Einrichtung der Welt, die er beherrschen will, gründen?« fragte Pascal. »Auf die Laune des einzelnen? Was für eine Verwirrung! Auf das Recht? Er kennt es nicht!«[8]

Pascal erkannte die große moderne Ironie. Unser Wissen befähigt uns, so vieles zu tun, und deckt dennoch auf, wie klein, zufällig und unwissend wir sind. Der Mensch allein bildet nur eine schwache Grundlage für die Wahrheit.

Mit der charakteristischen Oberflächlichkeit unserer Tage könnten wir behaupten, Galilei sei mehr im Recht gewesen als Thomas von Aquin, weil er später lebte und deshalb mehr wußte. Wenn man heute Wissenschaftlern gegenüber, die behaupten, sie seien nahe an einer Theorie von Allem, Zweifel äußert, dann verteidigen sie sich genau mit diesem Argument. Unsere neuen Fähigkeiten hinsichtlich des Experiments und der Beobachtung müssen uns der Wahrheit näher bringen, als sie es den Wissenschaftlern der Vergangenheit sein konnte.

Aber so zu denken hieße, unsere heutige Vorstellung über den Erkenntnisfortschritt rückwärts in die Geschichte zu projizieren. Diese Vorstellung wurde von Galilei und seinen Zeitgenossen erst erfunden. Sie hätte damals nichts bedeutet. Der Fortschritt an sich war keine vorstellbare Basis, von der aus man hätte sagen können, Galilei sei eher im Recht als Thomas von Aquin. Möglicherweise aber können wir behaupten, Galilei habe die Technik in Form des Teleskops besessen. Doch andere hatten auch durch dieses Instrument geschaut. Nur Galilei war dabei die Zusammensetzung des Universums klar geworden, und nur wenige konnten das nachvollziehen. Alle übrigen mußten einfach glauben, was er sagte, mußten etwas Neues glauben, so wie die meisten von uns heute an die Relativitätstheorie oder Quantenmechanik einfach glauben müssen.

Vielleicht war Galileis Entdeckung auf seine besondere Beobachtungsgabe zurückzuführen. Doch hatte es schon vorher gute Beobachter gegeben, deren Ergebnisse sich als falsch herausgestellt hatten. Außerdem warnte der Skeptizismus der neuen Zeit davor, etwas so Vergängliches wie Sinneswahrnehmungen allzu ernst zu nehmen.

Auf den ersten Blick stand also die Autorität der Scienza Nuova auf sehr wackeligen Füßen. Diese Wissenschaft funktionierte zweifellos, doch auch andere Systeme taten das zu ihrer Zeit. Was war es, das diesen wirkungsmächtigen Nachkömmling so deutlich anders sein ließ?

Zum Teil ergibt sich die Antwort aus dem Zusammenhang, in dem diese Wissenschaft entstanden ist. Das Zeitalter war voreingenommen. Die Unruhen der Zeit hatten dazu geführt, daß die Menschen Autorität und Vernunft anzweifelten. Sowohl politisch als auch philosophisch war der Skeptizismus zur gewaltigen Macht geworden. Dogma bedeutete mehr als Glaube, es bedeutete Macht. Die Transsubstantiation war das Dogma gewesen, das die Jesuiten zu ihrer Glaubensprüfung und zur Absicherung ihrer Macht erkoren hatten. In der Realität, das heißt, wie die Menschen damit umgingen, wirkte es sich aber nicht so aus, als sei es ein großartiges Gottesgeschenk, das ihren Zwecken dienen könnte.

Das Trienter Konzil in den Jahren 1545 bis 1563, das die Orthodoxie der Gegenreformation beschlossen hatte, war nicht zu jener perfekten Neuformulierung des Glaubens gelangt, die sich die Kirche erhofft hatte. Und, um es mit heutigen Worten zu formulieren, die Fehler des Glaubens waren offengelegt worden. Im Jahre 1618 wurde den britischen Protestanten eine von Paolo Sarpi verfaßte Geschichte des Konzils überreicht. Dieses Buch richtete damals größten politischen Schaden an: Es legte die Absichten des Konzils als ganz gewöhnliches Kapitel politischen Manövrierens bloß. Nach Sarpi war das Bestehen des Primats der Transsubstantiation *ausgehandelt* worden, als ob das Göttliche aufgrund eines Übereinkommens in die Materie eintreten würde! Das protestantische Europa, dem die private Erlösung der einzelnen Seele näher am Herzen lag als die Errettung der Römischen Kirche, war hocherfreut. Der Skeptizismus gegenüber der religiösen Autorität und der Welt war als Haltung bestätigt worden.

Der Umstand, daß ausgerechnet ein Buch soviel Schaden anrichten konnte, kam ebenfalls sehr gelegen. Der Protestantismus hatte auf einer Rückkehr des Primats der Bibel bestanden. Damit hatte er das Bild eines Menschen in den Mittelpunkt gerückt, der allein mit einem Buch in der Hand nach seiner eigenen Wahrheit suchte, ohne die Hilfe einer aufgeblasenen Obrigkeit in Anspruch zu nehmen, die ihn lieber unwissend gehalten hätte. Das Buch als solches wurde zum Symbol einer Revolte gegen den machtbesessenen Katholizismus. In der Tat ist behauptet worden, die Reformation wäre ohne die Drucktechnik nicht möglich gewesen. Sie war eine Revolution der sprachlichen Verständigung und Überredung, der auf Papier geschriebenen und gedruckten Worte. Die heutigen Massenmedien haben etwas aus diesem Werteumfeld übernommen – ihr Grundprinzip ist das Recht des Individuums, etwas selbst herauszufinden und seine Entscheidungen selbst zu treffen. Solches Wissen unterminiert Autorität. Es verlangt nach Zugang und nach Beweisen.

Die Gewalttätigkeit des Zeitalters, in dem die modernen Naturwissenschaften geboren wurden, verhalf der neuen Erkenntnisform wie eine Hebamme zum Leben. Im gleichen Maße, wie die Naturwissenschaften alte Autoritäten untergruben, bestärkten sie auch neue Gesellschaften. Das Zeitalter der Religionskriege endete mit dem Westfälischen Frieden von 1648, und das Zeitalter der Kriege des wirtschaftlichen Nationalismus begann mit dem englisch-holländischen Konflikt. Dieser Krieg fiel zeitlich genau mit den Jahren von

Newtons größter Schöpferkraft zusammen. Die Wirtschaft diktierte neue Maßstäbe für den politischen Umgang. Durchführbarkeit und machiavellistischer Pragmatismus ersetzten die mystischen Rechtfertigungen der Vergangenheit. Die Menschen wurden berechnender und vorsichtiger.

Der Historiker R. H. Tawney beschrieb diese Wandlung folgendermaßen:

»Von einem beseelten Wesen, das, um überleben zu können, den wirtschaftlichen Interessen angemessene Beachtung einräumen mußte, hat sich der Mensch, so scheint es zuweilen, zu einem ökonomischen Tier entwickelt, das sich ungeachtet dessen vorsichtig verhält, wenn es die richtigen Vorkehrungen für sein seelisches Wohlergehen ergreift.«[9]

So gedeiht die Vorsicht, aber die Wahrheit wird in einem solchen kulturellen Umfeld zu einer einsamen Angelegenheit. Individualismus kann heldenhaft sein, er kann aber auch Orientierungslosigkeit anzeigen. Wenn keinerlei Führung angeboten werden kann, wo soll da ein ehrlicher Mensch Wahrheit finden können? Die Wahrheit konnte nicht in der Verfügungsgewalt von Kirchenbürokraten liegen.

Der ehrliche Mensch mochte davon überzeugt sein, daß das, was er suchte, immer noch eine christliche Wahrheit war – doch was für eine Wahrheit? Nach Luther hatte es eine Reihe von Variationen des protestantischen Themas gegeben, die alle einwandfrei auf der Autorität der Heiligen Schrift aufbauten. Sie alle stellten »christliche Wahrheiten« dar – wie aber war das möglich?

Mitten unter all diesen miteinander zerstrittenen Stimmen gab es jedoch dieses System der Scienza Nuova, das offensichtlich so etwas wie eine neue Wahrheit offenbarte. Es funktionierte – aber worauf gründete es sich? Die über Jahrhunderte gewachsene und bestätigte Autorität wegen solch eines unberechenbaren Genies wie Galilei einfach fallenzulassen, mußte doch wie ein schlechter Tausch erscheinen.

Doch Descartes hatte erkannt, daß dieser Wechsel notwendig war. Die alte Physik und Kosmologie waren unglaubwürdig geworden.

Die Naturwissenschaften verlangten danach, mit ihren Erkenntnissen auf neuen Grund gestellt zu werden. Sie forderten das natürlich nicht von den Wissenschaftlern. Damals wie heute gaben sich diese damit zufrieden, mit ihrer Arbeit fortzufahren, weil sie deren innere Logik für zulänglich hielten. Wie sturköpfig solch eine Ansicht auch sein mag, sie bleibt ein metaphysischer Standpunkt. Naturwissenschaftler, die darauf bestehen, uns sagen zu können, wie die Welt nun einmal unbestreitbar ist, sind auf unseren Glauben an ihre subjektive Überzeugung davon, daß sie selbst objektiv sind, angewiesen. Diese Tatsache stellt eine fundamentale philosophische Herausforderung dar, der sich Descartes – und auf irgendeine Weise auch jeder spätere Philosoph – zu stellen versuchte.

Trotz der Visionen in der Ofenstube, die seine Eingebung begleitet hatten, bestand Descartes' Methode in der Anwendung eines harten philosophischen Skeptizismus. Diesen versuchte er so weit als irgend möglich zu treiben. Er war ein gläubiger Mensch, hatte aber erkannt, daß der Glaube allein die Klarheit und Unzweideutigkeit, die er als Wissenschaftler des neuen Zeitalters von der Welt forderte, nicht erzeugen konnte. Er sah ein, daß es zwecklos war, sich auf die Sinne zu verlassen, weil diese getäuscht werden konnten. Man mußte damit rechnen, daß sie vielleicht sogar systematisch und vollständig von irgendeinem Dämon irregeleitet wurden. Was blieb also noch übrig? Sein Begriff von sich selbst, die Wahrnehmung seiner eigenen Existenz: »Cogito ergo sum.«

Dieser Satz ist ganz offensichtlich der modernste des *Discours de la Méthode*. Denn das zentrale Thema dieser Schrift ist nicht das traditionelle philosophische der objektiven Aneignung von Erkenntnissen über die Welt, vielmehr geht es um den Geist Descartes'; im Schädelinneren findet das Geschehen statt. Wir müssen zuerst Fragen über uns selbst stellen, ehe wir Antworten über die Welt erwarten können. Die Autobiographie ist der Anfang der Philosophie. Descartes war der Vater der modernen Philosophie, aber ebenso war er der Vater des modernen Selbst, wie Bernard Williams feststellt:

Das Buch »stellt . . . seinen Verfasser nicht so sehr als Gegenstand des persönlichen Interesses dar, das er an sich selbst oder das andere an ihm haben, sondern vielmehr als ein Beispiel – wenn auch ein wirklich existierendes, individuelles Beispiel – dafür, wie der Geist rational zur systematischen Entdeckung der Wahrheit geleitet wird.«[10]

Descartes' Rationalismus wurde zum Bestandteil der westlichen Geschichte. Sogar darin nahm er unser Zeitalter vorweg: Das Gehirn Albert Einsteins sollte später einmal sorgsam aufbewahrt werden, als sei es möglich, in seiner materiellen Gestalt einen Hinweis auf das Universum zu finden, das dieses Hirn einmal erfaßt hatte.

Ich wiederhole aber noch einmal, daß Descartes ein gläubiger Mensch war. Er hatte eine Basis für die Gewißheit in sich selbst gefunden, aber er mußte diese mit seinem Glauben in Verbindung setzen. Die einzige Angelegenheit außerhalb der Reichweite seines Verstandes, von der er ebenso sicher überzeugt sein konnte wie von seiner eigenen Existenz, war Gott. Descartes' Gott bildete die Grundlage für die zerbrechliche Struktur des Selbst. Er stützte die einzige Gewißheit, die es gab – den Gedanken Descartes' von Gott.

An dieser Stelle weist das Vermächtnis dieses Philosophen entscheidende Ähnlichkeit mit dem Newtons auf. So wie Newton sowohl ein Magier als auch ein Naturwissenschaftler war, von dem wir nur sein naturwissenschaftliches Erbe übernommen haben, war Descartes sowohl ein gläubiger Mensch als auch ein moderner Philosoph, für dessen Philosophie wir uns entschieden. In beiden Fällen scheint die Wahl so ausgefallen zu sein, weil die Balance zwischen Realität und Glaube nicht gewährleistet war.

Im Falle Descartes' ist es nicht schwierig, mit Pascal zu erkennen, daß sein Gott sich von dem Gott der Jesuiten deutlich unterschied; weitaus verhängnisvoller war die Ungewißheit darüber, ob die Existenz eines solchen Wesens überhaupt angenommen werden mußte, um das mikroskopische Teilstückchen zweifelsfreien Glaubens abzusichern, das Descartes sich zugestanden hatte. Spätere Philosophen wiesen darauf hin, daß sein »cogito« – ich denke – im Sinne seiner eigenen Methodik eigentlich genauer als »cogitatur« – Denken geschieht – hätte ausgedrückt werden sollen. Wie konnte er schließlich die Existenz eines Ich nur aufgrund eines bloßen Gedankenphänomens postulieren? Das Ich des cogito ist eine Art grammatischer Irrtum und sein Gott nichts als eine syntaktische Notwendigkeit.

Descartes' Skeptizismus war nichts im Vergleich zu dem, der kommen sollte, nachdem sein Gott aufgegeben worden war!

Diese besondere Anfälligkeit der cartesianischen Position wurde später von anderen herausgearbeitet. Doch Descartes wußte selbst, daß er den Menschen in einen seltsamen, fast traumverlorenen Zustand versetzt hatte. Er sah sich selbst »auf halber Strecke zwischen Sein und Nichts«, und Gottes Wille erhielt Descartes' Existenz auf Widerruf aufrecht. Auch damit weist er sich als philosophischer Vater der modernen Welt aus. Man entferne Gott und hat die moderne, existentielle Ungewißheit. Tatsächlich heißt das philosophische Hauptwerk Jean-Paul Sartres, des Propheten des Existentialismus, *L'être et le néant* (1943, *Das Sein und das Nichts*). Nachdem Descartes die Zerbrechlichkeit unserer modernen Erkenntnis einmal bloßgelegt hatte, konnte sich die abendländische Geisteswelt von diesem Schock nicht mehr erholen. Der cartesianische Mensch ist von einer schwächenden Krankheit befallen, die bewirkt, daß er am Rande der Selbstvergessenheit vor sich hinträumt. Descartes steckte ihn damit an, indem er aufzeigte, wie begrenzt die Gewißheiten waren, derer man habhaft werden konnte, wenn sich der zersetzende Blick des echten Skeptizismus darauf richtete. Wer Descartes nicht ganz wesentlich in seine Überlegungen einbezieht, kann nicht darauf hoffen, die Gegenwart zu verstehen. Descartes selbst hatte die fromme Hoffnung gehegt, seine eigene Doktrin möge zum orthodoxen Denken der katholischen Kirche werden. Nach dem Gerichtsverfahren gegen Galilei lebte er jedoch in der Furcht, wegen seiner Schriften verfolgt zu werden. Er erkannte, wie weit er gegangen war und wie weit jeder Mensch, der die Wahrheit suchte, würde gehen müssen. Was er nicht erkennen konnte, war, daß er der Erkenntnistheorie den zentralen Platz auf der philosophischen Bühne eingeräumt hatte, von dem sie zwei Jahrhunderte lang nicht verdrängt werden sollte.

Mit seinem Vorschlag, die eigene Selbstwahrnehmung als Fundament aller Erkenntnis zu sehen, räumte Descartes dem Dualismus einen festen Platz ein, und dieser sollte die Grundüberzeugung der naturwissenschaftlich geprägten Zivilisation bleiben. Letztlich trennte er uns von unseren Körpern, trennte den Verstand von den Leidenschaften und löste den Geist von der Materie los. Unsere wahre

Identität ruhte Descartes zufolge in unserem Geist und in unserer Seele, die ihren Sitz – so glaubte er – in der Zirbeldrüse, einem Anhängsel des Gehirns, habe. Der Körper, der als unerläßlicher Begleiter dieses Selbst erschien, war in Wirklichkeit Teil der Erscheinungswelt, die wir nicht waren. Die Tiere, so schloß er, wiesen keinerlei Selbstwahrnehmung auf, waren nichts als Körper und konnten daher als Maschinen betrachtet werden.

Die Bedeutung und Zentralität dieser Überzeugung kann man gar nicht stark genug herausstellen. In einem erstaunlich frühen Stadium der Entwicklung der Scienza Nuova und der Autoritätskrise, in der sich die Kirche befand, erkannte Descartes die tiefgreifenden Konsequenzen, die sich daraus ergaben, in ihrem innersten Kern. Galilei hatte vorgeführt, mit welcher Macht der Verstand die Unzulänglichkeiten unserer leicht zu täuschenden sinnlichen Wahrnehmung überwinden konnte. Descartes aber begriff, was dies auf philosophischer Ebene bedeutete, und zwar so sicher, wie Newton später die naturwissenschaftlichen Folgen erfassen sollte.

Die Naturwissenschaften hielten uns alle in der Falle unserer eigenen, ganz privaten Begründungen gefangen. Sie trennten uns von unserer Welt ab und schlossen uns in die hochgerüsteten Gefechtstürme unseres Bewußtseins ein. Draußen gab es eine fremdartige Landschaft, die entweder nur eingebildet oder bedeutungslos war, und im Inneren dieser Türme gab es den einzigen Besitz, dessen wir uns sicher waren – das fortwährende, eifrige Geschwätz unserer Selbstwahrnehmung. Unsere Seelen waren aus unseren Körpern entfernt worden.

Das, was uns Descartes so vertraut erscheinen läßt, ist die außergewöhnliche Fähigkeit zur Voraussicht, die dieser Mann besaß. Die cartesianische Sichtweise hat sich an unserer Denk- und Vorstellungsweise festgeklammert. Eines der ersten Gedichte, das der irische Schriftsteller Samuel Beckett verfaßte (*Whoroscope*, 1931), war eine wüste, beunruhigende Schmähschrift über Descartes' Leben, und in jedem einzelnen Wort der Erzählungen und Schauspiele, die Beckett in der Folgezeit schrieb, stecken die Qualen des großen Sieur du Perron. Denn der einsame, selbsterschaffene, selbstbestimmte und von der Welt verwirrte zeitgenössische Mensch wurde im *Discours de la Méthode* geboren. Es ist vielleicht das größte Mißgeschick Descartes', daß die »religiöse Brücke«, die er konstruiert hatte, um aus dem entfernten Winkel des Skeptizismus in die Welt zurückgebracht zu werden, aus seinem Vermächtnis gestrichen wurde. Ohne diese Brücke, den die Existenz des Menschen bestätigenden Gott, blieb der naturwissenschaftliche Mensch an einsamen Gestaden allein zurück.

Unsere moderne Welt sollte aber in einem langen, schwierigen Prozeß geboren werden, und die erste Auswirkung der modernen Naturwissenschaften lag nicht in jenem Gefühl der Isoliertheit und Einsamkeit, das in den trostlosen kalten Visionen Becketts zutage tritt. Die erste Reaktion war tatsächlich das überwältigende Gefühl von großer Dankbarkeit.

> »Nature, and Nature's Laws lay hid in Night.
> God said, *Let Newton be!* and All was *Light*.«[11]

> (Natur und ihr Gesetz in tiefem Dunkel lag.
> Gott sprach: »Laß Newton sein«, Und es war Tag.)

Diese Zeilen des englischen Dichters Alexander Pope aus dem 18. Jahrhundert werden oft ohne weiteres Nachdenken zitiert. Aber es steckt mehr in ihnen: eine Erklärung des neuen Bewußtseins. Die Natur erscheint in dem Zweizeiler als ein System mit Gesetzen. Der Ausdruck Gesetz ist bedeutsam und vielleicht auch mehrdeutig. Newton hatte erkannt, daß solche Gesetze in der aristotelischen Physik nicht möglich waren. Die Materie hatte nach Aristoteles nur Qualitäten, die ihr innewohnten, eine echte Generalisierung war unmöglich. Aber das Universum mit seinen Gesetzen stellt sich uns als Mechanismus dar, der Gesetzen folgt, die von außerhalb kommen. Der Gläubige mag meinen, Gott habe diese Regeln erfunden und danach dem Mechanismus das Weiterlaufen überlassen. Unterliegt Gott ebenfalls diesen Regeln oder kann er sie nach Belieben ändern? Descartes war der Meinung, er könne es – Descartes' Nachfolger Leibniz dagegen war anderer Ansicht: Er glaubte statt dessen an eine »prästabilierte Harmonie«, die eine vernünftige Basis der ganzen Schöpfung darstellte, in die sich Gott nicht einmischen konnte. In jedem Falle war Gott im Leibnizschen System ein gutes Stück weiter entfernt, als er es je zuvor gewesen war.

Warum aber waren diese Gesetze verborgen geblieben? Pope deutet an, Newton sei – einem zweiten Christus ähnlich – gesandt worden, um die Gesetze der Menschheit zu enthüllen und Licht in unsere Dunkelheit zu bringen. Gott hatte beschlossen, daß es an der Zeit war, uns das Wissen zu geben. Diese Interpretation hätte Newton gefallen, der ja selbst der letzte Magier war.

Wie das Beispiel Descartes zeigte, schwächt diese Interpretation die Stellung Gottes aber auf verhängnisvolle Weise. Wenn das Naturgeschehen nach zeitlosen und überall gültigen Gesetzen abliefe, wären weder Gottes Gegenwart noch seine Einflußnahme oder auch nur die Tatsache, daß er Newton erschaffen hatte, notwendig. Vielleicht wollte Newton die Herrlichkeit Gottes ein wenig feiern, als er die überwältigende Ordnung der Schöpfung offenlegte. In einem viel stärkeren Maß aber demonstrierte er ohne Gottes Zutun die Macht des spezifisch menschlichen Verstandes. Der Mensch konnte jetzt ungeheure Distanzen überblicken, die Zukunft vorhersagen, und das was er nicht selbst zu erfahren vermochte, dennoch begreifen. Hatte nicht die wirkliche Leistung Newtons darin bestanden, Menschen zu Göttern werden zu lassen?

Immer wieder wirkt Newtons Gestalt wie ein mächtiges Brennglas der Geschichte. Sein Denken war nicht nur Gipfelpunkt der gesamten Scienza Nuova, seine Person schien auch selbst einen moralischen, philosophischen und kulturellen Höhepunkt darzustellen.

Schon in der Renaissance war es durch die Verbreitung eines heldenhaften Individualismus dazu gekommen, daß Menschen zu Göttern erhoben wurden. Die angesehensten Künstler der Zeit wurden zumindest wie Halbgötter gefeiert. In der Mitte des 16. Jahrhunderts schrieb Giorgio Vasari sein Buch *Le vite de' più eccellenti architetti, pittori et sculptori italiani . . . (Die Lebensgeschichte der hervorragendsten italienischen Architekten, Maler und Bildhauer . . .),* um Michelangelo, Leonardo und Raffael als Männern von nie zuvor erreichter historischer Bedeutung ein Denkmal zu setzen. Jetzt wurden die Großen der Antike schließlich eingeholt, jetzt endlich errang die moderne Zivilisation die allerhöchste Stufe. Ungefähr um dieselbe Zeit verfaßte der florentinische Goldschmied und Bildhauer Benvenuto Cellini seine Autobiographie, eine erstaunlich überhebliche, eitle und leidenschaftliche Darstellung seines eigenen Genies vor den Augen der

Welt. Kein Buch vermag die blanke individualistische Zuversicht lebendiger zum Ausdruck zu bringen, durch welche die Meister des neuen Zeitalters sich auszeichneten.

Mit dem Entstehen der Naturwissenschaften wurde dieser stolze Individualismus durch das Bild vom einsamen Wissenschaftler, der imstande ist, den Kosmos aus seinen eigenen Mitteln heraus entstehen zu lassen, noch unterstützt. Newtons Blick in die Sonne führte schließlich zur Erkenntnis, daß der Geist eines Menschen das gesamte Universum erfassen könne. Die experimentelle Basis der neuen Naturwissenschaft, der Glaube an die stabile, verstehbare, objektive Wirklichkeit der Welt, die wahrnehmbar und analysierbar war, schien dadurch bewiesen, daß Newtons Mathematik sich auch auf den Himmel übertragen ließ. Und natürlich brachte er den Glauben, einzig die Autorität könne im Besitz der Wahrheit sein, endgültig zu Fall.

Um das Jahr 1700 hatten sich die wichtigsten Elemente des naturwissenschaftlichen Universums etabliert. Noch 150 Jahre zuvor war der Erde eine bevorzugte Stellung als Mittelpunkt der Schöpfung zugekommen, jetzt war sie nur noch Bruchteil eines unendlichen Kosmos, in dem es zufällige Zusammenballungen von Materie gab, die stumm und unbewußt unveränderlichen Regeln von absoluter Zeit und absolutem Raum gehorchten. Gott hatte sich auf eine Stellung außerhalb dieses Systems zurückgezogen. Ganz offensichtlich war er nicht mehr »oben« im Himmel, so wie auch die Hölle nicht mehr »unten« war. Solche Vorstellungen waren im aristotelischen Raum möglich gewesen, Newtons Raum dagegen war gleichförmig und ohne Richtung. Wie alles andere in seinem System war dieser Raum ungeheuer neutral. »Oben« und »unten«, das war unsere eigene Erfindung, im wirklichen Raum gab es dafür keine Bestätigung.

In der Zwischenzeit war die Mathematik zur kalten Sprache geworden, mit der allein diese harten Wahrheiten beschrieben werden konnten. Wenn die Zahlen der Newtonschen Differential- und Integralgleichungen bewiesen, daß die Worte »oben« und »unten« keinerlei absolute Bedeutung hatten, wo war dann der Himmel, wo die Hölle? Sie wurden in ein Dasein verwiesen, dessen Geographie nur noch metaphorischen Charakter hatte. Thomas von Aquin hatte einen gewissen Grad eines metaphorischen Verständnisses der Heiligen Schrift zugelassen, und dieses Verständnis wurde ausgeweitet, um alle Bestandteile des einfachen Glaubens darin einzubeziehen, möglicherweise sogar den Glauben selbst. Es sollte sich noch weiter ausdehnen.

Das neue Buch der Natur wurde in Zahlen geschrieben. In der Tat schien die Mathematik bei der Beschreibung der Welt nun an die Stelle der Heiligen Schrift getreten zu sein. Newton hatte seine eigene entwickelt – die Differential- und Integralrechnung – und hatte diese wunderbare Abstraktion genutzt, um mit ihr den Kosmos zu kartieren.

Wie aber war die Mathematik einzuordnen? War sie Bestandteil der Welt, oder war sie nur ein Werkzeug zum Messen und Zählen der Welt? Der Erfolg und die universale Anwendbarkeit der Newtonschen Methode wiesen auf ersteres hin. Das Universum schien geradezu aus Zahlen zu bestehen. Newton hatte sie entdeckt, sie nicht wie ein Lineal an die Wirklichkeit angelegt. Der Streit zwischen mathematischen Realisten, die glauben, Zahlen hätten ihren Bestand in der Welt, ob wir sie kennen oder nicht, und verschiedenen Arten von Instrumentalisten, die sich darauf versteifen, daß wir mit diesen Zahlen nur auf die Welt Bezug nehmen, hält bis heute unvermindert an. Hat man, als man 1987 an der Universität von Tokio den Wert von Pi auf 201 326 000 Stellen berechnete, die betreffenden Dezimalstellen entdeckt oder erfunden? Wir wissen, wie wir diese seltsamen Dinger zu phantastischen Leistungen hochkitzeln können, aber wir wissen nicht, was sie sind.

Als man die Macht der Zahl erkannt hatte, bewirkte das in geistiger Hinsicht eine Auferstehung der Klassik, allerdings in einer von der aristotelischen abgewandelten Form. Platons Ideen wurden durch die Differential- und Integralgleichungen zu neuem Leben erweckt.

Die platonische war die ursprüngliche, »idealistische« Philosophie. Nach Platon gestatten unsere Sinne uns nur zum Teil ein Verständnis der Dinge. Die Umrisse, die wir wahrnehmen, geben nach Platon nur verzerrte Eindrücke einer Welt wieder, die ideale Konturen hat. Die Mathematik bietet einen winzigen Einblick in solch eine ideale Ordnung. »Laßt niemanden zu mir kommen, der die Geometrie nicht kennt«, forderte Platon. Die Formen der euklidischen Geometrie, zum Beispiel einen Punkt ohne Dimension, kannte man noch nicht, doch sie waren schon vorhanden, in einem idealen Bereich verborgen, der unseren Sinnen nicht zugänglich war, wohl aber unserem Verstand. Mit Pythagoras hatte diese Anschauung ihre reinste, hervorragende Interpretation gefunden. Die Zahl lag hinter allen Dingen, und die Pythagoreischen Theoreme sowie seine Entdekkung, daß musikalische Intervalle von einfachen Verhältniswerten abhängen, schienen das zu beweisen. Aber dieser antike Glaube erholte sich niemals von einer eher schmerzhaften Entdeckung: solcher irrationaler Zahlen wie der Quadratwurzel von zwei. Die Unzulänglichkeiten des griechischen mathematischen Modells zerstörten den Glauben an den überragenden Reduktionismus der Zahl.

Die Scienza Nuova aber führte zur Wiederbelebung einer Anzahl platonischer Elemente. Newton und Galilei arbeiteten beide auf der Grundlage »idealer« Bedingungen – reibungsloser Bewegung oder von jeder äußerlichen Einwirkung unberührter Körper – und vertrauten beide auf mathematische Systeme. Ihre Gesetze waren ideale Vereinfachungen und nahmen Bezug auf eine verborgene, unsichtbare Wirklichkeit.

Es gab eine eher poetische Entsprechung, die sich am lebendigsten im Werk Johannes Keplers und in dem zeitweise blind machenden Experiment Newtons zeigte: die Verehrung der Sonne. Die Überzeugung von der Mangelhaftigkeit unserer Sinnenwelt, die im antiken Platonismus betont wurde, führte dazu, der Sonne Vollkommenheit zuzusprechen. Der Heliozentrismus von Kopernikus und Kepler begründete also auch die Neigung, Platon höher anzusetzen als Aristoteles. Schließlich fügte sich auch der platonische Glaube an Vollkommenheit leichter in ein unendliches Universum, und dieses wurde in der Kosmologie des Aristoteles abgestritten. Die Unendlichkeit ergab sich aber aus den Gesetzen Newtons – man sagte über ihn, er sei ein Mann ohne Furcht vor dem Unendlichen gewesen. Platon hatte Aristoteles den Rang streitig gemacht, als antikes Vorbild für das Wissen zu gelten.

Es ist wichtig, sich vor Augen zu halten, daß dieser Platonismus der frühen Naturwissenschaft anhaftete, weil damit säuberlich gewisse Voreingenommenheiten umgekehrt werden: Platonismus ist Mystizismus, Aristotelismus ist gesunder Menschenverstand. Die Naturwissenschaften sind von Platon inspiriert, und dennoch verbinden wir sie im allgemeinen eher mit der Vorstellung von gesundem Menschenverstand – tatsächlich behauptet eine bekannte Definition der Naturwissenschaft, sie sei »organisierter gesunder Menschenverstand«. Mein Eindruck aber ist, daß diese platonischen Wurzeln der Naturwissenschaften auf eine tieferliegende Wahrheit hindeuten – nämlich auf die, daß die Naturwissenschaften selbst eine Form von Mystizismus darstellen. Dies wird all den Apologeten der Naturwissenschaften, die ihr Anliegen volkstümlich und allgemeinverständlich machen, nicht behagen, gerade weil sie auf dem gesunden Menschenverstand als Basis für ihre Propaganda bestehen müssen. Wie ich aber bereits sagte: Gesunder Menschenverstand kann den Himmel mit den Augen des Ptolemäus betrachten; um ihn mit den Augen Newtons zu sehen, braucht man den Mystizismus.

Unter aller Neuerung, aller Zuversicht und Feierlichkeit, die mit der neuen Wissenschaft einherging, blieb die charakteristische Kälte der naturwissenschaftlichen und mathematischen Vision bestehen. Wäre die Welt wirklich aus Zahlen entstanden, dann hätten wir nur einen riesigen Rechenapparat bewohnt. Wie Descartes hätten wir uns mit unserem eigenen Bewußtsein trösten können, doch dieses wäre nicht mehr als ein winziges Aufflackern im Maschinengetriebe der Natur gewesen. Zudem schienen diese Gesetze und Zahlen aller Logik nach mit oder ohne uns zu operieren. Effizient mahlten Ursache und Folge ihren Ablauf durch die Zeiten, und all die kleinkarierten Sorgen und Nöte unseres Lebens konnten nichts daran verändern. Wir waren aus dem Zentrum des Universums vertrieben worden, aus unserer besonderen Stellung, und wir hatten unsere Bedeutung verloren.

Noch befremdlicher war die Art, wie der Zahlenkosmos uns unserer Freiheit beraubte. Die eindeutige Folge der Naturwissenschaften war der Determinismus, die Überzeugung, daß alles auf ewig vorherbestimmt ist. Die Zukunft lag in der Gegenwart, und die wiederum war durch die Vergangenheit vorherbestimmt.

Vollendet ausgedrückt hat diese Überzeugung der französische Mathematiker Pierre Simon Laplace in seinem *Essai philosophique sur les probabilités (Philosophischer Versuch über die Wahrscheinlichkeiten)*. Er schrieb:

»Eine Intelligenz, welche für einen gegebenen Augenblick alle in der Natur wirkenden Kräfte sowie die gegenseitige Lage der sie zusammensetzenden Elemente kennte, und überdies umfassend genug wäre, um diese gegebenen Größen der Analysis zu unterwerfen, würde in derselben Formel die Bewegungen der größten Weltkörper wie des leichtesten Atoms umschließen; nichts würde ihr ungewiß sein und Zukunft wie Vergangenheit würden ihr offen vor Augen liegen.«[12]

Als er Napoleon eine Kopie seines Buches überreichte, wurde der weltgewandte Laplace gefragt, warum keine Erwähnung des Schöpfers enthalten sei. »Ich brauche diese Hypothese nicht«, war seine Antwort.

Laplacescher Determinismus ist eine unausweichliche Konsequenz der naturwissenschaftlichen Sichtweise, und die meisten Naturwissenschaftler hängen ihm auch noch an: Wenn wir alle Ursachen kennen, können wir logischerweise auch auf jede ihrer Auswirkungen schließen. Die Zukunft ist erkennbar, wenn wir alle Informationen über die Vergangenheit zu verarbeiten imstande sind. Sie ist daher vorherbestimmt und unvermeidlich. Wir können uns dem nicht durch Flucht in unsere cartesianischen Seelen entziehen, weil wir unvermeidlich auch aus Zahlen gemacht sind und diese demselben eisernen Gesetz von Ursache und Wirkung unterworfen sein müssen. Wir tun Dinge als Folge von anderen Dingen, und wir sind in die ganze universale Kette der Kausalität eingebunden. Der freie Wille ist ein Hirngespinst, das aus unserer Unwissenheit entstanden ist. Die Naturwissenschaften teilen uns mit, daß wir alles wissen können und deswegen unentrinnbar gefangen sein können.

Das 18. Jahrhundert war das Zeitalter des Triumphs des Verstandes und der von Newton inspirierten unermeßlichen Zuversicht, der menschliche Verstand könne alles erreichen. Hinter dieser Zuversicht aber war religiöses und philosophisches Entsetzen verborgen. Die Vernunft mochte triumphiert haben, die Früchte des Sieges aber waren bitter. Die Naturwissenschaften hatten den freien Willen abgeschafft und ein einsames, brutales Universum eingesetzt.

Wie ich bereits erläuterte, wurde nach Descartes deutlich, daß die philosophische Antwort auf solch eine Krise in der Lösung des Erkenntnisproblems lag. Erst danach war es möglich, sich den sensibleren Themen von Wert, Moral und Sinn zuzuwenden. Die überwältigende philosophische Erblast der Naturwissenschaften war die Trennung von Wissen und Werten. Tatsächlich scheint gerade diese den Erfolg der Wissenschaften auszumachen. Denn die Naturwissenschaften sind notwendigerweise dynamisch. Sie fordern die stete Möglichkeit, Experimente zu widerlegen sowie ein ständiges Anzweifeln der eigenen Befunde. Wenn wir aber einer bestimmten Anschauung einen Wert zuschreiben, wird dieser Prozeß lahmgelegt oder der Wert kann leicht gestürzt werden. Einmal angenommen, wir behaupteten, Newton habe den Geist Gottes interpretiert, wie Pope das andeutet. Was sagen wir dann, wenn ein Einstein erscheint und die Unvollständigkeit Newtons aufzeigt? Das Wesen Gottes kann sich nicht mit jeder neuen Theorie ändern. Die Naturwissenschaften sind immer ruhelos und verhindern jeden Versuch, ihre Folgerungen in irgend etwas einzubinden, das mehr ist als die wissenschaftliche Wahrheit.

Als Menschen messen Naturwissenschaftler ihren Theorien immerzu Werte bei, aber es kommt auf die beim Experiment zugrunde gelegte Annahme an, daß keine Theorie privilegiert wird, auch wenn sie sehr überzeugend sein sollte. Die naturwissenschaftliche Welt ist nicht dafür da, unsere Bedürfnisse zu befriedigen, und sie kann auch keine anderen als naturwissenschaftliche Fragen beantworten.

Sogar Descartes selbst, der ein frommer Mann war, hatte erkannt, daß es nicht angehen konnte, aus Gottes Schöpfung Schlüsse auf Gott zu ziehen. Er war überzeugt davon, daß die Antimechanisten, die auf die alte aristotelische Anschauung der endgültigen Ursachen in der Natur pochten, alles andere als fromm waren mit ihrem Versuch, Gott zu erraten. Endgültige Ursachen waren dem menschlichen Verstand einfach nicht zugänglich. Wir hatten diesen Mechanismus, und das war alles; Gott war weit entfernt.

Von weiter Entfernung bis zur Abwesenheit ist es dann nur noch ein kleiner Schritt. Der kalte Mechanismus des Universums war an die Stelle von Gottes wohlwollender Schöpfung getreten. Die Naturwissenschaften machten es zunehmend schwieriger, sich mit der Natur zu beschäftigen, um Gott zu verstehen oder unsere Werte aus seinen Werken zu beziehen. Ein Dilemma war entstanden, das es zu verstehen gilt.

Einerseits: Die Naturwissenschaften hatten eine neue Ordnung in der Natur nachgewiesen, welche die Existenz einer führenden, schöpferischen Hand zu bestätigen schien. Auf den ersten Blick könnte man meinen, der alte teleologische Gottesbeweis sei durch die neuen Wissensformen gestärkt worden. Ihm zufolge waren die Komplexität und perfekte Anpassung der Natur ohne eine hinter ihnen wirkende bewußte Absicht undenkbar. Die Naturwissenschaften enthüllten eine noch größere Komplexität und Perfektion der Anpassung und brachten somit ganz sicher noch schönere Beispiele vom göttlichen Schöpfer. Wodurch konnte die bewußte Gestaltung noch zwingender bewiesen werden als durch die außerordentlich stabile und dennoch ganz feine Balance, die Newton aufgezeigt hatte?

Diese Anschauung untermauerte die Arbeit des gläubigen Wissenschaftlers schon immer. Sie fand ihren berühmtesten und elegantesten Ausdruck in den Schriften von William Paley, einem Theologen aus dem 18. Jahrhundert. Er stellte sich folgendes vor:

>»Nehmen wir an, ich ginge über eine Heide und stieße dabei mit dem Fuß an einen *Stein*, und jemand würde mich fragen, wie der Stein dorthin gekommen sei; ich könnte vielleicht antworten, daß er, soviel ich wüßte, immer dort gelegen habe: und vielleicht wäre es nicht einmal sehr einfach, die Absurdität dieser Antwort aufzuzeigen. Nehmen wir nun aber an, ich hätte eine *Uhr* auf dem Boden gefunden, und man würde nachforschen, wie die Uhr an diesem Platz zu liegen gekommen sei, so würde mir wohl kaum die Antwort einfallen, die ich zuvor gegeben hatte, nämlich daß, soviel ich wüßte, die Uhr schon immer dort gelegen haben müßte.«[13]

Die Uhr könnte ein Baum sein, ein Vogel oder ein Mensch – bei allen ist gleichermaßen undenkbar, daß sie ohne Plan entstanden sind.

Andererseits: Es sah doch so aus, als ob die Naturwissenschaften einige sehr komplexe Systeme erklärt und vereinfacht hätten. Die verstörenden Zyklen der ptolemäischen Beobachtung waren umgewandelt und verstanden worden. Ein hartgesottener atheistischer Naturwissenschaftler könnte sich auf den Standpunkt stellen, daß sich auch Bäume, Vögel und Menschen nach einem angemessenen Zeitraum der Erklärungsgewalt der Naturwissenschaften fügen würden.

Eine Zeitlang muß es so ausgesehen haben, als ob die Naturwissenschaften beide Wege hätten einschlagen können. Zwar waren wir von ihnen aus unserer besonderen Stellung vertrieben worden, doch hatten sie uns vielleicht einen neuen Wert offenbart, wie er sich in unserer tieferen Erkenntnis von der Ordnung der Natur zeigte, oder hatten schlüssig bewiesen, daß wir bedeutungslose Zufälle in einem kalten Universum waren.

Von David Hume, dem schottischen Philosophen des 18. Jahrhunderts, sollte diese moderne Art der Erkenntniskrise und der Wertmaßstäbe erstmals umfassend zum Ausdruck gebracht werden. Hume war insofern ein Empiriker, als er der Ansicht war, alle Vorstellungen des Verstandes leiteten sich aus der sinnlichen Erfahrung her. Aber er glaubte nicht, daß die sinnliche Erfahrung allein ausreichen würde, um die Welt zu verstehen. Aus der Erfahrung schienen wir vielmehr eine Welt so aufzubauen, wie sie uns paßte. Wenn wir zusehen, wie ein Billardball einen anderen anstößt und zum Wegrollen veranlaßt, nehmen wir das als zwei voneinander unabhängige Vorgänge wahr. Aber dann sagen wir, daß der erste Vorgang den zweiten »verursacht« habe. Diese Kausalität war kein Bestandteil der Welt, sondern wurde von uns in sie hineingebracht. Angesichts solcher Mängel war es natürlich unsinnig zu meinen, unsere Kenntnis von der Welt könne uns als solche zu Gott führen. Auch hier bildeten seltsame Vertrautheit und das Geheimnis der Kausalität das Paradox, um das sich unser Wissen und unsere Kräfte zu drehen schienen.

Immanuel Kant sagte, Hume habe ihn aus seinem selbstgerechten Schlaf erweckt. Kant war im preußischen Königsberg erzogen und unterrichtet worden. Sein Schlaf hatte lange gewährt. Nachdem er 1755 Universitätslehrer geworden war, arbeitete er an kleineren philosophischen und wissenschaftlichen Abhandlungen, bis er 1781 die *Kritik der reinen Vernunft* veröffentlichte, die Verkündigung seines Erwachens.

Wie Aristoteles den Erkenntnisstand der Antike verkörpert hat und Thomas von Aquin den des Mittelalters, so verkörperte Kant den Erkenntnisstand der naturwissenschaftlich geprägten Aufklärung. Sein Gedankengebäude nahm die erkenntnistheoretische Krise der modernen Welt am umfassendsten und geradlinigsten in Angriff. Er verhielt sich zu Descartes wie Newton zu Galilei: Er verkündete Gesetze, der andere hatte Erkundungen angestellt.

Allan Bloom faßt in seinem Buch *The Closing of the American Mind* Kants Leistung wie folgt zusammen:

»Er entwickelte eine neue Erkenntnistheorie, die Freiheit möglich macht, wenn man die Naturwissenschaft als deterministisch versteht, eine neue Moral, welche die Würde des Menschen ermöglicht, wenn man davon ausgeht, daß die menschliche Natur aus selbstsüchtigen natürlichen Bedürfnissen zusammengesetzt ist, und eine neue Ästhetik, die das Schöne und das Sublime vor bloßer Subjektivität bewahrt.«

Kant war ein Erbe Platons, der als ein Idealist davon ausgegangen war, daß unser Verständnis von der Welt völlig und unabänderlich mangelhaft sei. Beiden zufolge besaßen wir nichts als unseren Wahrnehmungsapparat. Um das zu erklären, übernahm Kant Newtons absolute Zeit und seinen absoluten Raum als Kategorien *a priori*, als *vor* der sinnlichen Wahrnehmung gegeben. Wir blickten durch Linsen aus absoluter Zeit und absolutem Raum auf die Welt. Sie waren die Bedingungen, die uns das Sehen ermöglichten. Unsere Wahrnehmungen erlaubten uns nicht, die letztgültige Wahrheit zu erkennen. Auch unser Wissen war durch Erfahrungskategorien, wie die der Kausalität, bedingt.

Auf dieser metaphysischen Grundlage errichtete Kant einen Moralbegriff und einen Glauben. Wir erschufen unsere Welt so, wie unsere Art der Erkenntnis das vorgab. Innerhalb dieser Struktur verspürten wir einen moralischen Druck – einen kategorischen Imperativ, unser Verhalten immer an folgender Frage auszurichten: Was wäre, wenn alle Menschen sich so verhalten würden? Mit Kants Worten: »Handle so, daß die Maxime deines Willens jederzeit zugleich als Prinzip einer allgemeinen Gesetzgebung gelten könne.«[15]

3. Die Erniedrigung des Menschen

Für Kant war Gott in der Welt außer in diesem Befehl und in der moralischen Verpflichtung nicht wahrnehmbar. Wir wurden zum »höchsten Gut« für die ganze Menschheit gedrängt. Aber die Kraft dazu kam aus uns selbst.

Dies ist die Kardinalverteidigung der moralischen Ordnung gegenüber den Anforderungen und der Effizienz, die von den Naturwissenschaften in die Welt gesetzt worden waren. Kants Lehrgebäude war eine unmittelbare Antwort auf die kalte, unmenschliche Kosmologie der Naturwissenschaften. Nachdem der Mensch aus dem Zentrum des Universums vertrieben war, hatten die Sterne für ihn keinerlei Aussage mehr. Weder sie noch irgend etwas anderes im Kosmos gaben ihm einen Sinn, eine Identität, Gewißheit oder Erkenntnis. Angesichts der kalten Vision von Zweifel und Ziellosigkeit richtete Kant das Denken des abendländischen Geistes nach innen, auf die Besinnung seiner eigenen Moral und metaphysischen Beschaffenheit.

Dies war die entscheidende geistige Leistung der modernen Welt. Alle Philosophie vor und nach Kant kann in Kants großartigem Lehrgebäude von verinnerlichten Wertvorstellungen impliziert gesehen werden. Aus einer Lesart Kants entwickelte sich die Romantik mit ihren selbstgerechten, sich selbst bestimmenden Helden, und in unseren Tagen findet sich ein anderer Kant in all den verschiedenen Formen von Existentialismus und Analyse in der Philosophie des 20. Jahrhunderts wieder. In all den verschiedenen Weisen, in denen Kant von seinen Interpreten beschworen wurde, sollte ihm die Aufgabe zufallen, den Menschen vor den zersetzenden Eingriffen der von ihm selbst geschaffenen Naturwissenschaften zu schützen, indem er auf neue Weise die alte religiöse Überzeugung, daß der Mensch in der Tat einzigartig auf der Welt sei, wiederbelebte: Der Mensch kann niemals Mittel zum Zweck sein, sondern ist sein eigenes Ziel. Der Mensch war nicht reduzierbar, er konnte in seinem Wert nicht gemindert werden. Mit dieser Erkenntnis war die Wertvorstellung wiedergeboren und konnte in das naturwissenschaftliche Universum eingesetzt werden.

Vor dem Hintergrund der rohen, explosiven Gewalt aber, welche die Naturwissenschaften in die Welt gebracht hatten, wirkte Kants feinsinniger, großartiger und von Askese geprägter Schritt zu seiner

Metaphysik nur wie ein heikler Drahtseilakt. Der Mensch, dessen Wert sich nicht herabsetzen ließ, sollte den boshaften Mächten der Industrialisierung wenig bedeuten.

Die moderne Technik, die praktische Anwendung der Naturwissenschaften, wurde im 18. Jahrhundert geboren. Die industrielle Revolution beherrschte zunächst England und dann ganz Europa. Das Maschinenzeitalter begann, als der Mensch entdeckt hatte, daß nicht nur in seinen Armen Kräfte steckten und Schnelligkeit nicht nur auf seine Beine beschränkt war. Fabrikanlagen und Eisenbahnen füllten das Netz des Wissens aus, das die Naturwissenschaften über die Landschaft geworfen hatten. Richard Trevithick, Josiah Wedgwood und Benjamin Franklin waren im englischsprachigen Bereich die standhaften, wißbegierigen und tatkräftigen Erben der Welt, die Descartes, Galilei und Newton gestaltet hatten. Blindheit, Alchemie, Zerbrechlichkeit und Gott waren vergessen, als die praxisorientierten Männer das Ruder übernahmen. Die Scienza Nuova wurde in die neue Wissenschaft übertragen, und das funktionierte gut. Jetzt legten die Menschen ihre Hände auf die Hebel der Maschine, als die sie die Welt nun betrachteten, und das Leben von Millionen sollte sich ändern.

Ländliche Gegenden sollten entvölkert werden, als das Landvolk seine Äcker aufgab, um das städtische Proletariat zu bilden. Der Gedanke an die Maschine, die stumme, effiziente Verwirklichung der ewigen Naturgesetze, dominierte den europäischen Geist. Die Maschinen steigerten in einem unpersönlichen Prozeß die Arbeitsleistung und schufen damit Reichtum. Der Einsatz von Maschinen erforderte eine Zentralisierung und führte zur Entstehung von Städten, in denen die Arbeitskräfte, die die Maschinen bedienten, sich dann um die zugehörigen Fabriken herum ansiedelten.

Vor allem aber bestätigte die Technik deutlich und unbestreitbar den einen großen Anspruch, den die Naturwissenschaften für sich selbst erheben: den, daß sie funktioniert. Seit Newton überschütten die Naturwissenschaften die Welt ständig mit neuen Gesetzen, und mit Hilfe technischer Verfahrensweisen kamen und kommen sie in Dampfmaschinen, Fabrikanlagen, Autos und Raketen zur Anwendung. Und diese Maschinen bewegen sich, und die Raketen heben ab: Es funktioniert. Inmitten all der verschwenderischen Fülle der technischen Errungenschaften Zweifel anzumelden war lächerlich, und heutzutage sind wir überall umgeben von dieser verschwenderischen Fülle.

Wir mögen uns wünschen, Getreide wachse durch das Aufsagen von Gebeten besser, wissen aber, daß Dünger wirkungsvoller ist, daß er besser »funktioniert«; wir mögen uns wünschen, einzelne Kulturvölker könnten vor dem Einfluß der Technologie besser geschützt werden, doch wir wissen, daß unsere Antibiotika den Tod ihrer Kinder verhindern können; wir mögen uns wünschen, nach Amerika laufen zu können, wissen jedoch, daß wir fliegen müssen.

Vor diesem Hintergrund können wir erfassen, welche Bedeutung das Bild von der Uhr auf der Heide für William Paley hatte. Die Uhr war ein technisches Erzeugnis. Je weiter sich die Technik ausbreitete, desto besser konnten die Menschen die große Bedeutung und Vollkommenheit eines Plans verstehen und schätzen, der notwendig war, um so etwas zum Funktionieren zu bringen. Um eine Dampfmaschine anzutreiben, bedurfte es schon großer Präzisionsarbeit, Ingenieurskunst und ausgetüftelter Herstellungssysteme; wieviel mehr war dann wohl dazu erforderlich, einen Vogel fliegen oder einen Menschen denken zu lassen! Die von Menschen erfundene Technik war erfolgreich, der höchste Ruhm jedoch gebührte unzweifelhaft der Natur, die Gott erschaffen hatte.

Das Mißtrauen, das die Philosophen der Aufklärung, wie Hume oder Kant, diesem Gedanken entgegenbrachten, sollte sich als Vorahnung erweisen. Die Naturwissenschaften waren zu beweglich, zu rastlos und entwickelten viel zu viel außerordentlich Neues, als daß wir daraus den Schluß hätten ziehen können, Komplexität sei gleich Gott. Der teleologische Gottesbeweis sollte den dunklen Aufruhr des 19. Jahrhunderts nicht unbeschadet überstehen. Außer in einigen winzigen Nischen des Widerstands und in Kirchenpredigten gibt es diesen Gedanken in unserem Jahrhundert gar nicht mehr. Die Zeit hatte ihn früh zunichte gemacht – eine glasklare, grausame Ironie, wenn man daran denkt, daß Paley das Bild von der Uhr zu seiner Verteidigung angeführt hatte. Es war nicht Newtons absolute Zeit und auch nicht die subjektive Zeit unseres Lebens, sondern die Zeit, die auf der Erde verstrichen war. Für eine Religion wie die christliche, deren Bestreben es war, die ganze Geschichte einzubeziehen und zu erklären, war das sicherlich ein recht heikles Thema. Um diesem Vorhaben zu entsprechen, hatte man die Bibel dazu benutzt, eine genaue Chronologie der Schöpfung aus ihr abzuleiten und auch die Apokalypse vorhersagen zu können. Die Rückverfolgung durch die Genealogie der Schrift bis hin zu Adam und Eva hatte schließlich zu der weitverbreiteten Annahme geführt, die Welt sei um 4004 vor Christi Geburt erschaffen worden. Die Geschichte bewegte sich von diesem Punkt an auf den Höhepunkt zu, den sie mit Christus erreicht hatte, und würde zu einer festgesetzten Zeit in der Zukunft ihr Ende mit Christi zweiter Ankunft auf Erden finden. Aus Gründen der Symmetrie leitete man aus der Heiligen Schrift ab, daß dies wahrscheinlich im Jahr 4004 nach Christi geschehen würde.

Der Schlag, den Newton und Galilei dem alten religiösen Universum versetzt hatten, stellte eine solche Interpretation nicht unbedingt in Frage. Die Zeit des Kosmos mochte zwar absolut sein, die Erde aber konnte dennoch eine solch relativ kurze Geschichte haben. Und zu jener Zeit waren nur wenige Menschen der Auffassung, daß es – naturwissenschaftlich oder religiös bedingt – *notwendig* sei, eine längere geschichtliche Zeitspanne anzunehmen.

Ganz plötzlich aber wurde diese Annahme unvermeidlich. James Hutton, 1726 in Edinburgh geboren, studierte Jura, Medizin und schließlich Geologie, die sich noch nicht als Wissenschaft etabliert hatte. Aufgrund seiner geologischen Beobachtungen konstruierte er ein Gebilde, das er Weltmaschine nannte. Zu ihr gehörte ein vierstufiger Prozeß: die Erosion von Landmassen, ihre Ablagerungen in den Tiefen der See, ihre Erhitzung und Kompression und schließlich ihr Aufbrechen und Auftauchen aus dem Wasser, um neues Land zu bilden.

Das auffällige Neue an diesem Erklärungsmodell war die Vorstellung von einer kontinuierlichen Bewegung. Dem, was man für die Anschauung des gesunden Menschenverstandes halten konnte, daß die Erde ein statischer Felsbrocken ist, stellte Hutton diesen Vorgang von andauerndem, wenn auch nicht beobachtbarem, langsamen Wandel gegenüber.

Hier lag ein klassischer Fall dessen vor, wie Verstand und Beobachtung eine Synthese bildeten, um den sinnlich wahrgenommenen Augenschein zu übertrumpfen – und Galilei hätte seine helle Freude daran gehabt. Was wir für das Urbild von Beständigkeit und Unveränderbarkeit gehalten hatten, befand sich in Wirklichkeit ständig in Bewegung.

Aus dieser Vorstellung des Wandels, der sich in riesigem Ausmaß und ständig ereignet, ging die Geologie als naturwissenschaftliche Fachdisziplin hervor. Tatsächlich weist ein moderner Geologe darauf hin, daß man sich das Fundament dieser Wissenschaft allein schon mit der Tatsache, daß der Gipfel des Mount Everest aus Meereskalkstein besteht, anschaulich machen kann.

Aber Huttons Maschine brachte weit Schrecklicheres als nur die Erkenntnis, daß auch die Erde unter unseren Füßen sich bewegt. Daß wir die Bewegung nicht spürten, konnte nur eines bedeuten: Sie mußte sehr langsam sein. Und wenn sie es war, folgte daraus, daß auch die Zeitspanne für einen Bruchteil dieses Kreislaufs ungeheuer lang war. Hutton folgerte, seine Weltmaschine sei ewig. »Das Resultat unserer gegenwärtigen Forschung ist, daß wir keine Spuren von einem Anfang finden können – und keine Aussicht auf ein Ende«[16], schrieb er.

Bei einer Exkursion zusammen mit Hutton betrachtete John Playfair einen der »eckigen Einschlüsse« im Felsgestein, die diese Theorie angeregt hatten. »Uns schwindelte beim Anblick in den Abyssus der Zeit«[17], erinnerte er sich später.

Die »Tiefe der Zeit« war entdeckt. Das unnachgiebige Abfragen der Ursachen durch den naturwissenschaftlichen Geist hatte nun dazu geführt, die Existenz der Erde auf einen Zeitraum von unberechenbaren Äonen anzusetzen. Playfairs Reaktion war zutreffend – er erfaßte das Konzept von einer tiefen Zeit mit einer räumlichen Metapher, dem Abgrund. Beim tiefen Blick in die Zeit wird ihm schwindlig, als stünde er an der Oberkante eines tiefen Raumes. Zum unendlichen Raum war die unendliche Zeit hinzugekommen, und beides verursachte uns Schwindel angesichts unserer Verlorenheit, unserer Winzigkeit und Unwichtigkeit. Die Naturwissenschaften hatten uns zuvor gezeigt, daß wir im Raum verloren waren; jetzt waren wir auch in der Zeit verloren.

Aber immer noch konnte der Mensch sich fast unberührt fühlen. Er konnte sich immer noch auf seinen einzigartigen, göttlichen Funken berufen, seine sich ihrer selbst bewußte Seele, die so losgelöst von der Schöpfung erschien, welche die Naturwissenschaften so erbarmungslos bloßlegten, bis nur noch ihr Grundgerüst stand.

Doch auch diese letzte Spur von Stolz, von Einzigartigkeit in der Schöpfung hatte nicht lange Bestand. Im Jahre 1859 wurde der Mensch durch eine wissenschaftliche Theorie von bestechender Einfachheit und Effektivität, die sogar nach 150 Jahren noch nichts von ihrer atemberaubenden Kraft verloren hat, auf schmerzhafte und entschiedene Weise in eine natürliche Welt eingebunden.

Wieder war die Zeit der Schlüssel für die Theorie gewesen. Warum, so hatte sich Charles Darwin gewundert, gibt es so viele verschiedene Formen des Lebens, die so gut an ihre Umgebung angepaßt sind? Auf einen Nenner gebracht lautete seine Antwort: Das Überleben ist keine Sache des Zufalls. Besser bekannt ist seine These unter dem Begriff der »natürlichen Auslese«. Jedes beginnende Leben – ein Ereignis, das Darwin noch nicht erklären konnte – wurde sofort der natürlichen Auslese unterzogen. Der Mechanismus lag offen zutage: Manche Individuen hatten eine bessere Überlebensfähigkeit und konnten sich daher besser fortpflanzen. Auf diese Weise gaben sie ihre Gene an eine größere Zahl von Nachkommen weiter. Diese Gene trugen die Fähigkeiten, die die Eltern erfolgreich gemacht hatten, in die nächste Generation, und dann entstanden noch erfolgreichere, das heißt besser angepaßte Organismen. Zufällige Mutationen ermöglichten Veränderungen. Normalerweise führten diese zu einem weniger erfolgreichen Individuum, das unbemerkt abstarb. Aber wenn diese Veränderungen vorteilhaft waren, gestatteten sie es den Organismen, zu überleben und sich besser fortpflanzen zu können. Wenn Lebewesen starben, hatte das gewöhnlich eine Ursache: Sie waren schlecht angepaßt. Die besser angepaßten lebten und vermehrten sich, und die Zeit besorgte den Rest.

Die schmerzhaft empfundene Langsamkeit, Ungenauigkeit und Zufälligkeit stimmte mit unserem intuitiven Gefühl für diesem Vorgang nicht überein. Doch der einzige wirklich vom Zufall abhängige Schritt dabei ist die Möglichkeit einer Mutation. Alles andere ist klare, statistische Notwendigkeit. Ebenso verflüchtigt sich das Bild von Langsamkeit und Ungenauigkeit, sobald die Zeiträume verstanden werden. Die tiefe Zeit beinhaltet Millionen und Abermillionen von Jahren, in denen Flügel wachsen, sich Augen entwickeln, sich

Daumen um die Hand drehen können, um den Fingern gegenüber-zustehen, und in denen ein Primatenhirn das Bewußtsein seiner selbst erlangen kann. Jeder ernsthafte Versuch, den Darwinismus in Verruf zu bringen, scheitert im Hinblick auf die offensichtlich wun-derbare Arbeitsweise der tiefen Zeit. Wenn organische Moleküle durch irgendeinen Prozeß erst einmal eine Form angenommen haben, dann wird – vorausgesetzt, es herrschen günstige Bedingun-gen – der Evolutionsprozeß unvermeidlich in Gang gesetzt, und es entwickeln sich Kamele, Elefanten und Menschen. Durch eine ei-genartige Umkehrung des Denkens, die den außergewöhnlichen und einzigartigen Charakter der darwinistischen Theorie noch un-terstreicht, waren die aristotelischen Zielursachen in einem ganz be-sonderen Sinne wiederbelebt worden. Der Mensch war *tatsächlich* in der Amöbe vorhanden!

Mit oder ohne Aristotelismus: Von allen anmaßenden Übergriffen der Naturwissenschaften auf das religiöse Empfinden war dieser si-cherlich der erschreckendste und grundsätzlichste. Wie der Biologe Richard Dawkins schreibt: »Auch wenn der Atheismus vor Darwin *logisch* haltbar war, so ermöglichte Darwin es dem Atheisten, auch intellektuell zufrieden zu sein.«[18] Vor Darwin hatte die Argumenta-tion von einem der Schöpfung zugrunde liegenden Plan Gott als den Organisator von Komplexität betrachtet. Nach Darwin war die aller-größte Komplexität – die organische – mit Hilfe des Ablaufs der tiefen Zeit völlig erklärbar geworden. Schlimmer noch, wir waren jetzt keine Kinder Gottes mehr, wir waren Nachkommen von Affen und Algen! Unser früherer Stolz, mit dem wir uns als die Herren der Schöpfung betrachtet hatten, schmolz dahin; statt dessen wußten wir nun, daß gewöhnliches tierisches Blut in unseren Adern floß. Die Naturwissenschaften hatten sich mit ihren Feststellungen von der sinnlosen Zufälligkeit unseres Daseins so weit als irgend möglich vorgewagt.

»Im unendlichen Raum zahllose leuchtende Kugeln, um jede von welchen etwa ein Dutzend kleinerer beleuchteter sich wälzt, die, inwendig heiß, mit erstarrter kalter Rinde überzogen sind, auf der ein Schimmelüberzug lebende und erkennende Wesen erzeugt hat – dies ist die empirische Wahrheit, das Reale, die Welt.«[19]

So betrachtete Arthur Schopenhauer das Universum und die Welt, der Philosoph des heroischen Pessimismus aus dem 19. Jahrhundert. Und Darwin schrieb über das durch seine Arbeit entstandene Problem der Moral in der Welt, die er entdeckt hatte, folgendes: »Ich fühle zutiefst, dass das ganze Thema für den menschlichen Intellekt zu umfassend ist. Ebenso könnte ein Hund über den Geist von Newton nachdenken. Soll jeder Mensch hoffen und glauben, was er kann.«[20]

Solche Worte weisen Darwin als sehr modernen naturwissenschaftlichen Trauerspieldichter aus. Die Welt ist so wie sie ist, ob wir das nun mögen oder nicht. Alles andere ist Wunschdenken. Der Glaube kann von dieser Wahrheit nicht getrennt werden. Er muß im klaren Bewußtsein darüber, daß bestehende Naturtatsachen ihm keinerlei Stütze bieten, wiederaufgebaut werden. Es handelte sich hier um dieselbe Botschaft, die wir aus Newtons Kosmos mit absoluter Zeit und absolutem Raum herausgelesen hatten, aber die Darwinsche Theorie der natürlichen Auslese, die so bestechend einfach war, überbrachte sie mit noch nie dagewesener Brutalität. Wir waren zufällig entstandene Tiere.

In unserem Jahrhundert wurde diese verhängnisvolle und demütigende Verbindung mit der Natur noch weiter vertieft durch die Entdeckung der molekularen Struktur der Desoxyribonukleinsäure (DNS). Die DNS-Struktur ist Träger der genetischen Botschaft. Etwas verkürzt könnte man sagen, daß sie alles enthält, was wir und die meisten anderen Organismen auch sind. Blaue Augen, braunes Haar, kleiner Wuchs, Größe, Schlankheit, Korpulenz: Alles soll in diesem sagenhaft komplexen Molekül codiert sein. Und dennoch: Obwohl die Analyse der DNS durch das angloamerikanische Forscherteam James D. Watson und Francis H. Crick Komplexität aufdeckte, enthüllte sie gleichfalls eine erschreckend endgültige Simplizität. Die wendelförmige Doppelstruktur des Kettenmoleküls mit einem Verbindungssystem aus vier Basen lieferte ein Modell, das visuell sofort verstanden werden konnte. Und es war von bestechender Schönheit! Die Phantasie bemächtigte sich des Bildes der sich entfaltenden Spiralen, als bildeten sie den hauchzarten, verschlungenen Lebensfaden, der uns alle miteinander, mit unseren Vorfahren und mit der ganzen Schöpfung verbindet. Dieses Bild wurde ja auch in Hunderten von Trickfilmdarstellungen immer wieder reproduziert.

Auf dem Höhepunkt des Films *E.T.*, wenn der liebenswerte Außerirdische trotz aller Bemühungen der zeitgenössischen Technik dem Tode nahe ist, stürmt ein Wissenschaftler durch die Plastikvorhänge, die Tropfvorrichtungen und Monitorapparaturen und verkündet, daß der Außerirdische DNS besitze. Unter der aufgeregten Gefühlsbeladenheit des Augenblicks geht diese Bemerkung fast unter. Doch damit sollte deutlich gemacht werden, daß der Außerirdische so wie wir beschaffen war: Eine Feststellung in kosmischen Ausmaßen, die unserem Sicherheitsbedürfnis entsprach. Es war so, als ob die Filmschaffenden von unbelehrbarer, überheblicher Rührseligkeit darüber geradezu besessen waren, daß nichts vollkommen fremd sein könne, daß unser aller Leben, auch wenn es noch so reduziert sein sollte, irgendwie Muster sei vom Leben überhaupt. Aber diese blindgläubige Zurschaustellung kann nicht überzeugen, weil DNS trotz all ihrer sinnenträchtigen Schönheit eine chemische Struktur ist.

Das Verständnis der DNS hat in unserer Zeit zum internationalen wissenschaftlichen Projekt der Kartierung des menschlichen Genoms geführt – des gesamten Gensatzes, den wir besitzen. Es ist ein einfaches, aber riesiges Projekt, das Milliarden kostet. Wenn es beendet ist, liegt uns eine Karte vor, auf der alle Instruktionen und Codes verzeichnet sind, die uns zu dem machen, was wir sind. Nur wenige zweifeln daran, daß dies möglich ist, aber viele werden sich nach der Bedeutung der Formulierung »was wir sind« fragen. Trotz aller Schönheit der sich entfaltenden Doppelspirale DNS bleibt die Botschaft des Bildes so trostlos wie die Darwins. Aber der Unterschied zwischen dem 20. und dem 19. Jahrhundert ist in dem Umstand zu erahnen, daß weder Watson noch Crick etwas von dem überschwenglichen Gefühl verspürten, das Darwin empfunden hatte, weil etwas Unfaßbares greifbar geworden war; sie bemerkten lediglich, daß das Modell erfolgreich war, weil es mit den bekannten Tatsachen übereinstimmte. Das war ihnen genug.

Das letzte Kapitel dieses Prozesses der Erniedrigung des Menschen ist jedoch eigenartig mehrdeutig. Viele werden sagen, daß der letzte Nagel, der in den Sarg der eigenen Wertschätzung der Menschen getrieben wurde, nicht von seiten der Naturwissenschaften kam, sondern von einer Art Kunst. Der Impuls aber, der dem »Hammer« der Psychoanalyse den Schwung gab, kam aus den Naturwissenschaften. Die leiseste Andeutung, daß das, was er tue, etwas anderes als unverfälschte, solideste Naturwissenschaft sei, erregte den Zorn des Schöpfers der Psychoanalyse Sigmund Freud. Als Havelock Ellis, einer der Pioniere der Sexualwissenschaft, in einer Abhandlung Freud als einen Künstler und nicht als Naturwissenschaftler bezeichnete, kommentierte Freud Ellis' Abhandlung in einem Brief an seinen späteren Biographen Jones mit den Worten »... die verfeinertste und liebenswürdigste Form des Widerstands, mich einen großen Künstler zu nennen, um auf diese Weise die Gültigkeit unserer wissenschaftlichen Ansprüche herabzumindern«.[21] Widerstand gegen wissenschaftliche Wahrheit wird unter Freuds scharfem Blick zu einer Art Ungebührlichkeit.

Es gab viele kulturelle Hintergründe dafür, daß Freud auf seine Rolle als Wissenschaftler pochte: Das Wien des späten 19. Jahrhunderts, aus dem er kam, betrachtete die Naturwissenschaften als das fraglos mächtigste Gegenmittel aller Krankheiten der Welt – und Freuds eigenes cartesianisches Bedürfnis nach klarer Erkenntnis sorgte ebenfalls ganz offensichtlich für psychologischen Druck. »Die wissenschaftliche Arbeit ist aber für uns der einzige Weg, der uns zur Kenntnis der Realität außer uns führen kann«,[22] sagte er.

Aber es gab auch noch den Druck durch die Logik der Wissenschaftsgeschichte. Dieser Druck herrschte innerlich. Gegen Ende des 19. Jahrhunderts war es unter den Naturwissenschaftlern ziemlich verbreitet, zu glauben, alle größeren Fragen der Physik könnten bald gelöst werden.

Sir William Dampier versicherte aller Welt, »daß die weitere Aufgabe nur noch darin bestehe, die Meßgenauigkeit auf eine durch die Hinzufügung einer weiteren Dezimalstelle gekennzeichnete Stufe zu steigern und irgendeine vernünftig glaubwürdige Theorie der Struktur des Lichtäthers zu entwerfen«.[23]

Solche Ansichten sollten sich als aufsehenerregend falsch erweisen. Tatsache aber war, daß für den wissenschaftlich aufgeklärten Menschen die fundierte Erkenntnis über das Universum und die Zusammensetzung der Materie greifbar geworden waren. In der Zeit nach Darwin gab nun das Leben selbst nach. Folgerichtig war der menschliche Geist, der all diese Einsicht und Erkenntnis hervorgebracht hatte, nun die nächste Barriere, die es zu überwinden galt.

Freud konnte sich also als Erbe des wissenschaftlichen Impulses betrachten, der von Newton und Darwin ausgegangen war. Und das tat er auch, indem er ihm noch einen charakteristischen, pessimistischen Dreh hinzufügte. Zuerst hatte uns Kopernikus zu einem winzigen Pünktchen im Kosmos gemacht, dann hatte uns Darwin unserer bevorzugten Stellung in der Schöpfung beraubt, und er, Freud, hatte schließlich gezeigt, daß der Mensch nicht einmal Herr über sein eigenes Denken war. Jedoch: wissenschaftliches Vorgehen bot die tröstliche Möglichkeit, es zu beherrschen.

Freud schrieb: ». . . die Beobachtung der großen astronomischen Regelmäßigkeiten hat dem Menschen nicht nur das Vorbild, sondern die ersten Anhaltspunkte für die Einführung der Ordnung in sein Leben gegeben.«[24]

Dies klang unmißverständlich so, als solle ein bedeutendes menschliches Vorhaben endlich zur Ausführung kommen. Mit dieser Bemerkung hat Freud mit all dem ihm eigenen gezügelten Eifer versucht, einen großen historischen Bogen zu Ende zu führen. Die Naturwissenschaften könnten uns zwar klarmachen, daß wir einsame, zufällige Produkte sind, doch hätten sie uns darüber hinaus wenigstens ein Ordnungs- und Harmoniemodell an die Hand gegeben, das wir auf unser eigenes Leben anwenden könnten! Wir würden den Wertbegriff wiederentdecken, wenn wir die Ordnung schaffende Meisterschaft der wissenschaftlichen Disziplin für unser eigenes inneres Selbst zuließen. Wir sollten uns von der Tragik, die in dieser Vision lag, abwenden und anfangen zu arbeiten.

Freuds eigenes Vorhaben war die Beschreibung unseres Selbst. Er verlegte die wissenschaftliche Suche nach Kausalität und Ursprung in das Leben des einzelnen. Sein bemerkenswerter Beitrag zur Erklärung unserer Welt ist die Brücke, die er zwischen dem Erwachsenen und der Kindheitsentwicklung errichtete. Er begann mit dem Studium krankhafter Zustände und bewegte sich von da aus zum allgemeinen Handlungsablauf des Selbst, der sich als eine Reihe von Konflikten darstellt, die wir überstehen müssen, um eine gewisse stabile Reife zu erlangen. Unter Freuds Händen wurde das menschliche Selbst zu einem geschichteten System aus Es, Ich und Über-Ich. Unser Bewußtsein selbst bildete nur eine dünne Schicht, die über den tobenden Stürmen des Unterbewußten lag, zu dem wir durch Analyse und Träume Zugang finden konnten. Von einem Sexualtrieb und, wie er später schloß, einem Todestrieb geleitet, lebten wir unser Leben im Zustand eines dynamischen Kompromisses. Die Zivilisation, die Welt und unsere eigenen Körper forderten den Verzicht auf unsere Instinkte oder deren Unterdrückung, so daß wir beständig in einem Zustand grundsätzlicher Unzufriedenheit verharrten.

Freud identifizierte unser dreifaches Unglück als »die Übermacht der Natur, die Hinfälligkeit unseres eigenen Körpers und die Unzulänglichkeit der Einrichtungen, welche die Beziehungen der Menschen zueinander in Familie, Staat und Gesellschaft regeln«[25].

Wie als Echo auf die resignierten Worte Darwins überschaute Freud die Bedeutung dieses Dilemmas für das Schicksal des Menschen.

»Das Glück in jenem ermäßigten Sinn, in dem es als möglich erkannt wird, ist ein Problem der individuellen Libidoökonomie. Es gibt hier keinen Rat, der für alle taugt; ein jeder muß selbst versuchen, auf welche besondere Fasson er selig werden kann.«[26]

Die Form der Freudschen Beschreibung des Selbst und seine Methoden sind, was ihre wissenschaftliche Stichhaltigkeit und ihren Wahrheitsgehalt angeht, oft in Frage gestellt worden. Es gibt viele konkurrierende psychoanalytische Lehrgebäude sowie gründliche Abänderungen von Freuds eigenen Ansichten unter seinen Anhängern. Was seine Wissenschaftlichkeit anbelangt, wird er wegen der eigenartig unanfechtbaren Art, in der er seine Theorien formulierte, regelmäßig angegriffen. Es hat den Anschein, als könne die Freudsche Theorie nicht widerlegt werden, weil sie weder genaue Vorhersagen in Einzelfällen macht noch statistisch überprüft werden kann. Newtons Aussagen können durch die Beobachtung der Bewegungen der Planeten überprüft werden, Darwins Thesen durch die Beobachtung der organischen Spezies und ihrer Umgebung, aber Freud kann nicht überprüft werden, indem wir irgendeinen einzelnen oder eine Ansammlung einzelner beobachten. Die Theorie besteht als solche, und alle Variationen können ihren Anforderungen angepaßt werden.

Als Idee aber ist die Psychoanalyse unglaublich erfolgreich gewesen. In unserer Zeit ist es zu einer alles durchdringenden Anerkennung des Wissens des Menschen über sich selbst gekommen. Das Unterbewußte muß für Entschuldigungen, Erklärungen und private Wunderlichkeiten herhalten. Heute haben wir ein Bild von uns selbst, das sich vor allem aus Geschichten mit vielfältigen Themen, aus versteckten Symbolen, Motiven und Bedeutungen zusammensetzt. Die Psychoanalyse hat uns die Gültigkeit und Berechtigung unseres Verlangens nach Erklärungen und Ursprüngen bescheinigt. Sie verbindet uns mit unseren Nachbarn, trennt uns aber auch zugleich von ihnen.

In diesem Zusammenhang und auch im Zusammenhang mit Freuds Vorstellungskraft ist die Frage irrelevant, ob sein System als wissenschaftlich gilt oder nicht. Was zählt ist, daß er seine Arbeit als den Höhepunkt einer wissenschaftlichen Tradition der kritischen Forschung begriff, die sich 250 Jahre nach Descartes' Cogito schließlich dem Inneren zuwandte, um der wahren Beschaffenheit des Selbst auf die Spur zu kommen, auf das der große Skeptiker Descartes vormals seine bahnbrechende Erkenntnistheorie gestützt hatte. Das philosophische Problem der Erkenntnis wird auf das Problem reduziert, wie alle Erkenntnis in das Reich der Naturwissenschaften eingeordnet werden kann.

Die Vision Freuds war der Höhepunkt eines Projekts, das maßgeblich dazu führte, unsere religiöse Anmaßung und unsere humanistische Überheblichkeit zu mindern. Die Gegenwart zu verstehen heißt zu einem großen Teil, etwas von dieser entscheidenden, tragischen Vision vom Menschen zu begreifen. Freuds Werk mag nicht wissenschaftlich sein, aber es kann kein Zweifel darüber bestehen, daß er uns kraft seiner literarischen Größe, tragischen Genialität und seiner Vorstellungskraft schließlich die Botschaft verkündete, die die Naturwissenschaften uns schon immer hatten mitteilen wollen, seit Galilei den Blick seines Auges durch das Teleskop gerichtet hatte: daß wir nichts als unbedeutende Zufallsprodukte sind, und daß jedermann hoffen und glauben muß, was immer er kann, in der bitteren Gewißheit, daß niemand und nichts ihm jemals wird Auskunft darüber geben können, ob er recht hat oder nicht.

4. Den Glauben verteidigen

Ach, Geliebte, laß uns einander treu sein!

Matthew Arnold[1]

Die Geschichte, die ich erzählt habe, ist einfach, sie ist nur ein wenig reicher ausgeschmückt als die Geschichte vom Naturvolk, das das Penicillin kennenlernt. In beiden Fällen handelt es sich um die Geschichte davon, wie Kultur – unsere Kultur – nach und nach von den Naturwissenschaften überwältigt und völlig verändert wird.

All die feinsinnigen Überlegungen Descartes', Humes und Kants sind im Grunde nur verschiedene Formen der Auseinandersetzung mit dieser Invasion der Naturwissenschaften in unsere Kultur. Die Lösungsvorschläge dieser Denker sind komplex, äußerst raffiniert und schwierig, weil sie so sein müssen. Denn die Herausforderung durch die Naturwissenschaften bezieht sich auf alles, was wir sind, und alles, was wir wissen. Letztendlich kann die Reaktion auf solche Herausforderungen sehr einfach sein, doch während des schwierigen Prozesses der Lösungsfindung kommt man nicht umhin, die Komplexität des menschlichen Lebens in Augenschein zu nehmen und zu analysieren.

Die offiziellen, volkstümlichen Versionen der Geschichte unterscheiden sich sehr stark von meiner Version. Nach diesen zeugt die Geschichte von Heldenhaftigkeit, von einer großartigen menschlichen Anstrengung, uns von Täuschungen zu befreien und uns der einen sicheren Wahrheit zu stellen, die zu erfassen unser besonderes Schicksal ist. Die Naturwissenschaften sind nach dieser Auffassung ein fortschreitender siegreicher Prozeß hin zur wahren Erkenntnis der wahren Welt. Dies ist die offizielle Meinung, die in den Schulen gelehrt und im Fernsehen verkündet wird. Für mich ist das unsinnige Propaganda, die alle wichtigen Themen vernebelt. In meiner Version ist die Geschichte traurig, ist eine lange Erzählung von Verfall

und Niederlage und von einem Kampf gegen das Vordringen der pessimistischen Haltung der Naturwissenschaften in unsere Kultur.

Es kann nicht oft genug betont werden, daß wir diesen Kampf nur dann erfolgreich führen können, wenn wir die Art und Weise erkennen, in der die Naturwissenschaften uns dazu zwingen, unsere Wertvorstellungen und moralischen Überzeugungen von unserem Wissen über die Welt abzutrennen. Dank Newton vermögen wir in den Himmelsmechanismen keine Güte mehr zu entdecken, nach Darwin finden wir sie auch nicht länger in den Erscheinungsformen des Lebens, und nach Freud ist es uns nicht mehr möglich, sie in uns selbst zu finden. Wir müssen uns ein neues Fundament schaffen, auf dem sich solche Werte wie Güte, Zielsetzung und Sinngebung aufbauen lassen.

Das Schmerzhafte dieser Trennung von Wissen und Werten kann in den verschiedenen Weisen anschaulich gemacht werden, in denen wir die Natur betrachten, denn in der Natur suchen wir die Gewißheit, die wir nicht haben. In seinem Artikel *Nonmoral Nature (Die nichtmoralische Natur)* befaßt sich der zeitgenössische amerikanische Wissenschaftsautor, Paläontologe und Biologe Jay Gould, ein beredter Verteidiger der harten Wahrheit der harten Naturwissenschaften, mit dem eigenartigen Leben der Schlupfwespen (Ichneumonidae). Das Larvenstadium verbringen diese Wespen als Parasiten, die sich im allgemeinen von Raupenkörpern ernähren. Durch eine lange dünne Röhre, den Legebohrer (Ovipositor), injiziert das Weibchen seine Eier in den Körper ihres Opfers. Einige Unterarten der Ichneumonidae legen die Eier nur außen auf dem Wirt ab, und damit diese nicht weggeschoben werden können, injizieren sie dem Opfer gleichzeitig ein Gift mit lähmender Wirkung, damit sich der Eierträger während der Reifezeit der Larven nicht bewegen kann und als Nahrungsquelle für die Nachkommenschaft der Wespe zur Verfügung steht. Damit die Nahrung frisch bleibt, lähmt das Gift einiger Wespenarten nur, tötet aber nicht. Aus dem gleichen Grund folgen die Larven, die sich aus den Eiern in der Raupe entwickeln, einem ganz besonderen Freßplan, der so ausgelegt ist, daß innere Organe und Gewebe des Wirts in einer Reihenfolge verzehrt werden, die ihn so lange am Leben erhält, wie die Larven ihn brauchen.

Gould versuchte am Beispiel der Ichneumonidae die moralische

Krise des 19. Jahrhunderts zu demonstrieren. Das Parasitentum, die Heimtücke, das grausame, berechnende Verhalten dieser Wespenart schienen die Annahme auszuschließen, im Universum regiere das Gute. Es war *eine* Sache, sein Opfer aufzufressen, eine völlig *andere* aber, trickreich zu bewerkstelligen, es dabei am Leben zu erhalten. Die Viktorianer versuchten, dieses gräßliche Schauspiel objektiv zu beurteilen. Sie bemühten sich ernsthaft darum, die Natur nicht mit Begriffen menschlicher Moral zu betrachten. Sie wollten sich den Schrecken mit Hilfe wissenschaftlicher Objektivität vom Leibe zu halten. Wie Gould zeigt, waren sie aber gezwungen, Begriffe für menschliche Handlungsweisen zu verwenden, um die Geschichte überhaupt erzählen zu können. Die Worte unserer Sprache sind nicht neutral, die meisten sind wertend; ihre Verwendung ruft Emotionen hervor. Das Schicksal der Opfer der Ichneumonidae berührt uns. Gould kommentiert das so:

>»Wir scheinen in der mythischen Struktur unserer eigenen Kultursagen verfangen zu sein und vermögen selbst in unseren grundsätzlichen Beschreibungen nicht, eine andere Sprache als die der Metaphern von Schlachten und Eroberungen zu verwenden. Wir kommen nicht umhin, diesen Abschnitt der Naturgeschichte als Erzählung wiederzugeben, und indem wir die Motive des grausigen Entsetzens und der Faszination verbinden, enden wir gewöhnlich nicht so sehr mit Mitleid für die Raupe als vielmehr mit Bewunderung für die Effizienz des Ichneumon.«[2]

Heute steht unsere Sprache der endgültigen Kapitulation vor den Naturwissenschaften noch viel näher. Wir verzehren uns nicht mehr so leidenschaftlich wie die Menschen in viktorianischer Zeit danach, Güte in der Natur zu entdecken; wir haben Wege gefunden, die Schrecken der Natur abzumildern.

Vor kurzer Zeit habe ich das Museum für Naturgeschichte in London besucht. Es wurde im Jahre 1881 fertiggestellt; das Gebäude und das zugrunde liegende Konzept sind ein einziges Wahrzeichen für den großen Glauben der hochviktorianischen Zeit an das wissenschaftliche Verständnis von der Welt. Es wurde in einem pompösen, romanisierenden Stil mit einem weiträumigen Innenraum erbaut, der jetzt ein Dinosaurierskelett beherbergt. Das Museum scheint das ständige Fortschreiten der naturwissenschaftlichen Kultur geltend machen zu wollen. Es ist ein Denkmal für das Vermächtnis Francis Bacons, ein Lagerhaus von Daten zur Untermauerung der induktiven Wahrheit. Von der Zuversicht, die einst die Erbauer des Museums beflügelte, ist heute allerdings nichts mehr zu spüren. Das Museum wurde modernisiert: Früher gab man sich mit stummen, ausgestopften Tieren als Ausstellungsobjekten zufrieden. Ihre Gegenwart im Museum genügte, um die Menschen der viktorianischen Zeit staunen zu lassen. Doch all das weicht allmählich Dingen, die heißere, süßere Kitzel verursachen. Jetzt gibt es komplexe, miteinander verdrahtete Schaubilder, die Kindern und ungeduldigen, ungebildeten Erwachsenen die Grundbegriffe von Biologie und Zoologie beibringen sollen. Man kann Knöpfe drücken, Schaukästen betrachten und mit Modellen hantieren. Unter diesen Narreteien, diesem abwechslungsreichen Wirrwarr, findet man einen farbenfrohen Schaukasten mit »Creepy-Crawlies« (etwa: greuliches Kriechzeug Anm. d. Ü.). Darin habe ich ein Riesenmodell einer weiblichen Ichneumon-Wespe gefunden, eingefroren in der Stellung, in der sie ihre Eier in eine Raupe injiziert. Das ist die moderne Art und Weise der Zurschaustellung der Ichneumonidae: Habe kein Mitleid mit der Raupe, scheint uns das Modell zu sagen, bestaune lieber, wie erfinderisch die Wespe ist! Es bringt nichts, menschliche Tränen über die unmenschliche Natur zu vergießen.

Was aber ist während der Entwicklung unseres naturwissenschaftlichen Weltbildes mit dem Glauben geschehen? Wie ist die Religion selbst mit diesem furchtbaren Ansturm der Naturwissenschaften zurechtgekommen?

Vielleicht sind diese Fragen es ja gar nicht wert, überhaupt gestellt zu werden. Vielleicht sollten wir uns dem glaubensfreien Universum mit neuer Heldenhaftigkeit entgegenstellen! Das war die Haltung von Friedrich Nietzsche (1844–1900). Er dachte über die spitzfindigen Versuche der großen Philosophen der Aufklärung nach, sich eine neue Definition von Wahrheit und Wert und eine neue Verteidigung der Religion auszudenken. Dabei verlor er allerdings die Geduld. Er bezeichnete Kant als »ein Verhängnis von Spinne«. Nach Nietzsche hatte der Königsberger Asket seine Metaphysik aus der erkenntnistheoretischen Krise der Aufklärung heraus gewoben und hielt uns alle wie Fliegen gefangen. Nietzsche betrachtete dieses Bestreben hochtrabend mit Abscheu und nannte Leibniz, den Propheten der prästabilierten Harmonie, und Kant, den obersten Verfechter der moralischen Natur des Menschen, die »zwei größten Hemmschuhe der intellektuellen Rechtschaffenheit Europas«.[3] Er war überzeugt davon, daß ihrer beider Metaphysik nicht mehr als ein feiger Versuch war, die memmenhafte Demut der Menschen und deren Gott zu retten. Angesichts des ungeheuren Ausmaßes unseres eigenen Wissens aber hatten wir dieses verdrießliche Hin- und Hergeschiebe von Gedanken durch das theologische Pack nicht nötig. Gott war tot. Und unser neues Wissen zeigte nicht etwa, daß wir machtlos waren, sondern offenbarte uns, daß wir an seiner Stelle Götter werden könnten.

Nietzsche schätzte, daß wir zwei Jahrhunderte brauchen würden, um diese Verwandlung mit allen ihren Aspekten zu begreifen. Wenn wir sie aber dann begriffen hätten, wären wir frei. Die lange Geburt dieses neuen Zeitalters würde jedoch zu noch nie dagewesenen Auseinandersetzungen führen. Nietzsches eigenes Werk zeigte den Beginn der Krise an. Er schrieb:

»Es wird Kriege geben, wie es noch keine auf Erden gegeben hat. Erst von mir an gibt es auf Erden *große* Politik.«[4]

In den Augen Nietzsches war der Versuch, das christliche Grundgewebe gegen den Ansturm des Wissens der Aufklärung aufrechtzuerhalten, verabscheuungswürdig. Der Idealismus, der es Kant gestattet hatte, den Fesseln der materiellen Wirklichkeit zu entgehen, war ein unwürdiger Winkelzug der europäischen Seele. Der Versuch erschien feige, unehrlich und irreführend. Das Aufbegehren des Idealismus war nicht mehr als ein schwacher Versuch, die Kirche zu retten, statt sie umzustürzen. Protestantismus und Idealismus waren nichts anderes als absurde Verteidigungssysteme. Nietzsche urteilte:

»Die *Lüge* des Ideals war bisher der Fluch über die Realität, die Menschheit selbst ist durch sie bis in ihre untersten Instinkte hinein verlogen und falsch geworden – bis zur Anbetung der *umgekehrten* Werte, als die sind, mit denen ihr erst das Gedeihen, die Zukunft, das hohe *Recht* auf Zukunft verbürgt wäre.«[5]

Unsere wirkliche Bestimmung sollte die kalte, heldenhafte Auseinandersetzung mit der Wahrheit sein: »Philosophie, wie ich sie bisher verstanden und gelebt habe, ist das freiwillige Leben in Eis und Hochgebirge – . . .«[6] Nach Nietzsche mußten wir die Rolle akzeptieren, die im Genius von Newton angelegt war. Wir sollten zu Göttern werden, schöpferisch, selbstbestimmt und endlich frei von den erstickenden Mythen der Vergangenheit.

Dies war die heldenhafte, individuelle Reaktion auf die geistig-kulturelle Krise, die durch die Entwicklung der Naturwissenschaften ausgelöst worden war. Sie bestand in dem Versuch, eine grausame, harte, aristokratische »Religion« aus Atheismus und einsamer Wahrheit zu erschaffen. Von überragenden Seelen würden auf heldenhafte Weise neue Werte geschmiedet werden. Das war alles, was letzten Endes zählte. Nicht alle Menschen hatten ganz klare, endgültige Zielvorstellungen, wie Kant es erträumt hatte, sondern nur die wenigen Auserwählten.

Der Lösungsversuch Nietzsches sollte im 20. Jahrhundert wiederbelebt werden. Die Werte und Mythen der Vergangenheit gerieten gründlich in Mißkredit. Nietzsches Antworten beeinflußten das Denken in unserem Jahrhundert stark und verschafften sich in vielerlei Gestalt wieder Geltung. Seine Ideen wurden in unserer Zeit sowohl mit dem Liberalismus in Verbindung gebracht als auch nationalsozialistischer Tendenzen bezichtigt. Beide Sichtweisen sind nicht ganz zutreffend. Nietzsches Rolle bestand einfach darin, das Problem mit solcher Klarheit erfaßt zu haben, daß es niemals wieder außer acht gelassen werden konnte. In seinen letzten Lebensjahren verfiel er dem Wahnsinn.

Für die meisten Denker jedoch war ein Neuanfang gleichbedeutend mit einer Art Niederlage, denn die ganze Geschichte von religiöser Einsicht und Wahrheit mußte einfach über Bord geworfen werden. Vielleicht war es jedoch vernünftiger, neue Wege zur Verteidigung des alten Glaubens zu finden. Für diesen Lösungsversuch spricht die offensichtliche Unzulänglichkeit der Naturwissenschaften in bezug auf den Menschen und seine geistig-seelischen Bedürfnisse. Auf der einen Seite hatten die Naturwissenschaften die Grundlagen der Religion zerstört, auf der anderen verweigerten sie aber die Art von Antworten, welche diese Religion anzubieten hatte. Das

Angebot an uns war, die Wahrheit offenbart zu bekommen oder aber einen festen Platz in der Welt – aber nicht beides.

Die Naturwissenschaften standen für die leidenschaftslose Suche nach Wahrheit in der Welt, ganz gleich, was deren Sinn sein mochte. Die Religion stand für die leidenschaftliche Suche nach Sinn, ganz gleich, was die Wahrheit sein mochte. Die Wissenschaft konnte einen Sinn geltend machen, wenn sie eine Kausalität nachwies, und die Religion konnte im Hinblick auf eine transzendente Ordnung Wahrheit für sich in Anspruch nehmen. Doch Rang und Bedeutung der Naturwissenschaften sind nichtig, wenn die Frage nach dem Warum beantwortet werden soll, und die Wahrheit der Religion hat umgekehrt keinen wissenschaftlichen Aussagewert.

Eines steht fest: Die Trennung von Wahrheit und Sinn besteht, denn so sind die Begriffe in der modernen Welt definiert. Wahrheit und Sinn sind durch Wissen getrennt; so denken wir heute. Zieh keine Schlüsse aus dem »Privatleben« der Ichneumon-Wespe, feiere nur den Umstand, daß du darüber Bescheid weißt!

Diese schwierige Position verursachte in weiten Kreisen der Intellektuellen im 19. Jahrhundert ein intensives Leidensgefühl. Der englische Dichter John Keats schrieb 1819:

> Beauty is truth, truth beauty, – that ist all
> Ye know on earth, and all ye need to know.
>
> (Schönheit ist Wahrheit, Wahrheit ist Schönheit –
>   das ist alles
> Was ihr wißt auf Erden, und alles, was ihr wissen müßt.)[7]

Er schrieb diese Worte gerade deshalb nieder, weil sie in der Welt des frühen 19. Jahrhunderts nicht der Wahrheit entsprachen. Seine Verse waren reine Rhetorik oder Wunschdenken! Keats' Verwendung des Wortes »alles« offenbart uns, wie groß der Druck war, mit dem die romantische Bewegung gegen die Hybris des naturwissenschaftlichen Menschen aufbegehrte. Dessen Wahrheiten wurden nicht gebraucht, sondern nur die Übereinstimmung von Wahrheit und Schönheit. Keats Behauptung, daß sein Spruch alles sei, was wir wissen müßten, kam der Forderung nach einer neuen Unschuld der

Unwissenheit gleich, nach einer Ruhepause von den Turbulenzen, die das Wissen in unseren Köpfen ausgelöst hatte. Allerdings bot uns Keats' nur eine Anleitung zu einer dauerhaften Gleichgültigkeit, zu einer ästhetizistischen Haltung.

Doch wenn anderes außer den Naturwissenschaften überleben sollte, war ein Handlungsprogramm notwendig. Als ob er in die Zukunft hätte blicken können, hatte Kant einen Weg definiert, mit dem Gott gegen Darwin und Freud verteidigt werden konnte. Er hatte die Gefahren erkannt, die drohten, wollte man Gott mitten unter den Wahrheiten dieser Welt eine spezielle Nische einrichten. Die Naturwissenschaften würden die Gelegenheit nutzen und ihn lächerlich machen, so wie sie die Transsubstantiation, die Wesensverwandlung in der katholischen Meßfeier, und die Kosmologie des Geozentrismus lächerlich gemacht hatten. Gott in der Welt definieren zu wollen hieß, ihn angesichts der Unnachgiebigkeit naturwissenschaftlicher Analyse zum endgültigen Rückzug zu verdammen. Die sinnlich erfahrbare Welt hing von der »Gnade« der Naturwissenschaften ab.

Indem er Gott aber aus der sinnlich erfahrbaren Welt ausschloß, schuf Kant eine Gestalt, die vom immanenten und allmächtigen Gott des Mittelalters weit entfernt war. Anstelle des Herrn einer gütigen Schöpfung gab es nun eine unendlich subtilere Weise der göttlichen Offenbarung in der Tiefe der menschlichen Seele.

Die Frage war und ist immer noch die, ob die Religion auf einer derart dünnen Grundlage existieren kann, ob der Glaube in einer materiellen Welt ohne Wunder oder Sinnangebote am Leben erhalten werden kann. Und diese Frage ist wiederum abhängig davon, was wir unter Religion verstehen und wie der Glaube beschaffen ist.

Zunächst einmal ist offensichtlich, daß es im menschlichen Dasein Fragen gibt, die in einen Bereich einzuordnen sind, den wir als religiös bezeichnen. Einzelne Glaubensrichtungen sind entstanden und wieder verschwunden, aber nichts konnte die Religiosität als solche jemals aus dem Leben der Menschen entfernen. Sie hat die Menschen und ihre Kulturen immer begleitet.

Gewöhnlich versuchten Vertreter verschiedener Religionen ihre spirituellen Systeme mit den Erfahrungen der materiellen Welt in Beziehung zu setzen. Dabei haben sie sich auf die Überzeugung verlassen, in den Tatsachen der Welt könnten Wert und Sinn gefunden werden. Dies ist genau die Überzeugung, die von den Naturwissenschaften so erfolgreich bekämpft und anscheinend widerlegt wurde. Es ist daher müßig, wie viele andere vorzugeben, es sei kein Widerspruch zwischen Religion und Naturwissenschaften vorhanden. Die Naturwissenschaften widersprechen der Religion so sicher wie das Judentum dem Islam – ihre Anschauungen sind grundsätzlich und unwiderruflich gegensätzlich, es sei denn, die Naturwissenschaften würden dazu verpflichtet, ihren Charakter wesentlich zu ändern.

In den frühen Gesellschaften regten die Zyklen des Ackerbaus den Menschen dazu an, im Bereich des Übersinnlichen nach Erklärungen für den Wechsel der Jahreszeiten zu suchen oder die Sonne zu verehren, was am häufigsten geschah. Der naturwissenschaftlich orientierte moderne Mensch weiß, daß solche sich wiederholenden Rhythmen plötzlich beendet sein können; vermutlich wird dennoch die Sonne aufgehen und der Wechsel der Jahreszeiten findet aufgrund der relativen Stabilität des Sonnensystems weiterhin statt. Es gab aber einst eine Zeit, in der die Jahreszeiten in ihrem Wechsel ebenso gefährdet erschienen wie das Leben des Menschen selbst. Die Lebensrhythmen waren den Menschen so kostbar und geheimnisvoll, daß sie sich täglich um deren Fortdauer sorgten. Bei den Azteken mußte sich beispielsweise der Sonnengott jede Nacht gegen seine Feinde verteidigen, weshalb das Heraufdämmern des Morgens stets ungewiß war und sein tägliches Erscheinen vom kriegerischen Triumph des Sonnengottes über unsagbar mächtige Wesen zeugte.

Religionen, die an solchen natürlichen Kreisläufen noch festhielten, waren eng verwoben mit den Kulturen, aus denen sie erwachsen waren. Es handelte sich um lokal gebundene, besondere Arten von religiösen Überzeugungen. Es mußten keine Theorien von Allem sein.

Eine Veränderung zeichnete sich im Jahre 1200 v. Chr. ab, als Moses die jüdische Religion formalisierte. Mit den Gesetzestafeln entstand das erste einer Reihe von neuen, inhaltsreicheren Systemen, die in der Folgezeit in aller Welt entstehen sollten. Anders als ihre Vorgänger repräsentierten sie die Glaubensgebäude gebildeter Menschen, die sich für eine Zeitlang losmachen konnten von den drängenden und alles andere ausschließenden Anforderungen des Ackerbaus. Ein Überschuß an intellektueller Energie stand zur Verfügung, mit dem das Leben als Ganzes überdacht werden konnte. Den neuen religiösen Überzeugungen war gemeinsam, jeweils eine vollständige Erklärung allen menschlichen Lebens und aller Geschichte bieten zu können – und mehr noch, sie zeugten alle von rationalem Denken. Max Weber schrieb:

> »Die ›ratio‹ fordert den Primat der universellen Götter, und jede konsequente Pantheonbildung folgt in irgendeinem Maße auch systematisch-rationalen Prinzipien, weil sie stets mit unter dem Einfluß entweder eines berufsmäßigen Priesterrationalismus oder des rationalen Ordnungsstrebens weltlicher Menschen steht. Und vor allem die schon früher erwähnte Verwandtschaft der rationalen Regelmäßigkeit des durch göttliche Ordnung verbürgten Laufs des Gestirnes mit der Unverbrüchlichkeit der heiligen Ordnung auf Erden macht sie zu berufenen Hütern dieser beiden Dinge, an welchen einerseits die rationale Wirtschaft und andererseits die gesicherte und geordnete Herrschaft der heiligen Normen in der sozialen Gemeinschaft hängen.«[8]

Mit anderen Worten: Die Religionen nahmen – wie die Naturwissenschaften – mit dem unerforschlichen und majestätischen Schauspiel, das der Himmel bot, ihren Anfang. Dies ist ebenfalls ein Hinweis dafür, daß Religion und Naturwissenschaften notwendigerweise miteinander wetteifern müssen: Sie besetzen dasselbe Territorium.

Die großen Religionen suchten also nach Vollkommenheit, nach Vollständigkeit der Erklärung. Nach Moses wurde um 1000 v. Chr. in Indien der *Rigweda* niedergeschrieben; ihm folgten um 600 die *Upanischaden*; der Buddha lehrte um ca. 500; der Zoroastrismus begann in Persien im Jahre 600 v. Chr.; Konfuzius wurde 551 v. Chr. geboren und so fort. Über die 1800 Jahre bis zum Tode Mohammeds im Jahre 632 n. Chr. schien die Welt auf ein ungeheuer vielfältiges Programm der universalen Erklärung Kurs genommen zu haben. Damit solche Erklärungen als wahr anerkannt wurden, mußten sie alle Aspekte des menschlichen Lebens einschließen. Die Religionen bewegten sich von ihren Wurzeln in den Kreisläufen der Natur fort und wurden von Hintergründen der Kulturen selbst zu Kulturen. In den chinesischen, indischen und europäischen Gesellschaften verschmolzen die Religionen erfolgreich mit allen Tätigkeiten, allem Leben der Menschen. Im christlichen Europa waren die gotischen Kathedralen der großartigste Ausdruck dieser Verschmelzung.

Die Erklärungen und Rechtfertigungen innerhalb dieser Systeme waren natürlich außerordentlich unterschiedlich. Max Weber charakterisierte jeden Glauben durch das Bild eines idealen Glaubensträgers:

»... für den Konfuzianismus der weltordnende Bürokrat, für den Hinduismus der weltordnende Magier, für den Buddhismus der weltdurchwandernde Bettelmönch, für den Islam der weltunterwerfende Krieger, für das Judentum der wandernde Händler, für das Christentum aber der wandernde Handwerksbursche.«[9]

Aber alle Systeme stellten Erklärungen und Rechtfertigungen des menschlichen Lebens dar, und zu allen gehörte das Erscheinungsbild von Propheten und Priestern, das Weber ebenfalls beschrieb. Die Propheten errichteten das Lehrgebäude und legten fest, welches darin die höchsten Werte waren; die Priester analysierten und rationalisierten dieses Lehrgebäude und paßten es den Formen und Gewohnheiten des Lebens an. Dieses wichtige Grundmuster im Leben der Menschen sollte sich auch bei der Entwicklung der Naturwissenschaften wiederholen. Nun spielten die Naturwissenschaftler, die Neuerungen entwickelten, die Rolle der Propheten, und die Interpreten und Technologen, die in ihre Fußstapfen traten, übernahmen die Rolle der Priester.

Aus einer dieser Theorien von Allem, und nur aus einer, entsprang jedoch die Form der Erkenntnis, die alle anderen herausfordern und verändern sollte. Es gibt beliebig viele Theorien darüber, warum das naturwissenschaftliche Denken allein aus dem Christentum hervorgegangen sein soll. Keine dieser Theorien ist schlüssig, aber es lohnt sich, einige Aspekte aufzuführen.

Zunächst einmal war das Christentum vielleicht die radikalste von allen universalen Religionen. Ähnlich der altgriechischen Gemeinschaft der Pythagoreer in Kroton, welche der Reinheit der Zahl gehuldigt hatten, betrachteten die Christen den Körper als Gefängnis und das Leben auf Erden als eine Vorbereitung auf den Himmel. Trotz der Bemühungen im Mittelalter, die Theologie mit Aristoteles zu vereinigen, handelte es sich beim Christentum im Kern um eine platonische Vision, die ganz betont die Erscheinungsformen zugunsten der Substanz aufgegeben hatte. Hinzu kommt, daß die Scienza Nuova mit einer Wiederbelebung Platons eng verknüpft war. Platonismus, Wissenschaft und Christentum waren alle der Überzeugung, hinter den Zufälligkeiten der Welt liege eine Ordnung.

Im Christentum führte diese Einsicht zum Konzept des Symbolischen. Theologen beschäftigten sich mit dem Leben Christi und deuteten viele Einzelheiten symbolisch. Über alles, von der zentralen Bedeutung, die Brot und Wein beim letzten Abendmahl hatten, bis hin zu den genauen Umständen der Geburt Christi in Bethlehem, wurde im kleinsten Detail nachgedacht, um einen erweiterten, tieferen Sinn daraus zu beziehen. Alles auf der Welt war symbolisch mit einer göttlichen Ordnung verknüpft und daher unmittelbar von Sinn und Wert durchdrungen. In den Jahren des Verfalls der katholischen Kirche wurden überall in Europa Fragmente des »echten« Kreuzes verkauft – so als ob alle Materie, die in Christi Leben eine Rolle gespielt hatte, sich auf magische Weise verwandelt hätte. Aber auch dieser extreme Aberglaube kann als Vorbote des neuen Zeitalters gesehen werden. Die naturwissenschaftliche Geisteswelt basierte ebenfalls auf der skrupulösen Beobachtung ganz spezifischer Details und auf der tieferen Bedeutung, die in der Materie lag. Das Christentum begründete den Stil der neuen Erkenntnisform. Der Unterschied bestand nur darin, daß die Wissenschaft die Seele nicht rettete.

Darüber hinaus war das Christentum ein Glaube, der jeden einzelnen Menschen ansprach. In der Kirche selbst war diese Form der Ansprache zu verschiedenen Zeiten mehr oder weniger stark ausgeprägt. Doch im Zentrum der christlichen Doktrin steht das Leiden und der spirituelle Werdegang des einzelnen Menschen Jesu, der unter ärmlichen Verhältnissen in das Alltagsgeschehen der Menschheit hineingeboren worden war.

In keinem anderen Glauben findet sich etwas, das sich mit der Gestalt Christi am Kreuz als symbolische Aussage über die Prüfungen, die jedem Menschen auferlegt sind, vergleichen läßt. Dieses Bild kündet sowohl von der Wirklichkeit und der Komplexität der Dinge dieser Welt als auch von der tiefen Menschlichkeit und der Einsamkeit, mit der sich der Mensch bemühen muß, eine bessere Welt zu schaffen. Der Versuch der mittelalterlichen Kirche, dieses dynamische Menschsein im Christentum in ein statisches, aristotelisch/thomistisches Universum einzuschließen, kann in diesem Zusammenhang als eine Art von Verrat betrachtet werden. Die Franziskaner hatten zu Recht in der Spitzfindigkeit und dem Stolz des Intellekts die potentielle Sünde gesehen. Thomismus war *La trahison des clercs*[10] – die Ketzerei der übermäßigen Kultiviertheit.

Dennoch war diese Ketzerei in der speziellen Struktur des Christentums unausweichlich enthalten. Und es war der besondere intellektuelle Individualismus, zu dem sich der Glaube unter den Händen des Thomas von Aquin entwickelt hatte, der das Entstehen der Naturwissenschaften ermöglichte. Die Naturwissenschaftler sahen sich gleichsam als neue leidende Christusgestalten, die sich gegen die Unterdrückung ihrer neuen Erkenntnisse durch eine dekadente kirchliche Autorität auflehnten.

Vielleicht besteht ein Zusammenhang zwischen der Feststellung, das Christentum sei der alleinige Schöpfer der modernen Welt, und der tragischen Bedeutung, die zum Wesen des Christentums gehört. Die Welt vernichtete ihren eigenen Retter. Gott hatte seinen Sohn gesandt, damit er Mensch werde und leide und sterbe wie ein Mensch. Der orthodoxe Christ würde sagen, dieser Vorgang sei eine einzigartige Identifizierung des Göttlichen mit dem Menschlichen. Die Gefahr besteht darin, daß das Drama allzu menschlich erscheinen kann. Das Leiden und der Tod können auch ohne einen äußeren Schöpfer Bedeutung haben. Vielleicht starb Gott, weil er Fleisch wurde. Vielleicht teilt uns diese Geschichte mit, daß die Wahrheit gegenwärtig ist, jetzt und in uns, und nicht in irgendeinem entfernten Paradies. Und wenn das so ist, dann ist sie vielleicht jetzt in diesem Augenblick, hier an dieser Stelle und in Einstein, Newton und Galilei ebenso vorhanden wie in Jesus oder dem heiligen Paulus.

Dies sind Gemeinplätze. Viel rätselhafter ist es, warum die Naturwissenschaften nicht in den hochentwickelten Zivilisationen des östlichen Teils der Erde entstanden. Eine ganze Reihe von triftigen

Gründen wurde zur Erklärung dafür angeführt: Eine strenge gesellschaftliche Struktur in den betreffenden Regionen, die nur der herr-
schenden Klasse Bildung ermöglichte; eine Schriftsprache, die deutlich von der technischen und der Alltagssprache distanziert ist; die
Verachtung von manueller Tätigkeit als Barriere vor der Technologie; die Größe des chinesischen Herrschaftsgebietes und so fort. Alle
diese Argumente scheinen im Ideal von einem konfuzianischen Gelehrten gebündelt zu sein, der zu einer Gestalt wie Newton in lebhaf-
tem Kontrast stünde. Der Konfuzianer war ein Edelmann, und er
ließ einen seiner Fingernägel auf eine enorme Länge anwachsen,
um damit der Tradition nach kund zu tun, wie weit er über niedere
Handarbeit erhaben war. Newton hingegen schliff seine eigenen
Linsen. Um Naturwissenschaftler werden zu können, hätte der Edelmann seinen Nagel brechen müssen.

Doch weit wichtiger für das Verständnis der Gegenwart ist der
grundlegende geistige Unterschied hinter all diesen Details. Die chi-
nesische Religion war ganzheitlich. Wahre Erkenntnis war Erkenntnis des Ganzen, nicht der Teile. Experimente der Art, wie Newton
oder Galilei sie durchführten, wären dort, wo diese Religion das
Weltbild bestimmt, ohne Sinn. Die quasi-idealen Bedingungen, die
auf einer reibungslosen Oberfläche herrschen, oder Gewichte, die
von einem Turm hinabgeworfen werden, oder Licht, das mit einem
Prisma aufgespalten wird – sie alle würden einem chinesischen Gelehrten trivial erscheinen im Verhältnis zu einem Verständnis der
großartigen Harmonien, welche in Natur und in Gesellschaft bestehen. Und diese Dinge waren tatsächlich trivial. Doch viele solcher
Trivialitäten zusammengenommen führten schließlich dazu, daß
universale Gesetze von beispielloser Effektivität aufgedeckt wurden.
Wie John Barrow schrieb:

>»Die alten ganzheitlichen Vorstellungen lieferten keinen Ansatz,
>mit dessen Hilfe man Verständnis hätte entwickeln können, denn
>sie ließen kein Konzept gelten, das die Natur in handliche, von-
>einander unabhängige Stücke zerschnitt, die einzeln verstanden
>werden konnten.«[11]

Er spricht einen bedeutsamen Unterschied an, der tatsächlich beim

Vergleich des Christentums mit einer Reihe von anderen Religionen festzustellen ist. Die Betonung der Einzelheiten des Lebens Jesu im christlichen Glauben legte den Grundstein für die kulturelle Akzeptanz der Erforschung von Teilen und die Akzeptanz von bruchstückhafter Sachkenntnis. Für einige Glaubensrichtungen der östlichen Erdteile galt ein Verständnis von Teilbereichen überhaupt nicht als Verständnis. Es war völlig selbstverständlich, daß alle Dinge eins waren. In solch einem Zusammenhang konnten die Naturwissenschaften nicht einmal einen Anfang finden!

Vielleicht war schließlich auch der Monotheismus selbst das ideale Umfeld für die Naturwissenschaften. Die Vorstellung von einem einzelnen, allmächtigen Gott mußte einfach die Anschauung stärken, daß unter der sichtbaren Natur einheitliche Gesetze verborgen lagen. Und es ist bezeichnend, daß »der Geist Gottes« gelegentlich von Naturwissenschaftlern als poetische Umschreibung für ihren Forschungsgegenstand heraufbeschworen wird, anstatt von der »realen Welt« zu sprechen. Die Wissenschaftler wollen sich nicht einfach in Gottes Nähe bringen, sondern Gott als einzelner Schöpfer scheint eher mit dem naturwissenschaftlichen Glauben an Vereinfachung übereinzustimmen. Newton selbst war insgeheim ein Unitarier: Er glaubte nicht an die orthodox-christliche Vorstellung von der Trinität, und es ist offensichtlich, daß der Glaube ganz direkt mit seinem Streben nach einer perfekten, vereinheitlichten Synthese der naturwissenschaftlichen Erkenntnisse verbunden war. Hätte er sich jedoch offen zum Unitarismus bekannt, wäre er aus dem Lehrkörper von Cambridge ausgeschlossen worden.

Aus welchem Grund auch immer: Das christliche Europa erschuf die Naturwissenschaften, das enorm erfolgreiche Denkgebäude, das alle Weltreligionen in Frage stellen sollte, die in den vorangegangenen 3000 Jahren kodifiziert worden waren. Also erlitten auch die Christen den ersten Ansturm auf Geist und Seele.

Wir haben uns mit den intellektuellen Standortverlagerungen beschäftigt, die es von Descartes über Hume bis Kant gab. Sie fanden aber nur auf der höchsten Ebene der Auseinandersetzungen statt und befaßten sich hauptsächlich mit dem wichtigen, praktisch aber entlegenen Problem, was und wie wir wissen können; in ihnen mied man geradezu den verzweifelten Kampf des Glaubens selbst. Auf der unteren Ebene, auf der es darum ging, wie die Gesellschaft im Lichte der neuen Erkenntnisse funktionieren sollte, schien es Fragestellungen zu geben, die viel drängender waren als die Fragestellungen der Erkenntnistheorie.

Die Synthese, zu der man im Mittelalter gefunden hatte, gründete auf der Überzeugung, alles sei religiös. Innerhalb der Gesellschaft galt eine reibungslose hierarchische Stufenfolge von Königen und Päpsten bis hinab zur Landbevölkerung. Es gab Mißstände, Proteste, Abweichungen von der Kirche und Zweifel, aber das Grundmodell blieb unangefochten. Der intellektuelle und politische Aufruhr des 16. und 17. Jahrhunderts war jedoch mehr als ein lokal begrenzter Protest. Das Grundmodell selbst sah sich einem Angriff ausgesetzt. Es erübrigt sich fast, auf die Hunderte von Anspielungen in Shakespeares Werken hinzuweisen, die sich auf die erschreckenden Gefahren beziehen, die entstehen, wenn ein Staat in Unordnung gerät oder die Hierarchien zerstört werden. Sie sind unübersehbar – und Shakespeare wurde im selben Jahr geboren wie Galilei.

Galilei sorgte für eine neue Art des Miteinanders von Naturwissenschaften und Religion; seine Botschaft bestand darin, daß es zwei Bücher gab, das Buch des Glaubens und das Buch der Natur – und nicht ein universales Buch, keine *Summa*, die allen politischen, moralischen und kosmologischen Dingen einen Sinn verlieh. Und wenn es zwei Bücher gab, würden wir in allen Lebensbereichen abzuwägen haben, welches es jeweils zu konsultieren gelte. In der Tat könnte es so sein, daß unser öffentliches Leben sich völlig nach den Regeln des Buches der Natur abspielte und daß für das Buch des Glaubens nur noch unsere privaten, nach innen gerichteten Reisen übrigblieben. Die Einheit der religiösen Welt wurde dadurch untergraben, daß man eine Trennung von öffentlicher Moral und privater Moral für vernünftig und möglich hielt und sie akzeptierte. Was wir – nach dem Buche des Glaubens – sagen, ist nicht notwendigerweise das, was wir – nach dem Buche der Natur – tatsächlich tun.

Es war deutlich erkennbar, daß die Naturwissenschaften mit ihrem Individualismus und ihrem Bestehen auf Beobachtung und Logik ganz andere Wirkungen ausübten als die etablierten Autoritäten. In den Naturwissenschaften schlugen sich die Tendenzen des Zeitalters nieder, was deren wirkungsvollster Ausdruck war. Wie die großen

Entdeckungsreisen, das schnelle Anwachsen der Handelsbeziehungen in Europa und die Hinterfragung des christlichen Wesens durch die Protestanten, standen auch die Naturwissenschaften für eine dynamische und vorausblickende Auffassung vom Leben. In ihrem Umfeld wurden Vermutungen angestellt, Diskussionen entfacht und Versuche durchgeführt. Wie Descartes' Ansatz festgelegt hatte, waren ihre Ideale skeptisch und fragend, und der einzige feste Pfeiler, den sie hatten, ließ sich nur im Innern des Fragestellers festmachen.

Darüber hinaus schien es für die Naturwissenschaften keine Grenzen zu geben. Wäre es möglich, das Buch des Glaubens aus der Geschichte zu entfernen, wäre die materielle Schöpfung ausschließlich eine Spielwiese der Naturwissenschaften. Dann könnte man zum Beispiel die menschliche Gesellschaft einer wissenschaftlichen Analyse unterziehen, und es bestünde kein Anlaß mehr, mit der religionsorientierten Politik fortzufahren, die im Europa der Vergangenheit zu Kriegen führte. Die Naturwissenschaften könnten mit einem rationalen Modell aufwarten.

Aber zwischen solch einem Modell und einer religiösen Gesellschaft klafft ein Abgrund. In einer naturwissenschaftlichen Gesellschaft würden Vernunft und Logik die Oberhand behalten. Für eine begründete Analyse könnte es keine Unterwerfung und keine Unterdrückung im Namen irgendeiner nicht-rationalen Autorität geben. Auch würde eine naturwissenschaftliche Gesellschaft auf lange Sicht gesehen klassenlos sein. Jeder Mensch wäre Herr über sein eigenes Gewissen und seinen Verstand. Der nächste Newton könnte aus jeder beliebigen Gesellschaftsschicht kommen.

Solche Erwägungen durchdrangen das europäische Denken nach und nach und formten die hiesigen Gesellschaften in den Jahren des naturwissenschaftlichen Fortschritts. In ihrem Gefolge gab es eine ganze Reihe von Versuchen, die den Anschlag auf die Religion entweder aufhalten oder aber ihn unterstützen wollten. Die fundamentalistische Reaktion, die naturwissenschaftlichen Einsichten uneingeschränkt abzulehnen, blieb bestehen, und es gibt sie auch heute noch. Aber sogar die katholische Kirche hat diese Art der Verteidigung verworfen. Nachdem sie gegen die neuen Philosophen, die Naturwissenschaftler, angekämpft und Vergleiche mit den Erbauern des Turms von Babel gezogen hatte, die den Himmel ankratzten und sich gegen Gott auflehnen wollten, arrangierte sie sich schließlich. Die jesuitische Kompromißformel, die an der Gegenreformation abgelesen werden konnte, lautete wie folgt: Wenn das Individuum des neuen Zeitalters seine moralische Selbstbestimmung der Kirche übereignet, wird die Kirche im Gegenzug die ganz strengen und asketischen Anforderungen der Religion, die im Mittelalter zu ihrem Bestand gehörten, aufgeben. Im Jahre 1893 anerkannte Papst Leo XIII. in der Enzyklika *Providentissimus Deus* offiziell die galileische Anschauungsweise über die Beziehungen zwischen der naturwissenschaftlichen und der biblischen Wahrheit.

Es sollte aber der Protestantismus sein, der den Glaubenskampf gegen die naturwissenschaftlichen Einflüsse am heftigsten führte. Die Reformation war aus demselben Aufruhr und denselben geistigen Veränderungen hervorgegangen wie die Naturwissenschaften. Sie war voller Bestreben, sich gegen die Autorität der katholischen Kirche zur Wehr zu setzen, wie ja auch die ersten Naturwissenschaftler gegen die Autorität der Kirche und der klassischen Lehren angekämpft und diese nicht als allgemeingültige Anleitung zum Verständnis des Universums betrachtet hatten. Der Protestantismus betonte insbesondere die zentrale Stellung des Intellekts und der Sprache im Gegensatz zur fraglosen Akzeptanz und großen Mystifikation, die in der Kirche des Mittelalters eine so wichtige Rolle gespielt hatten. Im Protestantismus wurde das magische Element der Religion zunächst heruntergespielt und zuletzt ganz gezielt unterdrückt.

Max Weber schrieb über die Bedeutung der Predigt:

> ». . . in den christlichen Religionen bedeutet sie um so mehr, je vollständiger die magisch-sakramentalen Bestandteile eliminiert sind. Am meisten daher innerhalb des Protestantismus, wo der Priesterbegriff gänzlich durch den Predigerbegriff ersetzt ist.«[12]

Das Aufgeben der Magie, so scheint mir, ist etwas ganz Entscheidendes. Die Kraft der Magie beruht im volkstümlichen Glauben. Die Magie kann und muß nur im Rahmen solch eines Glaubens »funktionieren«. Wenn jedermann an Begegnungen mit Dämonen glaubt, dann geschehen diese Begegnungen auch. Eine private, persönliche Magie zu haben ist nicht möglich, sie muß in einer Kultur verwurzelt sein. Der moderne Skeptizismus hinsichtlich der »Realität« solcher Begegnungen trifft den Kern nicht. Aber gerade in dieses Gebiet dringen die Naturwissenschaften am erfolgreichsten ein. Durch die Zurschaustellung ihrer Vorhersagekraft – wie im Falle der Wiederkehr des Kometen Halley – entziehen sie der Magie, ihrer Todfeindin, den Glauben. Vielleicht werden nur die Worte vertauscht: Magie wird Naturwissenschaft, Zauberer werden zu Naturwissenschaftlern.

Durch die Einschränkung der magischen Aspekte des Glaubens muß der Protestantismus seine strategische Position verbessert haben. Er gab einen Bereich, der nicht verteidigt werden konnte, einfach auf. Zusammen mit der entscheidenden protestantischen Betonung des Kampfes, den die einzelne Seele ausfechten muß, eröffnete dieses Aufgeben die Möglichkeit, die Religion radikal neu zu definieren. Die katholische Kirche ließ sich bis zum Jahr 1893 damit Zeit, ihr Unrecht Galilei gegenüber offiziell zuzugeben. Doch zu jener Zeit hatte das protestantische Denken den Glauben schon neu geschaffen.

Kant und Hume waren die großen Urheber dieses protestantischen Unternehmens gewesen. In ihrer Nachfolge nahm die Entwicklung der Liberalen Theologie ihren Anfang, die heute noch das theologische Denken zu großen Teilen beherrscht.

Der Liberalismus in der Theologie hat seinen Ursprung im Denken von Hegel (1770–1831) und in einem grundsätzlichen Verlangen danach, das ganze Weltbild einschließlich der Naturwissenschaften in einem Religionssystem zusammenzufassen, welches nicht leicht widerlegt werden konnte. Nach hegelianischer Anschauung war die Geschichte ein einziger Entfaltungsprozeß geistiger Entwicklung. Die Betonung lag auf dem Entfalten. Dieses Konzept ließ Raum für ein Voranschreiten und auch für Veränderungen, und es versteifte sich nicht auf die Einheit einer einzigen, offenbarten Wahrheit. Die Wissenschaft konnte damit als ein Teil des Glaubens angenommen werden. Die Erkenntnisse der Naturwissenschaften waren ebenso ein Bestandteil dieses Prozesses wie alles andere, und sie fügten der religiösen Wahrheit keinen Schaden zu. Die Naturwissenschaften repräsentierten einfach eine weitere Phase in der Offenbarung des großartigen historischen Gebäudes. Die Wahrheit war ein Sich-Entfalten, eine Bewegung nach vorne in Richtung auf einen höchsten Zustand, der für Christen traditionell das Königreich Gottes ist.

Hegels Ziel war die Freiheit der Menschen; doch notwendige Bedürfnisse und Entfremdung hinderten den Menschen daran, sie zu erlangen. Die notwendigen Bedürfnisse äußerten sich in seiner Abhängigkeit von der Natur, was seine Nahrung, seine Kleidung und seinen Unterhalt betraf. Die Wissenschaft konnte ihm dabei helfen, diese Abhängigkeit zu überwinden. Aber dann wurde er auf seinem Pfad zu Freiheit und Geistigkeit immer noch dadurch behindert, daß er entfremdet war. Der Mensch betrachtete sich selbst Hegels Weltbild zufolge als Subjekt und Objekt. Er sah sich selbst als Teil der Welt, aber auch als irgendwie anders, als losgelöst. Die »Entfremdung« bei Hegel bezeichnet dasselbe Problem, das Pascal, Lewis Carroll, Jonathan Swift und zahllose andere als Problem des Maßstabs identifiziert haben. Es besteht in der permanenten Ambiguität und Rätselhaftigkeit des Bewußtseins.

Von solch einem Standpunkt aus sind zwei Entwicklungen möglich. Als erstes kann die religiöse Interpretation ganz fallengelassen werden. Tatsächlich hat Hegels Schüler Ludwig Feuerbach in der Religion selbst die Quelle der Entfremdung ausgemacht. Feuerbach hat sich selbst einen zweiten Luther genannt und darauf bestanden, daß der Mensch nur dann frei sei, wenn er endlich die Religion entmythologisierte und sich selbst statt Gott in das Zentrum seines Bewußtseins rückte. Die ganze geschichtliche Entwicklung wäre danach als rein menschliche Geschichte zu verstehen.

Der Punkt, den Feuerbach besonders heraustrich, war, daß die Kraft des zentralen Geschichtsbildes von Hegel – in dem sich die Geschichte unter dem Ablauf einzelner, unterscheidbarer Prozesse entfaltet – so überzeugend war, daß der religiöse Rückfall kaum notwendig schien. Dies ist eine bekannte Erkenntnis. Wir haben gesehen, wie der Newtonismus überleben konnte, nachdem die Physik ihm Gott und dessen Magie abgestreift hatte. Auf ähnliche Weise war Gott in der cartesianischen Philosophie nicht fest genug mit dem Skeptizismus Descartes' verbunden gewesen, um überleben zu können. In unserer Zeit zeigt sich die gleiche Tendenz: Wir übernehmen aus der Vergangenheit nur das, was unserer Meinung nach nötig ist, und lassen das liegen, an was wir nicht länger glauben können. Wir biegen die Kultur so lange zurecht, bis sie mit unserem Bild von uns selbst übereinstimmt.

Der Marxismus war in diesem Sinne wahrscheinlich die größte Umdeutung, die den Hegelschen Gedanken widerfuhr. Karl Marx ersetzte die religiöse Determinante des Geschichtsablaufs einfach durch ökonomische und soziale Strukturen. Entfremdung wurde in diesem System am Arbeitsplatz ausgemacht, an dem der moderne Mensch dazu verdammt war, ohne Beteiligung an dem, was er produzierte, und ohne Identifikation damit, das Werkzeug des kapitalistischen Prozesses zu sein.

Von allen Versuchen, Politik und Naturwissenschaften miteinander zu verbinden, stellt die Theorie von Marx den Höhepunkt dar. Wie Nietzsche gab Marx sich mit der gedankenschweren Ohnmacht, auf welche die Philosophie reduziert war, nicht zufrieden. »Die Philosophen haben die Welt nur verschieden *interpretiert*, es kömmt darauf an, sie zu *verändern*«[13], schrieb er 1845. Dies ist keine rhetorische Phrase, sondern repräsentiert eine grundlegende Umkehrung des gewohnten Denkprozesses. Wir sollten annehmen, daß Menschen zuerst über die Welt nachdenken und dann versuchen, sie im Sinne der Schlußfolgerungen, die sie aus diesen Überlegungen ziehen, zu verändern. Doch Marx hatte erkannt, daß die gedanklichen Prozesse von der materiellen Wirklichkeit der Gesellschaft, aus der sie stammten, abhängig waren. Es hatte keinen Sinn, die Welt zu interpretieren, wenn diese Interpretationen nicht mehr als ein Ausdruck dieser Welt sein konnten. Und jeder solche Ausdruck konnte nur ein Teil des unauflösbaren philosophischen Konfliktes sein, auf dem die kapitalistische Welt aufgebaut war. Die Auflösung aller Konflikte dieser Art, die in der philosophischen Fachsprache üblicherweise »Kontradiktionen« heißen, konnte nur in einer kommunistischen Welt erreicht werden. Und deshalb mußte die soziale Aktion, mit der die Ankunft des Kommunismus forciert werden sollte, Vorrang vor der Interpretation haben. So sollte die Lähmung, die in der Entfremdung lag, durch Aktion, die dem Nachdenken zuvorkam, umgangen werden. Man mußte glauben, um ohne Denken handeln zu können. Doch dieser Glaube benötigte etwas Zusätzliches, wenn er nicht zur puren Utopie verkommen sollte, wenn er nicht allzu offensichtlich ein bloßer Glaube sein sollte. Dieses bestand in der Überzeugung Marx', die wissenschaftlichen Gesetze hinter den sozialen Veränderungen entdeckt zu haben, die sich vor allem in der geschichtlichen Entwicklung vom primitiven Sozialismus zum Feudalismus, Kapitalismus und zuletzt zum wahren Kommunismus zeigten. Diese Abfolge war eine »wissenschaftliche« Tatsache, die keinerlei Einschreiten oder individuelle Verpflichtung erforderte. Tatsächlich wies sie überhaupt kein ethisches Element auf. Wenn das Proletariat, die Klasse, die die nächste Veränderungsphase erzwingen würde, die Abläufe des sozialen Wandels erst deutlich erkannt haben würde, fände die Revolution statt, und diese würde dann den Bewußtseinswechsel hervorrufen, der sich in der notwendigen moralischen Umwandlung niederschlüge, und in der Folge entstünde dann der wahre Kommunismus.

Marxens Wissenschaft befaßte sich mit der wirtschaftlichen Entwicklung der Gesellschaft. Er erkannte hegelianische Grundmuster in der Geschichte und verwendete sie dazu, Voraussagen zu machen. Er schuf ein kraftvolles, deterministisches, atheistisches Denkgebäude, das die völlige und endgültige Erklärung der menschlichen Geschichte beinhalten sollte. Er bewies, daß der naturwissenschaftliche Gott der Kausalität auch in den sozialen und politischen Strukturen wirksam war.

Natürlich setzte – und setzt – dieser Gedanke weit mehr voraus, als wir überhaupt wissen können. Bis jetzt ist aus Wirtschaft, Politik oder Soziologie noch nichts hervorgegangen, das wir mit gutem Gewissen als Wissenschaft bezeichnen könnten. In seinem Eifer, sich die geistige Überzeugungskraft der Naturwissenschaften auszuleihen, verdrehte Marx die Geschichte auf eigenartige Weise. Er ging zum Beispiel davon aus, wirtschaftliches Wachstum sei immer ein Grundzug der menschlichen Gesellschaft, und die schnell voranschreitende Industrialisierung der Welt, die er um sich herum wahrnahm, sei eindeutig das Ergebnis eines einzelnen, linearen historischen Prozesses. Weiter oben habe ich jedoch schon darauf hingewiesen, daß Wachstum und Fortschritt, die solch eine zentrale Rolle in seiner »Wissenschaft« spielten, neuere Entwicklungen gewesen sind. Weit öfter haben Gesellschaften unter Bedingungen wirtschaftlicher Stagnation existiert, als sie sich an wirtschaftlichem Wachstum erfreuen durften, und die Phasen der Geschichte, die der Marxismus beschreibt, stellen eine grobe Vereinfachung der wirklichen Abläufe dar.

Im Ergebnis haben sich Marx' Voraussagen denn auch alle als falsch erwiesen. Wo seine Gedanken in die reale Politik umgesetzt wurden, haben sie zu ungeheuerlichen, zerstörerischen Regimen geführt. Der ursprüngliche Impuls aber, der zum Marxismus geführt hatte, bleibt überaus verständlich – er entsprang der Überzeugung, daß der menschliche Verstand, nachdem er einmal so weit gekommen war, sicherlich doch auch in das Getriebe der menschlichen Gesellschaft hineinreichen könnte. Wenn wir in der Lage waren, Himmelsbewegungen zu verstehen und vorherzusagen, so konnten doch unsere eigene Welt und ihre Geschichte wohl kaum außerhalb unserer Reichweite liegen! Darüber hinaus verfügte der Marxismus, dank der Tatsache, daß er viel vom Christentum enthielt, zu dessen Sturz er bestimmt war, über eine mit rationalen Mitteln nicht zu erfassende schöpferische Kraft. Im Christentum gab es ein gestürztes Reich, dem die Offenbarung von Christi Ankunft folgte, und am Schluß stand die Erlösung. Im Marxismus entsprachen diesem Bild der gestürzte Staat des bürgerlichen Kapitalismus, das Aufkommen der Revolution und schließlich der Beginn des Kommunismus. Für beide Prozesse war eine radikale Umwandlung des menschlichen Geistes erforderlich.

Was die in diesem Buch aufgeworfenen Themen betrifft, bezieht sich die wesentliche Frage zu den marxistischen Bestrebungen nicht so sehr darauf, warum oder auf welche Weise diese falsch waren, sondern vielmehr darauf, ob sie möglicherweise auch hätten recht behalten können. Ist ein rationales, wissenschaftliches, schlüssiges und umfassendes Verständnis der menschlichen Geschichte möglich? Marx könnte ja unrecht gehabt haben, weil seine Beobachtungen falsch waren, weil seine Analyse falsch war oder weil er nichts von angewandter Politik verstand. War er jedoch möglicherweise deshalb im Unrecht, weil es keine Möglichkeit gab, im Recht zu sein? Spielt sich die Geschichte außerhalb des Rahmens der Naturwissenschaften ab? Ich möchte diese Fragen bejahen.

Ich befasse mich mit diesen Angelegenheiten in einem Kapitel über Glauben und Wissenschaft, weil Marx den Versuch unternommen hatte, Wissenschaft in Glauben zu verwandeln. Die hartnäckige Forderung von Marx nach der Aktion ist kein moralischer Befehl im üblichen Sinne, verhält sich aber so. Sie verlangt, daß wir uns den Notwendigkeiten einer höheren Gewalt zu unterwerfen haben. Bei Marx handelt es sich bei dieser höheren Gewalt zufällig nicht um Gott, sondern um seine Vorstellung von Wissenschaft. Auch wenn wir etwas anderes glauben sollten, bleiben wir dieser höheren Gewalt unterworfen, und wir können uns nur in Übereinstimmung mit ihren Gesetzen verhalten. Sich nicht entsprechend zu verhalten, führt lediglich dazu, von der Logik dieser Gewalt zerschmettert zu werden. Es war genau diese Überzeugung, die als Rechtfertigung herhalten mußte für einen der allerschlimmsten Greuel, die im 20. Jahrhundert stattfanden – die stalinistische Schreckensherrschaft in der Sowjetunion.

Manchmal wird unterstellt, das Diskreditieren der verschiedenen Umsetzungsversuche des Marxismus hätte sowohl die marxistische Idee als auch die Vorstellung von einer wissenschaftlich geprägten Gesellschaft in Verruf gebracht. Dem ist nicht so. Zunächst einmal ist die Vorstellung, daß wir eine Wissenschaft von der Gesellschaft und der Politik entwickeln können, in den Köpfen der Protagonisten rechter wie auch linker Politik immer noch sehr präsent. Sodann hat der Sturz von Marx die Vorstellung von einer wissenschaftlich geprägten Gesellschaft nicht zerstört, sondern tatsächlich erst ermöglicht. Wie ich im ersten Kapitel dieses Buches ausgeführt habe, entfaltet sich die wahre wissenschaftlich geprägte Gesellschaft unter den Bedingungen des Liberalismus, und es ist der Liberalismus, der den Kommunismus wirtschaftlich besiegt hat.

Die andere Gedankenlinie, die von Hegel herrührte und darum bemüht war, die Umrisse des christlichen Glaubens zu erhalten, fand in der Entwicklung der Liberalen Theologie ihren Ausdruck. Diese Liberale Theologie lief – zusammen mit dem Hegelschen Grundthema des geschichtlichen Prozesses – auf eine Veredelung des protestantischen Individualismus hinaus. Die großartige Geschichte des »Weltgeistes« konnte mit dem individuellen Gewissen überprüft werden. Die Enthüllungen der Naturwissenschaften waren Bestandteil dieses Geschichtsverlaufs, und der Glaube mußte diesen Prozeß genau beobachten, um den göttlich inspirierten Grundplan begreifen zu können. In unserer jüngsten Geschichte zeigt sich die große Attraktivität des Gedankenguts der Liberalen Theologie in dem enormen Erfolg, den der katholische Denker Pierre Teilhard de Chardin in den sechziger Jahren hatte. Teilhard entwickelte ein ausgefeiltes System, nach dem die Entwicklung des menschlichen Wissens innerhalb der gesamten evolutionären Entwicklung des Lebendigen in eine sogenannte Noosphäre münden sollte, eine vom Menschen getragene Vernunftsphäre, in der das Wissen vorherrschen würde. Die fraglose Attraktivität solchen Denkens liegt darin, daß es letztlich behauptet, es gebe kein Problem, alles sei berücksichtigt, und am Ende würde alles seine Ordnung haben.

Dieser Liberalismus in der Theologie steckt auch hinter dem verbreiteten kulturellen Liberalismus unserer Tage. Die Offenbarung des Weltgeistes war eine universale Offenbarung, und sie war allen Völkern und Kulturen zugänglich, nicht nur speziell den Christen. Man konnte also sagen, daß vor den Augen dieser universalen, evolutionären Geschichte alle Kulturen gleich waren. Wiederum schien es kein Problem zu geben.

Aber es gibt dennoch eines. Es liegt in der Schwierigkeit für die Liberale Theologie, in ihren religiösen Grundlagen überhaupt irgendwelche Bedeutungsinhalte aufrechtzuerhalten, und darin, irgend jemanden davon zu überzeugen, daß das mehr ist als bloßes Wunschdenken. Im Liberalismus werden beliebig viele zunehmend nicht wörtliche Interpretationen der Bibel fraglos übernommen, während gleichzeitig versucht wird, die Wirklichkeit der zugrunde liegenden Theologie zu erhalten. In der Tat wird die Liberale Theologie durch die Anstrengungen definiert, die sie unternimmt, genau zu verstehen, auf welche Weise eine solche Wirklichkeit etabliert werden kann. In diesem Sinne ist sie ein Vorhaben, das dafür ausgelegt ist, sich das Beste aus beiden Welten herauszusuchen.

Zwei Gefahren ergeben sich aus solch einem Ansatz. Zunächst stellt der extreme Subjektivismus, zu dem er führen kann, ein Problem dar. Dieser Subjektivismus war natürlich im Protestantismus in der Betonung des individuellen Gewissens impliziert. Aber der Liberalismus beschleunigte diese Verlagerung des Glaubens nach innen, indem er die Vorstellung bestärkte, ein Verstehen der Religion komme von innen und nicht von außen. Bei dem zeitgenössischen protestantischen Theologen Paul Tillich findet dieser Prozeß seinen logischen Ausdruck: Er rät den Menschen, von Gott als von den Tiefen ihres Lebens, von der Quelle ihres Daseins, von ihrem größten Anliegen, jenem, das sie ohne Vorbehalte ernst nehmen können, zu sprechen.[14] Diese Aussage ist ein äußerster, radikaler Versuch, das Göttliche im eigenen Inneren zu bewahren, und es gibt auch keinen, der den Schaden noch deutlicher aufzeigen könnte, den die Naturwissenschaften in der Religion angerichtet haben. Alles, was Tillich über Gott meint sagen zu können, ist, daß dieser ein Zustand moralischen Ernstes sei. Gott verlange von uns nicht mehr, als daß wir tief über die Dinge nachdenken.

Die zweite Gefahr, die aus dem Liberalismus erwächst, besteht in seiner Verletzlichkeit eigenen analytischen Gedanken gegenüber. Liberalismus verlangt theologische Aktivität und beständige Prüfung des Glaubens. Aber die Einzelheiten des Glaubens in Frage zu stellen, birgt immer auch die Gefahr in sich, den Glauben selbst in Frage zu stellen. Gerade dies ist den deutschen Theologen des 19. Jahrhunderts auch widerfahren. Es handelte sich um eine entscheidende Phase in der europäischen Glaubensgeschichte.

Angeregt von den Werken Kants, Lessings und vor allem Schleiermachers, wandten diese ersten wahrhaft modernen Theologen sich kritisch dem zu, woraus sich Christlichkeit zusammensetzte. Schleiermacher hatte damit begonnen, das Zentrum des Glaubens auf den Menschen zu beziehen. Für ihn waren die Empfindungen des Menschen die Grundlage der Wirklichkeit, und Jesus war nur der Mensch, dessen Empfindungen den höchsten Grad, die Perfektion, erreicht hatten.

Im 19. Jahrhundert wurde dieses kritische Denken auf die Bibel angewandt, und in der Folge wurde deren grundsätzliche Autorität zerstört. Der berühmteste Angriff kam von David Friedrich Strauss, der im Jahre 1835/36 *Das Leben Jesu. Kritisch bearbeitet* veröffentlichte. Die Probleme, die Strauss mit der christlichen Orthodoxie hatte, erwuchsen unmittelbar aus dem Studium Hegels. Die Vorstellung von einem sich entwickelnden Weltgeist veranlaßte Strauss zu der Frage, welche Glaubenslehre er mit gutem Gewissen unterrichten könne. Sein Buch, in dem er das christliche Heilsgeschehen ganz unter mythologischen Aspekten betrachtete, war der erste Ausdruck einer nicht-wörtlichen Interpretation des Christentums. Das Buch kann als zentrale religionskritische Schrift des 19. Jahrhunderts bezeichnet werden. Bei ihrer Arbeit an der Übersetzung der Schrift ins Englische verlor die Erzählerin George Eliot ihren Glauben. Das Werk zerstörte die berufliche Laufbahn von Strauss als Lehrer, obwohl es sein ganzes Bestreben gewesen war, die Bedeutung der Gestalt Jesu wiederherzustellen.

Aus diesem Ansatz wiederum entwickelte sich die von Grund auf tragische Theologie des Albert Schweitzer, der davon überzeugt war, Jesus habe sich eindeutig geirrt. Das Königreich Gottes hatte – so Schweitzer – nicht unmittelbar bevorgestanden. Jesus, der geglaubt hatte, seine eigenen Leiden könnten die Welt mit sofortiger Wirkung verändern, war von allen verlassen gestorben. Albert Schweitzer sah in Christus nur noch die beispielhafte Gestalt von überwältigender moralischer Statur und großem Edelmut. Aber Gott sah er in ihm nicht!

Solch ein Prozeß kann nur allzu leicht als langsamer Rückzug gewertet werden. Was Tillich anbelangt, handelt es sich in der Tat um solch einen Rückzug. Zuerst fanden wir Menschen heraus, daß Gott nicht im wörtlichen Sinne »da oben« und die Hölle nicht »da unten« war, etwas später schied Gott völlig aus unserer Welt aus. In einem weiteren Schritt schauten wir nach innen in uns hinein, um ihn dort zu entdecken. Aber gleichzeitig wurden die äußeren, historischen Anzeichen seiner Existenz durch das kritische, das heißt naturwissenschaftliche Denken zerstört. Zuletzt blieb für den Christen nichts anderes übrig als ein guter Mann und eine innere moralische Ernsthaftigkeit. Kein Wunder, daß Nietzsches Zorn entbrannt war! Nichts war übriggeblieben, das zu verteidigen sich gelohnt hätte. Wieder mußten die Menschen beginnen, Leiden auf sich zu nehmen, Zorn zu entwickeln und Heldenmut zu zeigen.

Vielleicht aber war das nicht die richtige Sichtweise. In meinen Augen hat das protestantische Bemühen etwas Überwältigendes geleistet: die *überzeugende* Verteidigung des Glaubens *als Glaube*. Ich betone das Wort »überzeugend«, weil es nicht unbedingt bedeutet, daß jemand argumentativ überredet werden soll, sondern weil es auf etwas hinweist, das auf seine eigene Art schlüssig und unbestreitbar ist. Die Verteidigung des religiösen Glaubens muß nicht notwendigerweise andere überzeugen, sie kann lediglich bedeuten, daß man einen Weg gefunden hat, wie man als Verteidiger den Glauben für sich sinnvoll aufrechterhalten kann. Und ich betone die Formulierung »als ein Glaube«, weil dieser großartige Akt der Verteidigung, der vielmehr ein Akt des Widerstands ist, sich auf den tiefsten Sinn des Wortes »Glaube« bezieht.

Denn was bedeutet »Glaube«? Glaube kann ganz offensichtlich nicht bedeuten, vernunftgemäß von etwas überzeugt zu sein. Hätten wir einen Grund zum Glauben, hätte dies überhaupt nichts mit Glaube zu tun, sondern mit Logik. Der Glaube kann nur unvernünftig sein.

Zudem hat das Christentum in der Tat Wert auf diese Unvernünftigkeit gelegt, nachdem der im Mittelalter angesammelte Ballast vollständig abgeworfen worden war. Das Christentum war immer eine Religion der Erlösung durch Leiden gewesen. Seinem Wesen nach war es paradox und nicht vernünftig: Um zum Licht zu gelangen, muß man durch die Dunkelheit; um Frieden zu erreichen, muß man den Aufruhr ertragen; um alles zu gewinnen, darf man zuerst gar nichts besitzen.

In diesem Zusammenhang könnte man aus der Sicht des Christentums das grausame Eindringen der Naturwissenschaften anders deuten. Es könnte sich um eine zusätzliche Prüfung handeln, die der Glaube bestehen muß! Die Zerstörung der »Beweise« für den Glauben durch die Erweiterung unserer wissenschaftlichen Erkenntnisse könnte ein Weg sein, der zum Glauben selbst zurückführt. Vielleicht war gerade die Unmöglichkeit des Glaubens der Kern des Ganzen.

Dies war der Lösungsansatz Søren Kierkegaards, des größten Theologen der modernen Welt und wahrscheinlich des einzigen, der es an geistiger Intensität mit dem destruktiven Atheismus Nietzsches aufnehmen konnte. Er errichtete seinen Glauben auf dem extremen, neuzeitlichen Bedürfnis nach Unglauben. In seinem kurzen Leben (1813–1855) definierte er den äußersten Standort des protestantischen Individualismus. Er verwarf Hegels Metaphysik, die er als zu einfach empfand und der er vorwarf, dem Einzelnen die Verantwortung für sein eigenes Leben und seine eigenen Auswahlkriterien abzunehmen. Ebenso verwarf er die spitzfindigen Abstraktionen der idealistisch gesinnten christlichen Apologeten.

Nach Kierkegaard forderte die Welt dem Einzelnen eine ganz besondere, wichtige Handlung ab: eine Entscheidung. Diese absolute Entscheidung bezog sich auf alle Bereiche des menschlichen Lebens, und ganz besonders bezog sie sich auf den Glauben. Beim Christentum handelte es sich nach Kierkegaard nicht um einen vernünftigen Vorschlag, es war nicht wahrscheinlich, daß es wahr war, und man konnte zu solch einem System nicht über Vernunftprozesse gelangen. Man mußte zum Christen *werden*. Das Christentum konnte nicht plausibel sein – wenn es plausibel gewesen wäre, hätte es die sanfteste Entscheidungsmöglichkeit dargestellt, hätte es sich bei ihm nur um das Wählen der angenehmsten Alternative gehandelt. Christus aber hatte am Kreuz gelitten, und ein Christ, der vor der Entscheidung stand, würde vergleichbare Qualen zu erleiden haben und darüber hinaus auch noch die blanke Unwahrscheinlichkeit dessen ertragen müssen, was er glaubte. Zum Christen wurde man allem zum Trotz. Die Anstrengung dieses Werdens und der Kampf gegen die Ansprüche, die der Verstand stellte, lagen für Kierkegaard ganz nahe am wahren Kern des Glaubens.

Die wichtige Bedeutung Kierkegaards bestand darin, daß es ihm gelungen war, den Rückzug der Religion in einen Schritt nach vorne umzuwandeln. Um seinen Glauben aufrechtzuerhalten, bedurfte der Christ weder besonderer Raffinesse noch irgendeiner Ausrede, sondern mußte sich einfach nur der Realität einer Entscheidung stellen. Damit wurden alle Feinheiten der theologischen und philosophischen Debatte abgestreift, und ebenso befreite man sich von dem an die Materie gebundenen Einfluß, den die Naturwissenschaften auf das spirituelle Reich der Kirche gewonnen hatten. Dieser Ansatz beseitigte sogar vollkommen die Frage nach dem Sinn der »Existenz« Gottes. Wir trafen die Entscheidung, und damit hatte es sein Bewenden.

Auch wenn Kierkegaards Ansatz ein Sieg des Intellekts und des Mutes war, auch wenn er »wahr« gewesen sein sollte: Er konnte kaum als Grundlage für ein Programm zur Wiederbelebung der Kirche als einer Institution dienen. Kierkegaard war zu anspruchsvoll, zu individualistisch, und er hatte sich zu weit von dem wortgetreuen

Realismus, den die Menschen von ihrem Glauben erwarteten, entfernt, als daß seine Lehre hätte volkstümlich werden können. Daß man wählen konnte, bedeutete natürlich auch, daß man sich gegen den Glauben entscheiden konnte – nur wenn diese Möglichkeit bestand, war die Wahl eine unbedingte, absolute.

Infolge dieser Faktoren hat sich Kierkegaards Vermächtnis in unserer Zeit ausgerechnet in das sichtbarste Erscheinungsbild eines radikalen Atheismus verkehrt. Denn es war Kierkegaard, der den Existentialismus schuf, jene weitverbreitete moderne Philosophie, in deren Zentrum das Individuum steht, das mit seinen Entscheidungsmöglichkeiten allein gelassen ist und das sich selbst jeden Tag neu erschafft. Pessimistisch und selbstverliebt wird der Existentialist zum Helden seiner eigenen Geschichte, zum einzigen selbsterschaffenen Objekt seiner Welt. Kierkegaard wäre damit nicht einverstanden gewesen, weil dies aus seiner Sicht genau der falschen Entscheidung entsprochen hätte.

Die zentrale theologische Behauptung Kierkegaards entstammt dem geistigen Vorstellungsvermögen eines Künstlers. Der literarische Anspruch seiner Werke ist ebenso bedeutsam wie ihr theologischer Gehalt. Letztlich bat er uns alle darum, eine ebenso große Seelenkraft wie er selbst aufzubringen. Kein anderer Anspruch vermag einen genialen Menschen deutlicher in Kontrast zu unserer modernen Welt zu setzen. Gewiß hat er sich mit seinem eigenen Zeitalter überworfen; er kämpfte tatsächlich ganz bewußt gegen seine Zeit an und beschloß sogar, nicht zu heiraten, weil eine Heirat ihn in die Geschichte des 19. Jahrhunderts zu sehr eingebunden hätte. Von seinem unbeirrbaren Einzelgängertum einmal abgesehen, glaube ich, daß Kierkegaards Bedeutung in der Klarsichtigkeit liegt, mit der er das Problem analysierte. Er erkannte, daß unsere Humanität, unser Menschsein nur durch einen Akt unbedingten Bekenntnisses, nur durch eine Entscheidung zu retten war. Diese Entscheidung fällen wir Kierkegaard zufolge auf der Grundlage unseres eigenen Selbst, allen weltlichen Tatsachen zum Trotz und sogar im Widerstand gegen sie. Vielleicht erscheinen seine Anforderungen an den Menschen nur deshalb so extrem, weil sie zu früh gestellt wurden – vielleicht erkennen wir jetzt, daß sie keineswegs extrem, sondern einfach notwendig sind.

Die Geschichte seiner eigenen Zeit war jedoch trotz allem die Geschichte des gnadenlosen Fortschritts der Naturwissenschaften. In der ersten Hälfte des Jahrhunderts wirkten noch einige Gedanken der Theologie der Aufklärung nach. Die Behauptung eines Grundplanes mit Gott als oberstem Ingenieur, der all diese neuentdeckten Zusammenhänge geschaffen hatte, beschäftigte die Phantasie der Menschen immer noch. Als die industrielle Revolution jedoch voranschritt und die Naturwissenschaften zu einer mächtigen, professionellen Institution wurden, verlor Gott seine Bedeutung für den Alltag der Menschen, so wie er sich vorher schon aus ihrem Denken zurückgezogen hatte.

Das 19. Jahrhundert war jedoch nicht nur und nicht einmal vorwiegend ein Zeitalter, in dem mit Hilfe von heroischer Technologie eine neue Welt geschaffen wurde oder in dem intellektuelle Genies darum kämpften, einen neuen Weltzusammenhang zu erkennen oder die Reste des alten Glaubens zu retten. Es war auch das Zeitalter eines neuen Typus von Mensch, der eine neue Form des Glaubens besaß – einen Glauben, der die Naturwissenschaften als einen Mythos von Fortschritt und Verbesserung einschloß. Wenn man bedenkt, daß die Zahl der gebildeten Menschen anstieg, war dies der echte neue Glaube, der die Religion mit ihren Ansprüchen, ihrer Dunkelheit und ihren Mystifikationen tatsächlich ersetzte. Das 19. Jahrhundert war nämlich auch das Zeitalter des Apothekers Homais.

Homais ist wahrscheinlich die großartigste Gestalt des Romans, der für mich ebenfalls der großartigste ist: Gustave Flauberts *Madame Bovary*. Der Roman wurde im Jahre 1857 veröffentlicht und handelt von der ganz gewöhnlichen Geschichte eines Ehebruchs in bürgerlichem Milieu. Eine leidenschaftliche, selbstbezogene, phantasievolle Ehefrau lehnt sich gegen die Enge ihres Daseins auf, gegen ihre Ehe mit einem langweiligen Arzt und gegen die Einschränkungen durch die Moralvorschriften einer Kleinstadt. Am Ende stirbt sie auf furchtbare Weise an Arsen, das sie sich selbst verabreicht hat. Homais ist der Apotheker am Ort, ihm gehört das Arsen. Er ist ein neuer Mensch, ein Prophet des anbrechenden Zeitalters, ein liberal denkender Skeptiker, antiklerikal und fortschrittlich. Seine Existenz ist die feierliche Krönung der Zivilisation des 19. Jahrhunderts, die Entsprechung zum naturkundlichen Museum in London. Die Geschich-

145

te liegt wie ein offenes Buch vor Homais – er weiß alles. Er ist überzeugt davon, daß die Naturwissenschaften eines Tages all unsere Probleme lösen werden. In diesem Denken ähnelt er uns. In der Tat stellt er *den* neuen Menschen dar, eine Verkörperung aller Überzeugungen des neuen Zeitalters. Der Haken dabei ist, daß der Apotheker Homais die eindringlichste, unvergeßlichste Darstellung des Bösen ist, die jemals der künstlerischen Phantasie unseres Kulturkreises entsprang.

Flauberts besondere Gabe bei der Erschaffung dieses ungeheuren Scheusals bestand darin, aufzuzeigen, wie die Überzeugungen dieses Menschen auf der einen Seite erschreckend unzulänglich, auf der anderen aber gleichfalls erschreckend treffend sein können. Die aalglatten Ansichten des Homais enthalten nichts, was dem Lieben oder Leiden der Madame Bovary je einen Sinn verleihen oder ihr gar Trost sein könnte. Menschlicher Schwäche und Phantasie gegenüber kann Homais nichts als das fade, herablassende Selbstvertrauen des Technokraten aufbringen. Zu dem Leiden, welches das Menschsein begleitet, hat er nichts zu sagen. Dennoch kann er seiner eigenen Überzeugung nach alles sagen. Er *weiß*, daß all dieses ganze dramatische Geschehen nur ein vorübergehendes, örtlich begrenztes Bruchstück der Geschichte ist. Er *weiß*, daß es über seine Bedeutung innerhalb eines unpersönlichen Fortschrittsprozesses hinaus keine andere Bedeutung hat. Homais ist schließlich ein Naturwissenschaftler, ein Technologe, ein nüchternes, ernsthaftes Mitglied seiner Gemeinde. Homais kann die Dinge in die richtige Perspektive rücken. Er ist ein Spießbürger.

Die furchtbare Tragödie besteht darin, daß Homais recht hat. Madame Bovary ist ein unzulänglicher Mensch; sie lebt in einer Traumwelt. Zweifellos ist sie eine Künstlerin – »Madame Bovary, c'est moi«, sagte Flaubert –, aber in dieser neuen Welt bedeutet Künstler zu sein, unwichtig zu sein, ein Geschöpf mit leidenschaftlicher Sehnsucht zu sein, ohne daß es etwas gäbe, nach dem man sich leidenschaftlich sehnen könnte. Madame Bovary erfüllt keinen Zweck, während Homais angefüllt ist mit Zweckwissen. Die Gesellschaft versteht es und belohnt es. Der letzte Satz des Buches läßt uns wissen, daß Homais in die Ehrenlegion aufgenommen worden ist, während Emma in ihrem Grab verfault. Diese Zeilen sind mit Absicht so formuliert, daß der Leser ein unerträgliches Gefühl von Zorn und Ungerechtigkeit in sich aufsteigen spürt. Aber dieser Romanschluß soll uns auch zur Frage an uns selbst führen, worüber wir so zornig sind. Homais ist ein gemeiner gesellschaftlicher Aufsteiger, ein unmenschliches Ungeheuer. Was aber haben wir anzubieten, das so viel besser wäre? Unsere Wut entbehrt ebenso wie Emma Bovarys Sehnsucht jeder Grundlage.

Flaubert hat diesen Zorn verwandelt und zu seiner Kunst gemacht. Wie Irving Babbitt es beschrieb, war Homais Flauberts Vision vom »zeitgenössischen Leben und vom unermeßlichen Abgrund platter Geschwätzigkeit, in der es sich selbst durch Mangel an Phantasie und Idealen verliert. Aber dennoch übt gerade diese Plattheit eine fürchterliche Faszination auf ihn aus. Denn sein Abscheu gegenüber dem Spießertum kommt in seinem Idealismus so nahe wie nur möglich an einen positiven Gehalt heran, an eine Flucht vor der blanken Leere und Unwirklichkeit.«[15]

Ohnmächtige Wut und abstoßende Faszination sorgen für eine Art Halt vor der Welt des Philisters Homais. Der Ausflug in die Literatur ist ein Versuch zu beschreiben, was im geistig-kulturellen Bereich im 19. Jahrhundert auf dem Spiel stand. Vor allem erkannte man endlich die ganze Bandbreite der persönlichen, sozialen und politischen Konsequenzen, die sich aus dem siegreichen Anwachsen der Naturwissenschaften ergaben. Der Niedergang des Glaubens und das bedrückende Gefühl der Zersplitterung der Welt, das mit dieser Erkenntnis einherging, ließen es zu einem Zeitalter werden, das voller Klagen über den Verlust einer harmonischen Vergangenheit war, in der Glaube und Sinn ihren Platz hatten. In der romantischen Kunst fanden sich zahllose mittelalterliche Landschaften, primitive, »organisch gewachsene« Kulturen und der Friede der unzerstörten Natur. Gleichzeitig war dieses Zeitalter aber auch voller Menschen vom Schlage eines Homais, die sich als Propheten des neuen Fortschritts betrachteten.

Männer wie Kierkegaard und Flaubert waren mitten unter ihnen. Ersterer bemühte sich darum, die Gegenwart als Gegenwart freizugeben, indem er sie mit einer modernen Theologie versah, der letztere wütete vor Verzweiflung darüber, daß es sich nicht lohne, das Moderne zu besitzen – und daß dieses doch alles war, was es gab. Beide waren erbitterte und unnachgiebige Feinde des Spießbürgerglaubens.

Der Bürger, der Bourgeois, nimmt die zentrale Rolle im nachreligiösen, naturwissenschaftlichen Lebensgeschehen ein. Man könnte sagen, daß dieser Bourgeois nicht als wirkliches Individuum existierte, sondern nur in den Dämonisierungen zum Leben erweckt wurde, welche diese weitgespannten Seelen entwarfen, nachdem sie erkannt hatten, wie sich die Welt des Sinns entleerte. Und unbezweifelbar ist der Bourgeois auch ein Teil von uns allen, ein Grundtyp der Gegenwart.

Wichtig sind die Assoziationen, die mit diesem Wort verbunden sind. Der Bourgeois steht nicht allein für die Mittelschicht und ist auch nicht nur ein antiklerikaler Technokrat; er ist nicht ausschließlich materialistisch und nicht völlig selbstzufrieden, doch gleichzeitig verhält er sich zum Schutze seiner Selbstzufriedenheit auch bestialisch und unmenschlich. Ganz sicher ist er oberflächlich, doch seine Wurzeln reichen tief. Sie führen auf den neuen Kaufmannstyp zurück, der im 15. und 16. Jahrhundert entstanden war. Man könnte sagen, daß der Erfolg dieses Standes, ebenso wie die Wissenschaft, auf einer grundlegenden Amoralität beruht. Wie die Wissenschaft berief sich der Handel nämlich auf einen äußeren Wert, der nichts mit der Religion zu tun hatte. Er bestand in den Erfordernissen des Handels selbst, und aus diesem äußeren Wert sollte später die ganze hochentwickelte Struktur der Wirtschaft erwachsen.

Das Symbol dieses Wertes war der Geldwucher – das Einkommen durch Zinsen. Wucher und Zinserträge waren gerade wegen ihrer offensichtlichten Amoralität Hauptthema eines tiefschürfenden Disputs, der im Mittelalter ausgetragen wurde. Denn Zinserträge bedeuten, daß Geld einen Wert an sich hat. Dieses Geld muß nicht tätig werden, um etwas wert zu sein. Geld bringt Zinsen, auch wenn es nur auf der Bank liegt. R. H. Tawney schrieb über diese Ungeheuerlichkeit:

»Wucherzinsen zu nehmen ist ein Verstoß gegen die Heilige Schrift; es verstößt gegen Aristoteles; es verstößt gegen die Natur, weil es ein Leben ohne Arbeit bedeutet; es bedeutet, zum Vorteil boshafter Menschen Zeit zu verkaufen, die Gott gehört; es bedeutet, diejenigen zu berauben, die das geliehene Geld nutzen und denen der Gewinn gehören sollte, weil sie es erst profitabel machen . . .«[16]

Zinswucher war aus der Sicht des thomistischen Weltbildes vor allem irrational. Er verwandelte das Geld in eine Abstraktion und fällte damit ein Urteil darüber, was in der Welt geschah. Jedes Vorhaben, das auf geborgtem Geld beruhte, konnte nur danach beurteilt werden, wie gut es in der Lage war, Zinsen zu tragen. Gegen den systematischen Rationalismus der mittelalterlichen Welt errichteten die Kaufleute der Renaissance diesen Irrationalismus, der in der willkürlichen Zuschreibung eines unanfechtbaren Wertes bestand, der in den Banknoten und Münzen selbst lag und der in einer weiteren irrationalen Verfeinerung dann auch noch die feierliche Zusicherung enthielt, daß solche Scheine und Münzen für nichts Handfesteres als eine Bescheinigung der Bank darüber eingetauscht werden konnten.

Für den Geist des Mittelalters war der Zinswucher also ebenso irrational wie die Naturwissenschaften irrational waren. Er war abstrakt, subjektiv, willkürlich und weit entfernt von den natürlichen Lebenstatsachen. Diese Eigenschaften schreckten rationalistische Geister ab, und ihre Kämpfe darum, dem wirtschaftlichen Wert stabilere Grundlagen zu verschaffen, dauerten bis weit ins 19. Jahrhundert hinein. Man könnte in diesem Kontext behaupten, Karl Marx sei mit seiner Theorie vom Wert der Arbeit – einem Versuch, Geld als entsprechenden Gegenwert zur Arbeit zu betrachten – der direkte Nachfahre des Thomas von Aquin gewesen. Thomas von Aquin hatte eine einheitliche geistige Grundlage für seinen christlichen Glauben erstrebt; Marx strebte nach einer einheitlichen geistigen Grundlage für seinen wirtschaftlichen Glauben.

Die kaufmännische Phantasie, die wie die Naturwissenschaften von ihrem eigenen Erfolg angeheizt wurde, scherte sich aber wenig um solche Feinheiten. Sie scherte sich in der Tat wenig um jegliche Belange, die man normalerweise als religiös bezeichnet. »Skepsis und Gleichmut sind und waren überall eine sehr weit verbreitete Stellungnahme der Großhändler und Großgeldgeberkreise zur Religiosität«[17], schrieb Max Weber. Der Handel schien dem menschlichen Dasein ein objektives Grundprinzip zu geben, und dieses reduzierte das Bedürfnis nach dem Glauben. Dem selbstzufriedenen Kaufmann schien es, als ob die Wissenschaft diese Skepsis dem Glauben gegenüber bestätigte. So befruchtete die Wissenschaft den Handel, und aus dieser selbstgefälligen Verbindung wurde der Bourgeois geboren.

Bei seinem ersten Auftritt in Flauberts Roman wird Homais aus der Ferne gesehen, wie er sich über seinen Tisch beugt. Flaubert beschreibt Homais' Haus, das mit Anzeigen für patentierte Arzneimittel vollgepflastert ist – Anzeigen für Blutreinigungsmittel, Regnault-Salbe und so weiter. Über der Ladentür befindet sich das Schild: HOMAIS, CHEMIKER. Und innen im Haus gibt es noch ein weiteres Schild: LABORATORIUM. Geschäft und Wissenschaft sind im Hause des Homais dasselbe.

Das Problem des Spießbürgers bestand darin, keinerlei Problem wahrzunehmen. In der Tat ist das Motto »kein Problem« der Leitspruch jedes zeitgenössischen Homais. Die Tragödie der Emma Bovary bedeutet diesem spießbürgerlichen Menschen nichts. Emma hat sie seiner Meinung nach ihrer eigenen Dummheit zu verdanken. Wenn man das beachtet, vermögen Flauberts Kunst und Schöpfergeist nicht mehr, als unseren Abscheu vor dem Spießbürger Homais und unsere Verachtung für ihn zu vergrößern.

Kierkegaard fühlte sich dazu veranlaßt, der einzelnen Seele solche riesigen Bürden an Verantwortung aufzuladen, daß kein Spießbürger sich dieser Anstrengung gewachsen sah. Nietzsche verlangte nichts anderes als übermenschlichen Mut, geistige Vorstellungskraft und herrenhafte Geringschätzung den Leiden anderer gegenüber. Allen gemeinsam war ihr Entsetzen über den selbstzufriedenen, spießbürgerlichen Kompromiß, von dem sie glaubten, er bedrohe das Seelenheil der menschlichen Spezies ernsthaft und stelle darüber hinaus die Grundlagen jeglicher Spiritualität in Frage.

Sie hatten natürlich recht damit. Im 20. Jahrhundert mag der Bürger einige seiner Fortschrittsideale verloren haben, aber sein Glaube an die Kombination von Wirtschaftswachstum und wissenschaftlicher Rationalität ist zur Religion unserer Tage geworden. Man mag an anderen Glaubensrichtungen festhalten und anderslautende Lehrmeinungen vertreten, aber nur dieser eine Glaube läßt sich als unverzichtbare Charakterisierung unserer modernen Zivilisation bezeichnen.

Im Lichte dieses Triumphes von Wirtschaft und Wissenschaft sind dann die Nachfahren der Propheten, welche die Werte der Bourgeoisie abgelehnt hatten, ins Abseits geschoben worden. Denn durch das Aufsteigen des Bourgeois wurde der Intellektuelle geschaffen. Jeglicher Religion entledigt, mußte der Anti-Bourgeois nach anderen Begründungen für den Abscheu Homais gegenüber suchen. Max Weber schrieb:

»Der Intellektuelle sucht auf Wegen, deren Kasuistik ins Unendliche geht, seiner Lebensführung einen ›Sinn‹ zu verleihen, also ›Einheit‹ mit sich selbst, mit den Menschen, mit dem Kosmos. Er ist es, der die Konzeption der ›Welt‹ als eines ›Sinn‹-Problems vollzieht. Je mehr der Intellektualismus den Glauben an die Magie zurückdrängt, und so die Vorgänge der Welt ›entzaubert‹ werden, ihren magischen Sinngehalt verlieren, nur noch ›sind‹ und ›geschehen‹, aber nichts mehr ›bedeuten‹, desto dringlicher erwächst die Forderung an die Welt und ›Lebensführung‹ je als Ganzes, daß sie bedeutungshaft und ›sinnvoll‹ geordnet seien.
Die Konflikte dieses Postulats mit den Realitäten der Welt und ihren Ordnungen und den Möglichkeiten der Lebensführung in ihr bedingen die spezifische Intellektuellenweltflucht . . .«[18]

Der Intellektuelle ist derjenige, der sich mit der nichtssagenden Einfachheit der bürgerlichen Weltsicht, mit einem problemlosen Fortschritt und mit der zugehörigen alles erobernden Wissenschaft nicht einverstanden erklären kann. Und so bemüht er sich um Systeme, die aufzeigen sollen, daß die Welt viel weitreichender, diffiziler und umfassender ist, als Homais es sich je erträumte. Aber dieses Streben scheint vergebens, zunächst einmal, weil alle seine Systeme Erfindungen, Dichtungen und Kunstwerke sind. Sie können sich nicht mit den einfachen bürgerlichen Gewißheiten messen. Und zweitens, auch wenn ihnen je eine vergleichbare Gewißheit zu eigen sein sollte: Sie würden über die Randbereiche nicht hinausreichen, in denen sich der Intellektuelle aufhält – über jene geistreiche Caféstuben-Gesellschaft, die kennzeichnend war für das moderne intellektuelle

Leben. Jeder literarische Zirkel, jede Künstlergruppe, jeder geschmackvolle Trend ist ein fortwährender Ausdruck der Sterilität der Rolle, die zu spielen der Intellektuelle bereit ist. Die Wahrheit ist nämlich die, daß das, was dem intellektuellen Streben wirklich fehlt, eine Religion ist; und doch ist gerade die Religion das eine, das der Intellektuelle seiner Natur nach grundsätzlich nicht haben darf. Er kann weder die alten Glaubensrichtungen übernehmen, noch kann er neue erfinden. Alle seine Gedanken sind dazu verurteilt, sich die Zeit am Rande einer Kultur zu vertreiben, die sich für ihren eigenen Glauben und für ihre eigene Metaphysik entschieden und kein Verlangen nach seiner kultivierten Bildung hat.

Gegen Ende des 19. Jahrhunderts stand fest, welche religiöse Orthodoxie die Oberhand gewonnen hatte. In ihrer Ausprägung auf der bürgerlichen Ebene handelte es sich um die pragmatische Vereinigung von Wissenschaft und Handel. Außerhalb davon und darüber lag die moralische Kosmologie, welche die Naturwissenschaften endlich abgeschlossen zu haben schien: Die Kosmologie vom Universum ohne Sinn. Der Mensch, so hatte Freud es zusammengefaßt, hatte sich vom Universum, von der Natur und von sich selbst entfremdet. Die Religion begleitete jene Gedanken der Menschen, die sich am weitesten vorwagten und die am überragendsten waren, nicht mehr länger. Statt dessen war die Religion selbst jetzt auch noch zum Objekt wissenschaftlicher Neugierde geworden. Sie sah jetzt entweder wie ein offenkundiger Fehler aus oder wie ein intellektueller Irrtum. Oder aber sie war ein Symptom für menschliches Unbehagen und Unzufriedenheit – in Freuds Worten handelte es sich bei der Religion um illusionäre Erfüllungen »der ältesten, stärksten, dringendsten Wünsche der Menschheit«.[19] Im Kontrast dazu stand die Erkenntnisart, welche die Naturwissenschaften anzubieten hatten – »der einzige Weg, der uns zur Erkenntnis einer Wirklichkeit außerhalb unserer selbst führen kann«.

Freud erkannte die Trostlosigkeit solch einer Schlußfolgerung ebenso, wie seine eigene Rolle als moderne Wiedergeburt eines Zauberers, aber eines, der keine magischen Kräfte mehr hat:

»So sinkt mir der Mut, vor meinen Mitmenschen als Prophet aufzustehen, und ich beuge mich ihrem Vorwurf, daß ich ihnen keinen Trost zu bringen weiß, denn das verlangen sie im Grunde alle, die wildesten Revolutionäre nicht weniger leidenschaftlich als die bravsten Frommgläubigen.«[20]

Den Platz der religiösen Leidenschaft konnte jetzt nur noch eine Art hoffnungsloser Urbanität einnehmen. Was, so wurde der britische Genetiker J. B. S. Haldane einmal gefragt, könne er über das Wesen des Schöpfers aus dessen Schöpfung folgern? »Eine übertriebene Liebe zu Käfern«[21], antwortete er mit all der herablassenden Urbanität, welche unsere zeitgenössische »Abgeklärtheit« von uns verlangt. Es gab nichts – nur Käfer!

Am schlimmsten war, daß solch eine Wissenschaft nichts enthielt, das die Schönheit und Klarheit des christlichen Mythos ersetzen konnte. Mit dem bedauernden Seufzer des Klinikers erklärte Sigmund Freud, unser Verlangen nach einem einzigen, allmächtigen Gott sei nicht mehr als das Verlangen der menschlichen Psyche nach einem Vater.

Die Religion war besiegt worden. Die abendländische Gesellschaft sollte fortan säkular sein. Die schiere Energie, Kraft und Effektivität der Naturwissenschaften hatten den alten Glauben geschwächt, bis von ihm nicht mehr übriggeblieben war als eine Stimme unter vielen, als eine Meinung. Dieser Glaube mochte zwar Fragen beantworten, welche die Naturwissenschaften offengelassen hatten, aber man glaubte nicht mehr länger an die Quelle der Antworten und daher auch nicht mehr an die Antworten selbst. Wir mußten uns einfach darauf einstellen, ohne diese Antworten auszukommen – oder wir mußten vorgeben, sie aus der Sicherheit unserer neuen Haltung und selbstgerechten Rolle als Intellektuelle oder Bürger zu beziehen.

Natürlich bewahren wir die Sprache des alten Glaubens und benutzen sie zu Weihnachten oder in den verzweifelt-verwegenen Forderungen der amerikanischen Fernseh-Evangelisten. Gewöhnlich schnürt uns noch heute die Sehnsucht die Kehle zu, wenn wir daran denken, welche Gewißheiten der Glaube den Menschen einmal beschert haben muß.

Aber auch wenn uns eine noch so brennende Sehnsucht nach diesem alten Zustand verzehrte: Wir waren uns doch immer bewußt, daß man in der Vergangenheit niemals so leicht leben konnte, wie wir es nun dank Wissenschaft und Technik konnten. Die Effektivität der Naturwissenschaften lockte uns in ihren vertrauten, verführerischen Bann. Was immer auch diese entsetzliche, trostlose Erkenntnis der Wissenschaft bedeutete, wir konnten nicht leugnen, daß sie funktionierte. Sie machte uns alle zu Bourgeois. Das Problem war, daß sie uns mit der schmerzhaften, Angst einflößenden Einsamkeit des naturwissenschaftlich geprägten Menschen im Universum allein ließ und daß die wissenschaftliche Erkenntnis des Menschen dieses Universum – in einer grauenhaften Parodie des ursprünglichen Sündenfalls – aller Güte und allen Sinnes beraubt hatte.

Die Verteidigung des Glaubens war fehlgeschlagen, und die Seele des modernen Menschen hatte sich gebildet. Im Jahre 1869, nach Newton, nach Darwin, nach Strauss, nach Kierkegaard, nach Flaubert, und als Freud schon in Freiberg heranwuchs, schaute der englische Dichter Matthew Arnold bei Dover hinaus aufs Meer. Das Geräusch der Wellen am Kieselstrand war ein »melancholisches, langes, sich entfernendes Brüllen«, welches ihm wie der Laut erschien, den das Meer des Glaubens ausstieß, das sich von der Erde zurückzog. Es hinterließ nichts als die bedeutungsleere Welt der Ichneumon-Schlupfwespe, in der die Menschen sich gegenseitig trösten konnten. Die Schönheit und Anmut der Schöpfung, die zur Annahme eines großartigen Grundplans eines Schöpfers geführt hatte, konnte uns in Wahrheit gar nichts sagen. Schönheit war nicht Wahrheit, und Wahrheit war nicht Schönheit. Alles, was übriggeblieben war, war das persönliche Bekenntnis im Angesicht des Unsagbaren:

> Ah, love, let us be true
> To one another! for the world which
> seems
> To lie before us like a land of dreams,
> So various, so beautiful, so new,
> Hath really neither joy, nor love, nor light,
> Nor certitude, nor peace, nor help for pain;
> And we are here as on a darkling plain
> Swept with confused alarms of struggle and
> flight,
> Where ignorant armies clash by night.[22]

(Ach Geliebte, laß uns einander
Treu sein! denn die Welt,
Die vor uns wie ein Traumland liegt,
So vielfältig, so schön, so neu,
Kennt wahre Freude nicht,
    nicht Liebe und nicht Licht,
Nicht Gewißheit, Frieden, Hilfe für den Schmerz;
Und wir stehn hier auf dunkelnder Ebene
Überflutet von verworrnen Warnrufen aus Kampf und
    Flucht,
Wo ahnungslose Heere des Nachts
    aufeinanderprallen.)

5. Vom Entsetzen über die Naturwissenschaften bis zur grünen Lösung

Nur die Auswirkungen unserer Handlungen zählen.

Lovelock[1]

Heutzutage sind wir ohne Glauben, aber verwöhnt vom Wohlstand, mit dem die naturwissenschaftlich-technische Gesellschaft uns ausstattet. Was man zum Lebensunterhalt benötigt, läßt sich für die meisten Vertreter der menschlichen Spezies so bequem erreichen wie niemals zuvor.

An einem Supermarkt kann man diesen Wohlstand und diese Mühelosigkeit am einfachsten und deutlichsten ablesen. Die Logik, die dahinter steht, ist erlesen: Wir besitzen Autos, warum sollten wir also zu vielen unterschiedlichen Geschäften laufen, wenn wir nur vor einem einzigen zu parken brauchen? Außerdem müssen wir heutzutage so viel konsumieren, daß es uns nicht länger sinnvoll erscheint, einen Verkäufer um jedes einzelne Stück zu bitten, indem wir es mit Namen bezeichnen. Statt dessen können wir nach Belieben zwischen den vollbeladenen Gestellen, Regalen und Verkaufskörben umherspazieren und unsere Einkaufswagen füllen.

Als die ersten Supermärkte in den fünfziger Jahren in Großbritannien aufkamen, wirkten sie wie eine frische, angenehme Zukunftsbrise von der unendlich privilegierten, schrecklich weit entfernten Westküste des Atlantiks. Sie verkörperten den Traum von Hülle und Fülle, von leichter Zugänglichkeit und verschafften uns die Gewißheit, daß zumindest eines unserer Probleme gelöst war. Unsere Nahrungsbeschaffung bedeutete von nun an kein Problem mehr für uns.

In den letzten Jahren aber scheinen die Supermärkte damit zu beginnen, mehr anzupreisen als nur Warenfülle, leichten Zugang und niedrige Preise. Jetzt gibt es eine neue Begründung dafür, warum wir kaufen, wie wir kaufen oder was wir kaufen.

Ein moderner Supermarkt sieht folgendermaßen aus: Es gibt zwei verschiedene Arten von Gemüse, die üblichen und jene »aus organischem Anbau ohne Zusatz von chemischen Spritzmitteln oder künstlichen Düngemitteln«. Es werden Müllsäcke mit »mindestens 50% Anteil von wiederverwertetem Kunststoff« angeboten, und es gibt Toilettenpapier, das zu 100% aus Recycling-Papier besteht – »hilft Bäume schonen« steht auf der Verpackung. Weiterhin bekommen wir dort Haut-, Haar- und Badepräparate aus speziellen Zusammensetzungen von Pflanzen-, Obst- und Blütenauszügen, »ohne Tierversuche hergestellt« und eine Seifenpulverschachtel, auf der »Umweltinformationen« abgedruckt sind, die über biologischen Abbau, Energieverbrauch, Verpackung und »sanfte« Chemikalien zur Fleckenentfernung Auskunft geben. »Unterstützen auch Sie das Recycling in Ihrer Gemeinde«, heißt es am Ende der Informationstabelle. Das Sortiment bietet außerdem umweltfreundliche chlorfreie Bleichmittel mit dem Etikett »Für eine sauberere Umwelt« sowie ein Haarspray, von dem behauptet wird, es sei »ozonfreundlich«. Schließlich liegt im Supermarkt noch eine Informationsbroschüre des Umweltbundesamtes aus, die munter dazu aufruft, »aufzupassen und zu überlegen«, was wir »für die Umwelt tun können«. In ihm finden sich wichtigtuerische Anweisungen darüber, wie wir unser Leben verändern sollten: energiesparende Glühbirnen benutzen, den alten Kühlschrank mit Vorsicht entsorgen, Plastiktüten mehrfach verwenden, bleifreies Benzin tanken, keine Wildpflanzen ausgraben, keinen Müll in die Gegend werfen, die Kothäufchen unserer Hunde wegräumen und die Flußverschmutzung im Auge behalten. Die Broschüre ist aus Recycling-Papier hergestellt.

Supermärkte leben davon, daß sie uns Waren verkaufen. Jeder Quadratmeter Verkaufsraum, jede Dose, jedes Paket, jedes Wort auf jedem Umschlag ist auf den Moment hin ausgerichtet, in dem der Laserstrahl den Codestreifen entziffert und in dem uns gehört, was zuvor ihnen gehört hat, und unser Geld das ihre wird. Das ganze bunte Drumherum des Handelns zielt auf diesen Moment ab und bezieht daher seinen Sinn.

In einer einfachen Welt ohne Ängste, Einbildungen und Wunschvorstellungen wäre das Verkaufen ein rationaler, begrenzter Vorgang. Wir würden das eine kaufen, weil es billig ist, das andere, weil es besser schmeckt und so fort. In der wirklichen Welt aber müssen Verkaufsstrategien entwickelt werden, die der komplexen Psyche des Käufers gerecht werden. Der Verkäufer muß unendlich geduldig sein und mit den zahllosen Unvernünftigkeiten des Kunden geradezu rechnen. Um in einer wettbewerbsorientierten, reichen Gesellschaft verkaufen zu können, muß man den Kunden genau kennen. Und all diese eigenartigen Botschaften über Recycling, FCKWs, niedrige Energie und Umweltverschmutzung deuten darauf hin, daß die Supermarktstrategen ihre Kunden sehr genau kennen und wissen, daß sie neue, den Verkauf rechtfertigende Argumente vorbringen können. Sie haben eine neue Begründung entdeckt, die schwierige Sachverhalte grandios simplifiziert und die viele Kunden zu Kaufentscheidungen führt, die sie früher niemals getroffen hätten.

Dieses Verkaufsargument heißt Umweltschutz. Es setzt auf den »grünen« Antrieb, der die Phantasie der hochentwickelten Gesellschaft gefangengenommen und das Bild vom einfachen, offenen Marktplatz verändert hat. Diesem »grünen« Antrieb kommt insofern große Bedeutung zu, als man ihn dazu nutzt, der naturwissenschaftlich-technischen Gesellschaft völlig neue Wertvorstellungen einzuimpfen, die sich nicht folgerichtig aus Naturwissenschaften und Liberalität entwickelt haben. Daß solch eine Einimpfung notwendig geworden ist, hängt direkt damit zusammen, daß den Naturwissenschaften in diesem Jahrhundert etwas ziemlich Neues widerfahren ist: Sie haben an Vertrauen eingebüßt und das gerade bei den Menschen, die sie mit ihren größten materiellen Wohltaten überschüttet haben. Ihre Effektivität ist ins Gerede gekommen.

»We are the hollow men«, schrieb T. S. Eliot, »Our dried voices, when / We whisper together / Are quiet and meaningless ...« – »Wir sind die hohlen Männer ... Unsere dürren Stimmen, / Leis und sinnlos / Wispern sie miteinander.«[2]

Der Schatten des Pessimismus, der sich auf das klassische naturwissenschaftliche Vorhaben gelegt hat, ist in unserem Jahrhundert noch dunkler geworden. Mit der Vision vor Augen, daß der Mensch ein äußerst zerbrechliches, in die Ecke getriebenes Lebewesen in einem mechanisch funktionierenden System ohne Werte ist, haben moderne Künstler und Schriftsteller sich oft damit beschieden, nichts anderes mehr zu tun, als künstliche Schlösser im Steinschlag der Kultur zu errichten. Ein allgemeiner Kulturpessimismus bis hin zur Verzweiflung hat sich in der Bildungsschicht ausgebreitet. In der Moderne liegt der Schwerpunkt auf der Form des künstlerischen Ausdrucks, weil auf irgendeine furchtbare Weise die Inhalte verloren zu sein scheinen. Der moderne Mensch, der sich und seine Situation betrachtete, was seit jeher das Anliegen der Kunst ist, konnte nichts als eine große Leere feststellen.

Zu Eliots Gedicht *The Hollow Men* (1925) gehört die Grabinschrift »Mistah Kurtz – he dead« aus Joseph Conrads Novelle *Heart of Darkness* (1902). Eliot verneigte sich vor Conrad als dem Schöpfer einer modernen Sage von selten dichterischer Ausdruckskraft. Die Geschichte sollte die Zukunft vorwegnehmend in einem einzigen erzählerischen Bild jenen Schmerz einfangen, der das Vermächtnis des 20. Jahrhunderts werden sollte. Ihre Kürze und Prägnanz ließen sie zur unübertroffenen Beschwörung einer Welt werden, in der man keinen Sinn mehr finden kann.

In *Heart of Darkness (Herz der Finsternis)* geht es um die Suche nach Kurtz, einem Elfenbeinhändler im afrikanischen Busch. Als er tief in der Finsternis des Dschungels gefunden wird, hat er eine Offenbarung erlebt, die er sterbend mit den Worten »The Horror! The Horror!« beschreibt. Der Held der Geschichte kehrt nach Hause zurück, um der Geliebten von Kurtz über dieses Ende zu berichten. Als er ihren Kummer sieht, glaubt er, lügen zu müssen. Er erzählt, ihr Name sei das letzte Wort gewesen, das Kurtz hervorgestoßen habe.

Die geheime Katastrophe des modernen Geistes ist viel zu grauenhaft, als daß man sie in feiner Gesellschaft beim Namen nennen könnte. Den Menschen ist es unmöglich, mit solch einer Enthüllung zu leben. Eine tröstende Lüge ist die einzig übriggebliebene Moral. Wenn die großen, alten Illusionen fehlen, müssen kleine, neue uns zum Trost gereichen.

Die große Kunst jedoch hat Anliegen, die nicht notwendigerweise denen der Mehrheit entsprechen. Und dennoch gehört es zu den seltsamen Ironien unserer Zeit, daß uns – gerade, als die materiellen Wohltaten von Wissenschaft und Technik unser Leben machtvoll

durchdrungen hatten und unsere Wirtschaft und das Gesundheits-
wesen positiv veränderten – die schreckliche Leere, die sich hinter
den Leistungen von Wissenschaft und Technik verbarg, auf dramatische Weise vor Augen geführt wurde. Das Entsetzen, dessen Zipfel
Kurtz erblickt hatte, sollte sich in aller Ausführlichkeit in den all-
abendlichen Nachrichtensendungen wiederholen. Was einmal ein
seltenes Unbehagen gewesen war, wird in unserer Zeit zur weitverbreiteten Bestürzung, wird durch Muster aus Elektronenschwingun-
gen ausgestreut und findet Nahrung. Inspiriert von ihrer mythischen
Unmittelbarkeit, hat Francis Ford Coppola die Novelle Conrads als
Stoff für seinen Vietnam-Kriegsfilm *Apocalypse Now* verwendet. – Je
weiter das Jahrhundert voranschritt, desto wahrer schien die Legen-
de von der untröstlichen Verzweiflung und dem geschauten Entsetzen geworden zu sein. – In Coppolas Version wird unsere gesamte
Zivilisation in den Dschungeln Südostasiens vor Gericht gestellt und
verurteilt. Ein aussichtsloser Kampf für »demokratische Werte« wird
zum blutgetränkten Festspiel für einen wahllos um sich greifenden
Tod. Und wir wußten, daß diese Bilder wahr sind, weil wir sie auf
dem Fernsehschirm gesehen hatten. Coppola hat diese Bilder, die
wir schon kannten, die Verzweiflung und den Nihilismus, nur noch
ausgeschmückt und vertieft.

Unser Jahrhundert hat immens viele Dinge aufgeboten, in den wir
das Entsetzen Conrads und Coppolas und auch Eliots kultivierte
Seelenqual zu erkennen vermögen. Nur ein sehr verstockter und
unsensibler Mensch könnte die Tatsache übersehen, daß, was den
Traum vom materiellen Wohlstand aus dem 19. Jahrhundert betrifft,
irgend etwas fürchterlich falsch gelaufen ist. Denn wir haben aus
diesem Jahrhundert nicht nur das Vermächtnis vom kalten Schock
eines sinnentleerten Universums übernommen, wir müssen auch
mit der Entdeckung einer ganzen Reihe von Übeln zurechtkommen,
die der Welt vor der Ankunft von Wissenschaft und Technik unbekannt waren.

Das hätte uns natürlich nicht überraschen dürfen. Wie ich gezeigt
habe, ist die Trennung von Wissen und Werten in der Philosophie
über zwei Jahrhunderte lang ein Gemeinplatz gewesen. Aber irgendwie schien ein Bild erforderlich zu sein, um das Grauenvolle aus den
Studierstuben und Salons in die Welt hinauszutragen, ein Bild, das

die furchtbare Wahrheit beweisen würde, daß das, was wir an Wissen erworben hatten, uns nicht erlösen konnte von dem, was wir waren. Es mußte mehr sein als eine Theorie, wie sie zum Beispiel Darwins eindrucksvolle Darstellung der verwandtschaftlichen Beziehung zwischen Mensch und Affe ist. Diese Theorie schockierte, ja empörte, aber im Prinzip konnte man darüber immer noch lächeln und den Gedanken beiseite schieben. Um der Sache wirkliches Gewicht zu geben, war eine konkrete Verwirklichung vonnöten. Naturwissenschaftlich orientiert, wie unser Zeitalter nun einmal ist, brauchen wir heutzutage »knallharte Beweise«.

Es sollte sich in diesem Fall herausstellen, daß wir mit solchen Beweisen geradezu überschwemmt werden würden. Der erste kam mit dem Ersten Weltkrieg, und für diejenigen, die die Zerstörungen des Krieges miterlebt haben, stellt er immer noch den schlagkräftigsten Beweis dar. Der Große Krieg legte das schwarze Herz der Zivilisation genauso bloß, wie das die Konzentrationslager im Zweiten Weltkrieg taten. Und die Atombomben, die auf Hiroshima und Nagasaki fielen, machten mit einem Schlag deutlich, daß die Wissenschaft selbst ein unkontrollierbares Werkzeug des menschlichen Zerstörungswillens ist.

Eine mechanistische Naturwissenschaft war ganz offensichtlich nicht ausreichend, das hatten die Philosophen der Romantik und der Aufklärung schon erkannt. Das 20. Jahrhundert aber sollte mitansehen, wie dieser Einsicht mit erbarmungsloser Brutalität Nachdruck verliehen wurde. Wir alle fingen jetzt an zu erkennen, daß die Naturwissenschaften, wie Max Weber feststellte, nicht die Antwort sein konnten auf die »innere Nötigung, die Welt als einen s i n n v o l l e n Kosmos erfassen und zu ihr Stellung nehmen zu können«.[3] Des weiteren hatten die Atombomben gezeigt, daß die Naturwissenschaften in dieser Hinsicht nicht nur mit Mängeln behaftet, sondern auch in der Lage waren, sich dieser Sinnsuche entgegenzustellen. Es mochte noch tragbar erscheinen, mit Sigmund Freud zu behaupten, es könnten, was den Sinn und den Wert betrifft, keine Antworten gegeben werden; doch es war etwas völlig anderes, aufzuzeigen, daß, wenn keine Antworten gefunden werden können, die Naturwissenschaften sich zu einem atemberaubend mächtigen Werkzeug in den Händen einer Spezies entwickeln würden, die von ihrer geistigen Entwicklung her über ein infantiles Stadium nicht hinausgekommen war.

Die Ungeheuerlichkeit dieses Schocks – oder dieser Kette von schockierenden Ereignissen – wurde durch den gewaltigen materiellen Optimismus, mit dem unser Jahrhundert begonnen hatte, in seiner Wirkung noch verstärkt. In den letzten Jahrzehnten des 19. Jahrhunderts und in den ersten vierzehn Jahren des zwanzigsten hat die Technologie wie besessen und mit einer noch nie dagewesenen Produktivität daran gearbeitet, die Voraussetzungen für die praktische Anwendung der neuen naturwissenschaftlichen Erkenntnisse zu schaffen. Endlich begannen Newtons Vermächtnis, Galileis Verständnis des Kosmos und die sorgfältige Methode von Descartes das Leben ganzer Bevölkerungsschichten zu verändern – zum Besseren, wie es den Anschein hatte. Die Menschen hatten es in ihrem Alltagsleben überall mit den Errungenschaften der Naturwissenschaften zu tun. Es war, als sollten sie vorbereitet werden auf die verheerende Desillusionierung, die folgte.

In den Gesellschaften, in denen man die Kenntnisse der Naturwissenschaften besaß, nahm die Geschwindigkeit des Lebens zu. Man stellte fest, daß Raum und Zeit mit Hilfe der technischen Systeme, die der Mensch ersonnen hatte, zusammengepreßt werden können. In der ganzen bisherigen Geschichte war die Nachrichtenübermittlung von guten Sichtverhältnissen oder von der Geschwindigkeit des Pferdes oder des Fußes abhängig gewesen, bis zuerst der Dampf, dann das Auto, das Flugzeug, der Telegraf, das Telefon, das Radio und das Fernsehen unseren Entfernungssinn und das Gefühl für unsere eigenen Grenzen veränderten.

Ohne die adäquate Technologie blieben die fortschrittlichen Ideen des 17. und 18. Jahrhunderts zunächst reine Phantasiegebilde. Ein Voranschreiten des Wachstums wurde dadurch eingeschränkt, daß die Naturwissenschaften – ungeachtet ihrer Erfolge – nicht in der Lage waren, sich vom Erklärenden weg und dem Praktischen zuzuwenden. Die moderne Technik aber brachte es mit sich, daß diese Träume plötzlich verwirklicht werden konnten. Die Idealvorstellung, der wirtschaftliche Fortschritt sei das Ziel all unserer Anstrengungen, verbreitete sich in einer neuen und rapide reicher werdenden Bevölkerung. Die Kurve des Produktivitätswachstums stieg steil an, als die ersten mechanischen Produktionsmittel durch maschinelle Systeme zur Massenproduktion ersetzt wurden und als raffinierte finanzielle Mechanismen entwickelt wurden, die Anlagekapital verfügbar machten.

Der Expansionsgeist, der das Zeitalter beflügelte, förderte die Suche nach globalen Lösungen. Am spektakulärsten und folgenschwersten zeigte sich dies, als das russische Zarenreich auf der Grundlage der pseudowissenschaftlichen Metaphysik von Karl Marx und der stahlharten Überzeugung Lenins 1917 zur kommunistischen Sowjetunion wurde. Eine Wandlung im Leben einer riesigen Nation hatte sich ganz plötzlich vollzogen, und zwar aufgrund einer einzigen Theorie, von der es hieß, sie sei so unumstößlich wissenschaftlich, daß sie jedes menschliche Opfer rechtfertige. Für Lenin stellte das menschliche Leben ein »Problem« dar, für das quasi-wissenschaftliche Analyse, Technologie und richtiges politisches Handeln eine »Lösung« schaffen sollten. Mit der Zeit, so wurde den Revolutionären durch die Logik der Dialektik versichert, würde der Rest der Welt ihnen auf ihrem Weg folgen. Dies war die Botschaft der Wissenschaft für sie.

In der Zwischenzeit war die Technologie zur kritischen Masse angewachsen und explodierte in alle Richtungen. Der Wissenschaftskörper, welcher der Welt um 1990 zur Verfügung stand, war groß genug, um eine verwirrende Anzahl von Anwendungsmöglichkeiten zu realisieren. Im Jahre 1895 ließ sich der Romanschriftsteller Henry James elektrisches Licht in sein Heim einbauen, 1896 fuhr er mit einem Fahrrad, 1897 schrieb er auf einer Schreibmaschine und 1898 sah er einen Kinematographen. Überall fanden sich Apparate, und in den neunziger Jahren des letzten Jahrhunderts war die Versorgung der Häuser mit Elektrizität so weit fortgeschritten, daß die Apparate in Gang gesetzt werden konnten.

In dieser Zeit herrschte hinsichtlich der materiellen Seite des Lebens große Zuversicht, die konträr war zu jener Verzweiflung des 19. Jahrhunderts, wie sie Conrad und Eliot spürten, und doch gleichzeitig auch ihre notwendige Ergänzung darstellte. Die Verzweiflung war ganz offensichtlich ein Luxus, eine Einsicht, die nur jene haben konnten, die Zeit und Mittel besaßen, um die Folgen abzuschätzen – was auf Conrad und Eliot sicher zutraf. Wenn aber die angewandte

Naturwissenschaft die Probleme der Armen und Unterdrückten lösen konnte, dann würde doch, was den praxisorientierten Menschen anging, der unmittelbar wirksame Nutzen jegliche seelische Krise bei weitem überwiegen! Es gab viel zuviel zu tun, als daß man sich um seinen eigenen Seelenzustand hätte Sorgen machen können. Verzweiflung war das Vorrecht des Intellektuellen, technologischer Optimismus das des Bourgeois.

Überall in der westlichen Welt brachten die Jahre zwischen 1870 und 1914 ein außergewöhnliches Wachstum und Reichtum. Europa und Amerika entwickelten sich im Eiltempo zu Kontinenten mit ausgedehnten Städten und glaubten an ausgeklügelte, weltmännische Konzepte der Machbarkeit des vorher Unmöglichen. Die Wirtschaft blühte auf, und die Wirtschaftswissenschaften etablierten sich. Sie wurden von Statistiken gestützt, die in der nun geordneteren, da industriellen Landschaft viel zuverlässiger geworden waren. Der Nationalstaat, der sich aus der Säkularisierung der Aufklärung herausgebildet hatte, wurde vergesellschaftet, und seine Leistungen wurden überwacht. Unter dem Eindruck der ungeheuren neuen Informationsquelle begannen die Menschen, an »wissenschaftliche« Soziologie und Politik zu glauben. Vor allem anderen aber handelte es sich um eine Epoche, in der die Themen der Moderne in die menschliche Vorstellungskraft eindrangen. In dieser Zeit erlangte das Wort »modern« durch die enorme Zunahme der Möglichkeiten und durch die Gewißheit von Veränderung erst seine Bedeutung. Der Historiker Norman Stone schrieb:

»Wahrscheinlich ist es richtig, davon auszugehen, daß Europa tatsächlich all die Ideen, mit denen im 20. Jahrhundert gehandelt wurde, vor 1914 entwickelt hat; was es noch zu tun gab, war nur die technische Ausweitung dieser Ideen.«[4]

Dies ist nicht ganz richtig, denn die Quantenmechanik beispielsweise kam später. Aber zweifellos hatte es in dieser Epoche den Anschein, als ob sich Wissenschaft und Technik zu wohltätiger Reife ausbildeten, und die Überzeugung von Männern wie Lord Kelvin, daß die Physik als Fach sich tatsächlich der Vervollkommnung nähere, verstärkte noch dieses Gefühl, daß das menschliche Wissen im

Begriff war, eine Art Idealzustand zu erreichen. In den achtziger Jahren des letzten Jahrhunderts ließ John Towbridge, Leiter der Abteilung für Physik an der Harvard-Universität, seine Studenten wissen, daß es sich nicht lohne, Physik als Studienhauptfach zu wählen, weil jede wichtige Entdeckung auf diesem Gebiet schon gemacht sei. Nur noch das ordentliche Aufräumen loser Enden sei verblieben – wohl kaum eine heldenhafte und lohnende Aufgabe für Harvard-Absolventen.

Die Zuversicht war in begrenztem Maße insofern gerechtfertigt, als die Technik in der Tat eine ganz entscheidende Entwicklungsstufe erreicht hatte. Heute erscheint uns eine unendliche Vielfalt von Neuerungen selbstverständlich. Die Möglichkeiten der Nutzbarmachung naturwissenschaftlicher Theorie werden üblicherweise für unbegrenzt gehalten. Dieses Gefühl von einem grenzenlosen Potential menschlicher Erfindungsgabe wurde in diesen entscheidenden Jahrzehnten im 19. Jahrhundert geboren, in denen ein langer europäischer Friede herrschte. Es sollte den Grundstock für unsere zweite industrielle Revolution bilden und das 20. Jahrhundert zum Ersten Maschinenzeitalter machen.

In beinahe jeder Hinsicht hat sich diese Zuversicht jedoch als fürchterlich irregeleitet erwiesen. Bald sollte deutlich werden, daß die Physik weit entfernt davon war, vollständig zu sein, ja daß sie in der Tat gerade erst begonnen hatte, sich als Fachgebiet zu etablieren. Aber das Irregeleitetsein bezog sich auch auf das Moralische. Wie der Große Krieg zeigen sollte, fand der technische Fortschritt nicht ausschließlich auf dem Gebiet statt, aus dem den Menschen Wohltaten erwachsen. Die Armeen Napoleons waren nicht schneller vorangekommen als die Caesars, obwohl die Truppen des Kaisers technisch ausgerüstet waren. Flugschiffe und Flugzeuge waren imstande, Zerstörungen jenseits des Schlachtfeldes und des betroffenen Streitgebietes anzurichten. Kriege konnten jetzt mit tödlicher Effizienz weltumspannend geführt werden, und weltumspannend waren jetzt auch die Nachrichtensysteme, die eine schnelle Berichterstattung darüber ermöglichten. Im Jahre 1915 verloren an einem einzigen Tag in der Schlacht an der Somme mehr Menschen ihr Leben als in allen innereuropäischen Konflikten des ganzen vorhergegangenen Jahrhunderts zusammen.

5. Vom Entsetzen über die Naturwissenschaften bis zur grünen Lösung

Die wirtschaftliche Reife der Nationalstaaten vollzog sich augenscheinlich ohne jede moralische Wandlung. In den Schützengräben des Ersten Weltkriegs wendete sich das schwungvoll-heitere Bild, das man von sich entworfen hatte, und auf seiner Rückseite zeigte sich eine große Verzweiflung. Aus dem Konflikt zwischen Schein und Wirklichkeit – in Ypern, an der Somme und Marne – wurde ein neues Zeitalter der Ironie geboren. Es handelte sich um eine moderne, neuzeitliche Form der Ironie Galileis oder der des Newton, des großen Zauberers, der sich als kleinen Jungen am Strand gesehen hatte. Es war die Ironie, die ein steter Weggefährte des fortschrittlichen westlichen Menschen ist. Sie hat ihren Ursprung in dem grundlegenden Widerspruch, der zwischen unserer Vorstellungskraft und der Verwundbarkeit, Unzulänglichkeit und Sterblichkeit unseres Körpers besteht.

In den Schützengräben gab es diese Ironie in Fülle. Der Glorienschein militärischer Konflikte der Vergangenheit, der die Gemüter der jungen Männer auf dem Weg nach Flandern erregt hatte, wurde im Dreck erstickt. Das Zeitalter der Maschinisierung und Mobilität hatte zu einem Kriegszustand der vollständigen Lähmung geführt. Die mit der Verteidigung oder dem Angriff zusammenhängenden Gebietsansprüche erschöpften sich jetzt in unangemessenem, verhängnisvollem Geplänkel um ein Stück Land, das durch hochexplosive Materialien wertlos gemacht worden war. Der Traum vom Fortschritt war zum Alptraum von Unbeweglichkeit geworden. Es war ein schlechter Witz.

Der moderne Tod wurde ebenfalls in den Schützengräben geboren; er ist ein sinnloses, organisches Versagen. Die Granaten schlagen ein und zerreißen die Leiber; diese sind Maschinen, und wenn sie kaputt sind, funktionieren sie nicht mehr.

Für die liberalen Vorstellungen von Fortschritt, die sich aus dem Erfolg der Aufklärung genährt hatten, war dies eine schwere und bittere Lektion. All diese Wissenschaft, Technik und Weisheit, der menschliche Verstand mit seinem anscheinend grenzenlosen Vermögen hatten es so weit kommen lassen! Niemals zuvor hatte es solch einen Krieg gegeben. Der Humanismus zweier Jahrhunderte, der seiner selbst zu gewiß gewesen war, wurde innerhalb vier Jahren im Dreck erstickt.

In einer sarkastischen Anmerkung zum Untergang der Traumvorstellung der Nietzscheaner schrieb Irving Babbitt 1919:

»Die Schlußfolgerung, daß die Welt ein besserer Ort gewesen wäre, wenn mehr Menschen sich erst einmal darum bemüht hätten, menschlich zu sein, ehe sie alles daransetzten, Übermenschen zu sein, ist kaum zu ignorieren.«[5]

»Ist es das, wozu der Lehmbrocken[6] herangewachsen ist?«[6] fragte der englische Dichter Wilfred Owen mit Blick auf die Verwüstung. Und Ezra Pound, ein Amerikaner, der sich physisch und intellektuell in die europäische Kultur hineingestürzt hatte, als ginge es um seine Erlösung, sah junge Männer, die »schritten bis an die Augen hinan in der Hölle, / Glaubten die Lügen der Greise ...« und starben »für eine alte Sau mit Zahnfäule, / Eine verfahrene Zivilisation«.[7]

Der Zweite Weltkrieg zeigte aber auch – zuerst den Befehlshabern und später der ganzen Bevölkerung –, daß Wissenschaft und Technik ausgereifte Zerstörungskräfte entwickelt hatten. Es war der erste Krieg, in dem Luftwaffen und schnelle Schlachtfeldbewegungen die Zivilbevölkerung unausweichlich und vollkommen in das Geschehen einbezogen. Bomber griffen Städte nicht deshalb an, weil sich dort Soldaten aufhielten, sondern weil sie Industriestandorte waren, von denen aus die Kriegsmaschinerie unterstützt wurde, und sie griffen die Städte außerdem an, weil sie damit die Moral der Zivilbevölkerung zerstörten. In einem modernen Krieg ging man davon aus, daß Sieg oder Niederlage nicht mehr technische Angelegenheiten waren, die durch kämpfende Armeen entschieden wurden. Der Ausgang eines Krieges ließ vielmehr endgültige Schlüsse über die Lebensfähigkeit eines Volkes und über die Art, wie es lebte, zu. Auf dem Höhepunkt des europäischen Nationalstaates wurde man sich bewußt, daß eine Nationalität zu besitzen bedeutete, Teil eines militärischen Prozesses zu sein. Frauen und Kindern wurde eine passive Rekrutierung zugemutet.

So totalitär, wie der Krieg war, so totalitär war auch die Denkweise der kriegführenden Nationalsozialisten: Auf der einen Seite konnte die Zivilbevölkerung bombardiert werden, um damit militärische Ziele zu unterstützen, auf der anderen Seite aber konnte sie auch im

Namen einer höheren Vernunft und Moral angegriffen werden, die zugleich für das Ausschalten des einfachen Mitgefühls sorgte. Der Nationalsozialismus ist ohne seine zentrale Überzeugung, für die Menschen »heilbringendÔ zu sein, nicht denkbar.

Der Krieg von 1939 bis 1945 sollte nämlich dazu führen, daß sich die Vorstellung vom Krieg als einem Werkzeug für einen höheren, großartigeren Plan in den Köpfen festsetzte. Die Logik der deutschen Strategie ergab sich aus den militärischen Möglichkeiten, doch sie wurde auch von einem nationalsozialistischen Ideal voller Sendungsbewußtsein geistig getragen: von Gesundheit, sportlicher Fähigkeit und moralischer Sauberkeit. Der vollkommene männliche Arier sollte sich durch eine seltsame technische Alchemie in einen unfehlbaren mechanisierten Krieger verwandeln, und Panzer, Gewehre und die besonders ruhmreichen Flugzeuge sollten dabei seine gewaltigen und todbringenden künstlichen Gliedmaßen sein. Das Fliegen war mit der Vorstellung einer nietzscheanischen Reinheit verbunden, mit dem Einatmen von kalter, sauberer Luft in Höhen, von denen aus das Verhalten »niederer Menschen« voller Verachtung überschaut werden konnte.

In Verbindung mit Hitlers Appell an das deutsche Nationalbewußtsein erzeugte dieses Denken eine mörderische Absolutheit. Dieser Staat, diese Rasse waren anders: Sie waren überlegen. Es handelte sich hier nicht um den Kampf von Christen gegen Christen oder um den von Monarchen, die ihren Streit auf dem Schlachtfeld austrugen, sondern um eine neue »Vollkommenheit«, die althergebrachte »Unreinheiten« ausmerzte. Die Endlösung, der Holocaust, war in einem solchen Zusammenhang nur logisch, eine Säuberung des rassischen Bestandes des Heimatlandes. Der Schock, den die Europäer dabei erlitten, wurde aber nicht nur durch den Umstand verursacht, daß Menschen für solch ein Vorhaben sterben mußten, sondern vielmehr durch die Art und Weise, in der das geschah. Das Töten fand in industrieller Weise statt, und es wurde kalt und rational ausgeführt. Die Juden waren eine »Krankheit«: Sie sollten in Viehwaggons zu den Lagern gebracht und mit Nervengiften ausgerottet werden.

Die Argumentation war vollkommen logisch, aber heimtückisch und böse, was man nur erkennen konnte, wenn man kein Nazi war.

Die Mörder der SS hätten sich ohne weiteres aus den Psychopathen der Gesellschaft rekrutieren lassen. Es gab aber auch die ganz normalen, vernünftigen Typen, die zu der Überzeugung gelangt waren, daß eine drastische Situation drastische Rettungsmaßnahmen erfordere – und vielleicht war das nun der Fall und dies die erforderlichen Maßnahmen! Was Rationalität ist, bestimmt die Vorstellungskraft des Rationalisten.

Deutschland war die Nation, aus der Leibniz, Kant, Beethoven und Einstein hervorgegangen waren! Die Wiege der Aufklärung hatte sich in ein Königreich der Hölle verwandelt. Der Historiker Hugh Thomas schrieb:

>»Das Land der Welt, dessen Bildung lange Zeit als die beste galt, die Nation, in der die Wissenschaft am meisten geachtet wurde, das Volk, das im 18. Jahrhundert den niedrigsten Prozentsatz von Analphabeten besaß – es war der Täter von Auschwitz.«[8]

Rationalität, Technik und Aufklärung waren an den Pranger gestellt worden. Die rohe, industrialisierte Gewalt kehrte sich gegen jene, die sie in die Welt gesetzt hatten. Der unaufhaltsame Siegeszug der Fabrikanlagen und Bergbauminen im 19. Jahrhundert war einstmals nur hinsichtlich der Lebensbedingungen, die er mit sich brachte, auf spürbaren Widerstand gestoßen. Fortschrittliche Leute hatten damals behauptet, daß alles schließlich zu einer guten Ordnung finden und die Verhältnisse sich bessern würden. Die Fabriken und Häuser würden in einen besseren Zustand versetzt werden, und die Technik würde unser Leben vom Schmutz befreien.

Auschwitz jedoch war eine Fabrik, und Guernica stand für die überlegte Anwendung von Technik.

Das Schauspiel, das die Nazi-»Wissenschaft« bot, sollte schließlich das Maß der Unmoral sprengen. Mit Menschen und ihren Körpern wurden, ob sie tot oder lebendig waren, Experimente durchgeführt: In den Konzentrationslagern nahm man medizinische Versuche an lebenden Menschen vor, und außerhalb der Lager selektierten Psychiater und Ärzte Behinderte, Schizophrene, Manisch-Depressive und Alkoholiker, die zunächst sterilisiert und später getötet wurden. Neurologen bedienten sich der Körper dann zu Forschungszwecken und veröffentlichten ihre Ergebnisse anschließend in wissenschaftlichen Zeitschriften. Diese Fälle erscheinen noch grauenhafter als der medizinische Mißbrauch in den Lagern, weil es in den Kliniken und Anstalten oft eine strikte Trennung zwischen den Abteilungen gab, die für das Töten, und denen, die für die Experimente an den toten Körpern zuständig waren. Diese Aufteilung gestattete den Wissenschaftlern das Veröffentlichen von Forschungsergebnissen, ohne Bezug darauf nehmen zu müssen, wie sie an ihre »Studienobjekte« herangekommen waren. Sie konnten sich auf ihre Unkenntnis berufen, und wenn das nicht klappte, auf die Objektivität und Neutralität von wissenschaftlicher Forschung.

»Einige der Wissenschaftler und Mediziner, die diese Arbeiten ausgeführt haben, sind immer noch am Leben; sie haben sich auf ein bequemes Altenteil zurückgezogen und blicken anscheinend selbstgefällig zurück auf ihre Mittäterschaft am Massenmord ...«[9], schreibt Max Perutz.

Wie konnte die Wissenschaft ihre Unschuld angesichts dieser Grauenhaftigkeit behaupten? Nur in einem Forschungsbereich vermochten die Wissenschaftler sich vielleicht auf die moralische Tadellosigkeit ihrer Arbeit berufen, nämlich in jenem bizarren, spekulativen Randzirk der neuen Physik, wo man, wie es schien, den wahren Eigenschaften aller Materie auf der Spur war. Zu den Nazimorden gehörte der alte Sudel und der erdrückende Dreck, den die industrielle Revolution mit sich gebracht hatte. Die bekannten Bilder der Verbrennungsöfen lassen an Bilder von aufgegebenen Fabriken denken. Sie hätten als Illustrationen für einen Zeitungsartikel über Arbeitslosigkeit in den Innenstädten verwendet werden können. Im Kern des Atoms aber herrschte absolute Reinheit und Klarheit. Bei der Atomforschung ging es um etwas, das jenseits von all diesen alten, dreckigen Mechanismen existierte!

Am 10. August 1945 wurde schließlich auch diese letzte Hoffnung zerstört. Die Katastrophe von Hiroshima war selbstverständlich ein Ergebnis der Technik und die Industrialisierung hatte sie ermöglicht. Aber hier handelte es sich um eine neue Qualität von Technik und Industrialisierung. Gewöhnliche Bomben und die tödlichen Gifte, die man in den Konzentrationslagern verwendete, waren ganz deutlich nachvollziehbare Entwicklungen der Technik des 19. Jahrhunderts. Sie wiesen vom technischen Ansatz her keinerlei grundsätzliche Veränderungen auf. Entsprechend konnten die Auswirkungen dieser Entwicklungen für relativ begrenzt gehalten werden. Explosionsstoffe entwickelten eine Kraft, die berechenbar war, und der einzige Weg, die Sprengkraft einer Bombe zu erhöhen, war der, eine Bombe zu bauen, die schwerer war. Dies war aber nicht möglich, weil die Traglastbegrenzung der damaligen Flugzeuge es nicht gestattete.

Die Atombombe aber war eine Schöpfung der Naturwissenschaft des 20. Jahrhunderts. Sie war erst mit der Atomphysik, dem damals radikalsten und am weitesten spezialisierten naturwissenschaftlichen Gebiet, möglich geworden. Bei der Atombombe handelte es sich nicht um ein Gemisch aus explosiven Chemikalien, sondern um Materie, die in ihrer Beschaffenheit verändert worden war, um Materie, die vom Menschen manipuliert worden war. Im nächsten Kapitel werde ich die weiterreichenden Begleiterscheinungen der modernen Physik erörtern. An dieser Stelle gilt es nur zu begreifen, daß die Atombombe zum Symbol werden sollte für eine absolut tiefgreifende Wandlung in der Beziehung der Menschen zum naturwissenschaftlichen Wissen.

Schon lange vor Hiroshima hatte man mit Hilfe der Naturwissenschaft die Effektivität der Kriegführung maßgeblich erhöht. Mechanisierung, Ballistik, Chemie und Flugtechnik hatten das Schlachtfeld verändert und ausgeweitet. Aber all dies blieb noch verständlich – es handelte sich sozusagen um Newtonsche Tötungssysteme. Die Bomben, die im Blitzkrieg auf London herabgefallen waren, konnten als chemische Abkömmlinge aller anderen explosiven Zusammensetzungen gesehen werden, und die Flugzeuge, die sie dorthin transportiert hatten, waren sozusagen die Weiterentwicklung der Kanonen, derer man sich in der Vergangenheit bedient hatte.

Die Atombombe aber war mit solchen Begriffen nicht zu erfassen. Eine einzige und nicht besonders große Bombe zerstörte innerhalb des Bruchteils einer Sekunde eine ganze Stadt. Das Töten bekam eine völlig andere Dimension. Man konnte eine große Rechnung aufstellen: Wenn man diese eine Bombe mit der Anzahl der Bomben multiplizierte, die über Dresden oder über Hamburg abgeworfen worden waren, konnte, so wurde schnell deutlich, alles menschliche

Leben – ganz sicher aber alles menschliche Leben in den Städten – mit der gleichen Geschwindigkeit ausgelöscht werden.

Darüber hinaus konnte man diese Waffe nicht einfach als einen Mechanismus verstehen. Sie mag in den Köpfen der Menschen undeutlich mit der Gestalt Einsteins verbunden gewesen sein, mit berühmt gewordenen Experimenten wie der Sondierung des Atominneren durch Rutherford oder mit dem Modell von Niels Bohr, das das Atom wie ein Sonnensystem mit einem Atomkern, umgeben von einer Hülle aus umlaufenden Elektronen, darstellt. Doch wie es möglich war, auf der Grundlage dieser eigenartigen Experimente und Modelle eine derart gewaltsame Explosion zustande zu bringen, das entzog sich dem Vorstellungsvermögen des normalen Menschen. Soweit er überhaupt verstand, was geschah, schien es sich bei der Atombombe um irgendeine gewaltige, dämonische, menschliche Verderbtheit zu handeln. Wir hatten die innersten Kräfte der Natur so angeordnet, daß sie unserer inneren Gewalttätigkeit verstärkt Ausdruck verliehen. In der Zwischenzeit hatte man enthüllt, was in den Konzentrationslagern geschehen war und wenig Zweifel daran gelassen hatte, daß es immer Menschen geben würde, die solche Waffen auch für Zwecke einsetzen würden, die weniger leicht zu entschuldigen waren als jene, den Krieg im Pazifik zu einem Ende bringen zu wollen. Die Erkenntnis, das naturwissenschaftliche Wissen, war in die Welt gesetzt worden und konnte niemals mehr hinauskatapultiert werden.

Die ahnungslose Unschuld des einfachen, Fortschritt verheißenden Mythos der Aufklärung, die in den Schützengräben zu Fall gebracht worden war, sollte schließlich in Hiroshima und Auschwitz sterben. Es hatte sich erwiesen, daß der Mensch in der Lage war, mit wissenschaftlichem Verstand Ungeheuerliches und Unvernünftiges ins Leben zu rufen. Es ist zwecklos zu behaupten, Auschwitz sei eine Ausgeburt der Unvernunft gewesen – auf seine Art war es eine Leistung der Vernunft, und die säkulare Gesellschaft kann sich nicht sicher sein, eine höhere, reinere rationale Leistung zustandebringen zu können. Und es bringt auch nichts zu behaupten, Hiroshima sei ein notwendiges Übel gewesen, das in Kauf genommen werden mußte, um noch mehr Tote in einem langwierigen konventionellen Krieg zu verhindern. Das mag zwar richtig sein, doch hatte man den atomaren Geist aus der Flasche herausgelassen, und mit neuer, bösartiger Verstandesakrobatik würden die Menschen immer neue Rechtfertigungen für seine Verwendung finden. Mehr als alles andere schienen die nuklearen Waffen unser Empfinden zu bestätigen, daß unserem Zeitalter irgend etwas noch nie zuvor Dagewesenes, besonders Verderbliches anhaftete. Der englische Romanautor und Journalist Martin Amis beschrieb diese neuen Waffen folgendermaßen:

»Sie sind eindeutig das Schlimmste, was unserem Planeten jemals passiert ist, und sie sind billig produzierte Massenware. Man ist fast geneigt, zu sagen, daß es ihr außergewöhnlichstes Kennzeichen ist, von Menschen produziert zu werden. Diese Waffen entstellen alles Leben und untergraben alle Freiheiten. Sie lassen uns keine Wahl. Niemand auf der Welt hat Verlangen nach ihnen, aber sie sind vorhanden.«[10]

In der Nachkriegswelt, unserer Welt, wiesen die Naturwissenschaften daher häßliche Seiten auf. Wie wir selbst waren sie auf mehrdeutige Weise verdorben. Entweder trugen sie ein mögliches Übel in sich selbst, oder sie führten die Menschen auf Wissensgebiete, über die diese keine Kontrolle mehr ausüben konnten. Sie hatten auch ihre eigene, seltsam verdrehte moralische Logik entwickelt. Albert Einstein hatte die Entwicklung der Atombombe zunächst bekämpft, sie dann aber unterstützt. Sein anfänglicher Widerstand gründete sich auf die Einsicht, daß eine solche Bombe für die Welt nichts anderes als noch mehr Übel bedeuten könnte. Aber das war eine absolute Beurteilung, und wie wir wissen, besteht die Macht von Wissenschaft und Technik, die sich ständig weiterentwickeln, darin, alle Sachverhalte zu relativieren. Das überzeugendste Argument zugunsten der Bombe, das letztlich Einsteins Gesinnungswandel bewirkte, war die Furcht davor, daß der Feind die Bombe zuerst bauen könnte. Es gab eine Risikoabwägung, die mit Gewißheit nur zu eigenen Gunsten entschieden werden konnte, wenn man sich selbst zum Bau entschied. Die Spielregel der Bombe lautete: Man kann nicht gewinnen, und man kann auch nicht aussteigen aus dem Spiel. Eine solche Argumentation läßt sich natürlich immer und für alles anwenden, wie wahnsinnig und teuer es auch sein mag. In den langen Jahren des Gleichgewichts im entsetzlichen nuklearen Patt, das erst in den späten achtziger Jahren endlich zu einem, wenn auch zeitlich begrenzten, Ende gekommen zu sein schien, gab es eine weitere gräßliche Erfindung: die Kobaltbombe. Ihr wurde nachgesagt, sie könne in einer einzigen Explosion den ganzen Erdball vernichten. Irgendein wahnsinnig gewordener Diktator, der mit dem Rücken zur Wand stand, würde sie – so hieß es – eines Tages anwenden. Vom totalen Krieg, der uns alle in den Kampf verwickelte, waren wir zur unausweichlichen Apokalypse vorangeschritten, zum rationalen, verstehbaren, globalen Selbstmord. Dieser schien damals sogar Schulkindern völlig logisch zu sein. Und wer vermag letztlich schon zu sagen, welcher Politiker was und aus welchem Grund getan hat in jenen Tagen der Kuba-Krise, als es um ferngelenkte Waffensysteme ging, als die Welt 1962 den Atem anhielt? Ich war damals elf Jahre alt und verstand das alles daher nicht mit völliger Klarheit. Und vielleicht hing es auch mit meinem Alter zusammen, daß ich während der Krise den Eindruck hatte, als sei alle Welt elf Jahre alt.

Wir sahen Kennedy und Chruschtschow, und wir wußten vage, daß sie Systeme verkörperten, die miteinander verfeindet waren. Was wir aber genau wußten, war, daß in der Krise eine Logik zum Tragen kam, die wir Menschen selbst irgendwie in Gang gesetzt hatten. Wir wußten, daß es sich nur um einen Traum handelte, aber es gelang uns nicht, daraus aufzuwachen.

Ungeachtet dessen blieb die Furcht vor einer nuklearen Katastrophe die meiste Zeit über kontrollierbar. Tatsächlich bedeutet ja die Totalität der Atombombe eine indirekte Qualität. Unsere Ohnmacht war eine wirkliche Ohnmacht, die uns nur die Wahl ließ, einer Neurose zu verfallen oder unser Leben so gut wir konnten weiterzuleben. Und in diesem Leben sollten Wissenschaft und Technik viel von ihrer Aura als Problemlöser behalten. Der Wohlstand wuchs ständig und bescherte uns einen andauernden und immer stärker anschwellenden Strom von technischen Nützlichkeiten. Während dieser Zeit gingen Europa und die Vereinigten Staaten immer noch davon aus, daß ein paar einfache, klare Lösungen ausreichen würden, sie in die Lage zu versetzen, die Welt ernähren und umbauen zu können. Es war, als hätten die Naturwissenschaften die Doppelgesichtigkeit derer, die sie erschaffen hatten, angenommen: sowohl ihre Gutartigkeit als auch ihre unsagbare Bösartigkeit. Und es schien, als ob unsere Zukunft von der Balance dieser beiden Aspekte abhängig sei, während man an den mathematischen Gleichungen und in den Laboratorien arbeitete.

Sogar die Befriedigung, die der Wohlstand verschaffte, sollte im 20. Jahrhundert getrübt werden. Auch er war von Problemen und Zwiespältigkeit gezeichnet, zerstörerisch und erfinderisch zur gleichen Zeit. Mit dieser Erkenntnis wuchs eine der einflußreichsten und wirkungsmächtigsten Glaubensrichtungen unserer Tage: der Glaube der Grünen.

Die Sorge um unsere Umwelt ist der Mechanismus unserer Zeit: Mit ihr versucht man, die Widersprüchlichkeiten der zwei gegensätzlichen Aspekte der Naturwissenschaften aufzuheben. Die Umweltschutzbewegung gründet auf naturwissenschaftlichen Einsichten und bekämpft dennoch die Auswirkungen der spektakulären Errungenschaften von Wissenschaft und Technik. Hier zeigt sich auf besondere Weise, wie Wissenschaft sich gegen sich selbst wendet und wie Fortschrittsideale mit zunehmendem Wirtschaftswachstum verworfen werden, weil man sie mit Hilfe wissenschaftlicher Mittel als möglicherweise selbstmörderisch entlarvt. Es handelt sich um die herausragende, sehr erfolgreiche und weitverbreitete Lösung aus dem entsetzlichen Widerspruch, der zwischen Penicillin und Atombombe, zwischen Kühlsystemen und Konzentrationslagern besteht. Und sie ist die Überzeugung, die vermittelnd wirkt zwischen uns und dem leicht erreichbaren Überfluß in den Supermarktregalen.

Dieser weitverbreitete Erfolg ist neu, obwohl das zugrunde liegende Glaubenssystem es nicht ist. Das Gegeneinander von Natur und Industrialisierung begann mit der Romantik im späten 18. Jahrhundert. Die Naturverehrung war auf vielfache Weise ein Erbe sowohl der naturwissenschaftlichen Aufklärung wie auch der industriellen Revolution. Der Glaube der Romantiker an die Eigenständigkeit der Natur speiste sich aus einem Gefühl des Überwältigtseins angesichts ihrer Großartigkeit. Und dieses glich dem Enthusiasmus des Naturwissenschaftlers, der die umfassenden, unpersönlichen Systeme der Natur bewunderte.

In der Romantik aber entstand die Vorstellung, daß der wissenschaftlich-technische Mensch ein Zerstörer der Erde sei. Im späteren 19. Jahrhundert entwickelte sich diese Vorstellung zu einer systematischeren, antimechanistischen Anschauung. Es handelte sich um eine holistische Biologie: das Beziehungsgeflecht innerhalb der natürlichen Welt war von größerer Bedeutung als die einzelnen Elemente. Hinzu kam, daß erste Pläne für eine Energiebewirtschaftung der Erde entwickelt wurden, wofür man Berechnungen über die Vorräte an seltenen und nicht erneuerbaren Ressourcen anstellte und eine Bilanz des menschlichen Verbrauchs erarbeitete. Der Standpunkt, aus dem heraus dies geschah, war mechanistisch. Er teilte den Optimismus des im 19. Jahrhundert weitverbreiteten Materialismus nicht. Aus beiden Denkansätzen erwuchs die moderne Ökologie.

Dieser Stammbaum zeigt auf, daß Ökologie und Umweltschutzbewegung nicht einfach objektive Reaktionen auf eine wissenschaftliche Einsicht sind. Sie haben einen kulturellen Hintergrund. Dieser bindet sie in alle anderen Versuche der Auseinandersetzung mit den Naturwissenschaften ein, die ich beschrieben habe. Gleichzeitig gilt, daß sich grüne Vorstellungen nicht einfach mit Hilfe von Begriffen anderer politischer Systeme einordnen lassen. Anna Bramwell weist darauf hin, daß ökologisches Denken nur als eine völlig neue politische Kategorie verstanden werden kann. Wesentlich ist, daß es sich beim grünen Bewußtsein um die neue Spielart einer alten Furcht handelt.

Daneben ist noch eine wichtige weitere Dimension zu beachten. Man muß hier etwas weiter ausholen, wenn man den außerordentlichen Eifer und die Gesinnung beschreiben will, welche die moderne grüne Bewegung hervorgerufen hat. Der vorwissenschaftliche Gott bestätigte den Menschen ihre zentrale Stellung in der Schöpfung und ihre Herrschaft über die Erde. Gott hatte die Menschen in die Welt gesetzt, und er würde für sie und ihren Lebensraum Sorge tragen. Die Vertreibung Gottes durch die Naturwissenschaften im 19. Jahrhundert ließ die Beziehung zwischen Mensch und Welt aus den Fugen geraten. Es war auf einmal nicht mehr erkennbar, wie diese Beziehung aussehen sollte.

In der Folge eines ungehinderten technologischen Wachstums wurde die Beziehung zu einer solchen vom Herrn zu seinem Sklaven

– die Erde war unserer Ausbeutung preisgegeben. Im ökologischen Denken dagegen zog man den Schluß, daß der Mensch zum Gott der Erde geworden sei, der für sie sorgen und sie erhalten müsse sowie ihr empfindliches Gleichgewicht und ihre innere Harmonie zu schützen habe.

Diese Auffassung wurde während der ersten Hälfte dieses Jahrhunderts kontinuierlich weitergegeben. Es gab eine Vielzahl anti-fortschrittlicher Bewegungen, die den unterschiedlichsten Gegnern der modernen Welt ein Paradies versprachen. Das zugehörige politische Verständnis war jeweils unterschiedlich. Einige waren Sozialisten, obwohl der Marxismus selbst wegen seiner starken Betonung von industriellem und wirtschaftlichem Fortschritt immer ausgesprochen anti-grün war, wie sehr auch seine zeitgenössischen Anhänger das Gegenteil vorgeben mögen. Einige ließen sich von ihrer ökologischen Besorgtheit weit nach rechts treiben, und in der Tat verwendeten Faschismus und Nationalsozialismus machtvolle grüne Rhetorik, wenn sie Träume von einer neuen, geläuterten Rasse entwickelten.

Bis weit nach dem Zweiten Weltkrieg fand der Umweltschutzgedanke aber außerhalb des Dunstkreises intellektueller Ideen keinen Zugang in das allgemeine Bewußtsein der Bürger, in dem sich Überzeugungen weiterverbreiten können. Erst sehr spät also sollte sich zeigen, daß der einfache Dualismus viel zu grob ist, wonach eine gute Wissenschaft für die Menschheit hilfreich ist, eine bösartige sich aber anschickte, uns alle zu zerstören. Es ließ sich nun nämlich absehen, daß auch der wohlmeinendste Aspekt der Naturwissenschaften scheußlichste Komplikationen bewirken konnte. Der genaue Ursprung der zeitgenössischen grünen Überzeugungen läßt sich nicht genau festmachen. Es gibt viele Hinweise darauf. Einem Buch aber, das in den späten fünfziger Jahren veröffentlicht wurde, kann man ganz sicher ein großes Verdienst in der Sache zusprechen: Es handelt sich um *Silent Spring (Der stumme Frühling)* von Rachel Carson.

Wie ich oben ausführte, haben empfindsame Geister im 19. Jahrhundert instinktiv gespürt, daß bei den rußgeschwärzten, von Abgasluft erdrückten Städten mit ihrem hohen Krankenstand und ihrer Überbevölkerung irgend etwas von Grund auf nicht in Ordnung sein konnte. Aber die Einwände waren geistiger und moralischer Art, und es hatte in jedem Fall den Anschein, als würden sie immer schwächer werden, denn schließlich gab es öffentliche Gesundheitsmaßnahmen, die allmählich zur Abschaffung der Slums führten und die Krankheiten zurückdrängten. Technologische Gier allein hätte uns vielleicht nicht umgebracht, obwohl die Wissenschaft, die zur Kontrolle eingesetzt wurde, genauso standfest und stabil sein mußte wie die, welche die Technologie hervorgebracht hatte. Was diesen Balanceakt anbelangt, fand die embryonenhafte Ökologiebewegung im öffentlichen Bewußtsein kaum einen Niederschlag. Man konnte immer noch der Meinung sein, daß die Dinge sich durch die Anwendung wohlmeinender Technologie verbessern würden.

Was Carson sah und mit außerordentlich überzeugender Klarheit zu beweisen schien, war, daß Habgier sehr wohl unser Ende bedeuten könnte, und zwar durch weitaus feinere Mechanismen, als wir sie uns je hatten vorstellen können. Ihr Buch nimmt im Endeffekt alles vorweg, was die Umweltbewegung jemals sagen sollte. Carson wußte nichts vom Treibhauseffekt, von FCKWs oder vom Loch in der Ozonschicht, jenen Dingen, die uns heute ängstigen. Aber die Analyse, die Moral, ja sogar die Ästhetik, die sie ihrem Werk zugrunde gelegt hat, machen sie zu einer echten Prophetin modernen grünen Gedankenguts.

In *Silent Spring* argumentierte sie, unsere Habgier zeige sich vor allem in der Art und Weise, wie wir Landwirtschaft betreiben. Carson beschrieb die Art der Chemikalien, die man auf den Ländereien der Farmen in den Vereinigten Staaten verwendete, um Insekten zu vernichten und Ernteerträge zu garantieren. Das Buch verdankt sehr viel von seiner Aussagekraft der Art, wie Carson diese urprünglich schönen Landstriche darstellte: als verschmutzt und vergiftet infolge der Handlungsweisen der Menschen, die durch die Technologie zu Barbaren geworden waren.

Die Geschichte von Carson beschreibt grobe Mißbräuche. Der schlimmste war der Einsatz von bestimmten Chemikalien, die so giftig waren, daß Farmarbeiter schon allein vom Hautkontakt mit ihnen starben. Aber hier handelte es sich um offensichtliche und leicht auszumachende Verbrechen, die von unverantwortlichen Firmen und Farmern begangen wurden. Es ist einfach zu sagen, daß solche Mißbräuche unterbunden werden sollten, nämlich auf die Weise, in der man ja auch einem Betrunkenen das Autofahren verbietet. Das hat jedoch nichts damit zu tun, daß das Fahren unter Alkoholeinfluß oder der Gebrauch von Chemikalien an sich schlecht ist.

Seine wahre Eindringlichkeit und seine außergewöhnliche Überzeugungskraft aber bezieht das Buch von Carson aus den heiklen Fallgeschichten, die davon berichten, daß sogar sorgfältig und vernünftig erscheinende Kontrollen vollkommen versagten. Die Autorin führt das Beispiel des Clear Lake an, eines Sees in Kalifornien, in dessen Umgebung eine Spezies von Stechmücken Fischer und Urlauber peinigte. Bis zum Jahr 1949 war diese Insektenplage ein naturgegebenes Problem, das man in Kauf nehmen mußte. Dann aber konnte man zur Beseitigung der Mückenplage auf das Insektenvernichtungsmittel aus chloriertem Hydrocarbon DDD zurückgreifen, das mit dem heute berüchtigten DDT nahe verwandt ist. Man verwendete die Chemikalie mit ungeheurer Vorsicht, um sicherzustellen, daß auf jeweils 70 Millionen Teile Wasser im See nur ein Teil DDD kommen würde. Das funktionierte, aber im Jahre 1954 waren die Stechmücken wieder da, und man verwendete DDD in einem Verhältnis von einem Teil zu 50 Millionen Teilen Wasser. Nun starben Vögel. 1957 wurde es noch einmal angewendet. Weitere Vögel starben. Diesmal wurde das Fettgewebe der Kadaver untersucht. Man stellte fest, daß sie 1600 Teile pro Million an DDD enthielten. Man untersuchte weitere Tiere und fand heraus, daß die Konzentrationen der Chemikalie in der Nahrungskette vom Plankton über Pflanzen und fleischfressende Fische bis hin zu den Vögeln anstiegen. Die höchste Konzentration fand sich in einem fleischverzehrenden Fisch: 2500 Teile pro eine Million.

Es hatte sich gezeigt, daß die vorsichtige Verabreichung der anfänglichen Dosis nichts genützt hatte. Die Mechanismen der Nahrungskette und die Art und Weise, in welchen Konzentrationen die Chemikalie von den Fischen und Vögeln aufgenommen worden war, zeigten auf, daß die Chemikalie ungeachtet der anfänglichen Dosis irgendwann ein giftiges Niveau erreichen kann. Es hatte sich als lächerliche Simplifizierung erwiesen, den See als bloßen Verteiler des Giftes zu betrachten und anzunehmen, daß das DDD nur die Stechmücken töten und dann wie ein morgendlicher Nebel verschwinden würde.

Die Bedeutung, die man diesem Fall zumißt, liegt vor allem darin, daß er die Neigung der Naturwissenschaften, Sachverhalte zu stark zu vereinfachen, illustriert. Wie ich dargelegt habe, hatte die Vereinfachung in den Naturwissenschaften zwei Aspekte: Sie war Schlüsselelement der experimentellen Methode und Grundlage des Begriffs von der Naturwissenschaft von Anfang an. Der Erfolg, den Vereinfachungen und die Untersuchung von losgelösten Systemen unter quasi idealen Laborbedingungen mit sich brachten, schien darauf hinzuweisen, daß dies tatsächlich die Art war, die Welt zu begreifen. Von hier ist es nur ein kurzer Weg bis zur Annahme, daß man auf ähnlich einfache Weise in das Weltgeschehen eingreifen könne. Gesetzt den Fall, diese Chemikalie vernichtet Stechmücken: Wir setzen sie in der niedrigstmöglichen Dosis ein, so daß sie keine anderen Lebewesen töten oder schädigen kann, und das Problem ist gelöst.

Aber die Annahme, die Einfachheit, die wir in der Naturwissenschaft für erforderlich halten, sei auch in der Natur gegeben, führt zu falschen Berechnungen. Die Pflanzen, Stechmücken, Fische, Vögel und natürlich Menschen sind in ein System von außerordentlicher Komplexität eingebunden, in dem die einfachen Mechanismen, die wir der Natur aufzuerlegen versucht haben, nicht greifen. Unsere überhebliche Art, Dinge zu vereinfachen, konnte der ungeheuren Komplexität der Natur nicht gerecht werden.

Die potentielle Kraft, die hinter dieser Entdeckung steht, kann nicht genug herausgestellt werden. Es hatte sich gezeigt, daß unsere Chemikalien Kräfte entwickeln konnten, die so gewaltig waren wie die der Atombombe. Sie brachten die Natur in ihrem Innersten in Unordnung. Wie Carson aufzeigte, hatten sich die ökologischen Verhältnisse des Clear Lake und aller Seen, aller Äcker und aller Wälder über Hunderte von Millionen Jahren entwickelt. Sie funktionierten aufgrund ihrer in langen Zeitspannen entstandenen Systeme. Sie waren widerstandsfähig im Rahmen dessen, was in der Natur an Variationen und Katastrophen möglicherweise geschehen konnte. Doch der Mensch war nicht natürlich – was die Natur anbelangt, war er eine Unmöglichkeit –, und ein paar Jahre Chemie konnten alles zerstören. Auf einmal wurde die Tiefe der Zeit, der glaubensleere Abgrund, in den die Biologen und Geologen des 19. Jahrhunderts einen Blick zu werfen gewagt hatten, zu einem wohlwollenden, gutartigen Schöpfer einer empfindlichen ökologischen Balance. Mit unseren schnellen, einfachen Lösungen und kurzfristigen Besessenheiten waren wir die Zerstörer.

Und in gleichem Maße waren wir Selbstzerstörer, denn DDD konnte sich auch in menschlichem Gewebe anreichern. Wir konnten die Natur zerstören, um uns zu ernähren oder um die Mücken am Stechen zu hindern, aber wir vergifteten uns dabei möglicherweise selbst. Die wirkungsvollste und überzeugendste Erkenntnis der Umweltschutzbewegung liegt darin, daß sie aufzeigt, wie die Menschheit gegen Mutter Natur aufbegehrt, während sie gleichzeitig doch immer noch deren abhängiger Abkömmling ist. Wir haben unser Nest verkommen lassen, unsere Heimstätte mit Füßen getreten. Die grüne Bewegung hat uns zu neuen Adams und Evas gemacht – zu stolzen, übermäßig kenntnisreichen Verschmutzern des irdischen Paradieses. Ästhetisch betrachtet erwies sich Carsons Buch als ländlich-romantisch: Das pastorale Idyll der Romantik stand im Gegensatz zur vergifteten Hölle der Industrie oder zu den kalten Vereinfachungen der Laboratorien. Sein intellektueller Gehalt aber brachte in diesen romantischen Traum von der Natur ein wichtiges und härteres Element ein: die Vorstellung von einem endlichen System. Clear Lake war ein Mikrokosmos des gesamten Planeten – komplex, aber abgeschlossen. Die Chemikalien überdauerten und reicherten sich an – mit unvorhersehbaren Auswirkungen. Dasselbe konnte auch mit dem Planeten als Ganzem geschehen. Auch er war zu komplex, um analysiert zu werden, aber abgeschlossen genug, um in ein Gefängnis oder eine Mordstätte verwandelt werden zu können. Wir waren nicht die Götter eines Universums, das unser Intellekt gezähmt hatte, wir waren gebrechliche Organismen, die sich an einem Felsen festklammerten, der nur auf Widerruf bewohnbar war.

Als man die ersten vom Weltraum aus aufgenommenen Fotografien der blaugrünen, von Wolken umhüllten Erde betrachtete, konnte man das Wehklagen Carsons nachvollziehen.

Alles, was wir je gewesen waren und getan hatten, hatte sich auf dieser kleinen Kugel abgespielt, die in der Dunkelheit dahintrieb! Erde und Menschen gehörten zusammen, bildeten eine Einheit.

Der Höhepunkt dieser besonderen Thematik im ökologischen Denken war die Gaia-Hypothese, die unterstellte, die Erde könne in der Tat als ein einziger Organismus definiert werden. Sie war kein passives System, sondern um der Erhaltung ihres eigenen Umweltgleichgewichts willen zu Reaktionen fähig. Ein komplexes System von Rückkopplungsschleifen sorgte für ein lebensfreundliches Klima. Die Erde war nicht schon vor dem Beginn des Lebens ein Organismus gewesen, sondern das Leben selbst hatte diese Schleifen in Gang gesetzt, die den Planeten dann in ein einziges organisches System verwandelt hatten. Lovelock zufolge war dem Menschen damit die existentielle Entscheidung in die Hand gegeben worden. Wir nahmen eine Position jenseits aller Theorie ein, in der wir erkennen mußten, daß wir Teil eines kausalen Ganzen waren und uns niemals aus dieser Lage befreien konnten.

»Es kann kein Rezept geben«, schrieb er, »keine Spielregeln, um in der Gaia zu leben. Nur die Auswirkungen unserer Handlungen zählen.«[11]

Solche Theorien wirken sehr komplex. Als existentielle Rezepte spiegeln sie das jugendliche Verlangen unserer Zeit nach einem Handlungsprogramm und einem Identifikationssystem wider. Sie sind aber auch das Resultat einer Verbindung christlichen Schuldbewußtseins, das aus der Verschandelung unseres Paradieses erwachsen ist, mit dem jüdischen Verlangen nach Sühne. Zudem sind diese Theorien universal. Worüber auch immer wir geteilter Meinung sein mögen: Aus der Perspektive eines Umweltschützers können wir uns ganz sicher darauf einigen, daß es notwendig ist, der Zerstörung des Planeten Einhalt zu gebieten. Hierin wird ersichtlich, daß die Umwelt zu einem der ersten wirklich globalen Anliegen der Menschheit geworden war. Es ist ganz klar, daß jedermann bedroht und betroffen ist, wenn die Umwelt zerstört wird. Das Abholzen eines Baumes in Brasilien hat nicht mehr allein eine lokale Bedeutung, es bedroht unser aller Leben. Darüber hinaus erfährt der ländlich-idyllische Impuls eine Verstärkung. Blake, Rousseau und Wordsworth haben dafür gesorgt, daß sich die Überzeugung davon, daß das Natürliche gut und das Künstliche schlecht ist, tief in die Seele des Menschen eingegraben hat. Der Umweltschutzgedanke scheint aufzuzeigen, daß es sich bei dieser Überzeugung um mehr als lediglich um einen emotionalen Impuls handelt: Sie könnte sich als begründet erweisen und über Leben und Tod entscheiden.

Seit den frühen siebziger Jahren hat sich ein systematischer, institutionalisierter, überwältigender Rückhalt formiert, mit dem diese grüne Wahrheit unterstützt wird. Im Jahre 1972 erschien der berühmte Bericht des Club of Rome mit dem Titel *The Limits to Growth (Die Grenzen des Wachstums)*. Der Schlüssel zur Methode des Reports lag in der Verwendung von Computermodellen und Systemanalysen. Die Systemtheorie hatte sich in den fünfziger und sechziger Jahren als bedeutsamer Versuch aus der Soziologie herausgebildet, den »weichen« Wissenschaften harten Rückhalt zu verschaffen, indem man sie berechenbar machte.

Die Mitarbeiter des Club of Rome waren auf die Idee gekommen, ein Modell des Weltsystems zu schaffen, das so viele wichtige Variablen wie möglich enthielt – Bevölkerung, Nahrungsmittelherstellung, Industriekapital und -produktion, Bodenertrag, Umweltverschmutzung und so weiter. Man ging allgemein davon aus, daß das Modell nur annäherungsweise zutreffend und außerdem unvollständig sein würde, aber – so glaubten die Verfasser – es würde doch genau genug sein, um allgemeine Trends aufzeigen zu können. In gleichem Maße würde es sich auch als flexibel erweisen, wenn man andere Verfahrensweisen, andere technologische und zufällige Voraussetzungen in den Rechenverlauf einsetzen wollte. Allgemein gesprochen ging man davon aus, daß diese Methode eine Art bürokratischer Sichtbarmachung der Erkenntnisse war, welche die Bilder aus dem All mit sich gebracht hatten, die die Phantasie beflügelten. Allem zugrunde lag die Annahme eines endlichen Systems, in dem die Erde eine begrenzte Ressource darstellte und in einer unfreundlichen und gleichgültigen Umgebung auf sich selbst gestellt war.

Aus den Computerberechnungen ergaben sich vor allem die drei folgenden Schlüsse: 1. Die Grenze des Wachstums würde irgendwann innerhalb der nächsten hundert Jahre erreicht werden, und dies würde wahrscheinlich zu einem katastrophalen Rückgang der Bevölkerung und der industriellen Leistungsfähigkeit führen. 2. Die Entwicklungen, die zu dieser Katastrophe führten, konnten so beeinflußt werden, daß ein dauerhafter Zustand des globalen Gleichgewichts zu erlangen war. 3. Man mußte so schnell wie möglich auf dieses günstigere Ergebnis hinarbeiten, um möglichst erfolgreich damit sein zu können.

5. Vom Entsetzen über die Naturwissenschaften bis zur grünen Lösung

Von allen Voraussagen des Modells erregte diejenige am meisten Aufmerksamkeit, die sich auf die verheerenden Folgen des exponentiellen Wachstums bezog. Es wurde aufgezeigt, daß die Wachstumskurven bei der Bevölkerung, der Umweltverschmutzung, beim Raubbau von Ressourcen und so weiter unkontrollierbar steil anstiegen. Tatsächlich waren diese Kurven so negativ, daß sie alle optimistischen Lösungen, die man in die Berechnungen eingab, zunichte machten. Beispielsweise hätten die Auswirkungen von Sofortmaßnahmen wie einer weltweiten Geburtenkontrolle noch lange Zeit auf sich warten lassen, bis zu dem Tage, an dem Industrieproduktion, Ressourcenabbau und Umweltverschmutzung die Katastrophe längst herbeigeführt hätten. Die Kernaussage des Berichts war, daß die Zeit schon sehr weit fortgeschritten sei und daß exponentielle Systeme die ganz verheerende Eigenschaft hätten, auf der Stelle umzuschlagen und sich von vollkommen erfolgreichen in vollkommen versagende Systeme zu verwandeln. In diesem Zusammenhang bedeutete passives Zusehen dasselbe wie starkes Eingreifen. Der Bericht gibt sich wiederholt große Mühe, die Überzeugung seiner Verfasser zu betonen, daß man nicht davon ausgehen könne, technologische Lösungen seien die einzig möglichen, uns aus dieser mißlichen Lage herauszuführen. »Technologische Lösungsversuche allein haben zwar die Periode des Wachstums von Bevölkerung und Industrie verlängert, erwiesen sich aber offensichtlich als ungeeignet, die endgültigen Grenzen des Wachstums zu beseitigen.«[12]

Mit anderen Worten: Der Traum von einer allmächtigen, problemlösenden Technologie war ausgeträumt.

Der Vorschlag, den der Bericht in Hinsicht auf ein globales Gleichgewicht machte, war der, jede neue Entwicklung nur anstelle einer alten, nicht mehr hinlänglichen einzusetzen. Danach könnten Neuinvestitionen in der Industrie zum Beispiel nur noch stattfinden, wenn frühere Investitionen an Wert verlören. Die Reichen würden unvermeidlich ärmer und die Armen reicher werden, bis schließlich ein harmonisches Gleichgewicht hergestellt wäre.

»Der Grundgedanke einer Gesellschaft im wirtschaftlichen und ökologischen Gleichgewicht ist scheinbar leicht zu erfassen; doch ist unsere heutige Wirklichkeit davon so weit entfernt, daß praktisch eine geistige Umwälzung kopernikanischen Ausmaßes für die Umsetzung unserer Vorstellungen in praktische Handlungen erforderlich sein dürfte.«[13]

Die Haltung, die aus dem Bericht sprach, übte eine einfache, leichtverständliche Anziehungskraft aus. Jeder kann beobachten, daß das Wasser, das man aus einem Glas trinkt, in seiner Menge abnimmt, bis schließlich keines mehr vorhanden ist. Die Lebenszyklen des Planeten sind komplexer, aber im wesentlichen verlaufen sie in gleicher Weise. In seiner Einfachheit war dieses Grundprinzip viel überzeugender als alle die störanfälligen Rückkopplungen, die für unsere Existenz sorgen. Tatsächlich war es die Einfachheit dieser Idee, die sie visionär und einflußreich genug sein ließ, um uns beim Kauf von Seifenpulver zu beeinflussen. Die ökologische Bewegung hatte ihr Sachverständigengutachten. Es war, als hätte sich ein Wunder ereignet und als sei der Kult, der dieses Ereignis vorhergesagt hätte, endlich zumindest gerechtfertigt worden. Und wie durch einen seltsamen Zufall gab es im Jahre 1973 den ersten »Öl-Schock« – die Hauptförderländer hoben den Preis für Erdöl um das Vierfache an und sorgten dafür, daß ein Beben durch die Industriestaaten ging. Alles, was der Club of Rome über abnehmende Ressourcen, plötzliche Katastrophen und so weiter prophezeit hatte, schien sich über Nacht bewahrheitet zu haben.

In den zwanzig Jahren seit der Veröffentlichung des Berichts ist jedoch deutlich geworden, daß seine Aussagen überzogen waren. Auf kurze Sicht haben sich die meisten seiner Voraussagen als übermäßig pessimistisch erwiesen. Damit will ich nicht behaupten, daß der Gedanke, wonach exponentielles Wachstum die Kapazitäten des Planeten übersteigt, grundsätzlich falsch ist. Natürlich hat eine Fehleinschätzung von einigen wenigen Jahrzehnten nichts zu bedeuten, wenn es sich um die Berechnung einer Katastrophe von diesem Ausmaß handelt. Es ist sehr gut möglich, daß uns ein ökologisches »Armageddon« bevorsteht. Andererseits können wir vielleicht handeln.

Im Ergebnis heißt das, daß die ganze Thematik der Umweltschutzbewegung selbst zu großen Teilen eine Glaubensfrage ist. Möchte oder muß der einzelne glauben, daß wir unseren Lebensraum zerstören? Wie bei vielen Glaubensangelegenheiten ist die Antwort weniger wichtig als die Frage. Denn diese Frage überhaupt zu stellen ist das eigentlich Neue.

Hinter der Frage liegt die Überzeugung, daß wir heute in der Lage sind, das Lebenssystem des Planeten zu zerstören. Sicherlich hat es apokalyptische Prophezeiungen auch schon in der Vergangenheit gegeben – viele Menschen haben das Ende der Welt um 1000 nach Christus erwartet, und zu den meisten universalen Religionen gehört eine Zeitvorstellung, die sich von einer Erschaffung bis zu einer Endzeit spannt. Nach mancher Vorstellung scheint menschliches Verhalten das Ende herbeizuführen: In der Bibel veranlaßt die Sündhaftigkeit der Menschheit Gott dazu, die Erde mit einer Sintflut zu überziehen, und zumindest in der christlichen Welt werden die meisten Katastrophen von einer düsteren Gewißheit darüber begleitet, daß die Menschen sie sich selbst zuzuschreiben haben.

Die Androhung der Vergeltung hat auch in den ökologisch bedingten Endzeitprophetien Bestand. Für den Grünen gibt es jedoch keine äußere Macht, die uns für unsere Sünden bestraft. Statt dessen gibt es die einfache, kausale Beziehung zwischen dem, was wir tun, und dem, was mit uns geschehen wird. Wie Lovelock sagt: Nur die Wirkungen unserer Handlungen zählen. Das Glas wird sich leeren, weil wir das Wasser vollständig austrinken. Die menschliche Spezies steht vor ihrer Ausrottung, weil wir die Ozonschicht zerstören, über die Maßen viele Treibhausgase erzeugen oder unsere Ressourcen erschöpfen. Wir sind bösartige, gefährliche Passagiere auf dem Raumschiff Erde, und unsere Dummheit wird auch unsere Strafe sein.

Dieses Gefühl, daß wir zu totaler Zerstörung fähig sind, erwächst eindeutig aus unserem industriellen, technologischen und wissenschaftlichen Erfolg. Es ist der Maßstab unserer Handlungen, der uns überzeugt. Heute finden wir Insektenvernichtungsmittel in Organismen, die Tausende von Meilen entfernt sind von dem Ort, an dem man die Chemikalien eingesetzt hatte, und saurer Regen fällt auf Wälder, die Hunderte von Meilen in Windrichtung entfernt von den Kohlekraftwerken stehen, die als Verursacher anzusehen sind. So, wie niemand behaupten kann, er habe mit moderner Waffentechnologie nichts zu tun, genausowenig kann er behaupten, an der Umweltverschmutzung unschuldig oder unbeteiligt zu sein. Wir *wissen*, daß wir allem ein Ende bereiten können, und wissen deshalb auch, daß wir alle potentielle Opfer sind.

Solches Wissen verknüpft alles Öffentliche und Private, alles Große und Kleine zu einem festen moralischen Knoten. Nichts kann sich absetzen von dieser Erkenntnis, die die Umwelt betrifft – keine Regierungsentscheidung und keine individuelle Ansicht. Das ist das Geheimnis ihrer Macht als einer Quasi-Religion. Sie stellt einen universalen Wert und Sinn her. Sie macht den einzelnen klein und unbedeutend und verspottet das Ausmaß menschlicher Erkenntnis, während sie gleichzeitig deren fromme Verwendung im Namen des Glaubens fördert. Wie jede andere Religion, die sich auf menschliche Unzulänglichkeiten beruft, stellt auch sie Anforderungen und Ansprüche ohne Ende. Für den Umweltschützer kann der Tag mit der Einhaltung religiöser Regeln angefüllt sein, als wäre er ein Mönch. Er kann sich für Nahrung ohne Chemikalienzusätze entscheiden, die ohne Massentierhaltung erzeugt wurde oder mit deren Kauf er keine negativen Auswirkungen am Herstellungsort fördert. Er kann ein Übermaß an Verpackung zurückweisen, gewissenhaft Plastikbeutel wiederverwenden und zu Fuß gehen oder mit dem Fahrrad statt mit dem Auto fahren. Er kann Anhänger gewinnen, agitieren oder demonstrieren. In einer fortgeschrittenen Gesellschaft gibt es wirklich nichts, das er nicht als umweltschädigend ausmachen könnte. Tatsächlich ist es schon eine Art Verbrechen, überhaupt fortschrittlich zu sein. Für den Umweltschützer ist die Welt voller unheilvoller Vorzeichen und deshalb reich an Bedeutungen. Vor allem ist sie eine Welt, eine Einheit, im Gegensatz zu der bruchstückhaften, nicht faßbaren Menge von Einzeltatsachen, die Naturwissenschaftler oder Künstler heute als Abbilder der Welt hervorbringen.

Diese Vision verursacht große Seelenqual. Die klassischen Naturwissenschaften hatten Zwiespältiges erreicht. Einerseits die Unterwerfung der Natur, andererseits aber belehrten sie uns über unsere hoffnungslose Einbindung in die Natur. Die Naturwissenschaften haben uns mit der Hilfe ihrer Dienstmagd, der Technologie, gezeigt, wie wir die Natur in einem noch nie dagewesenen Maß ausbeuten können. Sie haben uns aber, am augenscheinlichsten durch Darwin, auch klargemacht, daß wir ein Teil der Natur sind, nur eine abhängige Gegebenheit in einer Welt, in der alles mit allem verknüpft ist. Es wird deutlich, daß diese beiden Vorstellungen sich ergänzen können: Wir beuten die Natur aus, weil das die Vorgehensweise der Natur ist. Der Löwe frißt die Gazelle. Wir bauen unsere Fabriken. Solch ein naturalistischer Fatalismus konnte sich ohne Probleme dem Fortschrittsglauben verschreiben. Gerade unsere Natürlichkeit rechtfertigte ja unsere Eroberungen. In diesem Kontext verfällt der Umweltschützer logischerweise darauf, die völlige Fremdheit der Natur, ihr Anderssein im Verhältnis zum Menschen zu betonen.

Und dies ist auch der Standort, den Bill McKibben in seinem Buch *The End of Nature* (1990) einnimmt. Seine Kernaussage verknüpft er eng mit der Hervorhebung, daß die Natur sich in der Tat dadurch definiere, daß sie vom Bereich alles Menschlichen abgetrennt sei. »Das Wesen der Natur *ist* ihre Eigenständigkeit«, schreibt er, »ohne sie gibt es nur noch uns.«[14] Er ist ein Purist, stellt aber die Zusammenhänge recht gut her. Für ihn gibt es keinen Kompromiß, keine Möglichkeit eines ökologischen Waffenstillstands: Wenn die Natur als alles definiert wird, was wir nicht sind, dann ist die Natur tot, denn wir haben aller Erdennatur unseren Willen und die Umweltverschmutzung aufgezwungen. McKibben kann zum Beispiel den Sommer nicht genießen, weil er weiß, daß das Klima sich aufgrund der Eingriffe des Menschen in die Natur künstlich verändert hat. Und diese Ungeheuerlichkeiten sind erst kürzlich und nur von einem kleinen Prozentsatz der Bevölkerung verübt worden – »die Lebensweise eines Teils der Menschheit verändert seit einem halben Jahrhundert jeden Zollbreit unserer Erde«.[15] Ein Überleben mag möglich sein, aber das wird sich kaum lohnen, denn wir werden zum Überleben gezwungen sein inmitten von dem, was wir künstlich erschaffen haben – ohne Einklang mit der Natur.

In der Konsequenz führt McKibbens Purismus zu einer in moralischer Hinsicht extremen Haltung. McKibben stellt sich ein genetisch verändertes Kaninchen vor und fragt: »Warum sollten wir einem solchen Kaninchen gegenüber mehr Ehrfurcht oder Zuneigung empfinden als gegenüber einer Coladose?«[16]

Auch hier kommt es mir darauf an, aufzuzeigen, daß die Frage und nicht die Antwort wichtig ist. Hinter dieser Frage steht der Gedanke, daß ein Kaninchen nur dann ehrfürchtig betrachtet oder geliebt wird, wenn es absolut natürlich und in seinem Wesenskern unberührt ist von Menschenhand. Ein Laborkaninchen oder eines, das vielleicht als Haustier gezüchtet wurde, würde diesen Test nicht bestehen – beide hätten überhaupt kaum noch etwas Kaninchenhaftes an sich. Genau an dieser Stelle ist das ökologische Argument am überzeugendsten und am gefährlichsten.

Was sie so verlockend macht, ergibt sich aus der unverfälschten, radikalen Einfachheit der ökologischen Vision: Wenn überhaupt, dann dürfen wir die Natur nur so wenig wie irgend möglich anrühren, denn alles, was berührt wurde, trägt unauslöschliche Merkmale. Die Gefahr liegt in dem Fanatismus und Absolutheitsanspruch, die sich hinter dieser Einfachheit verbergen. McKibbens Kaninchen mag ein wirklich harmloses Beispiel sein. Wie aber ist ein menschliches Wesen zu beurteilen, in dessen Erbgut man eingegriffen hat, um die Übertragung einer erblichen Krankheit zu verhindern – eine Technologie, die in naher Zukunft sehr gut möglich ist? Würde ein solches Wesen auch keine Beachtung und Liebe verdienen? Einfacher zu verstehen ist McKibbens idyllisch-pastorale Argumentation, wenn es um die von ihm geliebte amerikanische Wildnis geht. Was ist aber mit den von Menschen erschaffenen Landschaften Europas?

Im englischen Lake District oder in den Yorkshire Dales gibt es nichts, was nicht von Menschenhand berührt worden ist. Sind diese Landschaften es etwa nicht wert, geachtet oder geliebt zu werden? Es kommt noch hinzu, daß der Appell an die Gefühle durch den Umweltglauben in dieser überhöhten Form zu einer moralischen Blindheit gegenüber seinen Auswirkungen führt. Es ist verständlich, daß sich nach zwei Jahrhunderten des Triumphes der klassischen Naturwissenschaften nun ein Widerstand gegen deren Heilmittel, Erfindungen und Theorien regt. Aber die Reaktion kann ganz eindeutig zu weit gehen und über das eigentliche Ziel hinausschießen. Das Insektenvernichtungsmittel DDT ist vielleicht die bekannteste »unheilvolle« Substanz, die in der Folge von Carsons Buch als solche erkannt wurde. Aufgrund seiner Wirksamkeit gegen Moskitos hat DDT aber die Malaria aus weiten Teilen des Mittelmeerraums verbannt. Mit seinem Verbot wurde verhindert, daß dasselbe auch in Afrika geschehen konnte. Dort tötet und entkräftet die Malaria immer noch Millionen von Menschen. Können wir sicher sein, das Richtige getan zu haben?

Es ist klar ersichtlich, daß die einseitige Besessenheit von McKibbens »tiefer Ökologie« sich aus einer Art Verdammung der menschlichen Einflußnahme überhaupt und aus einem Mißtrauen allen menschlichen Lösungen gegenüber entwickelt hat. Ebenso deutlich ist, daß solch eine Haltung der logische Höhepunkt für Umweltschutzbewegte ist. Von Visionen der Zerstörung und Apokalypse erschüttert, halten sie Ausschau nach Sündenböcken. Und sie finden nicht einfach hier eine chemische Fabrik und dort ein Elektrizitätswerk, sie finden das Menschengeschlecht als Ursache selbst. Das ist der Grund, warum sie das absolute Anderssein der Natur so betonen.

Es ist wichtig, sich vor Augen zu führen, daß in vielen ökologischen Darstellungen – besonders im Umfeld der Gaia-Hypothese – schadenfroh darauf hingewiesen wird, daß die Natur auch ohne uns weiterbestehen könnte: Vielleicht bringen wir durch die Verschmutzung des Planeten einfach unser eigenes Leben zum Erlöschen, während anderes weiterbesteht – Schaben, anaerobe Bakterien oder Schmarotzer.

Diese Aussicht enthüllt die anarchische und zerstörerische Seite des Umweltbewußtseins. Das menschliche Leben, so läßt man uns mit selbstgefälliger Überzeugung wissen, wird sich auf primitiverer Stufe abspielen, wenn es denn überhaupt Bestand hat. Die Menschen werden sich mit weniger Wohlstand abfinden müssen. Unsere gesamte Zivilisation ist ein verschwenderischer, alles verschmutzender Irrweg. Primitive ländliche Gesellschaften müssen immer wieder als Modelle für menschliches Leben herhalten, das im Einklang mit der Natur lebt – in wohltuendem Kontrast zu unserer eigenen ausbeuterischen und fordernden Art des Umgangs. Wir – das bedeutet die naturwissenschaftlich geprägte Zivilisation – sind in dieser Welt fehl am Platz. Wir müssen unseren Lebensstil ändern oder aus der Welt vertrieben werden.

Es zeigt sich also, daß der Umweltschutzgedanke eine Religion der Zurückweisung ist. Er stellt sich der geistigen Krise, die der Pessimismus der naturwissenschaftlichen Sichtweise hervorgebracht hat, durch einfache Verweigerung, und versucht, ihn dadurch zu überwinden. Die »alten« Naturwissenschaften waren stolz und herrisch.

Doch nun entwickelt sich eine Wissenschaft, die die Umwelt achtet und ihr mit Bescheidenheit begegnet. Schließlich mußten sich die Naturwissenschaften auch dazu herablassen zu verstehen, was beim Clear Lake vorgefallen war oder was jetzt wahrscheinlich mit der Ozonschicht geschieht. Die Naturwissenschaften sind von ihrem Sockel herabgestiegen, als sie in der beschädigten Umwelt die Folgen ihrer falschen Vorgehensweise feststellen mußten. Das cartesianische Bewußtsein hatte die Natur nach draußen verlagert, und ihre Prozesse waren uns so fremd geworden, daß wir schließlich davon überzeugt waren, in der Welt könnten keine Werte mehr gefunden werden. Das Umweltbewußtsein aber findet nun Werte in ihr. Diese Werte liegen in der gegenseitigen Abhängigkeit, die uns mit der Welt verbindet, in Harmonie und Ausgewogenheit. Es erfordert Sensibilität, diese Werte zu erkennen und zu achten. Sie verlangen vor allem, daß Komplexität, die möglicherweise dauerhaft verhindert, die ganze Wahrheit über die Natur jemals mit dem Verstand erfassen zu können, als positives Kennzeichen der Welt begriffen wird.

Der Umweltschutzgedanke ist ein Aufschrei der Seele des modernen Menschen – wie groß auch immer der Wahrheitsgehalt der zugehörigen Diagnose sein mag. Wir verlangen nach mehr, aber wir wissen nicht, wo wir es finden können. Die Effektivität der Naturwissenschaften kann nicht bestritten werden, die tatsächlichen Auswirkungen der Naturwissenschaften in der Welt aber sind gefährlich, ekelhaft und zerstörerisch. Der Umweltschützer versucht deshalb, die Effektivität auf wohlmeinendere Ziele hin auszurichten. Er versucht, die Naturwissenschaften »weicher« zu machen und sie zu kontrollieren. Er unternimmt es, sie zu humanisieren, indem er sie zwingt, mit den organischen Systemen des Planeten zusammenzuarbeiten.

Als Religionsersatz, als Metaphysik ist der Umweltschutzgedanke jedoch unzureichend. Sein augenscheinlichster Makel besteht darin, daß er nichts als das Überleben bietet. Der Umweltschützer mag sich begeistern an dem Seelenfrieden, den er durch richtiges grünes Verhalten erlangen kann. Letztlich aber sind die Gründe für sein Handeln rein praktischer Natur. Es gibt keinerlei transzendente Vernunft. Es handelt sich um eine Religion der Katastrophe. Uns bleibt nichts anderes übrig, als den Schaden, den wir verursacht haben, wieder rückgängig zu machen; wir können nichts Höheres erhoffen. Was die Menschen geleistet haben, ist so gut wie nichts vor dem Hintergrund des stummen, uns völlig fremden Naturgeschehens. Und das wird wie im trostlosen Weltbild mechanischer Determination gerade alles sein, was wir jemals erreichen können, selbst im Grünen Paradies.

6. Eine neue, fremdartige Maske für die Naturwissenschaften

Es ist ein Fehler, zu meinen, die Aufgabe der Physik bestehe darin, herauszufinden, wie die Natur beschaffen ist. Die Physik befaßt sich mit dem, was wir über die Natur aussagen können.

Bohr[1]

Das Bild der Naturwissenschaften in der Öffentlichkeit hat sich in unserem Jahrhundert verändert. Die lächelnde Maske, die sie getragen hatten, fiel plötzlich ab, und es kam ein Antlitz zum Vorschein, das ebensogut grauenhaft wie wunderbar war. Die Demaskierung erfolgte vor allem deshalb, weil weite Kreise der Bevölkerung die Naturwissenschaften im Lauf der letzten hundert Jahre immer besser kennenlernten. Die explosive Entwicklung der Technik, die Sorge um die Umwelt, die Kernwaffen, der technisch perfektionierte totale Krieg und all die moralischen und politischen Folgen des wirtschaftlichen Wachstums haben die Naturwissenschaften ins Zentrum der Öffentlichkeit gerückt. Hier sehen sie sich vor eine neue Art von Schiedsgericht gestellt: vor das Tribunal der öffentlichen Meinung. Deren Schiedssprüche sind kompromißloser und die Ängste haben größeren politischen Einfluß als die der Philosophen. Mit einem Mal können die Leistungen der Naturwissenschaften als Verbrechen angesehen und ihre Erkenntnisse für sündhaft gehalten werden.

Das ist für meine Argumentation wesentlich, denn es bedeutet, daß die Naturwissenschaften von außen her beurteilt werden. Das Trachten nach objektiver Erkenntnis um ihrer selbst willen ist nicht länger das Privatunternehmen einer Elite, die sich vor niemand anderem als vor ihren eigenen Ansprüchen und Wertvorstellungen verantworten muß. In solch einem in sich geschlossenen Umfeld konnte sie es sich erlauben, zu glauben, die naturwissenschaftliche

Erkenntnis sei die einzig mögliche Wahrheit und würde eines Tages das ganze menschliche und nichtmenschliche Universum umfassen. Aber der offensichtliche, plötzliche Erfolg der Naturwissenschaft als Schöpferin und Zerstörerin hat uns allen klargemacht, daß ihr irgendein wesentliches menschliches »Input« fehlen muß. Weil die Naturwissenschaften soviel anrichten können in unserer Welt, dürfen sie nicht länger frei bleiben. Gerade ihre völlige Selbstbestimmung, die einmal stolzes Aushängeschild ihrer Unabhängigkeit von jeglicher Autorität war, kann jetzt als ein Blankoscheck betrachtet werden, den man einem gierigen und zerstörungswütigen Kind vorschnell überlassen hat.

Von dieser Warte her beginnt das Vertrauen in die Naturwissenschaften wie Unverantwortlichkeit auszusehen. Wir hatten den Naturwissenschaften die gefährliche Freiheit eingeräumt, sich über die Begrenzungen der gewöhnlichen menschlichen Belange hinwegzusetzen. Und das hatten wir aus Hochachtung vor ihrer Exaktheit und Effektivität getan, und auch, weil die Aufklärung uns gelehrt hatte, alle Erkenntnis müsse ihrer Natur nach unbedingt frei von subjektiven Wertmaßstäben sein. Nur auf diese Weise konnte die naturwissenschaftliche Welt sicher sein, daß es sich tatsächlich um Erkenntnisse und nicht um irgendeinen weiteren Standpunkt handelte. Die Naturwissenschaften hatten uns in der Tat einen Ausweg aus der Willkürlichkeit bloßer »Standpunkte« gewiesen.

Wie sich aber im Entsetzen und in den Befürchtungen des 20. Jahrhunderts zeigen sollte, hatte die Trennung von Erkenntnissen und Werten furchtbare Konsequenzen. Den Philosophen mag das schon über Jahrhunderte bewußt gewesen sein – nach Hiroshima, Dachau und Kuba ist es uns allen nun nicht mehr verborgen.

All das ist wahr, nicht abzuleugnende Realität. Festzuhalten bleibt aber, daß der Naturwissenschaftler selbst solche Befürchtungen sehr wohl außer acht lassen kann – und es auch tut. Ein Physiker, Chemiker oder Biologe kann in seiner Denkweise ganz leicht eine Trennwand zwischen seiner Arbeit und der allgemeineren Frage nach dem Stellenwert der Naturwissenschaften in der Welt errichten. Er wird behaupten, wie das die meisten auch tun, menschliche Erkenntnis sei eine stetig weiterführende, unvermeidbare und wertfreie Untersuchung der Beschaffenheit der Welt, die stattfinden wird, ob wir uns darum Sorgen machen oder nicht. Natürlich mögen ihm die ethischen und politischen Probleme darum wohl bewußt sein, aber diese erheben sich erst nach der Etablierung der Tatsachen durch die Naturwissenschaften. Man »spaltet« das Atom, und erst später entsteht das moralische Dilemma, ob man nukleare Waffen anwenden dürfe.

Diese Trennung gestattet es den Naturwissenschaftlern, ihre Autorität zu wahren. Ungeachtet dessen, was in der Außenwelt geschieht, kann der Forscher immer noch in der Überzeugung verharren, er befinde sich auf dem einzig richtigen Pfad zur Wahrheit, zur umfassenden Wahrheit. Alle Unzulänglichkeiten der Naturwissenschaften im Dialog mit der Welt entwickeln sich aus dem Umstand, daß die Wahrheit bis jetzt noch unzureichend und unvollständig ist. Und die Trennung zwischen naturwissenschaftlicher Erkenntnis und der Welt schafft einen eisernen moralischen Verteidigungsmechanismus. Der Naturwissenschaftler wird behaupten, die Fragen, ob man die Atombombe einsetzen oder ein Gewehr benutzen soll, sei die gleiche und jegliche Diskussion über den moralischen Status der Waffe belanglos und sinnlos; das einzige, worauf es ankomme, sei die Seele desjenigen, der den Abzug betätige, wer immer das auch sein möge. In gleichem Sinne kann man auch über den Gebrauch von Insektenvernichtungsmitteln mit Hilfe einer völlig einsichtigen Methode der Abwägung von Risiko und Gewinn entscheiden, die den Hütern unseres Wohlergehens schon lange vor der Erfindung solcher Chemikalien verständlich war. Nur die Wirksamkeit der Mittel hat sich verändert und damit das Ausmaß des Schadens im Falle eines Irrtums.

Mit anderen Worten: Die innere Beschaffenheit der Naturwissenschaften selbst konnte unangetastet bleiben, was immer auch in der Außenwelt an Zweifeln und Mißtrauen in Szene gesetzt wurde. Nicht zuletzt war schließlich auch die Atombombe ein Beweis dafür, wie unsere Dankbarkeit und Bewunderung für die Naturwissenschaften alles andere in den Schatten stellte: Sie funktionierte!

Noch eine andere Maske sollte im 20. Jahrhundert zu Fall gebracht werden – die der naturwissenschaftlichen Klassik. Der Begriff Klassik steht für vielerlei unterschiedliche Dinge in vielen verschiedenen Gebieten. Am einfachsten läßt er sich hier als die Sichtweise der

Naturwissenschaften beschreiben, wie sie bis 1900 vorherrschte. Aber dies ist nicht ganz zutreffend, weil viele und wahrscheinlich die meisten Naturwissenschaftler eine im wesentlichen klassische Sichtweise beibehalten haben.

Die Klassik sollte deshalb am besten als jene Sichtweise verstanden werden, nach der es eine objektive Welt außerhalb unserer selbst gibt, die wir uns durch Beobachtung und Schlußfolgerung vollkommen erschließen können. Als materielle Wesen sind wir Teil dieser Welt, als vernunftbegabte Subjekte aber ist es uns möglich, die Welt von einem Standpunkt außerhalb unserer selbst zu betrachten. Bei der Klassik handelt es sich im wesentlichen um die alte Überzeugung, die Naturwissenschaften seien der Weg zur Wahrheit, und zwar zur ganzen Wahrheit.

Die Maske der Klassik fiel ab, weil der Körper der Erkenntnisse, der sie getragen hatte, sich mit einem Mal als völlig unvollständig und zu großen Teilen als grundsätzlich falsch herausstellte. Der hellwache, unruhige Zugriff unserer Zeit beschränkte sich nämlich nicht darauf, die Naturwissenschaften in ihrer äußeren Rolle zu prüfen. Was sich innerhalb der modernen Naturwissenschaften abspielte, hat sich in der Tat als noch außergewöhnlicher, extremer und verwirrender erwiesen als alles, was sich äußerlich vollzog. Hiroshima und der Clear Lake in Kalifornien haben innerhalb der Laboratorien und in den Köpfen der modernen Naturwissenschaftler ihre revolutionären Entsprechungen gefunden.

In diesem und dem nachfolgenden Kapitel werde ich mich mit der grundlegenden Frage auseinandersetzen, ob die alte Maske nur eine tiefere Form von Klassik aufdeckte oder etwas weitaus Eigenartigeres. Es geht hierbei darum, ob neue Formen von Naturwissenschaften uns zu einer neuen Sicht unseres eigenen Standorts in der Welt verhelfen, welche die pessimistischen Visionen der Klassik ersetzt. Wenn das der Fall ist, hat sich eine Revolution ereignet. Wenn die Naturwissenschaften eine neue Spiritualität hervorbringen, hat die Aufklärung ausgedient. Diese hatte verkündet, in den bloßen Tatsachen der Welt ließen sich keinerlei Werte oder Sinngehalte finden. Wenn neue Formen der Naturwissenschaften dazu aber nachweislich in der Lage sind, sieht alles ganz anders aus. Die Naturwissenschaften würden nicht weniger vollständig oder siegreich dastehen, wären aber endlich zu einer völlig menschlichen Form der Erkenntnis geworden.

Es läßt sich anhand von vielen Beispielen aufzeigen, wie die Naturwissenschaften sich verändert haben. Als überzeugter Klassiker würde man sagen, diese Veränderungen stellten nur eine Erweiterung und Berichtigung der bestehenden Erkenntnisse dar. Ist man keiner, wird man sagen, sie seien Ausdruck für etwas sehr Neues, Anzeichen für eine neue Art von Wissen. Anhand dreier sehr bekannter Beispiele werde ich die Art der Veränderungen aufzeigen. Sie sind bekannt, weil sie zu Marksteinen des 20. Jahrhunderts geworden sind. Als solche verweisen sie alle auf eine ähnliche Veränderung in der geistigen Haltung – fort von den exakt definierten, aber begrenzten Zielen des 19. Jahrhunderts in Richtung auf etwas, das viel umfassender und seltsamer ist. Alle drei Beispiele werden Theorien genannt: Relativitäts-, Quanten- und Chaostheorie. Oft werden sie dazu benutzt, Laien mit ihren bizarren Schlußfolgerungen vor Rätsel zu stellen oder in Erstaunen zu versetzen. Zunächst aber kommt es, was meine Zwecke anbelangt, wie immer erst einmal auf ihre Bedeutung an.

Die drei Theorien sind miteinander verbunden; zunächst dadurch, daß sie die alte mechanische Sichtweise stürzen und dann durch die Art und Weise, wie sie möglicherweise die Vorstellung von naturwissenschaftlicher Wahrheit verändern. Die klassischen Naturwissenschaften haben uns glauben gemacht, wir könnten die Wahrheit erlangen. Diese neuen Naturwissenschaften teilen uns mit, die Wahrheit gehe über unseren Verständnishorizont hinaus, oder sie sei unendlich viel eigenartiger als alles, was wir uns bisher haben vorstellen können. Welche Lesart man auch bevorzugt, selbst der hartgesottenste Klassiker würde dem zustimmen, daß »gesunder Menschenverstand« hier nicht zum Verständnis beiträgt.

Zunächst aber muß »Wahrheit« so hinterfragt werden, wie wir das auch mit »Klassik« gemacht haben, denn bei den neuen Naturwissenschaften steht gerade die Wahrheit auf dem Spiel. Oft wird damit einfach Vollständigkeit bezeichnet. Die Wahrheit kann gleichbedeutend sein mit *die ganze Wahrheit*.

Weiter oben habe ich schon darauf hingewiesen, daß technologischer Erfolg und die gewaltige Struktur scheinbar theoretischer Konsistenz gegen Ende des 19. Jahrhunderts eine beachtliche Anzahl von Menschen dazu verleitete, anzunehmen, das menschliche Wissen stehe greifbar nahe vor einer Art Vollendung. Wir glaubten uns kurz davor, *die ganze Wahrheit* zu erlangen. In der Biologie und Physik schienen die groben Umrisse dieser Vollständigkeit vorzuliegen. Wenn Newton und Darwin recht hatten, beschränkte sich alles, was noch zu tun war, auf das Beantworten von Detailfragen. Sicherlich gab es noch sehr vieles Neues zu wissen, nicht notwendigerweise aber etwas *grundlegend* Neues.

Albert Michelson, der erste Nobelpreisträger Amerikas, sagte im Jahr 1902:

> »Die bedeutenderen grundlegenden Gesetze und Tatbestände der physikalischen Wissenschaften sind alle entdeckt und bis heute so nachhaltig bestätigt worden, daß die Wahrscheinlichkeit sehr gering ist, sie könnten jemals infolge neuer Entdeckungen untergraben werden.«[2]

Die Ironie dieser Bemerkung liegt darin, daß es ausgerechnet ein weiter unten beschriebenes Experiment von Michelson war, das diese Gewißheit untergraben sollte.

Solche Zuversicht ist in Perioden schnell wachsenden Reichtums nichts Ungewöhnliches, geschweige denn in irgendeiner Phase, in der naturwissenschaftliches Denken sehr erfolgreich ist. Auch heute trifft man noch viele Physiker an, die davon ausgehen, ihr Forschungsgebiet könne innerhalb weniger Jahre oder höchstens Jahrzehnte zum Abschluß gebracht werden – Stephen Hawking ist das beste Beispiel dafür. Wir mögen solche Überzeugungen als grobe, ahistorische Überheblichkeit abtun, die es fertigbringt, Hunderte von Beispielen, bei denen es eine ähnliche Gewißheit gab, außer acht zu lassen, Theorien, die unter dem Ansturm darauffolgender Überzeugungen zusammenbrachen. Vielleicht aber ist es sinnvoller, Zuversicht als ein wesentliches Arbeitsmittel anzusehen. Wahrscheinlich ist es von einem Naturwissenschaftler zuviel verlangt, sich ernsthaft mit der Möglichkeit auseinanderzusetzen, daß die Welt bis zum Zeitpunkt seines Todes der Wahrheit – relativ gesehen – nicht nähergekommen sein wird, als sie es bei seiner Geburt war. Er braucht die tröstliche Fata Morgana von einer letzten Wahrheit, damit er seine Arbeit fortsetzen kann.

Für uns übrige aber muß es immer das allgemeine Gefühl geben, daß abgeschlossene Vollständigkeit in irgendeinem Bereich menschlicher Erkenntnis der Sache nach unmöglich zu sein scheint. Wie unser eigenes Leben uns zu beweisen scheint, unser Unwissen und unsere mangelnde Sensibilität uns selbst und anderen gegenüber, unsere Fehler und Unsicherheiten, kann nichts jemals für endgültig gehalten werden. Unsere Welt ist ungewiß, im Ungleichgewicht und ständigen Wechseln unterworfen; unsere täglichen Schlußfolgerungen sind stets vorläufig und können auch nicht anders sein. Instinktiv wissen wir, daß dasselbe für alles menschliche Schlußfolgern zutreffen muß. Michelson, Lord Kelvin und der erwähnte Physikprofessor aus Harvard mit ihrer jeweiligen Zuversicht, ihr Forschungsgebiet könne demnächst abgeschlossen werden, hatten ihre Gründe dafür; doch diese kamen einem Angriff auf unsere Intuition gleich, und sie erwiesen sich angesichts des tatsächlichen Standes der Wissenschaft, besonders des Standes der Physik, auch als vermessen. Denn entgegen ihrer großen Zuversicht hatten sich schon schreckliche Risse im Denkgebäude des ungetrübten Determinismus aufgetan, diesem festgefügten Mechanismus des klassischen Systems von Galilei und Newton. Der Gedanke der vollständigen Abgeschlossenheit hatte uns schon lange begleitet. Er war selbstverständlich eine wesentliche Eigenschaft der Kosmologie und Physik des Thomas von Aquin gewesen. In ihr ging man davon aus, daß intellektuelle Folgerichtigkeit ein Zeichen von Endgültigkeit war. Thomas war widerlegt worden, aber nur von einem anderen System, das stillschweigend wiederum Endgültigkeit beanspruchte, sie vielleicht sogar erforderlich machte. Das Newtonsche Bild vom Universum war in sich ebenso schlüssig und logisch wie das der Thomisten, und zusätzlich besaß es noch den Vorteil, den Mechanisten des neuen Zeitalters intuitiv eher begreiflich zu sein.

Die Newtonschen Objekte, von den Planeten bis hin zu den Teilchen, prallten pflichtschuldig voneinander ab, genau wie Billardkugeln – so zeigt es das bekannteste Bild dieses Systems. Die Objekte übten über die Entfernung hinweg durch Kräfte Einfluß aufeinander aus. Die Kräfte selbst ließen sich vielleicht weniger leicht verstehen. Existierten sie als materielle Gegebenheiten oder nicht? Die intuitive und mathematische Überzeugungskraft der Gesamtstruktur war in jedem Fall gewaltig genug, um jede Mehrdeutigkeit der Definition zu bewältigen.

Spätere Untersuchungen über Elektrizität und Magnetismus ergaben zunächst kein Problem – man fand heraus, daß ihre Kraft mit dem umgekehrten Quadrat der Entfernung abnahm, ebenso wie die Schwerkraft bei Newton. Auch das Licht ließ sich in das System einbauen, entweder als Ansammlung von Teilchen oder als Wellenbewegung in einem angenommenen Medium, das Äther genannt wurde. Mit einigen notwendigen Anpassungen und Einbeziehungen gab es Probleme, aber keins davon war verhängnisvoll. Die Welt schien immer noch perfekt dem Newtonschen Weltbild zu entsprechen, beziehungsweise konnte man davon ausgehen, daß das mit der Zeit so sein würde. Das Grundmuster stand fest.

Im Falle Michael Faradays schienen die Anpassungen allerdings eigenartig weit hergeholt. Faraday, 1791 geboren, war ein begnadeter Experimentator. In den frühen Jahren des 19. Jahrhunderts begann er, sich für Entwicklungen zu interessieren, die erste Zweifel darüber hatten aufkommen lassen, ob alle Kräfte, wie die Schwerkraft, allein von der Entfernung der Objekte abhängig waren. Man fand heraus, daß bewegte elektrische oder magnetische Ladungen Kräfte verursachen, und darüber hinaus wurden zwischen Elektrizität und Magnetismus selbst bedeutsame Zusammenhänge festgestellt. Mit der besonderen Klarsichtigkeit eines Experimentators untersuchte Faraday diese Erscheinungen mit Hilfe von nun schon vertrauten Schulmethoden: mit Magneten und Eisenspänen. Man lege einige Eisenspäne auf ein Blatt Papier und halte einen Magneten darunter. Man schüttele das Papier ganz leicht, und magnetische Kräftelinien werden erscheinen. Die zufällige Anhäufung von Spänen ließ sich in eine Ordnung schütteln. Das Muster des Feldes, das eine reale Existenz außerhalb der Magneten selbst hatte, zeigte sich; das Verhalten der Späne bewies dies. Und auch im Vakuum hatte das Feld Bestand.

In den Newtonschen Systemen war eine solche physikalische Existenz von Feldern – zum Beispiel von Schwerkraft- oder Magnetfeldern – nicht erforderlich. Sie waren nur eine Art Ausgleichsvorgang, der die ganze Struktur ausbalancierte. Sie konnten ebenso immateriell sein wie die Naturgesetze. Mit seinen Versuchen hat Faraday aber überzeugend dargelegt, daß die Felder physisch existieren und sich irgendwie durch den leeren Raum hindurch übertragen können. Das war eine rätselhafte Enthüllung, die weder in das Newtonsche Modell paßte, noch dem Laien unmittelbar verständlich war.

Die genauen Folgerungen aus den experimentellen Befunden Faradays wurden von dem großen schottischen Physiker und Mathematiker James Clerk Maxwell in Formeln gefaßt. Mit blendendem Verständnis entwickelte er Gleichungen, die die Feldeffekte und das Verhalten elektromagnetischer Wellen erklärten. Er berechnete sogar die Geschwindigkeit der Ausbreitung dieser Wellen im Raum und entdeckte, daß sie der Lichtgeschwindigkeit entsprach. Die Endlichkeit der Lichtgeschwindigkeit war 1675 von dem dänischen Astronomen Ole Rømer nachgewiesen und tatsächlich auch gemessen worden. Erst Maxwell aber sollte es gelingen, damit das elektromagnetische Spektrum zu vereinheitlichen. Der springende Punkt war, daß Licht immer und überall solch eine Geschwindigkeit hatte. Diese Geschwindigkeit, die mit »c« bezeichnet wurde, sollte die seltsame, unerbittliche Konstante werden, die die Physik im 20. Jahrhundert untermauerte.

Mit Faraday und Maxwell begann sich im naturwissenschaftlichen Weltbild etwas Grundlegendes zu verändern. Das Newtonsche Modell hatte die Welt beschrieben wie sie war, und ein vollkommen schlüssiges mechanisches Modell ergeben. Nichts hatte auf weitergehende Geheimnisse hingedeutet. Maxwells Gleichungen und Faradays Felder wiesen aber auf etwas Tieferliegendes hin, eine Reihe von Erscheinungen, die sich mit Mitteln des Newtonschen Systems einfach nicht erklären ließen und sich nicht wie Billardkugeln verhielten.

Und noch einmal: Diese neuen, selbständigen Felder, die Energie von einem Ort zum anderen übertrugen, stimmten ganz entschieden nicht mit dem überein, was ein gewöhnlicher Menschenverstand zu fassen vermag. Um dies richtig einschätzen zu können, muß man sich völlig von unserer Zeit loslösen. Heute kennen wir elektromagnetische Wellen recht gut, weil wir Knöpfe an Apparaten betätigen und Schaltkreise in Betrieb setzen können, die die unsichtbare Wellen aus der Luft auffangen und sie in Stimmen und Bilder in Radio und Fernsehen umwandeln. Es mag uns sogar bewußt sein, daß das Licht ein Teil des elektromagnetischen Spektrums ist. Gelegentlich mag uns die wunderbare Qualität des Geschehens bewußt werden, normalerweise aber denken wir nicht weiter darüber nach. Und dennoch handelt es sich nur um eine Frage der Gewohnheit. Vor nur wenig mehr als hundert Jahren wäre solch eine Vorstellung wie purer Wahnsinn erschienen, und was noch bedeutsamer ist, sie wäre angesichts aller Lehren wissenschaftlicher Weisheit der reinste Hohn gewesen. Welche Bedeutung kann man dem gewöhnlichen Menschenverstand angesichts solcher Veränderungen zubilligen? Mit welcher Zuversicht können wir uns an irgendwelchen gegenwärtigen Überzeugungen darüber festhalten, was möglich und was unmöglich ist? Die kalte Starrheit der klassischen Naturwissenschaften wurde von etwas abgelöst, das noch viel erschreckender war. Aber was war es?

Im Kopf des holländischen Physikers Hendrik Antoon Lorentz fand noch ein weiterer Baustein des revolutionären Puzzles von Faraday und Maxwell seinen Platz. Er stellte Bewegungsgleichungen für geladene Teilchen auf, die in Kombination mit den Maxwellschen Gleichungen Gesetze für das Verhalten sowohl der Teilchen als auch der Felder ergaben. Damit waren zusätzliche Bestandteile einer grundlegenden Ordnung entdeckt worden, doch zunächst mit ungeheurer Langsamkeit. Nichtsdestoweniger waren die Konsequenzen verhängnisvoll und mysteriös, und am meisten stach ins Auge, daß es offensichtlich *tatsächlich* eine allem zugrunde liegende Ordnung *gab*, von der wir zuvor nichts gewußt hatten.

Und schließlich war da noch das aufsehenerregendste negative Ergebnis in der Geschichte naturwissenschaftlicher Versuche überhaupt. Das Vorhandensein einer alles durchdringenden Substanz mit der Bezeichnung Äther war lange postuliert worden, um den Newtonschen Mechanismus aufrechtzuerhalten. Newton selbst hatte Spekulationen über seine Beschaffenheit angestellt, um alle Fernwirkungen zu erklären, wie den Magnetismus, die Schwerkraft oder die Übertragung von Licht im Vakuum. Dieser Äther erfüllte alles, was vorhanden war, und verbreitete Lichtwellen wie Wellenzüge auf der Oberfläche eines Teiches. Seine Existenz stimmte mit der mechanistischen, anschaulichen Sichtweise von der Welt überein, denn er ermöglichte es den Nichtwissenschaftlern, sich den Ablauf der Dinge bildhaft zu machen, die Wirklichkeit in ihrem Vorstellungsvermögen »sehen« zu können. Im Prinzip rettete er die Billardkugeln.

So war es zum Beispiel klar, daß, wenn es eine solche Substanz wie den Äther gab, die Bewegung der Erde durch den äthergefüllten Raum einen »Ätherwind« hervorbringen würde, welcher seinerseits Unterschiede in der Geschwindigkeit des Lichts bewirkte, je nachdem, ob der Lichtstrahl gegen oder mit dem Wind floß. Im Jahre 1887 überprüften die Amerikaner Albert Abraham Michelson und Edward W. Morley diese These mit Hilfe eines genialen Apparates mit zwei Spiegeln, die das Licht über große Entfernungen hinweg reflektierten, um die Geschwindigkeit des Lichts messen zu können. Ihre Meßergebnisse wiesen keine Unterschiede auf. Entweder es gab keinen Äther, oder mit dem Licht hatte es etwas ganz Eigenartiges auf sich. Beide Annahmen sollten sich als grundlegende Wahrheiten der neuen Physik erweisen, als deren Hebammen die verdutzten Wissenschaftler Michelson und Morley fungierten.

Die Testergebnisse der Physiker waren die Vorboten einer erschreckenden Erkenntnis: Das Newtonsche Bild war absolut unvollständig! Seine Vorhersagekraft bei Experimenten machte zwar deutlich, daß es nicht direkt als falsch bezeichnet werden konnte, seine Effektivität schien zwar ein äußerst schlüssiger Beweis für seinen Wahrheitsgehalt zu sein, aber irgend etwas fehlte ganz eindeutig, irgend etwas Außerordentliches, vielleicht völlig Andersartiges.

Ehe wir das farbenfrohe und phantastische Spektakel dessen, was fehlte, genauer betrachten, müssen wir uns den philosophischen Konsequenzen für den Wahrheitsbegriff zuwenden, die sich daraus ergaben, daß Newtons Theorie wenn nicht falsch, so doch unvollständig war. Denn in gewisser Weise sind diese Konsequenzen ebenso wichtig wie die Einzelheiten des Irrtums, der aufgedeckt worden war. Sie deuten auf den Kern der Wahrheitskrise hin, die wir heute erleben.

Zunächst einmal geht es darum, ob unvollständig wirklich auch falsch bedeutet. Obwohl Newton ein sehr empfindlicher und überheblicher Mensch war, besaß er genügend Phantasie und war letztlich doch zu demütig, als daß er sich eingebildet hätte, das Problem komplett gelöst zu haben. Er sehnte sich nach Vervollständigung und Gewißheit, blieb sich aber letztlich vollkommen bewußt, daß die Lösung außerhalb seiner Reichweite lag. Das Bild, das er von sich selbst als einem kleinen Jungen hatte, der am Strand ein paar reizvolle Kieselsteine aufliest, ist als Zeichen dafür zu werten, daß er wohl wußte, daß das naturwissenschaftliche Unterfangen mit seiner Synthese gerade erst begonnen hatte.

Dennoch war diese Synthese überwältigend kraftvoll, so kraftvoll, daß sie schließlich alle konkurrierenden Erkenntnisarten aus der abendländischen Geisteswelt verbannte. Sogar die Alchemie und Magie, die in Newtons Kopf neben der Wissenschaft ihren Platz hatten, wurden von seiner Vision des Himmelsspiels mit den Billardkugeln überwältigt. Ihr Erfolg zeitigte eine naturwissenschaftliche Zuversicht, die tatsächlich dem Glauben nahe war, eine Vervollständigung des Newtonschen Systems sei möglich. Daraus folgte, daß Newton völlig recht haben mußte und die Naturwissenschaften sich nur noch um die Ausführung der Einzelheiten kümmern würden.

Diese Tatsache machte Newtons Weisheit zwar nicht vollständiger, doch damit war sie nur noch in einer sehr schwachen Bedeutung unvollständig: Es waren lediglich noch nicht alle Konsequenzen der ihr zugrunde liegenden Wahrheiten berechnet worden. Hätte man das Prädikat »unvollständig« ernstgenommen, hätte eher ein Anlaß zur Beunruhigung bestanden. Das hätte bedeutet, Newtons System sei nicht universell anwendbar und deshalb nicht wahr. Sein System wäre auf den Status eines äußerst erfolgreichen Modells oder einer Näherung reduziert worden. Newton hätte möglicherweise dasselbe Schicksal ereilt, das Ptolemäus widerfahren war. Im Lichte der idealistischen Erhabenheit, in das man sein System stellte, wäre ein solcher Nachweis nichts anderes als ein Beweis seiner Nichtgültigkeit gewesen. *Alles* war nicht einfach schon deshalb Licht, weil Gott gesagt hatte: »Laß Newton sein!« Das Beunruhigendste an der Sache war, daß den Theorien der Naturwissenschaftler die Trennung von Effektivität und Wahrheit drohte.

Solche Erwägungen bringen unangenehme Probleme für das Wissenschaftsverständnis mit sich. Wenn sich Newton möglicherweise geirrt hatte, wie um alles auf der Welt konnten wir dann wissen, was richtig war? Der Schock, den eine solche Erkenntnis auslösen konnte, hätte dem entsprochen, den die Erschütterung der Grundfesten der jesuitischen Weisheit im frühen 17. Jahrhundert verursacht hatte. In ihrer ersten Blüte hatten die Erfolge der Naturwissenschaften in Erklärung und Experiment es nahegelegt, in ihnen eine Methode zu sehen, mit der man letzte Wahrheiten über eine wirkliche Welt entdecken konnte, die außerhalb unserer eigenen existierte. Die Dinge waren nicht so, wie sie waren, weil eine Obrigkeit das so verfügt hatte, sie waren so, weil die Natur so war, und weder logisches Denken noch Überzeugung konnte an dieser unerbittlichen Tatsache rütteln. Durch die Unpersönlichkeit der Natur war der Mensch in seiner Stellung erniedrigt worden.

Aber auch in dieser Phase müssen wir sehr vorsichtig mit dem Wahrheitsbegriff umgehen. Es wäre falsch, Galileis Entdeckung der Monde des Jupiter auf die gleiche Stufe zu stellen wie die Wahrheit, daß Elefanten Stoßzähne haben. Bei Galileis Entdeckung handelt es sich um eine spezifische Wahrheit. Wir können aus ihr nicht die Überzeugung ableiten, alle Planeten hätten Monde, wie wir ja ebensowenig behaupten können, alle Elefanten hätten Stoßzähne. Beide Behauptungen wären falsch.

Zu einer weiter gefaßten Wahrheit gehört die Hypothese, daß Beobachtungen oder Ergebnisse von Experimenten verallgemeinert werden können. So kann man zum Beispiel aus dem Verhalten der Monde des Jupiter eher Schlüsse über die Schwerkraft und die gleichförmige Bewegung ziehen, als aus ihrer bloßen Existenz. Solch eine Hypothese kann zu einer Theorie führen und schließlich zu einem Gesetz – in diesem Falle zu Newtons Gravitationsgleichung und zu seinen Bewegungsgesetzen. Was das Vorhandensein von Stoßzähnen bei Elefanten anbelangt, können unsere Überlegungen bei dem Gesetz der natürlichen Auslese enden. Das ist es, worum es beim klassischen naturwissenschaftlichen Weltbild geht. Dieser Vorgang ist viel diskutiert worden, besonders seit die Unvollständigkeit des Newtonschen Modells offenkundig ist. Die gesamte wissenschaftliche Methode ist ohne eindeutiges Ergebnis minutiös untersucht worden. Das Schlüsselproblem ist folgendes: Wenn Theorien, die immens erfolgreich sind, falsch sein können und »Wahrheiten« sich als unstimmig erweisen, worin kann dann das wirkliche Wesen der

Erkenntnisform bestehen, die wir Naturwissenschaften nennen? Warum sind sie erfolgreich, und warum sollen wir ihnen glauben?

Ich werde darauf zurückkommen (es ist mein Schicksal, niemals davon loszukommen). Im Augenblick aber lohnt es sich, auf zwei Aspekte der klassischen Naturwissenschaften und ihrer Denkweise hinzuweisen. Der erste ist der altvertraute, daß sie unbestreitbar erfolgreich waren. Sie funktionierten. Darauf kann man gar nicht genug hinweisen. In unserer Zeit – seit es aussieht, als untergrüben die neuen Naturwissenschaften die klassischen – sind viele schlaue und ausgetüftelte Versuche unternommen worden, die abendländische Wissenschaft wegzuerklären und sie nur als Produkt einer besonderen Kultur in einer besonderen Zeit hinzustellen. Diese Sichtweise ist sehr attraktiv, denn sie bereinigt mit einem Schlag das Problem mit der wissenschaftlichen Wahrheit. Sie impliziert, daß die Vorstellung von Wahrheit ganz aus der Wissenschaft herausgenommen und durch den Begriff der Lebensfähigkeit oder der Akzeptanz ersetzt wird. Den Naturwissenschaften wird damit der Anspruch auf die höchstmögliche Krönung verwehrt.

Aber all diese Theorien müssen sich der Tatsache stellen, daß keine Kultur etwas hervorgebracht hat, das universell ähnlich wirksam wäre. Ein naturwissenschaftliches Experiment, das in Chicago durchgeführt wird, zeigt dieselben Ergebnisse, wenn man es in Tokio durchführt. In der Tat wird es auch auf dem Mond oder auf einem entfernten Sternbild dieselben Ergebnisse erbringen, wenn man es unter genau denselben Bedingungen veranstaltet. (Manche mögen das für den letztgenannten Standort bestreiten, aber nach unserem gegenwärtigen Wissensstand läßt es sich so behaupten.)

Wenn die Naturwissenschaften nicht mehr als ein ortsgebundenes, kulturelles Produkt sind, ist diese Universalität der unerklärlichste und unverständlichste Zufall, den man sich vorstellen kann. Es ist genau so, als ob man van Gogh auf dem Mars entdecken würde! Und es handelt sich um einen einzigartigen Zustand. Malerei oder Musik weisen in Chicago und Tokio völlig unterschiedliche geschichtliche Entwicklungen auf, Religionen widersprechen einander, in der Politik hat erst in den letzten Jahrzehnten ein Miteinander begonnen, doch es gibt keine japanische Naturwissenschaft, die sich in ähnlicher Weise von amerikanischer Naturwissenschaft unterscheiden ließe. Es gibt nur eine Naturwissenschaft, und im Verlauf der Zeit beugen sich alle Kulturen ihrer Allmacht und ihrer Weigerung, eine Nebenrolle zu spielen. Die einzig vernünftige Schlußfolgerung die sich daraus ziehen läßt, scheint also die zu sein, daß die Naturwissenschaften aus irgendeinem Grunde die *eine* Art menschlicher Erkenntnis sind, die uns wahrhaftig einen Zugang zur »wirklichen« Welt ermöglicht.

Um den zweiten Aspekt der klassischen Naturwissenschaften und ihrer Denkweise zu erläutern, muß ich ein wenig ausholen: Sowohl im klassischen Sinne als auch in ihrer Ausprägung im 20. Jahrhundert sind die Naturwissenschaften waghalsige Vereinfachungen. Galileis berühmtestes Experiment – das gleichzeitige Fallenlassen zweier unterschiedlicher Gewichte vom schiefen Turm von Pisa – sollte die Einheitlichkeit der Wirkung der Schwerkraft beweisen. Und für Galilei und die begeisterten Zuschauer tat es das auch. In der Tat übt dieses Experiment heute eine ähnliche Wirkung auf uns aus, weil man uns beibrachte, die Welt so zu verstehen – als grundlegenden Gesetzen unterworfen. Die Geschwindigkeit zweier Objekte im freien Fall nimmt unabhängig von ihrem Gewicht im gleichen Verhältnis zu. Beide müßten daher den Boden zur gleichen Zeit erreichen. Doch die Gewichte schlugen nicht zur gleichen Zeit auf dem Boden auf. Der Luftwiderstand bewirkte einen leichten Unterschied – was sich bei jedem Experiment zeigte, das innerhalb der Erdatmosphäre stattfand. Was Galilei betraf, spielte dieser Unterschied keine Rolle, weil er viel zu klein war, als daß er in irgendeiner Beziehung zur Differenz der Gewichte hätte stehen können. So kann der Luftwiderstand einen Unterschied von einem Prozent verursachen, während die Gewichte um fünfzig oder hundert Prozent ungleich sein können. Galileis Aussage bestätigte sich: Der Gewichtsunterschied hat keinerlei Einfluß auf die Schwerkraftbeschleunigung.

Es wäre nun absolut möglich, und würde auch mit dem gesunden Menschenverstand völlig im Einklang stehen, die Auffassung zu vertreten, Galilei habe unrecht gehabt, weil die Gewichte nicht mit derselben Geschwindigkeit gefallen waren, wie er es vorhergesagt hatte. Aber wenn die Welt diesen Standpunkt eingenommen hätte, gäbe es keine Wissenschaft! Unsere Erkenntnis wäre im endlosen Chaos und in der Komplexität örtlicher Bedingungen steckengeblieben. Jedes Fallexperiment hätte zu einem jeweils völlig anderen Ereignis geführt. Wir könnten niemals verallgemeinern, niemals sinnvolle Differenzierungen vornehmen, niemals vereinfachen.

In Galileis Vorstellung und in unserer heutigen aber unterscheiden sich fallende Gewichte in ihrem Verhalten nicht voneinander. Sie unterliegen fundamentalen Gesetzen, die durch örtliche Bedingungen beeinflußt werden. Wir können aber nur dann irgend etwas Sinnvolles oder Nützliches über die Welt sagen, wenn wir örtliche Komplexitäten außer acht lassen, um die grundsätzliche, einfache Struktur dieser Gesetze aufzudecken.

Dieser Aspekt des naturwissenschaftlichen Denkens hat eine so starke Auswirkung wie jedes geschichtliche Ereignis. Er hat die menschliche Vorstellungskraft dazu ermutigt, sich der Anbindungen an die Erde und an sich selbst zu entledigen. Niemand nimmt die Welt spontan als Newtonsches System oder in ihrer idealen galileischen Einfachheit wahr. In der Tat lehnt sich all unsere Erfahrung gegen solch eine Wahrnehmung auf – wir sehen keine gleichförmige Bewegung, wir können für Experimente auf keinerlei reibungslose Oberflächen zurückgreifen. Wenn wir aber einmal davon ausgehen, daß all das, was geschieht, jeweils nur die lokal bedingte Variante eines von vielen leicht einsichtigen Gesetzen repräsentiert, dann können wir auch akzeptieren, daß unsere Erfahrungen mit der Welt bodenlos oberflächlich sind und hoffnungslos abhängig von den Zufälligkeiten, die sich aus der örtlichen Komplexität ergeben. Wir haben uns der Überzeugung verschrieben, daß sich unter dieser Komplexität eine einfache Wirklichkeit verbirgt. Die klassischen Naturwissenschaften funktionieren danach deshalb, weil sie vereinfachen. Sie beschäftigen sich nur mit den Problemen, die mit den bekannten Methoden lösbar sind. Das gesamte Wissenschaftsgebäude ist bei aller hermetischen Abgeschlossenheit für den Nichteingeweihten nur ein riesiges Monument der Vereinfachung.

Um auf Newton zurückzukommen: Vereinfachung kann auch erklären, warum eine Theorie unrichtig oder unvollständig und dennoch effektiv sein kann. Newtons großartige Vereinfachung war eine glänzende Synthese der Beschreibungen des Verhaltens von Materie innerhalb gewisser großmaßstäblicher Verallgemeinerungen. Diese werden dann erst hinfällig, wenn die Grenzen von Geschwindigkeit,

Zeit oder Raum erreicht werden. Er hatte recht, soweit es das allgemeine Verhalten der Materie betraf, wie es sich in dem Maßstab abspielt, den die Menschen wahrnehmen können. Dies wurde durch seinen mathematischen Formalismus gestützt, der – wie bei den magnetischen Feldern – die Lücken der Theorie schließen konnte. Dieser Formalismus ermöglichte es, einen Bereich in die Theorie einzubeziehen, um die Gleichung lösen zu können. Vereinfachungen können daher umwerfend effektiv sein, auch wenn sie nicht korrekt oder vollständig sind. Manche würden hier noch weiter gehen und behaupten, Vereinfachungen könnten, gerade weil sie Vereinfachungen und daher im Kern künstlich sind, niemals korrekt oder vollständig sein. Die komplexen Daten der Erfahrung außer acht zu lassen heißt, alles außer acht zu lassen. Andere, wie zum Beispiel der englische Wissenschaftler Peter Atkins, glauben, die wissenschaftliche Methode der Vereinfachung sei deshalb richtig, weil die Wirklichkeit selbst in ihrem Kern einfach ist. In seiner naturwissenschaftlichen Streitschrift *The Creation (Die Schöpfung)* schreibt Atkins, er führe uns auf eine Reise, bei der er uns zeigen werde, »daß es nichts gibt, was sich nicht verstehen läßt, nichts, was sich nicht erklären läßt, und daß alles im Grunde genommen außerordentlich einfach ist«.[3]

Dies ist die klassischste aller klassischen Naturwissenschaften, und sie beruht auf der Annahme, die anscheinend dem gesunden Menschenverstand entspringt, daß es da draußen eine wirkliche Welt gibt, die wir mit der Zeit vollkommen verstehen werden.

Ich bin aber davon überzeugt, daß der gesunde Menschenverstand nur Schein ist. Wir finden ihn bei Atkins nur vor, weil die vergangenen 400 Jahre intellektueller und naturwissenschaftlicher Geschichte diesen gesunden Menschenverstand in uns eingepflanzt haben. Warum sollte die Welt einfach sein? Wer hat das entschieden? Wer hat das angeordnet? Darauf gibt es keine Antwort, denn nirgendwo können wir eine Sicherheit finden. Der Sprung von der Effektivität zur Wahrheit ist ein Glaubenssprung. In Wirklichkeit macht Atkins nichts anderes geltend als eine solche Glaubenserklärung. Und deren Leidenschaftlichkeit erwächst daraus, daß sein Glaube sich in den Offenbarungen der Naturwissenschaften des 20. Jahrhunderts bewährt hat, am erfolgreichsten in der Quanten- und der Chaostheorie. Denn im Kern sind diese Offenbarungen Enthüllungen von Komplexität. Im Relativitätsbegriff eröffnet sich uns etwas, das ein wenig anders ist.

Zurück zu unserem Thema. Das verhängnisvolle Erbe von Faraday, Maxwell und Lorentz sollte im Jahre 1900 sein wahres Wesen zeigen. Im Oktober desselben Jahres sagte Max Planck zu seinem Sohn bei einem Spaziergang im Berliner Grunewald: »Heute habe ich eine Entdeckung gemacht, die ebenso wichtig ist wie die Entdeckung Newtons.«[4] Er hatte recht damit.

Seine Entdeckung umfaßte nicht mehr als eine Zahl. Sie wurde als Plancksche Konstante bekannt und wird allgemein mit h bezeichnet. Diese Zahl resultierte aus einer völlig neuen Einsicht. Plancks These war, daß Energie stets und ausschließlich als eine Folge von Quanten, kleinen »Päckchen«, ausgestrahlt wird. Diese sind sehr klein, aber dennoch voneinander getrennt (diskret).

Tatsächlich war die Winzigkeit des Quantums genau das, was für den Erfolg der Vereinfachungen der Newtonschen Mechanik gesorgt hatte. Denn die Newtonschen Näherungen funktionierten unter der Voraussetzung, daß die Energiestrahlung stetig war, wunderbar. Die Vorstellung dieser Stetigkeit zeugte von gesundem Menschenverstand, denn sie entspricht unserer Lebenserfahrung. Wenn sich der Himmel am Abend verdunkelt oder in der Morgendämmerung aufhellt, sehen wir diesen Vorgang als fließende, gleichmäßige Bewegung und denken nicht daran, daß er sich in einer Reihe von Sprüngen vollziehen könnte. In ähnlicher Weise stellen wir uns den Vorgang der Abkühlung und Erwärmung von Luft als gleichmäßigen Prozeß vor, bei dem die Temperaturskala stetig durchschritten wird. Plancks h bewies jedoch, daß dieses gleichmäßige Fließen auf der Ebene des sehr Kleinen nicht stattfindet. Er hatte entdeckt, daß die Natur im Grunde nicht stetig ist. Die fließenden Linienführungen, die wir sehen, sind in Wirklichkeit eine Reihe unglaublich winziger Sprünge, die berühmten Quantensprünge. Wären diese Sprünge groß gewesen, hätte Newtons System niemals einen Sinn haben können, weil das Energiespektrum offenkundig unstetig gewesen wäre.

Dieses Thema mag wie ein kleiner Mosaikstein innerhalb der naturwissenschaftlichen Theorien erscheinen, dennoch hat es große

Bedeutung, denn alle Folgerungen aus dieser Erkenntnis sind niederschmetternd, ungewöhnlich und liegen völlig außerhalb unserer Alltagserfahrung. Wir wissen tatsächlich immer noch nicht, welche Konsequenzen sie noch haben wird. Wir können das Quantum h mit der Lösung einer Detektivgeschichte vergleichen, deren Handlung wir nicht kennen.

Plancks Entdeckung der Zahl hatte etwas Magisches: Er fand sie einfach als eine Lösungsmöglichkeit für Gleichungen und nicht auf dem Weg der Intuition oder im Experiment. Das erinnert an die Methode des Romanhelden des Wissenschaftszeitalters Sherlock Holmes, die er 1889 dem duldsamen Dr. Watson in *The Sign of Four (Das Zeichen der Vier)* beschreibt. Er fragt ungeduldig: »Wie oft habe ich Ihnen gesagt, daß man nur alle Unmöglichkeiten zu beseitigen braucht; was dann übrig bleibt, muß trotz aller Unwahrscheinlichkeit der wirkliche Sachverhalt sein.«[5]

Und wenn es noch so unwahrscheinlich zu sein scheint . . . wen die Quantenmechanik nicht schockierte, der habe sie nicht verstanden, sagte Niels Bohr später. Erwin Schrödinger sollte über die Wahrheiten der neuen Physik schreiben, daß sie nicht ganz so sinnlos seien wie ein dreieckiger Kreis, aber viel sinnloser als ein geflügelter Löwe. In beiden Bemerkungen steckt die Botschaft, Quantenphysik könne mit dem gesunden Menschenverstand oder mit Intuition nicht in Übereinstimmung gebracht werden. Sie schien bizarr und absurd zu sein. Doch sie mußte einfach wahr sein, weil die Zahlen für sie sprachen. Newton und Galilei hatten uns, als sie zeigten, daß die Wahrheit in universalen Gesetzen steckte, die weit außerhalb der Reichweite unserer Alltagswahrnehmung liegen, darauf vorbereitet. Ihre Versionen jener Gesetze lagen aber noch völlig im Bereich des Intuitiven. Was sich aus der Quantentheorie ergab, sollte unsere Fähigkeit auf die Probe stellen, die wahre Beschaffenheit der Welt auch nur in Ansätzen zu erraten. Das Quantum lehrte uns, daß es eine Wirklichkeit gab, die sich außerhalb menschlicher Wahrnehmungsfähigkeit und weit jenseits vom Bereich menschlicher Intuition befand. Dies ist die Erkenntnis, die uns das schwindelerregende Gefühl gibt, unsere Perspektive könne niemals ganz richtig sein. Es ist die Erkenntnis, daß wir auf ewig zum falschen Maß verdammt sein werden. Wie die Vorstellung, nach der Gulliver bei Swift oder Alice bei

Carroll wachsen und schrumpfen, und wie die Frage vieler Philosophen seit Descartes, ob wir Menschen oder Götter sind, so eröffnet uns die Quantentheorie die Unklarheit unseres Standorts im Universum. Newtons Wahrheit bezog sich auf die Wahrnehmung aus der Perspektive des Menschen. Hätten wir die Größe von Atomen, wäre diese Wahrheit nur ein komisches Zerrbild ihrer selbst. Von Billardkugeln könnten wir nicht einmal träumen, sondern nur von grenzenlosen Feldern der Unbestimmtheit.

Das revolutionär Ungewöhnliche dieser Wirklichkeit bringt es mit sich, daß wir noch einen langen Weg vor uns haben, bis wir ihre Bedeutung verstehen können, selbst wenn wir uns nur auf den Bereich der Physik konzentrieren. Was die Konsequenzen daraus für unsere Alltagserfahrungen betrifft, so können wir sie bisher kaum erahnen. Manche haben Gott im Quantum gefunden, andere sehen darin nur ein ausgedehntes, neues Forschungsgebiet der Physik. Einige behaupten, die Entdeckung des Quantums zeige wieder einmal das bevorstehende Ende der menschlichen Erkenntnis über das Verhalten der Materie an, wieder andere glauben, es decke nur die immer noch unergründlichen Tiefen unserer Unkenntnis auf.

Bevor ich aber einige der Entwicklungen der Quantentheorie beschreibe, werde ich eine andere Revolution erörtern, die sich fünf Jahre nach dem Spaziergang im Grunewald ereignete. Merkwürdigerweise sollte sie die Quantentheorie bestreiten und führte zu einem tiefen Riß in unserem Lehrgebäude der Physik, der immer noch auf eine Reparatur wartet.

Im Jahr 1905 veröffentlichte Albert Einstein vier Schriften. Alle waren revolutionär. Die dritte, *Über die Elektrodynamik beweglicher Körper*, enthielt die Spezielle Relativitätstheorie. Zehn Jahre später erarbeitete Einstein seine Allgemeine Relativitätstheorie und vollendete damit seine Leistung. Er hatte Newton vom Sockel gestürzt.

Einstein löste die Newtonschen Fesseln von absoluter Zeit und absolutem Raum. Raum und Zeit wurden relativiert und vereint. Sie waren Aspekte derselben Grundwirklichkeit, ergaben ein Kontinuum, das gekrümmt und in sich gefaltet war. Die Schwerkraft stellte eine Verzerrung dieses Kontinuums dar, verursacht durch die Gegenwart von Masse. Masse und Energie waren entsprechend der Gleichung e (Energie) = m (Masse) $\times$ c^2 austauschbar. c war die magische Konstante im ganzen System – die höchste Schnelligkeit, die absolute Geschwindigkeit, mit der ein Signal weitergetragen werden kann. Sie war die einzige Konstante im relativen Universum Einsteins, und sie umschließt in gespenstischer Weise alles, was wir wissen können.

In allgemeiner Form sind diese Dinge heute vertraut genug, ihre Konsequenzen aber bleiben bizarr wie eh und je. Objekte schrumpfen, wenn sie in Bewegung sind, Raumzeit ist gekrümmt, Licht wird durch die Schwerkraft gebeugt und so weiter. Doch solche Dinge ereignen sich unter Bedingungen, die so weit von unserer Alltagserfahrung entfernt sind, daß wir immer noch in einer Welt leben, die sich für alle ihre Vorhaben und Zwecke nach Newton richtet.

Wieder sehen wir uns den Widersprüchlichkeiten des Maßstabs gegenüber. Die Quantentheorie enthüllte, daß unsere intuitiven Wahrnehmungen und deren mechanische Ausweitungen auf der Ebene des sehr Kleinen unrichtig waren. Die Welt, die wir sehen, ist eine Funktion unserer eigenen Größe. Es stellte sich heraus, daß die Wahrheit, auf die wir so stolz waren, nicht mehr war als *unsere* Wahrheit, als eine ortsbedingte Vereinfachung, als eine besondere Weise, über die Dinge zu reden.

Es sei ein Irrtum zu denken, die Aufgabe der Physik sei es, herauszufinden, wie die Natur beschaffen ist; die Physik beschäftige sich damit, was wir über die Natur *aussagen* könnten – sagte Niels Bohr, der an der Quantentheorie ganz maßgeblich mitgewirkt hatte. Dies war die stärkste Aussage des neuen, antiklassischen Glaubens. Die Naturwissenschaften waren nicht der Königsweg, der zur Wahrheit führte, sondern vielmehr eine Art unklarer Kompromiß mit der Natur.

Trotz all der umstürzlerischen Auswirkungen der Einsteinschen Physik und trotz aller radikalen Entwicklungen in der Physik, die sich seinetwegen und während seiner Lebenszeit ereigneten: Das Bemerkenswerteste an diesem Mann ist sein entschiedener Klassizismus. Er war zutiefst überzeugt davon, nichts grundsätzlich Neues getan zu haben. Er hatte Newton nicht gestürzt, sondern lediglich auf dessen Leistung aufgebaut.

Einstein war ein nahezu besessener Anhänger der Klassik in der Physik. Das bedeutet vor allem, daß er die Grundlagen, auf denen die naturwissenschaftlichen Vorhaben aufbauten, immer noch für unangetastet hielt. Mit Hilfe von Einsicht, Experiment und Beobachtung war der menschliche Intellekt in der Lage, Theorien über das Wesen einer Welt jenseits seiner eigenen aufzustellen. Es ging dabei um eine wirkliche Welt, die sich entsprechend der klassischen Auffassung von Kausalität und logischer Übereinstimmung verhielt. Jede Wirkung hatte eine Ursache, die irgendwann auch gefunden werden konnte, und überall im Universum galten die gleichen physikalischen Gesetze. Einstein hatte zur Abdankung einer bestimmten Form der Klassik beigetragen, indem er eine neue erschuf. Er verwarf einen Klassizismus, der durch die Vorstellungswelt des gesunden Menschenverstandes verfälscht und mit der Erde verbunden worden war. Er ersetzte ihn durch etwas, das weitaus stärker, fremdartiger und flexibler war. Leidenschaftlich aber hielt er an der zentralen klassischen Lehrmeinung fest, die Welt könne mit dem Verstand erschlossen werden. Vielleicht war es gerade diese Verbindung von verstandesgelenkter, humanistischer Leidenschaft mit der Fremdartigkeit seiner Erkenntnisse, die ihn zur Vorzeigefigur und zum Sympathieträger der modernen Naturwissenschaften hat werden lassen – zum wahren Abbild der zeitgenössischen Vorstellung von einem Genie.

Genau wie die alte, wurde diese neue Klassik durch die Großartigkeit und Genauigkeit ihrer Vorhersagen untermauert. Eines der wenigen Experimente, das man anstellen konnte, um die Gültigkeit der Allgemeinen Relativitätstheorie zu bestätigen, bestand darin, festzustellen, ob das Licht, das von den hinter der Sonne liegenden Sternen kam, durch das Schwerkraftfeld der Sonne gekrümmt wurde. Diese Untersuchung konnte nur während einer Sonnenfinsternis durchgeführt werden. Der Astronom Arthur Eddington nutzte eine Sonnenfinsternis im September 1919 dazu, die entsprechenden Sterne zu beobachten, und sie erwiesen sich tatsächlich als ortsverschoben, auf eine Weise, die mit den Berechnungen Einsteins nahezu vollständig übereinstimmte. Im November jenes Jahres wurden die Ergebnisse auf einem gemeinsamen Treffen der Royal Society und der Royal Astronomical Society öffentlich bekanntgegeben. Der Mathematiker Alfred North Whitehead beschrieb diese Zusammenkunft sehr aufschlußreich:

»Schon in der ganzen Inszenierung lag ein dramatischer Effekt – das traditionelle Zeremoniell und im Hintergrund das Bild Newtons, das uns daran erinnerte, daß die größte aller wissenschaftlichen Verallgemeinerungen nun, nach mehr als zwei Jahrhunderten, ihre erste Abwandlung erfuhr.«[6]

Die Ergebnisse Eddingtons entsprachen der Wiederkehr des Halleyschen Kometen, die auf der Grundlage der Newtonschen Mechanik vorhergesagt worden war. Der Komet war tatsächlich wieder erschienen, das Licht wurde gebeugt, das Universum folgte den Regeln; es funktionierte.

Sein Bekenntnis zur Klassik hinderte Einstein nicht daran, sich außerhalb des physikalischen Bereichs unglaublich inkonsequent zu verhalten. Obwohl er zum Beispiel an die Möglichkeit glaubte, daß alles wissenschaftlich beschreibbar sei, gab er zu, daß eine solche Beschreibung ebenso sinnlos wäre als beschriebe man eine Beethoven-Symphonie als Variationen des Wellendruckes. Zu sagen, es wäre sinnlos, heißt aber gerade zuzugeben, daß man tatsächlich nicht alles ausdrücken kann – der Sinn fehlt.

Vor diesem Hintergrund kann man Einsteins häufige Berufung auf Gott eher rhetorisch als wörtlich verstehen. In ihr äußert sich das Grundlegende und Universale seines Unterfangens. Ganz nachdrücklich belegt diese Anrufung aber die Tiefe der Einsteinschen Überzeugung, was den Klassizismus der Aufgabe betrifft, die den Naturwissenschaften aufgegeben ist. Sie sollen alles erklären, zur höchsten Verallgemeinerung, zur größten Vereinfachung gelangen.

Die Tragödie im Leben Einsteins bestand darin, daß dieser Ansatz ihn nach 1915 in eine Wüste der Spekulationen führte, die zunehmend fruchtloser wurde. Er verbrachte seine Tage damit, eine »vereinheitlichte Feldtheorie« zu entwickeln, welche die Gesetze der Physik abschließend in ein solch vollständiges System einbinden sollte, wie das Newtonsche es gewesen war. Er sollte keinen Erfolg damit haben, entweder, weil er – besonders im subatomaren Bereich – nicht genug wußte, oder weil eine solche Theorie unmöglich ist. Schmerzhafter, als jede mögliche Ursache wirkte sich die Art seiner Erfolglosigkeit auf ihn aus. Er konnte sich nämlich niemals dazu überwinden, das seltsame und unkontrollierbare Theoriengebäude zu akzeptieren, das sich aus Plancks Quantum entwickeln sollte. Das Drama seines späteren Lebens war zu großen Teilen die Folge seiner berühmten, aber zum Scheitern verurteilten Versuche, aufzuzeigen, daß die Quantentheorie, die eine solch wichtige Rolle in seiner eigenen Speziellen Relativitätslehre gespielt hatte, eigentlich unzulänglich sei.

Die Vereinheitlichung, nach der Einstein strebte, wird heute immer noch gesucht – es handelt sich um die Vereinheitlichung in der Theorie von Allem. Doch Einstein hatte gehofft, daß diese Vereinheitlichung die seltsamen Widersprüche, die sich aus der Quantentheorie ergaben, letztlich ausschließen könnte. Er war der Meinung, diese Widersprüche hingen einfach damit zusammen, daß wir nicht genug wüßten. Wenn wir erst einmal die richtigen Gleichungen gefunden hätten, würden sich die eigenartigen, gegen alle Intuition verstoßenden Aspekte der Quantentheorie auflösen. Heute besteht weitgehende Übereinstimmung darüber, daß die Vereinheitlichung nur erlangt werden kann, wenn man einen Weg findet, Quantentheorie und Relativitätstheorie miteinander zu verbinden. Den Naturwissenschaften im 20. Jahrhundert sollte nämlich das eigenartige Schicksal widerfahren, zwei immens aussagekräftige Theorien hervorgebracht zu haben – manchmal werden sie auch für die gewaltigsten gehalten, die es überhaupt gibt –, um dann entdecken zu müssen, daß sich diese Theorien ganz offensichtlich widersprechen.

Die Quantenwelt, die sich uns erschließt, wenn wir den Zauberstab in Form von Plancks ›h‹ in Händen halten, ist die Welt des unfaßbar Kleinen, im Gegensatz zu den unermeßlichen Bewegungen der Planeten und Himmelskörper, um die es bei der Relativitätstheorie geht. Vielleicht sollte es uns daher nicht überraschen, wenn die Theorien, die wir benötigen, um das sehr Große und das sehr Kleine zu erklären, nicht miteinander übereinstimmen. Unglücklicherweise ist es aber nach wissenschaftlicher Vorstellungsweise unbedingt erforderlich, daß sie auf irgendeine Art, die wir noch nicht begreifen können, übereinstimmen. Es kann hier kein Widerspruch in die Natur eingebaut sein, er kann nur in unseren Köpfen bestehen.

Die Entdeckung, daß Energie nur in einzelnen Quanten ausgestrahlt wird, und das auf dieser Erkenntnis fußende Systemgebäude der Quantentheorie, dessen Hauptbestandteil als Quantenmechanik bekannt ist, sind nach praktischen, erdgebundenen Begriffen die wahrscheinlich erfolgreichste einzelne naturwissenschaftliche Neuerung aller Zeiten. Unsere Elektronik gründet vollständig auf den überwältigend genauen Vorhersagen der Quantentheorie. Wenn praktischer Erfolg ein Zeichen für Wahrheit ist, dann ist die Quantentheorie so wahr wie nur irgend etwas.

Das Problem besteht darin, daß sie anscheinend das gesamte klassische Ideal zu Fall bringt. Das tut sie auf vielfältige Art.

Zunächst einmal zeigt Plancks Quantum, daß nur bestimmte Energiezustände möglich sind. Da ein Energiezustand die Umlaufbahn eines Elektrons um den Kern eines Atoms festlegt, bedeutet dies, daß nur bestimmte Umlaufbahnen möglich sind. Die Natur kann das ›h‹ nicht weiter unterteilen. Wenn also ein Elektron mit genügend Energie geladen ist, wird es sich aus seiner Umlaufbahn weg in eine andere begeben. Es »bewegt« sich aber überhaupt nicht. Es verschwindet einfach aus einer Umlaufbahn und erscheint in der nächsten. Dazwischen liegt nichts. Es ist gerade so, als hätten wir beschlossen, uns einen Schluck Wasser zu genehmigen, und beobachteten dabei, wie das Glas vom Tisch an unsere Lippen gelangt, ohne den dazwischen liegenden Raum zu durchqueren. Das Quantum der Wirkung ist so klein, daß wir die Auswirkung nicht sehen können. Beim Anschauen eines Filmes nehmen wir ja auch nicht jede einzelne Einstellung wahr, sondern die Illusion einer Bewegung. Die Quantenwahrheit besteht im Kern darin, daß die Natur aus einer Reihung von Einzelaufnahmen besteht.

Dieser Anschlag auf den gesunden Menschenverstand ist sogar noch weitreichender. Strahlung entsteht, weil Teilchen ausgesandt werden. Statistisch mögen wir mit ungeheurer Genauigkeit wissen, wie viele Teilchen in einer gegebenen Zeit ausgestrahlt werden. Auf der Quantenebene aber wird ersichtlich, daß wir fast nichts wissen können. Wie viele Teilchen, das können wir wissen, nicht aber, warum gerade dieses Teilchen und nicht irgendein anderes. Das mag zunächst ganz harmlos erscheinen. Man bedenke aber die Konsequenzen! Die Quantentheorie besagt, daß, wie fein auch immer unsere Beobachtung sein mag, wir niemals je wissen können, welches Teilchen als nächstes ausgestrahlt werden wird. Das heißt, wir kön-

nen für das Ausstrahlen keinen Grund entdecken. Die Quantentheorie, so hat es den Anschein, zeigt auf, daß Kausalität eine Grenze
hat – etwas, das in jedem wirklich klassischen System unvorstellbar
ist.

Im außergewöhnlichen und instinktiv antiklassischen Denken des
Quantentheoretikers Werner Heisenberg sollte sich diese Rätselhaftigkeit noch vertiefen und auch uns selbst miteinbeziehen. Das
Quantum setzte nicht nur eine physikalische Grenze, es setzte auch
eine erkenntnistheoretische, einen Grenzbereich, den unser Wissen nicht überwinden konnte. Die erstaunliche Gewißheit der Ungewißheit war ein in das Gewebe unserer Welt eingewirkter Bestandteil! Wir konnten nicht alles über ein Teilchen wissen. Je besser wir seine Geschwindigkeit kannten, desto ungenauer war unsere
Kenntnis seines Standortes, je besser wir seinen Standort kannten,
desto ungenauer war unsere Kenntnis seiner Geschwindigkeit. Es
handelte sich dabei hier nicht um ein Beobachtungsproblem, es
war vielmehr die berechenbare Folge aus Experiment, Theorie und
Beobachtung. Es ging nicht einfach darum, daß *wir* diese Tatsachen
nicht wissen konnten, es ging vielmehr darum, daß *sie nicht gewußt
werden können.*

Es kam noch schlimmer: Die Tatsache, daß wir beobachteten,
schien Einfluß zu haben auf die wirkliche Welt. Teilchen veränderten ihr Verhalten, wenn sie beobachtet wurden. So wie spätere Philosophen eine Umstellung vornahmen vom »Ich denke« des Descartes
zum »Denken findet statt«, haben Quantentheoretiker das experimentelle »Ich beobachte« in der Tat zu einem »Beobachtung findet
statt« verändert. Das Subjekt und das Objekt verschwimmen in der
Quantenwelt.

In der Zwischenzeit führte Niels Bohr sein berühmtes, ja, in der
Tat berüchtigtes Prinzip der Komplementarität ein. Es besagt, daß
ein einziges konzeptuelles Modell nicht ausreichend sein kann, um
alle Beobachtungen des atomaren und subatomaren Verhaltens in
verschiedenen Experimenten hinreichend zu erklären. Am bekann-
testen ist das Beispiel der einander entgegengesetzten Wellen- und
Teilchenmodelle zur Erklärung des Verhaltens von Licht. Manchmal
verhält sich das Licht so, als bestünde es aus Teilchen, aus winzigen
Objekten, die herumschweben. Manchmal verhält es sich wie eine

Welle auf einer Teichoberfläche. Diese Dualität ist absolut. Wenn Licht eine Welle ist, ist es unbestreitbar eine Welle; wenn es ein Teilchen ist, gibt es nichts, was diese Teilchenhaftigkeit in Abrede stellen kann. Bohrs Komplementarität funktionierte dadurch, daß man die Dualität einfach als gegeben annahm. Auch hier handelte es sich um einen Angriff auf die Klassik, die eine irgendwie geartete einzige Wahrheit postuliert. Was Bohr anbelangt, ging es in der Physik nur darum, was wir über die Welt aussagen können, nicht aber darum, was wir von der letzten Wahrheit wissen können.

Der Angriff auf die Klassik spielte sich an einer Unzahl von Fronten ab. Wenn solch ein Geschehen wie die Strahlung der Kausalität nicht gehorchte, hieß das, unsere Welt war zutiefst nicht kausal? Wenn unsere Kenntnis der Materie nur begrenzt war, bedeutete das, daß das ganze klassische Unterfangen unvollständig bleiben mußte? Wenn der Beobachter Einfluß nahm auf das Beobachtete, war es dann sinnvoll, mit klassischen Begriffen von einer Welt zu sprechen, die jenseits und unabhängig von unserer Gegenwart existierte? Wenn sich die Wirklichkeit unter unterschiedlichen Umständen unterschiedlich verhielt, war das ein Hinweis darauf, daß es überhaupt keine Wirklichkeit gab?

Die Quantentheorie enthielt sogar eine besondere Falle für diejenigen, die gedacht haben mochten, nun sei wenigstens Aristoteles aus den ehrlichen Naturwissenschaften hinausgeworfen worden. Denn es zeigte sich, daß er recht hatte: Die Quantentheorie belegt, daß es in der Natur kein Vakuum geben kann! Wegen des Unschärfeprinzips können wir nicht sagen, daß ein Teilchen den Ort Null und die Geschwindigkeit Null habe – was die Definition eines Vakuums wäre. Wir müssen sagen, daß der Raum tatsächlich voller Teilchen ist, die jederzeit existent werden können. Weit davon entfernt, leer zu sein, umschließt der Raum eine Fülle von Möglichkeiten. In der Tat ist das die einzig sinnvolle Art, den Raum zu beschreiben. Ein Vakuum kann nicht vorhanden sein, weil das Vorhandensein vorhanden ist.

Es schien, als sei mit diesen Erkenntnissen ein Loch in das Gewebe der klassischen Naturwissenschaft gerissen worden, und es gab viele, die daraus schlossen, das ganze Unterfangen habe nun ein Ende. Der nüchterne, dem Klassischen zugeneigte Planck war entsetzt über das, was er angefacht hatte. Im Jahre 1933 fühlte er sich gedrängt, auf der übergeordneten Rolle des Kausalitätsprinzips zu bestehen:

»Denn das naturwissenschaftliche Denken verlangt nun einmal nach Kausalität; insofern ist wissenschaftliches Denken gleichbedeutend mit kausalem Denken, und das letzte Ziel einer jeden Wissenschaft besteht in der vollständigen Durchführung der kausalen Betrachtungsweise.«[7]

Naturwissenschaft, so bekräftigte er, ist Kausalität; bei seinem ›h‹ handele es sich allein um einen genaueren Wert für die Details der Kausalität und nicht um einen Schlüssel zu einem magischen, unvorhersagbaren Bereich außerhalb der Naturwissenschaften.

Weniger beunruhigt, aber mit größerem Nachdruck, kommentierte Einstein sarkastisch die Tatsache, daß es offensichtlich nicht möglich war, über statistische Hinweise hinaus Erkenntnisse über die Grundbausteine der Materie zu gewinnen, indem er wieder einmal Gott ins Bild brachte: »Gott würfelt nicht.«[8]

Gott gehörte untrennbar zum Ideal des Klassizismus. Er war die letztgültige cartesianische Garantie dafür, daß unser Verstand uns nicht trügt. Wieder einmal aber zeigte sich bei Einstein ein bedeutsamer Widerspruch. Der Grund, warum er diese Bemerkung über Gott und seine Würfel machte und warum sie in der breiten Öffentlichkeit weiterwirkt, liegt im Heraufbeschwören des Bedürfnisses nach einem *moralischen* Bestand im Universum. Es würde unmoralisch erscheinen, wenn Gott wie irgendein Glücksspielgauner mit unseren Schicksalen spielte. Deshalb entschied sich Einstein dafür, so etwas nicht zu glauben.

Was aber folgt aus dieser Entscheidung? Einstein behauptete, die Wirklichkeit sei dazu verpflichtet, geordnet zu sein – moralisch verpflichtet. Das aber ist verdeckter Antiklassizismus. Er legte nahe, in der Natur gebe es einen moralischen Wert, und genau das ist es, was die klassischen Naturwissenschaften bestreiten. Einsteins Klassizismus zerbröckelte, weil Einstein ein emotionales Bedürfnis danach hatte, Erkenntnis und Wert miteinander verbunden zu wissen. Es war ihm nicht möglich zu glauben, der gute Gott habe ein Universum erschaffen, das auf solch einem furchtbaren, unvernünftigen Zufallsspiel beruhte. Oder vielmehr – sein Gott war ja eher ein rhetorisches Hilfsmittel als eine Wirklichkeit: Einstein konnte nicht glauben, daß solch ein Universum errichtet werden konnte.

Warum aber nicht? Was wäre, wenn Gott tatsächlich mit Würfeln spielte? Schließlich stimmen Quantenmechanik und gesunder Menschenverstand wenigstens mit unserem Alltagsgefühl überein, daß die Welt ein gefährlicher und unvorhersagbarer Ort ist. Alles was die Quantentheorie anscheinend sagte, war, daß dieser Ort *von Grund auf* gefährlich und unvorhersagbar war.

Leider sind Einsteins wiederholte Versuche, die Unzulänglichkeiten der Quantentheorie nachzuweisen, alle fehlgeschlagen. Der bekannteste war das »Gedanken«experiment von Einstein, Rosen und Podolsky, bei dem er nachzuweisen versuchte, daß die Unschärfe nicht mehr war als eine durch das Messen verursachte Störung. Bei diesem Experiment wurde ein Molekül in zwei gespalten. Nach Einsteins Vorhersage sollten die Eigenschaften beider Bruchstücke erhalten bleiben und keine Interaktion zwischen ihnen mehr stattfinden. Über den Zustand der aus der Spaltung resultierenden Teilchen sollte man nach Einstein mehr aussagen können, als Heisenbergs Prinzip es zulassen würde. Einstein täuschte sich. Eine der ungewöhnlichsten Verrenkungen der Quantentheorie ist nämlich das Prinzip der Nichtlokalität. Teilchen können offensichtlich auf andere Teilchen über eine Entfernung hinweg Einfluß ausüben, indem sie, wie es scheint, miteinander kommunizieren, was bedeutet, sie tauschen sich auf schnellere Weise aus als in Lichtgeschwindigkeit. Wenn wir die Lichtgeschwindigkeit, wozu wir gezwungen sind, weiterhin als Konstante betrachten wollen, besteht die einzige Lösung für das Experiment darin, daß sie dieselben Teilchen bleiben, auf irgendeine Weise, die über unser augenblickliches Vermögen, Raum und Zeit zu begreifen, weit hinausgeht.

Die Quantentheorie erfreute sich also einer robusten, wenn nicht gar ungewöhnlichen Gesundheit, die sie für die zartbesaitete Verstörung der Klassizisten unempfindlich machte. Sie funktionierte, und das nicht nur praktisch, sondern auch theoretisch. Was besonders bedeutsam war: Sie ließ es wieder möglich werden, daß die Welt physisch existierte, nachdem sogar ihre Existenz durch die Abänderungen der Newtonschen Mechanik rätselhaft geworden zu sein schien. Auf atomarer Ebene konnte man der klassischen Theorie zum Beispiel schwere Mängel nachweisen. Am offenkundigsten war, daß eine rein auf Newton basierende Vorstellung vom Verhalten der Materie in diesem Maßstab nicht möglich war, weil die Gesetze zur Instabilität führen, das heißt, die Elektronen sich auf spiralförmigem Weg in den Atomkern bohren würden. Nichts Festes konnte je existieren, weil Atome niemals die notwendige Konsistenz erlangen konnten. In der Dauerhaftigkeit und Stabilität der Materie war die Sprengkraft verborgen, die sich unter dem Gebäude Newtonscher Zuversicht versteckt gehalten hatte. Bohr schrieb: »... für mich war der Ausgangspunkt die Stabilität der Materie, die ja vom Standpunkt der bisherigen Physik aus ein reines Wunder ist«.[9]

Die Quantentheorie aber ersetzte die sich spiralförmig bewegenden Elektronen durch diskrete Energiezustände. Atome konnten nur auf bestimmte Weise existieren, und sie konnten nicht einfach unstrukturiert in einer Unendlichkeit von möglichen Zuständen hin- und herflackern. Plancks Konstante schob dem System einen Riegel vor. Materie war möglich.

Dadurch, daß die Quantenmechanik auf den gewöhnlichen Menschenverstand keine Rücksicht nahm, hatte sie einen Weg gefunden, unsere Welt wirklich sein zu lassen. Diese Lösung ließ den Tatbestand, daß die Quantentheorie verrückt war, schwach und bedeutungslos erscheinen. Sie beschrieb die Erscheinungen so überwältigend, daß sie wahr sein mußte. Leider untergrub die Radikalität der Theorie sogar diesen Rückschluß. Besonders Bohr vertrat den weitreichendsten Standpunkt, was die Konsequenzen aus dem Umsturz der Klassik betraf. Für ihn war die Wirklichkeit unendlich weit entfernt von all unseren Modellen, seien sie nun klassisch oder quantenhaft. Das uns vertraute, moderne Bild vom Atom zum Beispiel, in dem Elektronen wie in einem miniaturförmigen Planetensystem einen Kern umlaufen, war nicht mehr als ein Bild, eine bequeme Erfindung, die sich aus unseren Berechnungen ergab. Zu verlangen, daß so etwas tatsächlich existierte, war für ihn eine Art von Naivität, die der Enge unserer Wahrnehmungsfähigkeit entsprang. Hinter allem Anschein, hinter jedem postulierten Anschein gab es nur den brodelnden, unvorstellbaren Quantenfluß, und von dem konnte unmöglich behauptet werden, er sei irgend etwas anderem ähnlich.

Ehe ich mich im nächsten Kapitel den allgemeineren Folgerungen zuwende, die aus all diesen Dingen erwachsen, stelle ich hier noch eine weitergehende, wenn auch ziemlich gesonderte Entwicklung in den Naturwissenschaften des 20. Jahrhunderts dar, welche die radikal antiklassische Botschaft der Quantentheorie noch verstärkt. Es handelt sich um die Chaostheorie. Ihr Grundgedanke ist unendlich viel einfacher, aber sie hat viele revolutionäre Folgerungen mit der Quantentheorie und sogar der Relativitätstheorie gemeinsam. Das bekannteste Bild, mit dem sie veranschaulicht wird, ist der »Schmetterlingseffekt«. Die Chaostheorie unterstellt, daß das Beben eines Schmetterlingsflügels in Tokio eine Kettenreaktion auslösen kann, die einen Sturm in Chicago verursacht.

Wie wir gesehen haben, ist Vereinfachung ein außerordentlich wirksames Werkzeug. Sie macht den Weg zum naturwissenschaftlichen Verständnis frei. Ich habe jedoch darauf hingewiesen, daß sie uns nicht notwendigerweise mit einem »wahren« Bild versieht, das mit unserer Alltagserfahrung übereinstimmt. In den klassischen Naturwissenschaften würde man dazu vielleicht anmerken, daß das Bild nur insoweit »unwahr« sein könne, als es sozusagen nur unzureichend klassisch erstellt ist. Die fallenden Gewichte Galileis zum Beispiel konnten wir im Sinne der Klassik hinreichend erklären, indem wir Gleichungen zum Luftdruck und zur Schwerkraftbeschleunigung in unsere Überlegungen einbezogen. Bei einem größeren Grad von Komplexität war einfach eine größere Anzahl klassischer Gleichungen nötig. Die augenscheinliche Komplexität der Welt war nichts anderes als eine Vielzahl von sich überlagernden Einfachheiten.

Die Quantentheorie war ein Angriff auf diese Anschauung, denn sie stellte die Möglichkeit eines solchen Determinismus in Frage. Man stelle sich einen Kasten vor, der mit einem Gas gefüllt ist. Der Klassiker würde sagen, daß er jede zukünftige Anordnung in diesem Kasten vorhersagen könnte, wenn ihm alle Informationen über die Lage und den Energiezustand jedes Teilchens in dem Kasten zur Verfügung stünden. Der Quantentheoretiker würde entgegnen, solches Wissen sei nicht möglich. Das Beste, was sich ein Beobachter erhoffen könnte, sei eine statistische Wahrscheinlichkeit. Komplexität ist wirklich, sie ist nicht einfach eine Übermenge von übereinandergeschichteten Einfachheiten.

Der Chaosforscher hat sich zu einem ähnlichen Angriff aufgeschwungen, aber eher vom Standpunkt der Mathematik als von dem der Physik aus. Enthusiasten der Chaostheorie bestehen ausdrücklich darauf, daß ihre Theorie eine zusätzliche, wenn nicht sogar die endgültige Waffe gegen das klassische System sei.

»Die Relativitätstheorie beendete die Newtonsche Illusion von Zeit und Raum als absoluten Kategorien; die Quantentheorie setzte dem Newtonschen Traum von einem exakt kontrollierbaren Meßprozeß ein Ende; und nun erledigt die Chaostheorie Laplaces Utopie deterministischer Voraussagbarkeit.«[10]

In diesem Triumphgeschrei liegt eine Gefahr; es ist aber Ausdruck für das Ausmaß der Revolution.

Um, wie stets, mit Newton zu beginnen: Seine Gesetze werden für so mächtig gehalten, daß das ungefähre Verhalten eines jeden Systems berechnet werden kann, wenn man nur eine ungefähre Kenntnis seines Ursprungszustandes zugrunde legt. Die Umlaufbahnen von Planeten mögen etwas unregelmäßig sein. Wenn man aber ein Objekt mit der Masse der Erde vor sich hat, das sich mit der Geschwindigkeit der Erde um die Sonne dreht, kann man den Rest erschließen. Die Grundaussage ist, daß die idealen Versuchsanordnungen über örtliche Störfelder dominieren. Die großartige Modifikation der Gesetze durch Einstein hat keinerlei Auswirkung auf das Prinzip: In seinem relativen Universum regieren immer noch die allgemeinen Gesetze.

Das erste Anzeichen dafür, daß Newtons Modell als rein mathematisches Modell der Wirklichkeit unzureichend sein könnte, waren in den ersten Jahren des Jahrhunderts von Henri Poincaré entdeckt worden. Die berühmteste Anekdote über den Beginn der Chaostheorie aber hängt mit einem zufälligen Ereignis in einem Labor in Amerika zusammen, bei dem 1961 ein Computer, der Wettermuster berechnete, zu einigen außerordentlich seltsamen, ja chaotischen Ergebnissen gelangte. Die Ursache dafür war eine Abkürzung, die ein Wissenschaftler vorgenommen hatte. Er hatte dem Computer einige Zahlen, die dieser errechnet hatte, erneut eingegeben, jedoch jeweils nur bis zur dritten statt bis zur sechsten Dezimalstelle. Ein

Anhänger der klassischen Naturwissenschaften wäre davon ausgegangen, daß diese Veränderungen nicht groß genug seien, um größere Unregelmäßigkeiten in der Vorhersage zu bewirken. Sie führten aber zu riesigen und abenteuerlich unvorhersehbaren Schwankungen.

Das konnte man nur als Merkwürdigkeit betrachten. Unglücklicherweise aber entdeckte Lorenz, der betreffende Wissenschaftler, etwas völlig Grundlegendes, als er weiterforschte. Alle Systeme, ob sie einfach sind oder komplex, neigen zu dieser Art chaotischer Unordnung, und daher gilt für alle Systeme, daß man möglicherweise nichts über sie wissen kann. Die Wurzeln dieser Idee kann man möglicherweise dort finden, wo die ersten Statistiken angewandt wurden. Statistiken sind eine Art, Unwissen zuzugeben. Sie können zum Beispiel dafür verwendet werden, Merkmale von Bevölkerungsgruppen zu untersuchen, um Vorhersagen über das Auftreten bestimmter Merkmale zu machen. So können wir sagen, daß zehn Prozent einer bestimmten Bevölkerung rote Haare haben werden. Keine Aussage können wir jedoch darüber machen, welche zehn Prozent rote Haare haben werden. Man könnte nun behaupten, diese Tatsache selbst sei schon ein Hinweis auf den Zusammenbruch der klassischen Kausalität. Doch dieser Behauptung ließe sich entgegenhalten, der Zusammenbruch finde nur aufgrund eines Mangels an Informationen statt, die man benötigte, um die Kausalität nachweisen zu können. Mit großer Berechnungskapazität und ausreichenden genetischen und biochemischen Informationen könnten wir in der Tat Rothaarigkeit vorhersagen.

Wie dem auch sei, in vielen verschiedenen Gebieten müssen wir uns mit Statistiken begnügen. Sie sind eindeutig eine Art von Wissen, das anders ist als die mathematische Gewißheit, und sie stellen eine niedrigere, verallgemeinernde Art der Information dar. Sie helfen aber, Materialmengen kontrollieren zu können, die anders nicht zu bewältigen wären.

Am Wetter läßt sich ein viel flexibleres Beispiel festmachen. Die Wettervorhersage kann ganz logisch als eine Art von statistischer Kunst beginnen. Die Temperaturen in den Sommern der Vergangenheit bewegten sich innerhalb einer bestimmten Bandbreite immer im Mittelfeld, und so kann man aller Vernunft nach davon ausgehen, daß sie das auch in Zukunft tun werden, obwohl wir nicht sicher sagen können, daß die Temperaturen eines bestimmten Sommers innerhalb dieser Bandbreite schwanken werden. Noch weniger können wir behaupten, die Temperatur in unserem Garten werde morgen genau 27,6° Celsius betragen.

Sobald aber Beobachtungsdaten über Wettermuster zur Verfügung stehen, wird ein klassisch-mechanistischer Denker meinen, es besser zu wissen. Ein solcher war Lewis Fry Richardson, der in seinem Werk *Weather Prediction by Numerical Process (Wettervorhersage als numerischer Prozeß)* das Modell für die künftige Meteorologie vorschlug. Er schätzte, daß 64 000 Leute mit Tischrechnern in der Lage sein müßten, das Wetter in der Geschwindigkeit vorauszusagen, in der es sich tatsächlich abspielt. Im Kern beruht die moderne Meteorologie auf Richardsons Modell. Meteorologen überziehen die Erdoberfläche bis hinauf in die Atmosphäre mit einem gedachten Gitternetz. So wie die Landkarten von Mercator vor 400 Jahren spannen auch sie ein Netz über das Unbekannte. Messungen werden an einzelnen Punkten des Netzes vorgenommen, und diese benutzt man dann dazu, die Bedingungen an anderen Punkten zu schätzen. Zum Schluß erstellt ein Computer ein vollständiges, lückenloses Bild von den Anordnungen in der gesamten Atmosphäre. Wenn man die Anzahl der Netzpunkte erhöht und die Computerkapazitäten verstärkt – so würde der Klassiker behaupten – erlange man eine größere Genauigkeit und könne besser in die Zukunft schauen.

Der Chaostheoretiker würde widersprechen. Chaos bedeutet, daß die Welt, die man sich als einen Berg von Daten vorstellt, nicht erkennbar ist. Die Meteorologen werden herausfinden, daß sie einem Gesetz unterworfen sind, nach dem der zu erwartende Nutzen sehr schnell abnimmt. Eine verdoppelte Computerkapazität mag die Genauigkeit der Vorhersagen um einen Tag verbessern, eine weitere Verdoppelung vielleicht um eine Stunde usw. Es handelt sich hierbei um mehr als nur um Investitionsprobleme, was die Rechenkapazität des Computers anlangt, hier enthüllt sich ein wenig die Beschaffenheit unserer Welt. Die Reduzierung der Welt auf ein deterministisches, vollkommen kausalbezogenes Gleichungssystem ist nicht möglich, weil die Komplexität der Welt jedes System stets überwältigen wird. Das heißt nicht, daß unsere Computer nicht groß genug wären, sondern vielmehr, daß sie nie groß genug sein werden. Auch ein Computer, der mit aller Energie und Materie des Universums seit dem Anbeginn der Zeiten konstruiert wäre, würde nicht ausreichen. Um es im Fachjargon zu sagen: Manche Probleme sind nicht transcomputabel.

Die Folgerungen aus dieser relativ einfachen Erkenntnis können sich für die Mathematik so verheerend auswirken wie Plancks Quantum für die Physik. Chaos ist im wesentlichen die Umkehr des klassischen Standpunkts, daß nur die Grundgesetze wirklich zählen und örtliche Störungen ziemlich unwichtig sind. Im Chaos können örtliche Störungen überwältigend sein, und, was ebenso wichtig ist, man kann nicht sagen, wann sie damit beginnen, einen selbst zu überwältigen. Es ist nicht möglich, von einer Wetterkarte abzulesen, welche Unregelmäßigkeit sich zu einem Sturm entwickeln könnte.

Das hat sogar für die Geometrie Konsequenzen. Man stelle sich die Karte eines Landes vor. Wir wollen die Länge der Grenze dieses Landes ausmessen. Wir könnten das tun, indem wir die Grenze auf der Karte vermessen und sie dann auf den richtigen Maßstab umrechnen. Beim Messen folgen wir den Küstenlinien, Buchten, Flußmündungen usw. und kommen so zu einer annehmbaren Näherung, die zum Segeln, Fliegen oder Wandern um dieses Land genutzt werden kann. Aber nehmen wir einmal an, wir würden versuchen, diese Grenze in der tatsächlichen Welt zu vermessen. Wir können sie erwandern oder in dem Bemühen, genauer zu sein, alle Variationen messen, die wir vorfinden. In diesem Maßstab ist ein Kiesel am Strand deutlich größer, als es der ganze Strand auf der Karte ist. Welches ist die getreuere Vermessung: Die Näherung oder die, welche jedes Detail beinhaltet? Und von welchem Maßstab an verzichten wir auf unsere Genauigkeit: von der Größe eines Sandkorns an? Eine Meile auf der Karte könnte sich ganz eindeutig in Hunderte von Meilen verwandeln, wenn wir die Umrisse jedes einzelnen Sandkorns nachzeichnen würden. Im Chaos haben sogar die naturwissenschaftlichen Karten ihre Überzeugungskraft verloren, die uns früher einmal mit einem »Sie befinden sich hier« Gewißheit verschafften.

Mit der fraktalen Geometrie ist die Forschung vom Chaos bei einem System der Kartierung angelangt, das sich auf mancherlei Weise der endlosen »gekörnten« Beschaffenheit unserer Sinnenwelt annähert. Statt der Reinheit euklidischer Dreiecke oder auch topologischer Oberflächen besitzen diese neuen Formen ein ganz eigenes, sich fortpflanzendes Leben. Läßt man sie durch den Computer laufen, produzieren sie unglaubliche, unvorhersehbare Bilder von Höhlen, Riffen und Tälern. Wieder wird die Vorstellung von der Karte zur symbolhaften Verkörperung der Anordnung unseres Wissens.

Der hohe visuelle Gehalt der Chaotologie trug wesentlich dazu bei, daß sie sich einen wirkungsvollen Platz erobern konnte. Mathematiker haben sich zum Beispiel eher durch den chaotischen Fluß von Wasser inspirieren lassen als von Gleichungen, und sie haben das Gefühl erhalten, mit Hilfe des Chaos die Mathematik zur wirklichen Welt zurückgebracht zu haben.

Aber das Chaos hat auch eine seltsame und zuvor verdeckte Ordnung offenbart. Relativ einfache Gleichungen scheinen sich zunächst wie Wetterdaten zu verhalten, wenn man sie in zigfachen Variationen durch einen Computer laufen läßt: Sie produzieren Lösungen, die sich als unregelmäßige Punkte auf dem Bildschirm verteilen. Doch im Laufe der Zeit entstehen Muster, die man Seltsame Attraktoren nennt. Der berühmteste von ihnen ist das knollige Apfelmännchen, das als Mandelbrot-Menge bezeichnet wird und dessen Komplexität darin besteht, daß jede Vergrößerung noch vielfältigere Musterschichten aufdeckt und die dennoch eine sympathische, menschenähnliche Gesamterscheinung abbildet. Das Apfelmännchen ist ein Analogon zur Realität, denn es sieht so aus, als wolle es eine Art von Unendlichkeit anmahnen. Es ist nicht analog in dem vereinfachten Sinn, in dem eine Gleichung aus der klassischen Physik einige Aspekte der Welt modellhaft darstellt. Es ist vielmehr durch die Art analog, wie es die gewaltige Schöpferkraft der Wirklichkeit und ihre augenfällige Abhängigkeit von Komplexität zur Aufrechterhaltung ihrer Existenz nachahmt. Es ist nicht einfach; es sieht uns ähnlich und ist ebensowenig entzifferbar, wie wir selbst es sind.

Die Chaosforschung befindet sich immer noch in einem rasanten Entwicklungsprozeß. Vor kurzem hat Christopher Moore an der Cornell University eine Veröffentlichung vorgestellt, die zu der Annahme führt, daß wir bisher kaum an der Oberfläche des Chaos gekratzt haben. Jenseits vom gewöhnlichen Chaos des Schmetterlingseffekts gibt es das komplexe Chaos. Beim Schmetterlingseffekt bleibt wenigstens die quasi-klassische Folgerung bestehen, daß es Anfangsbedingungen gibt, auf die man theoretisch zurückgreifen kann, um Ergebnisse vorherzusagen. Das komplexe Chaos aber scheint auch dies als illusionär auszuweisen. Komplexe Systeme können vollkommen unvorhersagbar bleiben, auch wenn sie bis hinunter zur Ebene von Schmetterlingsflügeln vollkommen bekannt sind.

Wir können in Wirklichkeit niemals auf sinnvolle Weise behaupten, Galileis Gewichte hätten den Erdboden von Pisa zur gleichen Zeit erreicht.

In Relativitäts-, Quanten- und Chaostheorie zeigt sich der Stil unserer neuen Naturwissenschaften. Wenn das 19. Jahrhundert mit einer Stimmung tiefen Vertrauens darauf geendet hatte, daß sich das menschliche Wissen der Vollständigkeit nähere und unsere Kraft sich durch die Anwendung dieses Wissens derjenigen der Götter angleichen würde, so begann das 20. Jahrhundert mit der Zerstörung der Grundlagen dieses Vertrauens – und dieser Prozeß dauert an. Ungewöhnlich dabei ist, daß dieser Zerstörungsprozeß sowohl außerhalb als auch innerhalb der Naturwissenschaften stattfindet. Was diese neuen Theorien auf überwältigende Weise darlegen, ist die Beschränktheit unserer alten Sichtweise. Wir waren davon ausgegangen, daß die Welt so, wie sie von vernunftbegabten Wesen menschlicher Größe gesehen wird, tatsächlich *die* Welt ist. Heute wissen wir, daß das nur eine Verallgemeinerung war, eine Vereinfachung, die funktionierte. Diese Erkenntnis kann uns nun in unterschiedliche, ganz entgegengesetzte Richtungen führen. Wir können alles Wissen neu bewerten und es aus pessimistischer Sicht für ewig unvollständig und ungenau halten oder es optimistisch betrachten und für unendlich viel menschlicher halten, als es unter den Bedingungen der klassischen Naturwissenschaft früher möglich gewesen wäre. Wir können aber auch erneut bekräftigen, daß die Naturwissenschaften sich immer noch auf dem rechten Weg befinden, daß diese ungeheuren modernen Explosionen des naturwissenschaftlichen Kenntnisstandes Triumphe jener Höhen sind, zu welchen die Phantasie der Aufklärung sich aufgeschwungen hat, und Anzeichen jener neuen Herausforderungen, die noch kommen werden.

Einfach ausgedrückt heißt die Frage: Ist die Wissenschaft immer noch der düstere Bote, oder ist sie jetzt in der Lage, uns anderes zu berichten? Beweist all dieses Exotentum, daß Darwin und Freud unrecht hatten, daß ihr Pessimismus im Hinblick auf das Vermögen der Menschen, den seelischen Frieden mit naturwissenschaftlichen Mitteln zu erlangen, fehl am Platz war? Oder zeigt sich nur, daß die Naturwissenschaften komplizierter geworden sind, erstaunlicher und unserem Verlangen nach Wahrheit und Frieden weiter entrückt? Kurz: Ist dies alles nur eine neue, seltsame Maske vor demselben alten Gesicht?

7. Neue Wunder . . . neuer Sinn und neue Bedeutungen?

Es ist wahr, daß nur wenige Nicht-Naturwissenschaftler diese besondere Art religiöser Erfahrung haben. Unsere Dichter schreiben nicht über sie und unsere Künstler versuchen nicht, diese erstaunliche Angelegenheit darzustellen. Ich weiß nicht, warum. Läßt sich denn keiner inspirieren von unserem gegenwärtigen Bild des Universums? Kein Sänger preist die Naturwissenschaften, man stimmt kein Lied oder Gedicht miteinander an, sondern hört sich statt dessen einen Abendvortrag an. Noch haben wir das naturwissenschaftliche Zeitalter nicht erreicht.

Feynman[1]

Die naturwissenschaftlichen Entwicklungen des 20. Jahrhunderts, die ich im letzten Kapitel beschrieben habe, bedeuteten einen Angriff auf die klassischen Naturwissenschaften. Diese hatten in dem ungeheuer pessimistischen Bild vom Menschen als Zufallsprodukt der Evolution, der in einem sinnleeren, wertfreien Universum allein auf sich gestellt ist, einen Höhepunkt erreicht. Es ist also anzunehmen, daß nun in die neuen Naturwissenschaften die Hoffnung gesetzt wird, sie könnten uns aus diesem Pessimismus herausführen und uns irgendeine alles umfassende Vision vermitteln, die reich an tieferem Sinn und Bedeutung ist.

Der verstorbene Richard Feynman, einer der Schöpfer der Quantenelektrodynamik, eine Schlüsselfigur der neuen Physik, war ein gefühlsbetonter Mensch. Manchmal schien er überwältigt zu sein von der Großartigkeit der Naturwissenschaften und befremdet von dem Gedanken, daß sie die menschliche Erfahrung irgendwie einschränken könnten. Die naturwissenschaftliche Einsicht, so schrieb er, »vergrößert nur den Reiz und das Geheimnis und die Ehrfurcht, die eine Blume hervorruft. Sie fügt etwas hinzu. Ich verstehe nicht, wie sie irgend etwas wegnehmen soll.«[2]

Seine Gefühle haben Feynman blind werden lassen. Wie ich aufgezeigt habe, ist offensichtlich, wie die Naturwissenschaften den Reiz und das Geheimnis der Natur schmälern, ja, völlig zerstören können. Wenn man behauptet, wir befänden uns nicht in einem wissenschaftlichen Zeitalter, berücksichtigt man nur den Aspekt, daß wir die Naturwissenschaften sehr selten ausdrücklich feiern. In Wirklichkeit durchdringen die Naturwissenschaften alles und sind die nur widerstrebend eingestandene »Wahrheit« unserer Zeit. Wir feiern sie, indem wir sind, wie wir sind, und indem wir tun, was wir tun.

An anderer Stelle erzählt Feynman eine Geschichte von dem Astronomen Arthur Eddington, dem Mann, der im Jahre 1919 Einsteins Relativitätstheorie bestätigte, indem er die Krümmung eines Sternenlichtweges um die Sonne herum beobachtete. Eines Tages erkannte Eddington, daß die Sterne ihre Energie aus der Kernfusionsreaktion beziehen, bei der Wasserstoff zu Helium verbrennt. Am nächsten Abend saß er mit seiner Freundin auf einer Bank.

»Sieh mal, wie hübsch die Sterne leuchten!« sagte sie. »Ja«, war seine Antwort, »und im Moment bin ich der einzige Mensch auf der Welt, der weiß, *wieso* sie leuchten.«

Feynman bemerkte dazu: »Er hat die wunderbare Art von Einsamkeit beschrieben, die man fühlt, wenn man eine Entdeckung macht.«[3]

Es spielt keine Rolle, daß diese Geschichte nicht mehr als eine Randbemerkung ist. Es ist bezeichnend, daß Feynman nur die romantische Seite der Erkenntnis sieht. So muß dieser hochbegabte Meister der Quantenelektrodynamik, der rätselhaften Geheimnisse der Wechselwirkung von Licht und Materie, sie auch wahrgenommen haben – ebenso wie Eddington. Für dessen Freundin aber war diese Enthüllung vielleicht nur eine mechanistische Desillusionierung. Die Sterne, so hatte ihr Freund sie wissen lassen, waren nicht wunderbarer als eine Verbrennungsmaschine oder ein elektrischer Kochkessel. Sie verbrennen nur Wasserstoff zu Helium, und wir sollen uns beeindruckt zeigen. Wir sollen *dankbar* sein dafür!

Feynmans Romantizismus und seine naturwissenschaftliche Religiosität sollten aber nicht leichtfertig abgetan werden, denn sie werfen die schwierige Frage auf, was das denn sei, wonach wir Menschen über die nackten Tatsachen hinaus – wie exotisch auch immer sie sein mögen – noch ein Verlangen in uns tragen. Nach Feynman findet das Verlangen seine Erfüllung in den Wundern, die die Naturwissenschaften selbst aufdecken. Das ist der übliche Ansatz der Popularisierer der Naturwissenschaften. Doch man muß zugeben, daß diese Aussage aus dem Munde Feynmans weniger überheblich klingt. Ihn scheint es wirklich zu quälen, daß die Menschen sein Staunen nicht teilen.

Der Versuch, auf eine den Naturwissenschaften innewohnende Poesie hinzuweisen, schreibt ihnen mehr zu, als ihnen eigentlich zusteht. Das Kunststück dabei besteht darin, das Wort »Poesie« für die Naturwissenschaften zu vereinnahmen. Doch die Poesie kann ihrer Definition nach nicht Naturwissenschaft sein, und die Naturwissenschaften selbst genügen für sich allein genommen den Bedürfnissen der Menschen nicht. Oder ist das doch der Fall? Sind sie inzwischen so weit, daß sie ihnen nun genügen?

Dieses Kapitel befaßt sich damit, welche Auswirkungen es auf die Vorstellungskraft und den Geist des modernen Menschen hätte, wenn die Naturwissenschaften mehr enthüllen könnten als die bittere, mechanistische Notwendigkeit in der Natur.

Zunächst werde ich mich den Entwicklungen in der Vorstellungswelt zuwenden. Das Gefühl, daß in den Naturwissenschaften etwas Seltsames und Neues geschieht, hat nämlich unsere Kultur bis hin zu den allgemeinverständlichsten Darstellungen durchdrungen. Denn zuallererst hat die neue Wissenschaft in unserer Traumwelt kosmische Spekulationen aus ihrem Dämmerzustand erweckt. In der Phantasie der Menschen haben sich Naturwissenschaften und Wunder nun wieder miteinander verbunden. Feynman hätte vielleicht Trost finden können, wenn er in Kinofilmen statt in Liedern oder Gedichten nach »dieser besonderen Art religiöser Erfahrung« gesucht hätte.

Naturwissenschaften und Wunder standen schon immer in einer schwierigen Beziehung zueinander. Der offensichtliche Erfolg der klassischen naturwissenschaftlichen Betrachtungsweise hatte gegen Ende des 19. Jahrhunderts eindeutig zur Verringerung der poetischen Dimension des Forschens geführt. Das Skalpell war an die

Sterne angelegt worden, und danach sollten unsere Seelen auf den Operationstisch kommen.

Der Erfolg der mechanistischen Sichtweise hatte in der Tat die Existenz der Poesie buchstäblich bedroht. Ich habe schon die Bewegung der Moderne in der Kunst angeführt, die etwa von 1880 bis 1930 andauerte – Jahre von technischem Erfindungsreichtum und gleichzeitiger seelischer Ernüchterung. In ihr konzentrierte man sich eher auf den Ausdruck der Dinge als auf deren Inhalte. Und die Betonung des Ausdrucks entstand in der pessimistischen Ausprägung dieser Kunstrichtung aus dem Verdacht heraus, daß es nichts mehr gebe, was man ausdrücken könnte.

Die Naturwissenschaften hatten uns aller Mythen, alles Übersinnlichen und aller Illusionen beraubt, welche die Kunst notwendig braucht. In T. S. Eliots Gedicht *The Waste Land* (1922, *Das Wüste Land*), das wahrscheinlich das bekannteste und typischste aller modernen Kunstwerke ist, geht es darum, wie kulturelle Formen ohne Bezug zur Wahrheit aufgebaut werden. Die hinduistische Anrufung des Friedens, mit der es endet – »Shanti shanti shanti« – ist ironisch gemeint. Dieser Friede führt zu weiter nichts als zu bitterer und endgültiger Unfruchtbarkeit. Die poetische Kraft dieses Gedichts liegt in der geschickten Handhabung alter Sinnzusammenhänge, die sich verstreut in der Kultur finden – wie der Schutt eines zerbombten Gebäudes. Eliots Gedicht bot keine neuen Sinnzusammenhänge und keine neuen Behausungen an. Der Wunderglaube wurde durch den von mir beschriebenen Verlust der Unschuld der Naturwissenschaften noch weiter vertrieben. Tödliche Insektenvernichtungsmittel und Atombomben zeugten davon, daß unser Wissen vom Wunderbaren weit entfernt war und sich kaum über das Erfindergeschick böser Geister hinausgehoben hatte. In ihrer populären Form aber trug die Technik sehr viel dazu bei, die Vorstellung von einem Wunder gegen die aufwallende Ernüchterung zu verteidigen. Das explosionsartige Wachstum der praktischen Anwendungsmöglichkeiten der Naturwissenschaften rief das optimistische Grundgefühl unbegrenzter Möglichkeiten der Technik hervor. Grenzenlosigkeit ist die Grundlage und der Quell für jegliches Wunder, denn sie steht für das, was uns als Sterblichen zu unserem größten Schmerz verweigert wird.

Die Technik verspricht der Imagination eine Art von Befreiung. Auf ähnliche Weise bieten auch »unheimliche Naturwissenschaften« wie Quantenmechanik oder Chaostheorie dem Menschen Fluchtmöglichkeiten. Sie unterstellen, daß der gewöhnliche Menschenverstand nicht hinlänglich ist, um bestimmte Dinge zu begreifen, und daß das Leben viel aufregender sein könnte, als es uns erscheint, wenn wir diese Dinge begreifen würden. Die Technik verwirklicht die zu verstehenden, nachvollziehbaren Folgerungen, die sich aus den Naturwissenschaften ableiten lassen. Die neue Physik legt nahe, daß die Folgerungen, die aus ihr ableitbar sind, uns zur Flucht aus dem langweilig erscheinenden Machbaren verhelfen könnten. Und beide, diese neue Physik und ihre Schlußfolgerungen, vereinen sich, um eine Art Magie des Konsums herzustellen: Wir brauchen nichts von Quantenmathematik zu verstehen, können aber ein Transistorradio oder einen Compact Disc Player zum Spielen bringen. Damit wird eine Art von Sublimierung unterstellt, die wir vollziehen, wenn wir das kalte Anderssein der Naturwissenschaften durch technisch erzeugte Produkte und ihre praktischen Möglichkeiten näher an den Menschen heranbringen. Und diese Sublimierung muß nicht real sein: Wenn das Prinzip erst einmal verstanden ist, können wir technische Mythen erfinden, Fiktionen, welche die Naturwissenschaften mit Werten ausstatten und die Wunder neu erschaffen.

Man könnte behaupten, daß Science-fiction als literarische Stilrichtung vor der Ankunft der modernen Technik und der neuen Physik eine negative Reaktion der Phantasie- und Vorstellungswelt auf das Eindringen der Naturwissenschaften darstellte. Jonathan Swifts *Gulliver's Travels (Gullivers Reisen)* aus dem Jahre 1726 und Mary Shelleys *Frankenstein* von 1818 waren beide Warnungen vor den moralischen und sozialen Gefahren des neuen Wissens.

Die moderne Science-fiction aber, die sich darin gefällt, immer wieder mit Neuem zu schockieren, ist mitten in der Zeit technologischer Explosionen des späten 19. und frühen 20. Jahrhunderts entstanden. Jules Verne und H. G. Wells reisten durch Raum und Zeit und kämpften mit fremden Wesen – alles in Erwartung einer neuen Abenteuerwelt, die sich vor der Menschheit aufzutun schien.

Diese Stilrichtung der Science-fiction hat sich seitdem uneingeschränkt und mit Schwungkraft behauptet. Man könnte sagen, daß sie auf dem Niveau der Fortsetzungscartoons die wesentlichste Form der Popunterhaltung ausmacht. Batman, Superman und ihresgleichen sind Science-fiction-Gestalten – Batman ist ein Beherrscher der Technik und Superman ein fremdes Wesen von seltsamer seelischer Größe. Auch Kinofilme vom expliziten Science-fiction-Film *Star Wars* (1977, *Krieg der Sterne*) bis hin zu verschlüsselteren Phantasien wie *Weird Science* (1984, *L.I.S.A. – Der helle Wahnsinn*), bauten vor allem darauf auf, daß eine technologische Verwandlung oder fremde Geisteswelten möglich seien.

Die schöpferische Energie der Science-fiction erklärt sich aus ihrer Freiheit – alles kann innerhalb des dichterischen Rahmens geschehen, dessen Grenzen durch eine imaginäre Technik unbegrenzt erweitert werden – und aus ihrem Vermögen, bestimmte Mythen auferstehen zu lassen. *Star Wars* war zum Beispiel ein Cowboyfilm im Weltraum. *Close Encounters of the Third Kind* (1977, *Unheimliche Begegnung der dritten Art*) und *E.T. – The Extraterrestrial* (1982, *E.T. – Der Außerirdische*) waren Märchen von der Wiederentdeckung der Unschuld. Batman und Superman verkörpern beide Robin Hood, sind starke Männer auf der Seite der Tugend und so weiter. Die Naturwissenschaften waren für die alten Sehnsüchte der Kultur wie ein neues Kleid.

In solchen Phantasiebildern der Science-fiction ist das Bedürfnis erkennbar, sich wieder mit Wissenschaft und Technik auszusöhnen. In *Star Wars* werden den Robotern verschrobene, pingelige, liebenswerte Charaktere »übergestülpt«. In *Close Encounters* und *E.T.* wird den überlegenen Technologen der Außerirdischen eine gütige und wohltuende Magie zugeschrieben, der die groben Erdenmechanismen nichts entgegenzusetzen haben. In unverbrämter, pessimistischer Science-fiction – zum Beispiel im Film *Alien* (1979, *Alien – Das unheimliche Wesen aus einer fremden Welt*) – feiern eine Reihe von angstbesetzten Mythen Auferstehung, und im erwähnten Fall scheint die Macht der unbescholtenen Maschinen ein gesundes Gegengewicht zur schleimigen, organischen Bedrohung, die von dem Außerirdischen ausgeht, zu bilden. In der Fortsetzung *Aliens* (1986, *Aliens – Die Rückkehr*) bekämpft die Heldin das Monster mit einem riesigen Anbau an ihrem Körper. Die Maschinerie der künstlichen Gliedmaße ist im Gegensatz zu derjenigen in *Star Wars* urtümlich und industriell, aber ungeachtet dessen dient sie dem Guten.

Der Fremdartige und die Phantasiemaschine bedeuten beide eine erstaunliche und erlösende Kampfansage an den Determinismus, der unserem Wissen zugrunde liegt. Die Naturwissenschaften mögen der Poesie ihre Bedeutung rauben, eröffnen den Phantasien aber neue Möglichkeiten, und dies verstärkt sich mit jeder technischen Neuerung in der wirklichen Welt und mit jeder spekulativen Entwicklung in den Köpfen unserer Physiker. Verne und Wells zum Beispiel haben sich von der explosiven technischen Kraft, die in ihrer Zeit herrschte, zur Erfindung der grundlegenden Motive der modernen Science-fiction inspirieren lassen: zu Zeitreisen, Raumfahrt und außerirdischen Eroberern. Und all die seltsamen Verfremdungseffekte in der Fernsehserie *Star Trek (Raumschiff Enterprise)* entstammen dem Wissen um die »Merkwürdigkeit« der zeitgenössischen Naturwissenschaften. In einem rein Newtonschen Universum könnten wir nicht mit Kapitän Kirk in »Warp-Geschwindigkeit« (Raumverwerfungsgeschwindigkeit) reisen. Aber in einer Zeit, in der Maschinen dem Laien verständlich gemacht werden konnten, wurden die Phantasiemaschinen der viktorianischen und edwardianischen Romane als grundsätzlich zu verstehende, mechanische Entwicklungen aufgefaßt. Die Dampfmaschine mochte zwar beeindrucken, aber sie war auch gut zu verstehen. Die Phantasie entwickelt sich weiter, wenn Maschinen und Theorien in der wirklichen Welt etwas von den unerklärlichen Eigenschaften, die in der Science-fiction vorkommen, annehmen. So kann zum Beispiel ein normal gebildeter Mensch ein Auto in seiner Mechanik ohne allzu große Schwierigkeiten verstehen. Er kann sogar einen einfachen Computer in seiner Funktionsweise in gewissem Maße verstehen. Nachdem die Entwicklung der Elektronik aber so richtig in Gang gekommen war, ließ sie die Möglichkeit eines laienhaften Verstehens nicht mehr zu. Wahrscheinlich haben heute nur wenige Leute ein vages Verständnis davon, wie ein elektronischer Taschenrechner funktioniert, ganz zu schweigen von den raffinierteren Entwicklungen, die aus der Silizium- und der Gallium-Arsenid-Technologie hervorgegangen sind.

An diesem Punkt der Entwicklung wird die Maschine zur Black box, die im Zweifelsfall billiger zu ersetzen als zu reparieren sein wird. Es besteht weder die Notwendigkeit, noch besitzen wir die Fähigkeiten dazu, ihren Mechanismus zu ergründen – die Maschine wird für uns ebenso irreduzibel und absolut, wie uns ein natürliches Objekt erscheint . . . wird wie wir selbst. Sie ist nicht länger mehr etwas, zu dem wir eine Beziehung haben müssen, wie wir sie in der Vergangenheit vielleicht zu Autos hatten. Sie ist vielmehr so etwas wie ein Stein oder eine Pflanze, ein Teil unserer natürlichen Umgebung, den wir im Vorübergehen aufsammeln und wieder wegwerfen, wenn seine Zeit vorüber ist. Mit seinem Innenleben brauchen wir uns nicht zu befassen. Dieser Umstand gibt den Maschinen einen Hauch von Zauberei, wie ihn auch die natürlichen Objekte besitzen.

Max Weber stellte fest, die Bedeutung des Predigens im Christentum nehme in dem Maße zu, wie die magischen Elemente des Glaubens abnähmen. Danach mißt der Protestantismus, die am wenigsten magische Form des Christentums, dem Predigen die größte Bedeutung zu. Das Predigen kann man mit dem Erklären gleichsetzen – mit dem Enthüllen des Mechanismus. Wenn wir das Interesse daran verlieren, wie etwas funktioniert, wozu wir im Falle der Black box wegen unserer Unkenntnis gezwungen sind, feiert die Magie Auferstehung. Der Heimcomputer erhält dann eine ebenso geheimnisvolle Bedeutung wie irgendein Stammesfetisch.

Dadurch erweitert sich natürlich das Reich des Möglichen. Wir sind ringsum von echten Science-fiction-Überraschungen umgeben. Man wird sich noch gut daran erinnern, wie die ersten Computerspiele bestaunt wurden, die nach der Einführung des Silizium-Chips aufkamen. Ein einfaches Tennisspiel mit zwei weißen Linien für die Schläger und einem blinkenden weißen Viereck für den Ball rief Staunen hervor. Jeder, der über Grundbegriffe der Mechanik verfügte, stellte damals Vermutungen darüber an, wie das Ganze wohl funktioniere. Nach wenigen Jahren gab man diese Versuche auf. Die Spiele waren so kompliziert geworden, daß es müßig war, ihre Funktionsweise zu bewundern. Wir konnten niemals wirklich wissen, wie solche Dinge funktionierten; wir konnten sie nur konsumieren, als ob unsere Vorstellungskraft auf ewig losgelöst wäre von dem Vorstellungsvermögen derer, die diese Apparate herstellten. Aber selbst die taten wahrscheinlich nicht mehr, als Black boxes zusammenzutragen. Das tiefe Verständnis der zugrunde liegenden Wissenschaft und

Technik hat sich für uns von der Realität des Objekts selbst immer weiter abgelöst und ist nun in der Tiefe seines Inneren verborgen. Parallel dazu ist der Mythos von der Unschuld auferstanden – unserer Unschuld beim Zusammentreffen mit den Geheimnissen von fremden Lebewesen oder Maschinen. In *E.T.* ist es ein Kind, das zur hochentwickelten Technologie des Fremdlings in Beziehung treten kann, und in *Weird Science* sind es computererfahrene Jugendliche, die sich mit Hilfe von Elektronik ihre Phantasiefrau zurechtbasteln. In *War Games* (1981, *War Games – Kriegsspiele*) dringt ein Kind mit seinem Computer in das Verteidigungssystem der Vereinigten Staaten ein und führt beinahe einen nuklearen Krieg herbei. Das Bild vom amerikanischen Schuljungen, der allein in seinem Zimmer an seinem Computer sitzt und an etwas teilhat, das das technische Verständnis seiner Eltern bei weitem übersteigt, gehört zum Klischee des modernen Kinos – so wie der Mann und sein Pferd in den dreißiger Jahren dazu gehörten. Es wäre dennoch sinnlos, wollte der Regisseur in solch einem Film viel Zeit darauf verwenden, uns die einzelnen Bestandteile des Computers selbst zu erklären. Wir wissen alles, was wir wissen müssen. Es handelt sich um ein Gerät aus der Massenproduktion mit verschiedenen uns bekannten Zusatzgeräten. Wir wissen, daß wir im Computerladen um die Ecke dieselbe Hardware kaufen können. Im Gegensatz dazu war Wells' Zeitreise-Maschine etwas Einmaliges. Worauf es in der neuen Science-fiction ankommt, ist die Wechselbeziehung zwischen diesem neutralen, quasinatürlichen Stoff und der Psychologie des betreffenden Jungen. *Weird Science* unterstellte, daß die Maschine zur Herstellung einer Frau letztlich ein Standardprodukt war. Und selbstverständlich konnte diese Technik als Problemlösungsmechanismus für die seelischen Nöte von Jugendlichen eingesetzt werden.

Diese Methode, die Naturwissenschaften in die Phantasie einzubeziehen, läßt sich weitgehend auf der Grundlage der Dualität von Hardware und Software verstehen, die eine sehr große Rolle in unserem heutigen, populären Verständnis davon spielt, wie die Apparate funktionieren. Im klassisch-mechanischen Sinn dient eine Maschine einem bestimmten Zweck, und sie muß nur in Gang gesetzt werden, um diesen Zweck zu erfüllen. Auf diese Weise lassen wir ein Auto an, und es bewegt sich auf der Straße vorwärts, oder wir ziehen eine Uhr auf, und sie zeigt uns die Zeit an. Solche Maschinen sind vollständig determiniert, nur auf eine einzige Funktion hin ausgelegt – und deshalb können wir von einem Auto nicht die Uhrzeit ablesen.

Computer – und im Prinzip alle elektronischen Geräte – sind jedoch anders beschaffen. Sie bestehen aus neutralen Bündeln von Schaltungen. Sich selbst überlassen, tun sie gar nichts. Sie sind Hardware, die Software benötigt: einen Satz von Anweisungen, was zu tun ist. Dieselbe Hardware kann, je nachdem, mit welcher Software sie gesteuert wird, Texte verarbeiten, Graphiken zeichnen oder Berechnungen anstellen. Die schnelle Verbreitung von Computern in Haushalten und Büros während der letzten zehn Jahre hat diese Dualität ins Bewußtsein gerückt. In einem fortschrittlichen Land kennt jedes Kind und fast jeder Erwachsene den Unterschied zwischen Hardware und Software. Dies erklärt, warum in der gegenwärtigen Science-fiction die Maschinen selber nicht so wichtig sind. Wir wissen, daß die Hardware im Schlafzimmer für sich genommen nicht so interessant ist. Es kommt auf die Software an – im Kopf des Kindes und auf seinen Disketten.

Auf eine bestimmte Weise erinnert diese Dualität stark an Descartes. Dessen Trennung von Geist und Materie wird zur Trennung von Hardware und Software. Die funktionale Neutralität der Hardware bekräftigt die Neutralität unserer Körper und die Isolierung von Geist/Selbst/Seele/Software in ihm. Demzufolge sind Maschinen uns schließlich doch ähnlich geworden – als zufällige Schaltungen, die von einem Programm belebt werden.

Mit Hilfe von grenzenlosen technischen Möglichkeiten hätten wir daher eine undurchdringliche Barriere um unser eigenes menschliches Vermögen, unsere intellektuellen Fähigkeiten errichten können. Wie in dem trivialen Gemeinplatz, mit dem Computer oft verniedlicht werden: Wir sind nicht mehr als die Gesamtheit unserer Inputs. Mit dem tiefsinnigen und schwierigen Thema, ob wir Maschinen sind oder von Maschinen kopiert werden können, werden wir uns im nächsten Kapitel befassen.

Ganz deutlich aber schwingt hier noch etwas anderes mit als ein wiederbelebter Cartesianismus. Diese allgegenwärtigen, billigen und in ihrer Funktionsweise unverständlichen Geräte scheinen uns nämlich nicht einfach in eine mechanische Utopie zu führen. Dies mag einmal ein Science-fiction-Traum gewesen sein, jetzt aber erwarten wir mehr. Vielleicht deshalb, weil wir schon so viele Utopien scheitern gesehen haben. Oder vielleicht, weil man erkannt hat, daß die Mechanik eine unzulängliche Grundlage für ein Paradies ist. Vielleicht hat sogar die Entdeckung von unerwarteten Schichten der Komplexität durch die modernen Naturwissenschaften der Phantasie neue Möglichkeiten eröffnet. Was immer auch die Erklärung ist: Die Tatsache, daß die Technik in der modernen Vorstellung kein verstehbarer Prozeß mehr ist, hat gelegentlich zur Wiedergeburt des Mystizismus geführt.

Um noch einen Augenblick bei der Science-fiction zu bleiben: Der Film *2001: A Space Odyssey* (1968, *2001: Odyssee im Weltraum*) kam in die Kinos, als sich der Optimismus im Hinblick auf unsere Fähigkeit, den Weltraum zu erobern, auf dem Höhepunkt befand. Dies war ein Jahr vor der Landung der ersten Menschen auf dem Mond, und allgemein ging man davon aus, daß der unvermeidliche Fortschritt technologischer Entwicklungen bald zur Eroberung des Weltraums führen würde. Gerade der Umstand, daß die Mondlandung das zeitlich genau vorherberechnete Ergebnis eines Gelöbnisses war, das Präsident Kennedy neun Jahre zuvor gemacht hatte, unterstrich, daß die Erforschung des Weltraums vor allem eine Frage des Willens war. Wir glaubten, daß die Wissenschaften sich herausbilden würden, weil wir es unbedingt wollten. Probleme wurden entdeckt und mit Hilfe der Wissenschaften gelöst.

Dies hatte und hat den Effekt, der Maschinerie den Glanz zu nehmen. Die Frage, wie wir irgendwohin kommen, tritt in den Hintergrund und wird durch die Frage ersetzt, was wir vorfinden und tun werden, wenn wir anlangen. In *2001* geht es um eine Reise zum Jupiter, wo ein Rätsel erforscht werden soll. Die Hardware nimmt ganz gewiß einen wichtigen Platz ein, wirkt aber in dem Film bemerkenswert harmlos. Einstellungen von Raumstationen und anlegenden Raumschiffen sind mit Wiener Walzermusik unterlegt. Man gewinnt den Eindruck von einer gewissen Mühelosigkeit der Technik. Diese ist problemlos, suggeriert der Filmregisseur Stanley Kubrick mit diesen Einstellungen, die wahre Schwierigkeit liegt in dem, was uns auf dem Jupiter erwartet.

Was wir dort finden, ist ein Zeichen eines offenbar göttlichen Eingriffs in die Geschichte. Das Zeichen soll die gesamte Vergangenheit des Menschengeschlechts, seit dem Auftreten des ersten Hominiden, der »Waffen« benutzte, zu den Weltraumstationen in Beziehung setzen. Das Zeichen ist ein schwarzer, vollkommen glatter Block, unmöglich als natürlicher Gegenstand in einer mechanisch verstandenen Natur betrachtet werden kann. Es bedarf nur eines solchen Gegenstandes, und unser ganzes Wissen wird unbedeutend. Und in der Tat endet der Film mit dem Bild eines Embryos, eines wiedergeborenen Menschen, der seinen blaugrünen Heimatplaneten vom Weltraum aus betrachtet.

Wir werden zur Wahrheit hingeführt: Die Naturwissenschaften sind ein wesentliches Instrument, ein notwendiger Bestandteil unserer Evolution, die Wahrheit selbst aber liegt jenseits von allem, was die Naturwissenschaften jemals erträumt haben.

Geistesgeschichtlich gesehen ist dies die moderne Version der liberalen Theologie – von einem hegelianischen Weltgeist, der die Menschheit zur Apotheose führt. Die Naturwissenschaften haben durch ihren Anteil am Verlauf des historischen Heilsgeschehens ihre Ehre wiedererlangt. Das Wunder wurde wiedergeboren.

Natürlich können solche Phantasien als Wunschdenken abgetan werden. Sie bringen uns aber zwei wichtige Botschaften, die uns über die Zeit, in der wir leben, Auskunft geben. Die erste besagt, daß die Technik angepaßt und herabgestuft wird; sie ist eine natürliche Erscheinung, die untergeordnete Hardware-Funktionen ausübt. Was auch immer die Zukunft bringen wird, es handelt sich nicht um eine mechanische Utopie. Die technischen Leistungen können nicht länger als solche der Phantasie und des Vorstellungsvermögens angesehen werden, sie sind fast langweilig geworden. Der Roboter Marvin in der Science-fiction-Comicserie des Douglas Adams leidet trotz seiner atemberaubenden Intelligenz unter »kosmischer« Langeweile und Depressionen. Alles zu wissen und alles berechnen zu können zeigt ihm nur, wie vergeblich alles ist.

Die zweite Botschaft ist die, daß die Aneignung der Technik es uns gestattet, oder uns sogar dazu zwingt, nach vorne zu schauen. Wir können keine Inspiration mehr aus dem beziehen, was zu tun uns möglich ist; was unsere Lebensgeister aber aufwecken kann, ist die Entdeckung, daß unsere Existenz und die des Universums weitaus komplexer und schwerer zu entschlüsseln ist, als wir es je für möglich hielten. Wir haben die Hardware, doch uns fehlt die Software.

Vor diesem Hintergrund vermittelt uns unsere Kultur, daß der Traum der Naturwissenschaften ein neues Leben vor sich hat, das weit über die alten mechanischen Träumereien hinausreicht. Dieser Traum ist so beschaffen, daß er Feynman mit seinen Ansichten altmodisch erscheinen läßt. Natürlich betrachten die Wissenschaftler und wir nach wie vor das Wunder der Naturwissenschaften im Nachdenken über den Mechanismus. Aber diese Träume sind weitreichender, sie richten sich auf eine neue Vollendung der Vision – darauf, daß nicht nur die Naturwissenschaften wunderbar sind, sondern daß auch die Welt es ist.

Dies führt mich zu dem tiefer liegenden Verständnis der neuen Naturwissenschaften, nach dem man sich neben dem breitenwirksamen Wunder auch eine neue Hoffnung für Seele und Geist versprochen hat. Ich möchte mich hier schon im vorhinein für die Komplexität der folgenden Ausführungen dieses Kapitels entschuldigen. Ich bewege mich zu einem gut Teil auf ungewöhnlichem Terrain. Ich denke, daß dies notwendig ist, um ein Gefühl für die Entwicklungen, die ich für sehr bedeutsam halte, vermitteln zu können. Es geht um Antworten, die mir verschiedene Leute auf meine Fragen an sie gaben. Meine Auffassungen stimmen nicht mit ihnen überein, doch ich fühle mich dazu verpflichtet, sie mitzuteilen, um den Boden für meine eigene Antwort vorzubereiten.

Für einige Denker haben die Relativitätstheorie, die Quantenmechanik und die Chaostheorie ein Fenster in den abgeschlossenen, verdunkelten, hermetisch versiegelten Raum der Naturwissenschaften aufgestoßen, und diese Denker erwarten von diesen neuen Entwicklungen eine »Software-Lösung«, eine Vervollständigung ihres Weltbildes, eine neue Spiritualität.

Es ist nicht schwer zu verstehen, warum das so ist. Die Relativitätstheorie hat die Billardkugeln, die sich in absoluter Zeit und absolutem Raum gegenseitig anstießen, durch das gekrümmte Raum-Zeit-Kontinuum ersetzt; die Quantenmechanik hat die Unschärfe und eine Grenze der Kausalität als wesentliche Merkmale der Materie aufgezeigt; die Chaostheorie hat nachgewiesen, daß es ganze Bereiche in der wirklichen Welt gibt, die sich unserer Vorhersagefähigkeit und dadurch auch unserer Kontrollmöglichkeit entziehen. Alle zusammen haben demonstriert, daß die deterministischen, mechanistischen Naturwissenschaften des 19. Jahrhunderts falsch waren. Und wenn diese, wie ich schon sagte, falsch waren, konnte dann nicht auch der damit einhergehende trostlose, pessimistische Atheismus ebenso falsch sein?

Die »harten« Naturwissenschaften stellen sich auf den Standpunkt, daß sie mit dem Pessimismus nichts zu schaffen haben, sei er nun trostlos oder wie auch immer geartet. Ihre Aufgabe sei nichts als die Erforschung der wirklichen Welt – ohne Rücksicht auf die Konsequenzen.

»Ich fühle mich deswegen nicht deprimiert«, sagte der Zoologe Richard Dawkins mir in einem Gespräch, »und wenn jemand das ist, dann ist das sein Problem. Vielleicht ist die Logik zutiefst pessimistisch, vielleicht ist das Universum trostlos, kalt und leer. Aber was soll's?«

Einige Leute, auch einige Wissenschaftler, lassen sich aber durchaus davon deprimieren, und sie haben versucht, aus dem Umstand, daß das naturwissenschaftliche Universum des 20. Jahrhunderts vielleicht nicht trostlos, kalt und leer ist, Hoffnung zu schöpfen. Es kommt hier nicht nur einfach darauf an, daß die neuen Naturwissenschaften seltsam und offenbar antiklassisch sind, sondern auch darauf, daß diese Eigenschaften die Naturwissenschaften dazu veranlaßt haben, neue Fragen zu stellen, die der Metaphysik, wenn nicht gar der Moral gefährlich nahekommen. Nachdem die Naturwissenschaften sich für den größten Teil ihrer Geschichte eifrig um Antworten auf Fragen nach dem Was und Wie bemüht haben, beschäftigt man sich heute sogar in den »harten« Naturwissenschaften ganz eindeutig mit der Frage nach dem Warum?

Ein kurzer Abstecher wird diesen Punkt, so hoffe ich, erhellen. Ich interviewte den Physiker Stephen Hawking, kurz vor der Veröffentlichung seines Buches *A Brief History of Time* (1988, *Eine kurze Geschichte der Zeit*) in England, das Teile seiner Theorien allgemeinverständlich darlegt.

Verständlicherweise war er wegen seiner Behinderung in seinem Verhalten sehr abrupt – er leidet unter einer neuronalen motorischen Erkrankung, die ihn zwingt, mit Hilfe eines Computers und eines Stimm-Synthesizers mit einer Geschwindigkeit von zehn Wörtern pro Minute zu sprechen. Ich begriff das meiste von seinen wissenschaftlichen Theorien und von seiner Denkungsweise – sie ist uneingeschränkt »hart« und deterministisch –, aber das schien mir nicht genug Einsicht in den Menschen Hawking zu geben. Deshalb interviewte ich eine Woche später seine Frau. Sie wirkte hinsichtlich dieser Thematik verstört, und sogar in diesem förmlichen Rahmen des ersten und einzigen Gesprächs, das wir führten, äußerte sie ihre Zweifel daran, ob die Richtung, in die sich ihr Mann bewegte, die richtige sei. Sie ist eine gläubige Anglikanerin, er aber hat nichts für die Religion übrig. Dies sei – erklärte sie – solange er die Urknalltheorie der Schöpfung vertrat, nicht schlimm gewesen. Ein einziges herausragendes Ereignis am Beginn der Zeiten ließ eindeutig Raum für Gott. Aber Stephen Hawking hatte seine Theorie »ohne Randbedingungen« entwickelt, in der es keinen Anfang und kein Ende gab. Statt dessen gab es nur eine Unendlichkeit der Ausdehnung und des Zusammenziehens wie auf einer Kugeloberfläche. Gott war nicht notwendig.

Sie war der Meinung, diese neue Art der Kosmologie könne weder auf sein Denken noch auf das Innere eines Observatoriums beschränkt werden. Die Ansprüche dieser Kosmologie waren zu umfassend und zu grundsätzlich geworden. Hawking gab Antworten auf Fragen, die zu stellen sie ihn für unqualifiziert hielt. Es mag sein, daß dies nicht die Antworten waren, die sie gerne gehört hätte, aber es waren doch Antworten, und zwar Antworten auf Fragen, die bis dahin zur Domäne des Glaubens gehört hatten und nichts in der Physik zu suchen hatten.

Der Wendepunkt für die neuen Naturwissenschaften, die Geburtsstunde dieser höhergesteckten Ziele, war Einsteins vergebliche Suche nach einer vereinheitlichten Feldtheorie gewesen. Er wollte alles erklären, wollte – kurz gesagt – eine Reihe von Gleichungen aufstellen, die es im Prinzip auch erlaubte, vorherzusagen, daß der Leser in diesem Moment diese Zeilen liest. Newton hätte dies weder für notwendig noch für möglich gehalten. Er hatte den Mechanismus eines Universums beschrieben, das von Gott an seinem Platz gehalten wurde. Das Warum war, mit anderen Worten, Gott selbst. Das ursprüngliche Newtonsche Universum war zusätzlich voller Dinge, die mit der

Physik nichts zu tun hatten, die Magie eingeschlossen. Bei Einstein aber hatte sich das Magische verflüchtigt, und die Existenz Gottes hing nur noch an einem schwachen, von der Rhetorik gehaltenen Faden. Und etwa so steht es immer noch um sie am Ende des Buches *A Brief History of Time*, wo Hawking über das Erkennen von Gottes Geist schreibt. Doch in der Zwischenzeit hat die Gottheit an Kraft verloren und kommt nur noch im schwachen Flüstern eines Nachsatzgedankens vor. Sie ist zu einer funktionslosen Gnadenbezeugung geworden, mit der die Theorie abgerundet werden soll. Für Menschen wie Hawking liegt die Wahrheit trotz gegenteiliger Versicherungen in den Gleichungen. Carl Sagan hat das in der Einleitung zur Hawkings Buch prägnant ausgedrückt:

>»Hawking stellt sich Einsteins berühmter Frage, ob Gott irgendeine Wahl gehabt habe, das Universum zu erschaffen. Hawking versucht, wie er ausdrücklich feststellt, ›Gottes Plan‹ zu verstehen. Und um so überraschender ist das – zumindest vorläufige – Ergebnis dieses Versuchs: ein Universum, das keine Grenze im Raum hat, weder einen Anfang noch ein Ende in der Zeit und nichts, was einem Schöpfer zu tun bliebe.«[4]

Dieses Streben nach absoluter Geschlossenheit und einer völlig autonomen Vision von der Existenz ist aus den Entwicklungen der Quantentheorie und der Relativitätstheorie entstanden, vor allem aber aus den Versuchen, beide zu vereinen. Im Endeffekt haben diese Theorien das Bild, das wir vom bekannten Universum hatten, das Bild von einer Maschine, in das eines kosmischen Systems von Feldern und Energie verwandelt. Die Stabilität der Materie, die wir kennen und auf der sich unsere Existenz gründet, wurde von diesen Theorien erklärt, doch nur unter der Voraussetzung, daß man die Instabilität als Wesenhaftigkeit aller Materie akzeptierte. Danach bestand unsere Welt aus einem wirbelnden Fluß zufälliger Ereignisse, dem Quantenfluß.

Wie ich schon gesagt habe, befand sich der Klassiker Einstein selbst in der zwiespältigen Position eines Vorträumers dieses sehr unklassischen Traums. Er lehnte die Quantenmechanik als schlüssige Theorie ab. Aber er ging mit seinen eigenen Gleichungen noch darüber hinaus. Er postulierte die Stabilität des Universums, obwohl seine eigenen Theorien ihm zu sagen schienen, daß sie nicht möglich sein könne.

Um aber die Vorstellung von einem stabilen Universum aufrechtzuerhalten, erfand er die berühmte kosmologische Konstante. Diese war genau die Kraft, die nötig war, um die Wirkung der Schwerkraft auszubalancieren, die, nach der Relativitätstheorie, andernfalls das Universum eines Tages in einer Implosion in sich zusammenbrechen lassen würde – gerade so, wie es nach der strengen Relativitätstheorie umgekehrt mit dem Urknall begonnen habe. Diese kosmologische Konstante war der wahre Gott Einsteins – eine einfache Zahl, die die klassische Balance erhalten und das Universum vor dem Knall und Zusammenbruch bewahren sollte.

Aber auch dieser Gott starb. Zu überwältigend waren die Hinweise aus den Beobachtungen, daß das Universum im Ganzen extrem instabil und unwiderruflich *un*klassisch war. Diese Indizien haben unsere heutigen Vorstellungen vom Kosmos entscheidend geformt. Die Röntgensatelliten der NASA in den sechziger und siebziger Jahren enthüllten ein Universum, das sich, wie Freeman Dyson es beschreibt, aus »kollabierten Gegenständen und verheerender Gewalt«[5] zusammensetzt und das endgültig Schluß macht mit dem Bild vom ewigen Frieden der aristotelischen himmlischen Vollkommenheit. Und was am wichtigsten war: Der Urknall schien eine Tatsache zu sein.

Von der reinen Relativitätstheorie vorhergesagt, von der kosmologischen Konstante aber verneint: Der Big Bang, der Urknall, ist die Explosion, mit der Raum und Zeit ihren Anfang nahmen. Beim Urknall gibt es kein »Vorher« und kein »Anderswo«. Er bezeichnet die eine Grenze des klassischen Wissens; die andere ist der »Big Crunch«, der große Kollaps, auf den sich das Universum in der reinen Relativitätstheorie zubewegt.

Dennoch blieben Anti-Urknall-Theorien in der Diskussion, bis im Jahre 1965 Arno Penzias und Robert Wilson in Amerika zufällig auf ein Strahlungsfeld stießen, das offenbar das ganze Universum erfüllte. Seine charakteristischen Eigenschaften stimmten völlig mit dem, was für den Strahlungsüberrest, gewissermaßen den »Fall-Out« des Urknalls vorhergesagt worden war, überein. Dies war praktisch das schwache Echo vom Beginn der Zeiten für die ersten Ohren, die es hören konnten.

In der Hypothese vom Urknall beginnen sich die Entwicklungen in der Quantentheorie denen der Relativitätstheorie zu nähern, denn in jenem unvorstellbaren Moment der Gewalt wird das sehr Große zum sehr Kleinen zermalmt. Die beiden werden mit Gewalt vereint.

An genau diesem Punkt der Entwicklung setzt die erkenntnistheoretische Wandlung der modernen Physik ein. Die klassische Physik, um es zu wiederholen, entwarf ein Universum, das einfach *da* war, in absoluter Zeit und im absoluten Raum. An dieses Ding konnte man mit der Frage »Warum?« nicht direkt herantreten. Tatsächlich war es ja das Bestreben der klassischen Naturwissenschaften und der Aufklärung gewesen, diese Trennung zwischen dem Warum und dem Was herzustellen. Werte und Bedeutungsinhalte könnten nicht in dieser Welt gefunden werden; die mahle mechanisch immer weiter. Gott oder was auch immer befinde sich außerhalb des Universums. Die neue Physik aber unterlief dieses Bild vom Universum. Die Urknalltheorie und verwandte Theorien ließen erkennen, daß unser Wissen uns sehr wohl erlauben würde, die Frage »Warum?« an das Universum zu richten. Bei dem, was zur Zeit in der Physik geschieht, handelt es sich im wesentlichen genau darum. Quantentheorie und Relativitätstheorie wurden immer weiterentwickelt, so daß heute viele Physiker zu behaupten wagen, sie verstünden alle physikalischen Vorgänge bis zurück zum ersten Bruchstück der Zeit direkt nach dem Urknall. Hierbei können sie sich auf experimentell ermittelte Befunde aus den riesigen Teilchenbeschleunigern in Europa und den Vereinigten Staaten stützen, in denen man unter extremen Bedingungen Materie in ihre Bestandteile zerlegt und damit ihre innere Struktur und ihr mögliches Verhalten in der ersten existierenden Nanosekunde am Beginn der Zeit studiert.

Die exotischen Pflanzen der Theorie, die auf dem Boden dieser Experimente wachsen, treiben von Zeit zu Zeit auch einmal Blüten, die wir mit unserem laienhaften Verständnis begutachten und bewundern können. Diese Theorien schüchtern uns ein und verwirren uns. Wir werden uns bewußt, daß wir in innere Räume vorgestoßen sind, die viel kleiner als das Atom sind, in eine Welt von Quarks und

Leptonen, und es scheint, daß wir von der Spitze des sich ausbreitenden Lichtkegels, die im Zeitpunkt des Urknalls ruht, 15 000 Billionen Lichtjahre bis zum Rand dieses Kegels zurückgelegt haben. Unsere Gleichungen deuten auf seltsame Umwandlungen von Zeit in Raum und von Raum zurück in Zeit hin. Sie weisen auch auf eine zugrunde liegende vieldimensionale Wirklichkeit hin. Die »Supergravity-Theorie«, die vor einigen Jahren diskutiert wurde, ging von elf Dimensionen aus, wobei alle Größen, die wir Kräfte nennen, nach dieser Theorie tatsächlich nur die Auswirkungen dieser unbeobachteten Dimensionen waren. Sie wurde überholt von einer Theorie, die von zehn Dimensionen ausging, die die Existenz der »Favoriten« der neuesten Spekulationen in der Physik voraussagten, die Existenz der »Superstrings«, einer Art Supergummibänder.

Superstrings sind gegenwärtig die Stars in der spekulativen Physik: Stellen Sie sich die Größe des sichtbaren Universums vor. Setzen Sie diese Größe ins Verhältnis zur Größe der Erde. Dann setzen Sie die Größe der Erde ins Verhältnis zu einem einzigen Atomkern. Die Verhältnisse sind ungefähr dieselben, also $10^{20} : 1$. Ein Superstring ist im selben Verhältnis kleiner als ein Kern. Diese unvorstellbar kleinen Objekte könnten, so stellt man sich vor, die kleinsten Bestandteile der Materie sein, und sie verknoten und verschlingen sich, um Zeit, Raum und unsere Seelen entstehen zu lassen.

Solche Theorien wie die der Superstrings, die allgemein als Feldtheorien bezeichnet werden, gehen von der Annahme aus, daß sich das Universum aus einer ursprünglich »einheitlichen« Situation einer »totalen Symmetrie« heraus entwickelt hat. Vor dem Urknall waren alle Felder in einem einzigen vereint; es gab kein Positiv und kein Negativ, alles war in perfekter Harmonie aufgehoben. Dieser Zustand ist das, was man sich unter dem »Nichts« vorstellen könnte – wenn solch eine Vorstellung möglich wäre. Alles, was existiert oder geschieht – alles, was mit anderen Worten nicht »nichts« ist – gehört zu dem Vorgang, durch den diese anfängliche Perfektion zerstört wurde. Für einen modernen Physiker existieren wir aufgrund zahlloser gebrochener Symmetrien, die uns alle auf ein anfängliches symmetrisches Nichts zurückverweisen. Wir sind ein Fleck auf dem reinen Nichts, das der einzig natürliche Zustand ist, obwohl er keiner ist, weil es sich ja um das Nichts handelt.

Diese aussagekräftigen Theorien, die Kräfte, Teilchen und Gesetze in sich vereinheitlichen, hat man »Eichtheorien« genannt. Sie stellen eine völlig neue, totale Sicht der Materie dar. John Barrow schrieb:

> »Eichtheorien zeigen, daß Physiker nicht damit zufrieden sein müssen, Theorien zu besitzen, die mit vollkommener Genauigkeit beschreiben, *wie* Teilchen sich bewegen und wechselwirken. Sie können auch etwas darüber wissen, *warum* diese Teilchen existieren und *warum* sie auf die beobachtete Weise miteinander wechselwirken.«[6]

Und Barrow weist auch darauf hin, daß die Art, wie sich solche Theorien auf ein vereinheitlichendes Prinzip zubewegen, auf eine Theorie von Allem, letztendlich der Ausdruck des grundlegenden naturwissenschaftlichen Glaubens ist. Er charakterisiert diesen Glauben als die Überzeugung, nach der die Wirklichkeit tatsächlich und letztlich »algorithmisch komprimierbar« ist.

Dies verbindet die neue Physik mit dem klassischen naturwissenschaftlichen Streben: Beide sind auf der Suche nach Vereinfachungen. Newtons Anliegen war ebenfalls die algorithmische Kompression. So betrachtet, liegt der einzige Unterschied in dem Ausmaß der Vereinfachung: Heute trachten wir danach, alles zu vereinfachen, während früher fragmentarische Einsichten auszureichen schienen. Newton hätte nicht im Traum daran gedacht, Gott algorithmisch zu komprimieren – wir dagegen schon.

Naturwissenschaftliche Hardliner würden eine solche Unterscheidung zwischen alter und neuer Physik für belanglos halten. Für sie gehen beide ineinander über: Die Naturwissenschaften sind nie ins Wanken geraten, und, was am wichtigsten ist, die Naturwissenschaften sind die einzige Wahrheit, die wir erlangen können. Diese Menschen bleiben Mechanisten. Das Gewebe von Wirkung und Ursache kann aufrechterhalten werden – auch wenn es in einem Maße abgeändert wurde, daß der Laie es nicht mehr zu erkennen vermag. Nach dieser Anschauung bedeutet der Erfolg der neuen Physik nicht den Umsturz der Klassik, sondern deren endgültige Bestätigung. Offenkundig könnte man dagegen einwenden, daß die naturwissenschaftlichen Hardliner in der Tat vom Anbeginn von Zeit und Raum an alles beschreiben und erklären mögen, daß sie damit die Frage nach dem Warum aber nur noch weiter hinausschieben. Warum genau haben Zeit und Raum begonnen zu existieren? Warum ist die Symmetrie gebrochen? Gott ist nicht vertrieben worden, uns ist nur die Pracht und Komplexität seiner Schöpfung bewußter geworden. Eine Antwort der naturwissenschaftlichen Hardliner ist die, Szenarien von der Zeit vor dem Urknall zu entwerfen, Bilder von dem Feld, das wir das »Nichts« genannt haben, und Vermutungen über eine Unendlichkeit von anderen Universen anzustellen. Sie wollen damit darauf hinweisen, daß unser Erklärungsvermögen kein Ende haben kann, daß es kein Ende der Theorie geben kann. Und diese Grenzenlosigkeit beweist ihrer Auffassung nach nicht, daß wir Gott brauchen, sondern zeigt, daß wir zu allem fähig sind. Zu jedem Zeitpunkt werden wir sagen können, unser Wissen sei unvollständig, doch diese Unvollständigkeit ist für die Struktur der Naturwissenschaften weder tödlich, noch öffnet sie Gott oder dem ganzen bunten Reigen von Metaphysik und Theologie wieder die Tür.

Dies ist natürlich ein hoffnungslos unlösbarer Streit, der sich auf Anschauung und Glauben und nicht auf Überzeugung stützt. Naturwissenschaftler *wollen* entweder mechanistische Determinsten sein, oder sie wollen es nicht. Die meisten wollen es. Aber es gibt eine Reihe von ihnen, die diese Vorstellung angefochten haben. Ich werde mich nun dem zuwenden, was diese Wissenschaftler zu sagen haben.

In dem Maße, in dem wir die Kräfte und Felder verstehen, die die Materie und uns selbst zusammenhalten, wird uns auch klar, daß wir inmitten eines Zufalls von gigantischen Ausmaßen zu leben scheinen. Wenn irgendeine von den Kräften und Wechselwirkungen, die wir festgestellt haben, nur im geringsten anders wäre, könnten wir nicht existieren. Seit dem Moment des Urknalls scheint die Materie an einer aufwendigen, fein abgestimmten Verschwörung beteiligt zu sein, um aerobe, auf Kohlenstoff basierende Lebensformen hervorzubringen, die ein Bewußtsein von sich selbst haben.

Die Details dieser Verschwörung sind so beschaffen, daß wir sie nicht einfach als bloßen Zufall abtun können. Doch es ist uns möglich, den Blickwinkel zu ändern und uns bewußt zu werden, daß wir das Wort »Zufall« vielleicht falsch verwenden. In den dreißiger Jahren entdeckte der britische Naturwissenschaftler Paul Dirac – denkwürdigerweise während seiner Flitterwochen – etwas, das er für den ausgefallensten und eigenartigsten Zufall hielt. Nach allem, was wir durch unsere Teleskope sehen und verstehen konnten, war errechenbar, daß es 10^{78} Teilchen im beobachtbaren Universum gibt. Das Verhältnis der Stärken der elektromagnetischen Kraft und der Gravitation zwischen zwei Protonen beträgt fast 10^{39} – mit anderen Worten, genau die Quadratwurzel aus der Anzahl der Teilchen im bekannten Universum. Es besteht hier also eine unglaubliche Beziehung zwischen dem unfaßbar Großen und dem unfaßbar Kleinen. Mit einem eigenartigen, unschuldigen Charme wird Diracs Entdeckung von den Wissenschaftlern zuweilen als »Large Number Coincidence« (Zufall der großen Zahl) bezeichnet.

Doch während die Zeit fortschreitet und sich das Universum ausdehnt, gelangt mehr Licht zu uns. Die Anzahl der Teilchen erhöht sich. Die einzige Möglichkeit, wie das beschriebene Verhältnis bestehen bleiben könnte, wäre die, daß sich das Verhältnis der Protonen zueinander ändert. Wenn dies nicht der Fall wäre, handelte es sich wirklich nur um ein zufälliges Zusammentreffen, das aufgehoben würde, wenn die Zahl der Teilchen wächst. Doch der Zufall der großen Zahl war sehr ungewöhnlich, und es schien leichter, an eine Änderung des Protonenverhältnisses zu glauben, auch wenn dies eine schwer erkämpfte Naturkonstante war.

Viele Experimente waren durchgeführt worden, als der amerikanische Physiker Robert Dicke im Jahr 1964 feststellte, daß es sich bei Diracs Zahl keinesfalls um einen Zufall handelte. Es mußte so sein. Das Verhältnis gab es, weil das Universum für die Länge dieser Zeitspanne vorhanden gewesen sein mußte, um bewußte Beobachter entstehen zu lassen. Es handelte sich um einen »anthropischen Selektionseffekt«. Es gibt ihn, weil es uns gibt, und es gibt uns, weil es ihn gibt. Die Perspektive, aus der man die Welt betrachtet, legt die Wahrheiten fest, die man aus ihr ableitet.

Dickes Erkenntnis ist heute als Schwaches Anthropisches Prinzip bekannt. Im wesentlichen besagt es, daß wir das Universum nicht von außen betrachten können, sondern nur von unserem Standpunkt aus – jedenfalls in diesem bestimmten Stadium seiner Entwicklung. Dies ist antiklassisch, weil die Klassik gerade auf der Überzeugung beruht, daß wir das Universum irgendwie objektiv von außen betrachten können.

(Es lohnt sich, in einem kleinen Exkurs darauf hinzuweisen, daß dies auch ein starkes indirektes Argument gegen die Existenz außerirdischer Lebensformen sein kann. Physikalische und biologische Theorien über unsere Entwicklungsgeschichte deuten auf eine riesige Zeitspanne hin, in der Kohlenstoff – der weithin als einzig wahrscheinliche Grundlage für das Leben gilt – die Prozesse durchlaufen muß, die schließlich zur Entstehung des Lebens führen. Zeit bedeutet in der neuen Physik auch Ausdehnung vom Beginn des Urknalls an. Obwohl wir angesichts der Größe des Universums den Eindruck haben mögen, als *müßten* irgendwo in dieser unermeßlichen Weite doch noch andere Lebewesen sein, ist diese Weite des Universums tatsächlich unabdingbar, damit sich so etwas wie wir entwickeln kann. Mit anderen Worten: Es mag außerirdische Lebewesen geben, aber die riesige Ausdehnung des Weltraums allein ist kein zwingender Beweis dafür.)

Die genaue Formulierung des Schwachen Anthropischen Prinzips lautet wie folgt: »Die beobachteten Werte aller physikalischen und kosmologischen Größen sind nicht gleich wahrscheinlich, sondern sie nehmen Werte an, die eingeschränkt sind durch die Bedingung, daß es Orte gibt, in denen sich Leben auf Kohlenstoffbasis entwickeln kann sowie durch die Bedingung, daß das Universum alt genug ist, um die Entwicklung von Leben ermöglicht zu haben.«

Mit bezeichnender Hellsichtigkeit ist Pascal als erster auf das Anthropische Prinzip gestoßen, als er über die Eigenartigkeit der menschlichen Perspektive nachdachte:

»Weshalb ist meine Erkenntnis beschränkt, weshalb meine Gestalt, weshalb die Dauer meines Lebens auf hundert Jahre statt auf tausend? Welche Gründe hat die Natur gehabt, sie mir so zu geben und grade diese Zahl statt einer anderen unter der Unendlichkeit auszuwählen, wo sie doch keinen Grund hat, die eine eher als eine andere zu wählen und nichts mehr für die eine als für die andere stimmt.«[7]

In seiner schwachen Form behauptet das Anthropische Prinzip verhältnismäßig wenig, und dennoch ist es wichtig. Es besagt lediglich, daß Wissenschaftler sich vor theoretischen oder experimentellen »Auswahleffekten« in acht nehmen müssen, die sie gegen ihre Ergebnisse voreingenommen machen könnten. Es wäre zum Beispiel denkbar, daß die Forscher versucht sind, Beobachtungsergebnisse zu verallgemeinern, die sie in Wirklichkeit nur deshalb erhalten, weil wir Menschen da sind. Mit Hilfe der Hypothese vom Kühlschranklicht lassen sich solche Voreingenommenheiten erklären. Jedesmal, wenn wir die Kühlschranktür öffnen, brennt im Inneren Licht, also schließen wir daraus, daß es immer brennt. In Wirklichkeit betätigt das Öffnen der Tür den Lichtschalter – was wir sehen, folgt aus unserer Anwesenheit und unserer Beobachtungsmethode. So gesehen ist das Anthropische Prinzip nichts anderes als eine vernünftige Methodik.

Aber diese Erklärungen sind für uns an dieser Stelle nicht ganz befriedigend. Wir haben immer noch das Problem, daß sich nach unserem gegenwärtigen Verständnis das Universum sehr wohl auf viele andere Weisen entwickelt haben könnte. Robert Dicke hatte gesehen, daß Diracs »Zufall« in Wirklichkeit eine Tatsache des Daseins war. Diese Erkenntnis aber hat die klassische Harmonie nicht wiederhergestellt. Wir müssen nach wie vor eingestehen, daß etwas sehr Merkwürdiges darin liegt, wie das Universum sich zusammengesetzt hat, um Wesen hervorzubringen, die darüber nachdenken konnten, wie seltsam es ist.

Vielleicht sind also aus dem ursprünglichen Zustand eine ganze Reihe von Universen hervorgegangen, in denen jeweils jede Kombination der möglichen physikalischen Entwicklungen stattgefunden hat. Nur sehr wenige dieser Universen werden eine solche qualitative Struktur entwickelt haben, die Leben hervorbringt – vielleicht sogar nur das unsere. Die Tatsache unserer Existenz muß daher die gesamte Geschichte des Universums bestimmen, es ist gerade unsere Anwesenheit, die es von anderen denkbaren Universen unterscheidet. Unsere grundlegende Erkenntnis muß die sein, daß es sich um die Art von Universum handelt, die so etwas wie uns hervorbringt.

Das führt zum Starken Anthropischen Prinzip: »Das Universum muß solche Eigenschaften haben, die es zulassen, daß Leben sich in ihm zu einem Zeitpunkt seiner Geschichte entwickelt.« Es muß sie haben, weil wir da sind, und all unsere Untersuchungen des Universums müssen das in Rechnung stellen.

In diesem Stadium behauptet das Anthropische Prinzip wirklich sehr viel. Denn diese Ansicht zu vertreten heißt, das Leben als ein Ziel zu betrachten, auf das hin sich das Universum ausgerichtet hat. Statt Fragen nach dem Urknall zu stellen, etwa von der Art »Was ist geschehen?«, würden wir damit beginnen, Fragen wie »Wie hat das zu uns hingeführt?« zu stellen. Wir sind in der kataklysmischen Chemie jenes Augenblicks wirklich vorhanden. Dies ist eine zutiefst antiklassische Vorstellung, die die aristotelische Kausalität wiederherzustellen droht, indem sie das Ergebnis zum Teil der Begründung macht.

Und als ob das noch nicht hinreichend wäre, gibt es auch noch das Finale Anthropische Prinzip. Dieses bedeutet, daß bewußtes Leben in diesem Universum nicht nur entstehen muß, sondern, daß es, wenn es einmal entstanden ist, auch niemals vergehen kann. Die Beweisführung dazu ist höchst spekulativ und außerordentlich komplex. Sie umfaßt riesige Zeitspannen, in denen die Ressourcen der Erde erschöpft werden, wir den Weltraum besiedeln, das Universum damit beginnt, sich zusammenzuziehen, zu einem kritischen Zeitpunkt dieser Kontraktion praktisch unendliche Mengen an Energie aus einer »Schwerkraftverwerfung« freigesetzt werden, Zeitspannen, in denen die Wiederbesiedlung von vormals erschöpften Regionen einsetzt und sich schließlich Leben oder vielmehr Bewußtsein ausbreitet und das ganze Universum erfüllt. John Barrow und Frank Tipler erklären:

> »In dem Augenblick, in dem der Omegapunkt erreicht ist, wird das Leben die Kontrolle über *alle* Materie und *alle* Kräfte nicht nur in einem einzigen Universum erlangt haben, sondern in allen Universen, deren Existenz logisch möglich ist; das Leben wird sich in *alle* Räume des Universums ausgebreitet haben, die nach der Logik existieren können, und es wird eine unendliche Menge an Informationen gespeichert haben, einschließlich *aller* Wissensreste, die der Logik nach zu wissen möglich sind. Und das ist das Ende.«[8]

Über den Wert solcher Spekulationen kann man wenig aussagen, außer, daß es sie gibt und daß sie die neue Art der wissenschaftlichen Vorstellung demonstrieren. Beide Ideen, die von der totalen Symmetrie und die vom Omegapunkt, weisen auf eine visionäre Einheit und Abgeschlossenheit hin, die aus den Naturwissenschaften selbst entsteht. Diese Dinge werden nicht von Theologen und Philosophen diskutiert, sondern von Naturwissenschaftlern. Das Buch, in dem Barrow und Tipler über das Finale Anthropische Prinzip nachdenken, besteht aus einem Wust von Gleichungen. Das belegt, daß die naturwissenschaftliche Sprache eine weitaus umfassendere Universalität anstrebt als jemals zuvor. Denn es ist unmöglich, keine Schlußfolgerungen über Sinn und Moral unseres Lebens zu ziehen, wenn wir so etwas wie das Finale Anthropische Prinzip akzeptieren. Anders ausgedrückt: Es ist dann unmöglich, die Trennung von Wert und Sache beizubehalten, die die Aufklärung vorgenommen hatte.

Wir müssen tatsächlich gar nicht so weit gehen, um die Ungeheuerlichkeit dessen zu verstehen, was da vorgeschlagen wird. Das Schwache Anthropische Prinzip allein stellt schon eine Art Revolution dar. Als Kopernikus als erster die Sonne ins Zentrum des Universums rückte, sagte er damit, daß das Menschengeschlecht keinen privilegierten Platz im Universum habe, und alle klassische Naturwissenschaft hat sich seitdem auf diesen Standpunkt gestellt. Wie aber der Fall des Diracschen Verhältnisses zeigt, führt eine solche Ansicht zu Verzerrungen unseres Wissens. Wenn die Naturwissenschaften überhaupt so etwas wie Genauigkeit erreichen wollen, müssen sie das menschliche Bewußtsein ins Zentrum des Universums rücken. Die klassischen Naturwissenschaften hatten den Anspruch, das Universum objektiv zu beobachten, das heißt von einem Standpunkt außerhalb des menschlichen Bewußtseins aus, der einer gottähnlichen Position außerhalb des Universums ähnelte, aber solch einen Standort gibt es nicht. Er war ein Trugbild, ein Traum.

Eine derartige Erkenntnis führt zu einer Explosion von Möglichkeiten auf jedem Gebiet der Wissenschaften. Wenn alles, was wir getan haben, nur eine wirkungsvolle Reihe von Extrapolationen war, die auf einer Reihe von Annahmen gründete, von denen wir jetzt wissen, daß sie fehlerhaft waren, dann ist vielleicht die Wahrheit der

Welt auf eine viel grundsätzlichere Art anders als alles, was wir uns bis jetzt vorzustellen erlaubt haben.

Der britische Wissenschaftler Rupert Sheldrake hat zum Beispiel die Theorie aufgestellt, unser ganzes Verständnis von Evolution und Kausalität sei falsch. Wir stellen uns ein Geschehen vor und dann ein nächstes, und denken, daß dies alles von Gesetzen gesteuert wird, die irgendwie ewig in der Natur existieren. Die Vergangenheit stellt einfach eine kausale Plattform dar für die Gegenwart, sie ist nicht organisch mit ihr verwoben.

Sheldrake findet das in vielfacher Hinsicht unwahrscheinlich, und in jedem Fall seien die zugrunde gelegten Naturgesetze Glaubenssätze, die in der Natur nirgends wirklich gefunden werden. Wir kennen Newtons Bewegungsgesetze – wo aber sind sie, und woraus bestehen sie? Sheldrake postuliert statt dessen, daß wir durch »Gewohnheit« entstehen: Die Vergangenheit schafft Muster, die über sogenannte morphogenetische Felder weiter existieren und auf die Gegenwart einwirken. In allen Dingen bleibt die Erinnerung bestehen. Wenn ein Mensch lernt, mit dem Fahrrad zu fahren, wird es dem nächsten Menschen leichter fallen, dies zu lernen und so weiter. Die ursprüngliche Lernanstrengung schafft ein Feldmuster, und in diesem wird das Fahrradfahren in den Bereich des Möglichen und Wirklichen aufgenommen.

Die Vorstellung, daß eine Form der Erinnerung in jeglicher Materie und jedem Geschehen weiterbesteht – und zwar durch das Medium eines bis jetzt noch unentdeckten Systems von Feldern – läuft aller bisherigen Naturwissenschaft entgegen. Sie löst jedoch, oder umgeht vielmehr, mit aufreizender Einfachheit eine ganze Anzahl von Problemen in der Biologie, die mit der Art zu tun haben, wie Organismen sich bilden. Nach unserer mechanistischen Vorstellung sind wir durch unsere Gene geformt. In Wirklichkeit aber haben wir noch keine Vorstellung davon, wie das geschieht. Was in unseren Schulbüchern als ein geradliniger biochemischer Prozeß dargestellt wird, weist in Wirklichkeit klaffende Löcher auf. Wir wissen nicht, wie Gene einen Organismus bestimmen, entweder, weil wir unwissend sind, oder, wie Sheldrake behauptet, weil das gar nicht geschieht. Die konventionelle Biologie würde sagen, daß es nur unser Problem ist, zu verstehen, wie organische Moleküle sich zu einzelnen

Proteinen »falten«. Doch dieses Problem würde eines Tages auch gelöst werden. Nach Sheldrake aber hat sich dieses Problem deshalb als seiner Auffassung nach unlösbar erwiesen, weil sich das »Falten« nicht als Folge eines chemischen Prozesses ereignet, den wir noch nicht verstanden haben, sondern weil die Moleküle der Erinnerung früherer Faltungsprozesse unterworfen sind. Wir werden durch den Druck der Vergangenheit geformt, der durch morphogenetische Felder übertragen wird.

Wem das bizarr und unwahrscheinlich erscheint, so sagt er, der solle an die Quantenmechanik denken. Innerhalb weniger Jahre hat sich dieser geflügelte Löwe der Physik bemächtigt. Und trotz Sheldrake bleibt die Biologie ihrem alten mechanistischen Denken verhaftet. Ist es so unwahrscheinlich, daß eine Quantenrevolution auch in den Biowissenschaften bevorsteht? Sheldrake folgert:

> Wenn die Theorie wahr ist, »so werden wir unser Denken grundsätzlich ändern müssen. Wir werden früher oder später viele unserer alten Denkgewohnheiten aufgeben und neue annehmen müssen, die einer Welt gerecht werden, welche in der Gegenwart der Vergangenheit, aber auch in der Gegenwart der Zukunft lebt – in einem fortdauernden Schöpfungsprozeß.«[9]

Hier wird deutlich, daß dieses naturwissenschaftliche Denken ausdrücklich und nachhaltig auch in neue moralische Haltungen eingeht. Dies geschieht nicht unbedingt in den Außenbezirken der neuen Physik. Wenn wir die Gedanken der heutigen Physiker und Mathematiker betrachten, mögen wir erstaunt sein über die Ziele, die sie auf der Grundlage ihrer radikal neuen Erkenntnisse verfolgen, aber wir können immer noch leicht darüber hinweggehen, weil das Denken und Handeln dieser Wissenschaftler völlig im Rahmen dessen bleibt, was Naturwissenschaftler normalerweise tun. Der Omegapunkt mag zwar moralische Konsequenzen haben, aber diese stehen nicht unmittelbar bevor. Sie erfordern kein unmittelbares Handeln.

Sheldrake aber will, daß seine Theorie über das, was an unserem klassischen Wissen falsch war, hier und jetzt alles ändert. Sie ist für den Menschen ein naturwissenschaftlicher Weg zurück zu einer harmonischen Stellung in unserer Kultur. Statt die Rolle von Beobachtern eines kalten Universums zu spielen, werden wir nach Sheldrake zu Geschöpfen, die von seiner Geschichte geformt werden und diese Geschichte formen. Der Kosmos nimmt uns in seine Felder auf.

Es gibt viele andere, die nicht damit zufrieden sind, daß das neue naturwissenschaftliche Denken nur auf das Denken der Naturwissenschaftler beschränkt bleibt. Besonders die Quantentheorie scheint es nach Ansicht mancher erforderlich zu machen, daß wir uns an eine Neubewertung dessen wagen, was wir tun und wer wir sind. In der Tat könnte die merkwürdige Beschaffenheit des Quantums Vorbotin einer neuen Offenbarung sein. Vielleicht hatten die Pioniere der Quantenmechanik für den naturwissenschaftlichen Glauben eine ähnliche Funktion, wie sie Johannes der Täufer für den christlichen Glauben hatte. David Bohm schreibt:

»Man könnte hier die Ansicht äußern, daß wir uns in einer Lage befinden, die derjenigen Galileis in mancher Hinsicht ähnlich ist, als er seine Forschungen aufnahm. Eine Menge Arbeit ist geleistet worden, um die Unzulänglichkeiten der alten Ideen aufzuzeigen, die es lediglich gestatten, eine Reihe neuer Fakten *mathematisch passend* zu machen (vergleichbar dem, was Kopernikus, Kepler und andere getan haben), aber wir haben uns nicht durch und durch von der alten Ordnung des Denkens, Sprechens und Beobachtens freigemacht. Eine neue *Ordnung* wahrzunehmen, steht uns noch bevor.«[10]

Bohm, ein bedeutender Physiker und Quantentheoretiker, war einer der Anführer beim Versuch, die Auswirkungen der Quantenmechanik über die Naturwissenschaften hinaus in allen Nachbarbereichen unseres Wissens zu verfolgen. Er argumentiert, daß das, was wir über die grundsätzliche Beschaffenheit der Materie entdeckt haben, unseren alltäglichen Erkenntnisformen so sehr entgegenläuft, daß nichts davon unberührt bleiben kann.

Nach Bohm muß die grundlegende Änderung darin bestehen, den alten Weg des Verständnisses der Welt, der sie in Bruchstücke aufteilte, aufzugeben. Die klassischen Naturwissenschaften haben unsere Sprache so gestaltet, daß sie sich ihrem Verständnis der Welt angepaßt hat. Wie ich gezeigt habe, bestand diese Sichtweise darin, ein Problem in einzelne, experimentelle und beobachtbare Teile zu zergliedern. Wir erlangen unsere Kenntnis von der Welt indem wir die Fallgewichte Galileis als eine vom Luftwiderstand getrennte Erscheinung betrachten, nachdem wir festgestellt haben, daß dieser »falsche« Meßergebnisse verursacht. Ebenso sehen wir unseren eigenen Verstand als unbedingt abgetrennt von der Welt, die zu interpretieren er unternimmt.

Nach Bohm scheint die Quantentheorie diese Sichtweise zu untergraben. Die Eigenschaft der Nichtlokalität weist darauf hin, daß Teilchen über ungeheure Entfernungen hinweg Einfluß aufeinander ausüben können. Auf eine gewisse Weise, die wir noch nicht verstehen, könnten sie in Wirklichkeit ein und dasselbe Teilchen sein. Sie als unterschiedliche zu betrachten, ist nur eine für unser Verständnis nützliche Vereinfachung. Sie jedoch als ein einziges Teilchen zu betrachten, scheint alles in Frage zu stellen, was wir von der Welt zu wissen glauben.

Bohm argumentiert, daß dies aber genau das ist, was wir akzeptieren müssen, wie schwierig es auch sein mag:

> » . . . unsere Ordnungsbegriffe durchdringen alles; sie besetzen nicht nur unser Denken, sondern auch unsere Sinne, unsere Gefühle, unsere Intuitionen, unsere Körperbewegungen, unsere Beziehungen zu anderen Menschen und zur Gesellschaft im ganzen und in der Tat unser Leben in jeder Phase. Daher ist es schwer, von unseren alten Ordnungsbegriffen so weit ›einen Schritt zurückzutreten‹, daß neue Ordnungsbegriffe ernsthaft erwogen werden können.«[11]

Die Konsequenzen eines solchen Denkens sind klar: Die Welt ist nicht auf der Basis irgendeines Modells gemacht, das sich aus unserem Normalverstand oder aus unserer klassischen Naturwissenschaft herleitet. Sie steht beiden grundsätzlich fremd gegenüber. Dennoch stützen sich unser Leben und unsere Kultur gerade auf diese ungenauen Modelle. Es besteht daher ein Bruch zwischen der wahren Wirklichkeit der Welt und unserem Dafürhalten ihrer vermeintlichen Wirklichkeit. Und dieser Bruch mag die Wurzel all unserer

Leiden sein. Die neue Naturwissenschaft hat eine dringende Botschaft für uns, hier und jetzt in unserem täglichen Leben.

Bohm verwendet eine Grundvorstellung der Geistesgeschichte: die, daß wir irgendwie »auf dem falschen Weg« sind. Die augenfälligste Konkretisierung dieser Vorstellung finden wir heute in dem Bild von uns selbst als Verschmutzer und Zerstörer des Planeten. Hinter dieser und allen anderen heutigen Konkretisierungen dieses Gedankens steht nämlich die Überzeugung, daß irgend etwas falsch ist an der Art, wie wir die Dinge »auffassen«. Diese moderne Angst geht in ihren Wurzeln offensichtlich auf den christlichen Begriff von der Erbsünde zurück. Beiden liegt die Vorstellung zugrunde, daß es in unserem Verhältnis zu unserer Welt einen Fehler gibt, und beide unterstellen, daß dieser Fehler als Folge einer korrumpierten Form der Erkenntnis auftritt. Beim Sündenfall entstammt sie unserem Stolz, der uns wünschen ließ, mehr zu wissen, als Gott das wollte. Die naturwissenschaftliche Korrumpiertheit entstammt der Methode der Trennung und Zerlegung, der Isolierung der Teile vom Ganzen, um sie zu verstehen. Dies hat uns zu Zerstörern der Natur werden lassen. Um die Welt verstehen zu können, müssen wir in sie hineinschneiden oder sie aufbrechen. Wir müssen künstliche Bedingungen schaffen. Was wir nicht tun, ist, das Ganze passiv zu betrachten. Wir ehren die Schöpfung nicht, wir brechen sie auf, wie ein Kind einen Gegenstand zerlegt, um zu sehen, wie er funktioniert, und wir können sie nicht wieder zusammensetzen. Die klassischen Naturwissenschaften haben uns nicht nur in unseren Laboratorien und Observatorien fehlgeleitet, sie haben uns in unserer Welt deplaziert.

In der Vergangenheit, zum Beispiel bei den Romantikern im 18./19. Jahrhundert, wäre solch eine Behauptung auf Ahnung, Empfindsamkeit und Gefühl gegründet gewesen. In unserer Zeit aber scheinen der Umsturz mechanistischer Systeme und ihr Ersatz durch merkwürdige Theorien, die dem gesunden Menschenverstand zuwiderlaufen, mehr bereitzustellen: eine Art harten Beweises dafür, daß die Welt nicht ein solch kalter, einfacher Ort ist, wie die Naturwissenschaften uns glauben machen wollten. Wir könnten vielleicht gerade dort Sinn und Bedeutung finden, wo sie – wie die Aufklärung uns lehrte – nicht gefunden werden könnten: in den wissenschaftlich beobachtbaren Tatsachen der Welt.

Wie ich im letzten Kapitel erläutert habe, war Max Planck, der Begründer der Quantentheorie, von dieser Aussicht beunruhigt. Er fürchtete, daß seine eigene wissenschaftliche Erkenntnis die Wissenschaft selbst untergraben könnte. Weil sie frühere Theorien umstieß, bedeutete sie möglicherweise, daß alle Naturwissenschaft nicht mehr war als eine zeitlich begrenzte, kulturell festgelegte Hypothese. Schlimmer noch, die Quantentheorie war derart beschaffen, daß sie das Bild von einer Welt voll brodelnder Unsicherheiten und Seltsamkeiten heraufbeschwor. Die »wirkliche« Welt, auf der der Begriff einer Naturwissenschaft aufgebaut war, könnte eine Fiktion wie jede andere sein. Dies alles würde die Wissenschaft möglicherweise ebenso verletzlich machen wie die Religion.

»Gibt es noch irgendwo einen Felsen der Wahrheit?«[12] fragte Planck.

Plancks Antwort war klassisch und tragisch. Die Religion war durch den Ansturm der Naturwissenschaften unterhöhlt worden, aber wenigstens war uns der Trost einer harten Wahrheit geblieben; jetzt schien sogar diese gefährdet. Werner Heisenberg, ein instinktiv antiklassischer Physiker, bekannte sich zu der radikaleren Ansicht, die Philosophie der Aufklärung müsse einfach abgeändert werden. Er sprach davon, das Kantische *a priori* zu relativieren, und die Vorstellung von der Wirklichkeit, die in den Dingen selbst lag, aufzugeben – ein Atom war ein Beobachtungsergebnis und kein Ding in der Welt. Die rettende Stabilität lag für Heisenberg darin, daß diese neuen Erkenntnisse auf eine Welt wiesen, die auf dem platonischen Ideal von Symmetrie und Balance aufbaute und nicht auf einer mechanistischen Vorstellung von Wirkung und Ursache.

Man mag die Auffassung vertreten, hinter dem Bestreben David Bohms liege die antiklassische Haltung Heisenbergs, alles, was wir sind, auf der Grundlage der Quantenmechanik zu verändern. Weil wir Erben der Aufklärung sind, und weil die Aufklärung sich auf die Naturwissenschaften stützt, folgt, daß wir die falsche Auffassung vertreten, da die klassischen Naturwissenschaften sich als Irrtum erwiesen haben.

Man kann auch der Meinung sein, Heisenberg habe die eher populistischen und kompromißlosen Spekulationen über die Beschaffenheit unseres Wissens angeregt. Fritjof Capra, ein amerikanischer

Physiker, hat den konkretesten und in der Öffentlichkeit erfolgreichsten Versuch vorgelegt, die Naturwissenschaften neu zu definieren. Er beginnt mit dem Zustand nach der Erbsünde, die ihre Wurzeln im bruchstückhaften »naturwissenschaftlichen« Verstehen hat.

> »Der Glaube, daß all diese Teile – in uns selbst, in unserer Umgebung und unserer Gesellschaft – wirklich getrennt sind, kann als Hauptgrund für die gegenwärtige Folge von sozialen, ökologischen und kulturellen Krisen angesehen werden; eine steigende Welle von Gewalttätigkeit und eine häßliche, verschmutzte Umwelt, in der das Leben oft physisch und psychisch schädlich geworden ist.«[13]

Die Zerstückelung der Welt folgt aus der experimentellen Idealvorstellung. Bei Capra finden wir eine rhetorische Verallgemeinerung unserer Befürchtungen. Die neue Physik sagt uns jedoch, daß es Bruchstückhaftigkeit in der wirklichen Welt nicht gibt. Sie spricht von Harmonie und wechselseitiger Abhängigkeit und sagt uns, daß sich in einem naturwissenschaftlich bedeutenden Sinn alles mit allem berührt.

Um seine These zu belegen, weist Capra auf die Parallelen zu den Einsichten der östlichen Religionen – in den vereinheitlichten Anschauungen von Hinduismus, Taoismus und Buddhismus – hin. Diese Parallelen sind für ihn entscheidend. Sie zeigen auf, daß die Weisen des Orients schon vor langer Zeit in den Besitz der Wahrheiten gelangten, zu denen uns zu führen unsere im Kern verdorbenen, sündigen Naturwissenschaften gerade erst begonnen haben. Für den materiellen Erfolg unserer klassischen Naturwissenschaften mußten wir einen hohen Preis bezahlen: Wir sind geistig verarmt. Die neuen Einsichten können uns erlösen.

> »Ich glaube, daß die Weltanschauung, die aus der modernen Physik hervorgeht, mit unserer gegenwärtigen Gesellschaft unvereinbar ist, weil sie den harmonischen Zusammenhängen, die wir in der Natur beobachten, nicht Rechnung trägt. Um einen solchen Zustand des dynamischen Gleichgewichts zu erreichen, bedarf es einer völlig anderen sozialen und ökonomischen Struktur: einer

kulturellen Revolution im wahren Sinne des Wortes. Das Überleben unserer ganzen Zivilisation kann davon abhängen, ob wir zu einer solchen Wandlung fähig sind. Es geht letztlich darum, daß wir einige der ›Yin‹-Anschauungen der östlichen Mystik übernehmen, die Natur ganzheitlich erfahren und mit ihr in Harmonie leben.«[14]

Wie Bohm zieht Capra eine direkte Verbindung von der Physik zur Welt der Menschen, nur bedenkenloser, vorbehaltloser und weniger präzise. Sein ganzheitlicher Eifer erkennt keine Unterschiede zwischen den klassischen Naturwissenschaften und der Gewalt auf den Straßen und keine zwischen der Quantenmechanik und der Weisheit des Tao. Er verwirft nicht nur die Tendenzen der traditionellen Naturwissenschaften, die Natur zu fragmentieren, sondern auch die Weisheit eines Hume oder Kant, die die Gefahren und in der Tat auch die Unmöglichkeit erkannten, Werte, Sinn und Gott in der Welt der sinnlichen Wahrnehmung zu finden. Dadurch verspricht Capra uns eine Art Paradies, in dem unser materielles Wissen uns zu einer uralten spirituellen Perfektion zurückführt – gerade so, wie in dem Film *2001* die Reise zum Jupiter uns in einen fötalen Zustand zurückversetzt und uns hellseherische Fähigkeiten verleiht.

Dies ist genau der entgegengesetzte Weg zum Wunder in der Naturwissenschaft, wie ihn Feynman einschlug. Feynman träumte von einem wahrhaft naturwissenschaftlichen Zeitalter, in dem Wissen, im traditionellen Sinn verstanden, in sich selbst seine eigene Rechtfertigung trüge und unser wichtigster Trost sein würde. Sein Traum hatte nichts Exotisches, ihm genügte das Wissen selbst. Capra aber verlangt, daß unser Wissen zu einem Ziel führt – und zwar zurück zur Weisheit der orientalischen Meister. Beide Anschauungen entwickelten sich direkt aus den merkwürdig anmutenden komplexen neuen Richtungen der Naturwissenschaften des 20. Jahrhunderts. Während Feynman diese Entwicklungen jedoch als ausreichenden Beweis für den Wert des ganzen wissenschaftlichen Unternehmens betrachtet, benutzt Capra sie zu dem Versuch, dieses Unternehmen unendlich vieler Verbrechen anzuklagen und es unter einer neuen Spiritualität zu begraben.

Das Problem bei Capra und bei einer beliebigen Anzahl anderer

Versuche, Gott in der Welt der Quanten, der Relativität und des Chaos zu finden, ist, daß die spirituelle Sprache im Vergleich zur naturwissenschaftlichen ungenau, hohl und blutleer wirkt. Vielleicht hat es ja noch einen gewissen Sinn, so vage der auch sein mag, wenn man fast ein Jahrhundert der Quantenmathematik in groben Zügen als Abbild von »Harmonie und Verflochtenheit« darstellt. Aber diese Begriffe zu benutzen, um eine Verbindung mit den Einsichten der orientalischen Religionen herzustellen, ist sinnlos. In welchem Sinne können Lao-Tse oder Buddha »gewußt« haben, was Heisenberg oder Bohr »wußten«? In dem Sinne, würde Capra antworten, daß ihre voneinander unabhängigen Traditionen sie zu einer gemeinsamen grundlegenden Wahrheit über die Natur der Welt geführt haben. Ihre Methoden waren vollkommen verschieden, aber der Umstand, daß es eine Entsprechung im Vokabular ihrer Schlußfolgerungen gibt, bestätigt diese These.

Es läßt sich leider nicht nachvollziehen, inwiefern dieses Vokabular über ein reines Wunschdenken hinausgehen soll. Es ist, als habe man entdeckt, daß Heisenberg und Lao-Tse übereingekommen seien, daß es das Beste wäre, wenn alle nett zueinander sind, und als habe diese Übereinkunft die Hypothese begründet, daß es sich beim Quantum und beim Tao um ein und dasselbe handele. Vielleicht sind sie ja sogar identisch, aber gegenwärtig besitzen wir weder das Vokabular noch das Wissen, um dieser Entsprechung einen Sinn zu geben.

Doch abgesehen davon, was geschieht eigentlich, wenn die Physik sich wieder ändert, was mit Sicherheit der Fall sein wird? Dies ist in der Tat das härteste Argument gegen all diese Versuche, Werte und Sinngehalte aus dem Inneren der Naturwissenschaften zu beziehen. Denn die Naturwissenschaften sind im 20. Jahrhundert für uns nicht nur sonderbar, sie sind auch außerordentlich »flüchtig« geworden. Werte und Sinngehalte können nicht flüchtig sein, sie müssen Bestand haben. Wenn in der Naturwissenschaft nichts Bestand hat, vermag sie auch keine Sinngehalte anzubieten.

Der Leser möge mir diesen atemberaubenden und intensiven Schwall von Spekulationen verzeihen. Dieser Exkurs war jedoch notwendig, um zu erkennen, daß neue Bestrebungen und die Begeisterung dafür uns auf zwei Dinge hinweisen: Zunächst einmal, daß ein

Bedürfnis nach solchen neuen Entwicklungen bestanden hat, und zudem, daß die Menschen instinktiv tatsächlich die Frage der Naturwissenschaften als den zentralen Punkt unserer Kultur erkannt haben.

Ich möchte dieses Bild ein wenig vereinfachen und diese ganze Aufregung zu erklären versuchen.

In einer Hinsicht ist sie ein Zeichen für den Kampf, den wir führen, um das nahezu Undenkbare dieser neuen Entwicklungen mit Hilfe der grundlegendsten Kenntnisse unseres modernen Wissens zu erfassen. Die Naturwissenschaftler entdeckten im 20. Jahrhundert, daß etwas gleichzeitig falsch und dennoch sehr wohl effektiv sein kann. Newtons Theorien waren und sind immer noch – spektakulär effektiv. Doch er unterlag dennoch einem Irrtum. Dasselbe trifft auf eine ganze Reihe von Theorien in anderen Wissenschaftsgebieten zu. Was einmal als über jeglichen Zweifel erhaben, experimentell erwiesen zu sein schien, wurde gestürzt. Was wir für *die Wahrheit* hielten, stellte sich nur als eine grobe, arbeitspraktische Verallgemeinerung heraus.

Im 19. Jahrhundert, auf dem Höhepunkt des Vertrauens in Wissenschaft und Technik, wäre die Antwort auf die Frage »Was ist Wahrheit?« einfach gewesen: Die universale Maschine der Naturwissenschaften ist die Wahrheit. Ist es aber nach Planck, Einstein und Heisenberg möglich, diese Behauptung aufrechtzuerhalten?

Die Antwort darauf ist letztlich Ansichtssache. Viele Wissenschaftler und Nichtwissenschaftler haben sich auf den Standpunkt gestellt, daß ein Weltmechanismus kein sinnvoller Weg zum Verständnis der Wirklichkeit mehr ist. Der ausgedehnte, bunte Reigen an Spekulationen, den ich in diesem Kapitel darzustellen versucht habe, ist das Ergebnis einer solchen Antwort auf die Frage. Wie ich bereits darlegte, kann die »harte« Wissenschaft jedoch unbehelligt fortfahren, ihre im wesentlichen mechanistische und deterministische Position zu verteidigen; sie kann behaupten, daß alles, was im Augenblick dem nach traditionellen Maßstäben geknüpften Netz der Naturwissenschaften zu entgehen scheint, mit dem Stand unseres Wissens zu tun hat. Einstein zum Beispiel vertrat mit seiner Überzeugung, daß die Unbestimmtheit und die Paradoxien der Quantenmechanik verschwinden werden, sobald wir mehr wissen, diese Auffassung.

Wie immer, ist auch hier der springende Punkt nicht in der Antwort, sondern in der Tatsache, daß die Frage gestellt wurde, zu suchen. Die Wandlung und das zunehmende Tempo der Naturwissenschaften in unserem Jahrhundert haben eine neue Situation geschaffen. Die Naturwissenschaften sehen sich in Gebiete des Denkens geführt, die normalerweise der Philosophie zugerechnet werden. Vor allem ist es für sie zunehmend schwieriger geworden, das traditionelle, objektive Modell naturwissenschaftlicher Vorgehensweise aufrechtzuerhalten. Entwicklungen wie die Quantenmechanik und das Anthropische Prinzip haben den zentralen Glaubenssatz der klassischen Naturwissenschaften in Frage gestellt – die Vorstellung, daß wir uns selbst und das Universum von außerhalb betrachten könnten, als Götter der Objektivität.

Solche Überlegungen haben einige Leute – wie Bohm, Sheldrake und Capra – unvermeidlich zu der Vermutung geführt, wir hätten uns vielleicht allzu eifrig den allertrostlosesten Standort zu eigen gemacht. Das naturwissenschaftliche Programm, das uns in Kälte und Einsamkeit zurückließ, könnte vielleicht nicht nur gegen unsere Instinkte gestanden haben, sondern auch gegen die ganze Wahrheit. Wir haben uns darin geirrt, die Welt mit einem Billardspiel zu vergleichen und uns selbst als Zufallsprodukte ohne Sinn und Zweck zu betrachten. Vielleicht finden wir also in den Quantenvibrationen, in den morphogenetischen Feldern oder im Tao einen Grund zum Leben.

Die Komplexität und die Vielfalt der Spekulationen in unserem Zeitalter sind mit Sicherheit ein Indiz dafür, daß wir befreit worden sind. Der Verlust der mechanistischen Bestimmtheit hat uns von einer besonderen Form der Autorität befreit, ebenso wie der Verlust der intellektuellen Kraft der Religion und ihrer Institutionen den menschlichen Geist während der Aufklärung befreite. Deshalb befinden wir uns jetzt auf einem Tummelplatz für Spekulationen darüber, was die Wirklichkeit sein oder nicht sein könnte.

Auch wenn dies befreiend ist, macht es frösteln. Wenn alles durch Theorien in Frage gestellt werden kann, die so radikal wie die von Sheldrake sind, bedeutet dies dann, daß unser ganzes Wissen nichts wert ist? Daß unsere Naturwissenschaften nicht einmal die Oberfläche der Wirklichkeit angekratzt haben?

Hier erhebt sich wiederum die Frage, die schon oft zuvor gestellt wurde, was unsere Naturwissenschaften eigentlich sind. In gewisser Weise hat unser Jahrhundert dieses Thema zu einem besonders unbequemen für Naturwissenschaftler werden lassen. Zum Beispiel gibt es zwei mögliche Ansichten über den gegenwärtigen Zustand der Physik: daß sie sich in ihrer schöpferischsten und kraftvollsten Phase befindet oder in einem Zustand äußerster Dekadenz. Die letztere erklärt sich aus der Tatsache, daß so sehr viel Theoretisches sehr weit entfernt von jeglicher Möglichkeit einer experimentellen Verifikation ist. Es kann nicht bewiesen werden, daß Superstrings außerhalb der Gleichungen, aus denen sie folgen, auch existieren. Ebenso ist die eine vereinheitlichte Kraft, die es angeblich gab, als das Universum 10^{-25} Sekunden alt war, reine Spekulation – und dennoch ist sie die Grundlage für einen großen Bereich in der Kosmologie, der den Kern für die aufregendsten und verführerischsten Wundererzählungen der Naturwissenschaften bildet.

Und wegen dieser großen Distanzen zwischen Theorien und experimentellem Nachweis oder Beobachtung hat die Mathematik eine gefährliche Bedeutung erlangt. Die Schönheit und Harmonie mathematischer Systeme werden als Beweise für die Wahrheit der Kosmologien, die damit beschrieben werden, angesehen. Das verführt Physiker dazu, sich an ihren Theorien auf unvernünftige Weise festzuklammern. Manche haben darauf hingewiesen, daß geliebte Theorien eher künstlich abgeändert als verworfen werden, wenn Beobachtungen sie zu widerlegen scheinen.

Jene, die diese Rettungsversuche von Theorien für dekadent halten, sehen in diesen »mathematisierten« Physikern die ptolemäische Methode auferstehen. Ptolemäus, der griechische Astronom, ging von der Überzeugung aus, daß die Erde sich im Zentrum des Universums befinde, und errichtete dann um diese Gewißheit herum ein astronomisches Modell. Das Resultat war ein unwahrscheinlich komplexes System, das nur deshalb funktionierte, weil Ptolemäus sich solch außergewöhnliche Mühe gegeben hatte. Das Ptolemäische System bleibt eine der ganz großen Leistungen des menschlichen Geistes. Aber, an unserem Wahrheitsbegriff gemessen, war es niemals »wahr«.

Theorien von Allem, die Bemühungen um eine große Vereinheitlichung, die aus dem Spätwerk Einsteins erwuchsen, teilen mit dem Ptolemäischen Modell eine ausgefallene Grundannahme – nämlich die, daß es eine Einheit *gibt*. Dies scheint auf zweierlei Weise absurd: Erstens weist die Wirklichkeit eine solche Einheit vielleicht nicht auf, und zweitens, auch wenn sie sie hätte, gäbe es keinerlei Garantie dafür, daß solch eine Einheit sich dem menschlichen Verstand erschließen würde, algorithmisch komprimierbar wäre. Andererseits können wir natürlich behaupten, das Erreichen dieser Einheit sei sehr gut möglich und schaffen dann eine Wirklichkeit, die wir passend vereinheitlichen. Doch damit würden wir uns nur selbst täuschen.

Vielleicht erklären sich all diese Fragen damit, daß der Begriff Naturwissenschaft seine Bedeutung verloren hat. Vielleicht gehören Superstrings und andere Exotika zu einem Reich der Spekulationen, das besser mit Metaphysik oder Philosophie bezeichnet werden sollte. Vielleicht ist dies alles der Anfang eines Prozesses, in dem ein ganzes Gebiet der Naturwissenschaften sich loslöst und zu etwas anderem wird.

Dies mag so sein, aber es sollte uns ein grundlegendes Faktum nicht übersehen lassen: Die traditionellen Naturwissenschaften, die experimentell verifizierbar und technisch realisierbar sind, formen weiterhin uns und unsere Welt. Die angesprochenen gewagteren Spekulationen haben augenblicklich noch keine Bedeutung. Im letzten Kapitel dieses Buches werde ich versuchen nachzuweisen, daß sie auf etwas hinweisen, was schon jetzt besteht. Im Moment aber sind die wirklichen Naturwissenschaften, die gewöhnlichen Naturwissenschaften, die nichts Philosophisches haben und von Leuten praktiziert werden, denen wenig Zeit für solche Abstraktionen zur Verfügung steht, weiterhin eine Herausforderung und Bedrohung für uns.

8. Der Anschlag auf das Selbst

. . . es zu wagen, ganz man selbst zu sein, ein einzelner Mensch, dieser bestimmte einzelne Mensch, alleine direkt Gott gegenüber, alleine in dieser ungeheuren Anstrengung und dieser ungeheuren Verantwortung.

Kierkegaard[1]

Wir können natürlich behaupten, daß in all diesen Spekulationen, all diesen letzten Gleichungen und tiefgründigen Versuchen, den Wissenschaften eine Seele einzuhauchen, keine wirkliche Substanz enthalten ist. Was spielt das schon für eine Rolle, was man in den Naturwissenschaften sagt oder tut? Wir leben von einem Tag zum anderen. Exotische Reisen an den Beginn oder an das Ende von Zeit und Raum mögen interessant sein, aber nur aufgrund eines intellektuellen Interesses, so, wie eine fremde Religion interessant ist. Nach Art der Anthropologen könnten wir mit kühler Distanz Betrachtungen über die Gegenstände der Naturwissenschaften anstellen, die Weisheit der Naturwissenschaftler bewundern, aber persönlich immer davon überzeugt bleiben, daß diese Weisheit für uns keine Bedeutung hat. Eine Wissenschaft, die so weit von der Anwendbarkeit oder von einem Ziel entfernt ist, ist merkwürdiger Zierat und bedeutet uns nicht viel. Wir sind zufrieden damit, zu Hause zu bleiben und über uns selbst nachzudenken.

Leider läßt sich unser Wissen nicht so leicht abgrenzen. Es besteht immer eine Verbindung zwischen dem, wie wir träumen und denken, und dem, wie wir sind. Wir täuschen uns selbst, wenn wir meinen, der heutige Stand der Naturwissenschaften gehe uns nichts an. Ebenso, wie die Theologie der Römischen Kirche einmal äußerst wichtig für das Leben der Bewohner Europas war, ist der Stand der Naturwissenschaften für uns von Bedeutung. Uns alle verbindet die Frage, welchen Sinn wir im Leben haben.

Die Naturwissenschaft stellt wie die Religion alles, was sie berührt, in einen Bedeutungszusammenhang. Aber die Bedeutung, die die Dinge erhalten, ist eingeschränkt; die Wissenschaft bietet eine Form der Wahrheit an, die ohne tieferen Sinn ist. Wir können nicht behaupten, die Abstraktionen der Naturwissenschaften seien nicht von großer Wichtigkeit, denn es waren die Abstraktionen der Quantentheorie, die uns die Elektronik beschert haben, und es war Maxwells Nachdenken über Faradays Felder, das zur Entwicklung des Radios und des Fernsehapparats geführt hat. Wenn wir der Auffassung sind, das Fernsehen habe die Welt verändert – und das hat es –, müssen wir akzeptieren, daß die Naturwissenschaften dies millionenfach stärker getan haben. Denn das Fernsehen macht nur einen kleinen Teil dessen aus, was die Naturwissenschaften zustande gebracht haben. Die Abstraktionen der Wissenschaft sind für die Formen des Glaubens, in dem wir leben, ebenso bezeichnend wie für die wirklichen Ziele unserer Wissenschaftspriester.

Vor diesen Zielen standen immer zwei bedeutende Hürden, die ein vollständiges naturwissenschaftliches Verstehen unmöglich machten. Die erste war die Frage nach dem »Warum?« des Universums. Ich habe schon diskutiert, wie die Naturwissenschaften damit begonnen haben, diesen Grenzbereich zu überwinden. Die zweite Hürde, der ich mich jetzt zuwenden möchte, ist das Selbst des Menschen.

Wir haben gesehen, wie sich das wissenschaftliche Streben vom Kosmos über die lebendige Welt schließlich auf das innerste Wesen des Menschen zubewegt hat, was sich in der Arbeit Freuds besonders gut erkennen läßt. Das Muster ist auf absurde Weise ordentlich: Dem Menschen wird ein Platz zugewiesen – zuerst im Universum, dann in der lebendigen Welt und schließlich in seiner eigenen Psyche. Das ist natürlich die klassische Auffassung des Prozesses. Eine postklassische Version würde so lauten: *Der Mensch zeigt sich selbst* seinen Platz, er erfindet einen Platz.

Der letzte Schritt bleibt in beiden Versionen umstritten: Die Psychoanalyse ist vielleicht keine wirkliche Wissenschaft, sie kann sich irren. Dennoch ist ihr oberstes Ziel und ihr Streben klar: das Selbst des Menschen durch die Schaffung einer Kausalkette von Erklärungen seines Daseins und Charakters in die Wissenschaften hineinzuziehen. Das Selbst soll so klar und verständlich werden wie der Newtonsche Kosmos oder die Darwinsche Beschreibung der organischen Variabilität.

Zunächst ist es wichtig, darauf hinzuweisen, daß dieses Ziel bisher noch nicht erreicht wurde. Weder was den einzelnen Menschen betrifft, noch was die Gesellschaft anbelangt, hat die Wissenschaft erfolgreiche Theorien, Vorhersagen oder Analysen hervorgebracht, die auch nur annähernd so effektiv sind wie die physikalischen. Keine der sogenannten Humanwissenschaften – Anthropologie, Psychologie, Soziologie – hat irgend etwas zustande gebracht, das an Exaktheit und Erklärungsfähigkeit den Naturwissenschaften gleichkommt. Als eine geistige Erkenntnisform gelangen die Humanwissenschaften gelegentlich zu einer anderen Art der Wahrheit – besonders in den Werken von Freud selbst oder in der Soziologie Max Webers. Als Wissenschaften haben sie bestenfalls eine begrenzte statistische Aussagefähigkeit erreicht und im schlimmsten Fall nur die Autorität der etablierten Wissenschaften ausgeliehen, um einfachen Thesen Seriosität zu verleihen. Es gibt keine Quantenmechanik der Psyche und keine Relativitätstheorie für die Gesellschaft.

Zwei Schlußfolgerungen kann man hieraus ziehen. Entweder hat diese Entwicklung zur Wissenschaft bis heute noch nicht stattgefunden, wird aber eines Tages, wenn wir mehr wissen, vollzogen, oder sie konnte nicht stattfinden, weil das von innen her unmöglich ist.

Es besteht ein entscheidender Unterschied zwischen diesen Schlußfolgerungen: Der ersten zuzustimmen heißt, an die Möglichkeit höchster menschlicher Erkenntnisse zu glauben und damit im wesentlichen auch an die Rechtmäßigkeit allen naturwissenschaftlichen Strebens. Die zweite zu bejahen heißt, die Wissenschaft zu begrenzen; tatsächlich könnte man sagen, sie zu verkrüppeln. Schließlich ist es vernünftig, das Selbst für das Umfassendste, das alles einschließt, zu halten. Und die Wissenschaft aus diesem Bereich auszuschließen hieße, sie aus allem auszuschließen. Was auf dem Spiel steht, ist unsere Fähigkeit, die innere Grenze zum Selbst zu überschreiten, mit anderen Worten: nichts weniger als alles.

Was wir unter dem Selbst verstehen, ist jedoch verworren. Wenn man die Sache untersucht, ertappt man sich entweder dabei, alles und daher nichts zu untersuchen, oder man verfolgt irgendeinen unglaublich flüchtigen Teilaspekt, der jedesmal verschwindet, wenn man ihm näherkommt.

Die grundlegende christliche Haltung besagt, daß wir Körper und Seele besitzen. Was die Beziehungen zwischen den beiden und ihre jeweiligen Qualitäten anbelangt, gibt es unterschiedliche christliche Definitionen, aber der wesentliche Punkt, daß es eine innere und eine äußere Wirklichkeit gibt, ist unbestritten. In der christlichen Eschatologie ist die Beziehung zwischen beiden eine zeitliche und eine moralische. Die Seele ist unsterblich; der Körper ist sterblich. Die Seele ist der unendliche Teil unseres Wesens; der Körper unsere endliche Verbindung mit der sich verändernden, absterbenden Welt. Die moralische Verbindung besteht darin, daß unsere Seelen durch unser Verhalten in der endlichen Welt des Körpers geschädigt oder bereichert werden. Obwohl die Seele unsterblich ist, ist sie zu Lebzeiten des Körpers Veränderungen ausgesetzt – der Erhebung oder der Verderbnis.

Im mittelalterlichen Katholizismus hielt man die Erlösung der einzelnen Seele ausschließlich im Rahmen der Verfügungsgewalt der Institution Kirche für möglich. Zum Teil lag der Grund für die wichtige Bedeutung der Transsubstantiation in der Gegenreformation darin, daß das Sakrament der leiblichen Gegenwart Christi ausschließlich von der Priesterschaft vollzogen werden konnte. Die Vervollkommnung und Erfüllung des menschlichen Selbst war daher nur vorstellbar, wenn es die göttliche Autorität akzeptierte, die in der Kirche manifestiert war. Es gab keinen anderen Weg.

Das Übel dieses absoluten Anspruchs der Kirche ist für uns heute als solches ganz offensichtlich. Einer menschlichen Organisation wurde die totale Gewalt überantwortet. Keine irdische Macht konnte sie behindern, denn den Seelen der Rebellierenden drohte die ewige Verdammnis. Fehlbare Menschenwesen mochten sündigen oder sogar ungläubig sein; selbst innerhalb der Kirche konnten Streitigkeiten vorkommen. Doch die einzige umfassende Antwort auf die Fragen des Lebens war im Besitz und in der Verfügungsgewalt der Priesterschaft.

Das komplexe Phänomen der Reformation kann vielfältig erklärt oder eingeordnet werden – politisch, wirtschaftlich, intellektuell oder einfach religiös. Die zentrale Botschaft der Reformation war aber eindeutig: Erlösung konnte außerhalb des starren Systems der Römischen Kirche erlangt werden. In der Geschichte des menschlichen Selbst ist dies eine entscheidende Aussage. Sie gibt der auswählenden, leidenden, individuellen Seele eine neue Bedeutung und überträgt ihr neue Verantwortung. Das Erlösungsgeschehen verlagerte sich nach innen. Dies geschah nicht auf einmal und war auch kein allgemeines Phänomen – besonders die calvinistischen Gesellschaften sind bekannt für ihre strenge Kontrolle des Lebens der einzelnen Gläubigen –, aber der lange Weg des protestantischen Denkens ist ein Weg nach innen. Er findet seinen Höhepunkt in der leidenschaftlichen Seelenqual, mit der Søren Kierkegaard auf dem Primat des Selbst beharrt, auf einem Selbst, das auf ewig unter dem strengen Blick Gottes entscheiden und handeln muß – was eine Konfrontation und eine Einsamkeit bedeutet, die durch keinen mit Bombast institutionalisierten Glauben und durch keine äußere Vernunft gemildert wird. Er schrieb:

»Es ist ein christlicher Heroismus, und wahrlich ist dieser selten genug anzutreffen, es zu wagen, ganz man selbst zu sein, ein einzelner Mensch, dieser bestimmte einzelne Mensch, alleine direkt Gott gegenüber, alleine in dieser ungeheuren Anstrengung und dieser ungeheuren Verantwortung . . .«[2]

Sogar im Rahmen der katholischen Orthodoxie begann das Individuum, seine Muskeln im Angesicht der Autorität spielen zu lassen. Im künstlerischen Bereich war es die Renaissance, welche die Macht des einzelnen Genies behauptete, und im philosophischen war es der wiederentdeckte klassische Humanismus, der den Glauben an die Macht des von Gott und der Natur unabhängigen Menschen feierte.

Ich habe oben schon beschrieben, wie die Wissenschaft aus der individuellen Einsicht entstand, und wie sie diese auf ein Podest stellte. Der Protestantismus und die Renaissance hatten den Weg im wesentlichen vorbereitet: Ersterer, indem er die moralische Zentralität des Individuums betonte, und letztere durch ihre Verherrlichung des heroischen Humanismus. Doch für den naturwissenschaftlichen Individualismus mußte ein hoher Preis gezahlt werden: die Vertreibung des Selbst aus der Welt. Die Wissenschaft hat uns alle zu Vertriebenen gemacht; sie entfernte unsere Seelen aus unseren Körpern.

Diese Tendenz ist bei den wichtigsten Philosophen der Aufklärung deutlich sichtbar. Indem Descartes die einzige Gewißheit außer Gott in dem innerlich wahrgenommenen Denkprozeß des menschlichen Geistes festmachte, gab er der protestantischen Verinnerlichung eine philosophische Entsprechung. Kant verlegte die wirkliche Welt in einen Bereich außerhalb der Möglichkeiten menschlicher Erkenntnis. Beide siedelten die Welt, die das Objekt wissenschaftlicher Untersuchungen war, jenseits vom Selbst an. Damit war das Schlüsselparadox der Moderne entstanden: Die Wissenschaft war alles, was wir logischerweise von der Welt wissen konnten, aber uns selbst konnte sie nicht miteinschließen. Es ging nicht einfach darum, daß die Naturwissenschaften das Universum als weniger gütig enthüllt hatten, sondern darum, daß dieses Universum weder Gott notwendig machte noch vom Menschen abhängig war. Je mehr wir wußten, desto ungewisser wurde, ob uns eine Rolle zugedacht war. Die Welt funktionierte ohne uns, und deshalb zog sich das Selbst, das keinen Weg fand, sich in der Welt zu definieren, nach innen zurück – wenn jener großartige Ausbruch Kierkegaards als Rückzug bezeichnet werden kann. Was wir in uns selbst wurden, war ganz genau und ausschließlich das, was die Wissenschaften nicht waren.

Unterdessen vollbrachten die Naturwissenschaften ihren außergewöhnlichen metaphysischen Taschenspielertrick: Sie konstruierten eine Sicht der Welt, *als ob wir gar nicht vorhanden wären*. Aus der deterministischen Sicht der Naturwissenschaften ist der Mensch ein merkwürdiges Zufallsprodukt. Das Bewußtsein seiner selbst ist ein Problem, unterscheidet sich aber in seiner Qualität nicht von anderen Problemen, und anderes zu glauben führt nach dieser Ansicht immer in die Irre. Der Trick des wissenschaftlich definierten Selbst besteht darin, sich außerhalb jedes anderen Selbst zu postieren. Der beobachtende Naturwissenschaftler beobachtet, als sei er ein Übermensch, der von einem Standort außerhalb des Universums zusieht. Er strebt eine zusätzliche Rückbezüglichkeit des Bewußtseins, einen Zustand der Selbst-Selbsterkenntnis an.

Die Verteidigungsstrategien gegen diesen erstaunlichen und erschreckenden Sprung im menschlichen Denken verlangten – außerhalb von radikaler oder traditioneller Religion – nach entsprechenden, ähnlich ausgefallenen Lösungen. Das Selbst konnte sich im Sinne der klassischen Tragödie erneut bilden und einsam und selbstbestimmt in einem unfreundlichen, herzlosen Universum sein. Die Romantik, zu der Kierkegaard gehörte und aus der Nietzsche und Freud kamen, entdeckte das Selbst in den Offenbarungen ihrer eigenen Geschichte wieder. Die objektive Welt hatte so viel Wunderbares eingebüßt, daß es notwendig wurde, das Subjektive in den Stand der Kunst zu erheben. Wie besonders bei Oscar Wilde zu sehen war, wurde in der späten Romantik das Leben selbst zu einem Kunstwerk, weil alles andere von der Macht der Vernunft erobert worden war. Und schließlich ist der Weg von den Selbstbespiegelungen der romantischen Dichter und Maler zu den Erzählungen und Mythen der Psychoanalyse nicht weit.

Das Wichtigste an der Sache war, daß, während das naturwissenschaftliche Wissen allmählich das Universum eroberte, das Selbst sich zu einem Refugium entwickelte. Dort waren wir sicher vor Eindringlingen, fanden eine Heimstätte, eine Zuflucht vor der ewigen Wanderschaft, die uns die Naturwissenschaften zumuteten. Der Leser möge verstehen, daß ich hier kein hochgestochenes intellektuelles oder ästhetisches Spiel beschreibe. Den Zufluchtsort des Selbst nutzen wir ständig und jederzeit, um uns von dort aus zu verteidigen. In unserem täglichen Leben gibt es den ontologischen Bruch, den jeder einzelne spürt. Wir fühlen, daß wir anders sind als die Welt, und dieses Anderssein beschert uns Trost und Schrecken zugleich: Trost in der Einsamkeit des Wissens, daß wir von der Welt niemals je ganz erklärt, erobert oder beherrscht werden können; Schrecken in dem Gedanken, daß die Welt unserem Schicksal gleichgültig gegenübersteht.

Wir gehen gewöhnlich von der Existenz zweier Welten aus: von einer, die wir selbst sind, und einer, die wir nicht sind. Naturwissenschaftliche Erkenntnis gibt es für uns nur unter den Dingen, die wir nicht sind. Newton und Einstein erzählen uns, die Welt sei so oder so beschaffen, und wir mögen ihnen das glauben. Oder wir betrachten ein anatomisches Bild vom Gehirn und denken daran, daß sich etwas Entsprechendes im eigenen Kopf befindet, aber in unserer Vorstellung ist das Gehirn niemals so beschaffen wie dieses Bild; es ist ihm nicht einmal in entfernter Weise ähnlich. Wir erinnern uns an den Ausspruch von Frau Einstein, die über die Relativität sagte: »Ich brauche sie nicht zum Glücklichsein.« Da gibt es noch etwas anderes, etwas, das durch Formeln und Diagramme nicht ausgedrückt werden kann – und das ist anscheinend das Gefühl, »man selbst« zu sein.

Der Bruch zwischen diesen beiden Welten mag gewaltig sein, er ist aber von immenser Bedeutung, denn er unterstreicht, auf welche Weise man behaupten kann, die Wissenschaft sage uns alles – alles außer dem, was uns wirklich wichtig ist. Auch wenn sie uns erklärt, warum wir in kosmologischem oder biologischem Sinn existieren, teilt sie uns nichts über den moralischen Sinn mit, läßt sich nicht einmal darüber aus, warum sie es unterläßt. Und schließlich hat sie sich als bemerkenswert unfähig erwiesen, uns zu sagen, wer wir sind, hat es fertiggebracht, uns nichts über unser Selbst mitzuteilen.

Dies ist die tiefergreifende Version meiner oben gemachten Aussage über das allgemeine Versagen der Wissenschaften vom Menschen. Diese Aussage produziert einander widersprechende Antworten mit einander ähnlichen Oberbegriffen von Unzulänglichkeit und Unmöglichkeit. Behauptet man, die Humanwissenschaften seien unzulänglich, so unterstellt man, daß die verschiedenen Anläufe, eine Wissenschaft vom Selbst zu konstituieren, nicht gut genug gewesen waren.

Marx zum Beispiel hätte behauptet, all unsere Unsicherheiten, ob kosmischer oder ontologischer Natur, seien durch unseren Standort im materiellen Zyklus der Geschichte bedingt. Spekulationen seien sinnlos, da auch sie durch unsere wirtschaftlichen Verhältnisse vorherbestimmt seien. Der einzige Weg nach vorne, um die Welt zu verändern, war nach Marx das praktische Handeln. Diese Aussage resultierte aus seiner angeblich wissenschaftlichen Analyse der Geschichte. Und Freud, ein Pessimist, behauptete, das Beste, was wir uns erhoffen könnten, sei ein Sich-Arrangieren mit all den Geschehnissen in unserer Biographie und unserer Zivilisation, die miteinander in Konflikt geraten seien. Doch jeder Ansatz zur Wissenschaftlichkeit bei Marx wurde durch den metaphysischen Glauben an einen sozial erlösten Menschen erdrückt, und die Werke von Freud sind eher eine Interpretation als ein wiederholbares und übertragbares System der Selbsterkenntnis. In keinem der beiden Denksysteme haben sich Voraussagen, die ihrerseits als entscheidender Prüfstein für wissenschaftliche Gültigkeit gelten, als möglich erwiesen. Marx hatte sich geirrt, als er vorhersagte, Großbritannien werde der erste Staat sein, in dem eine kommunistische Revolution ausbrechen werde, und er irrte sich gewaltig, was die Entwicklung der Wirtschaftsgeschichte über die 150 Jahre, die auf seine Analyse folgten, betraf. Und schließlich können Freuds Verallgemeinerungen, auch wenn sie in ihrer Grundstimmung überzeugend sein mögen, doch niemals dafür verwendet werden, psychische Zustände eines Menschen vorherzusagen. Sie können immer nur die Vergangenheit beschreiben.

Dennoch müssen solche Fehlschläge, das Selbst zu einer Wissenschaft zu machen, nicht endgültig sein. Der wissenschaftliche Hardliner kann ungerührt behaupten, unsere Wissenschaft sei für den Bereich des Selbst bisher einfach noch nicht gut genug gewesen. Vielleicht, so könnte er hinzufügen, sei es ja einfach die Komplexität im Bereich des Menschlichen, welche die Entwicklung einer wahren Wissenschaft so schwer macht. Wenn wir genug über ein Individuum oder über eine Gesellschaft wüßten, könnten wir genaue Voraussagen machen. Die Aufgabe ist schwierig, aber an sich nicht unmöglich. Er wäre der Auffassung, Marx und Freud seien mit ihren Theorien zu früh zu wagemutig gewesen – sie hätten zu laufen versucht, noch ehe sie gehen konnten.

Eine zweite Erklärungsmöglichkeit für den Fehlschlag besteht in der Behauptung, es seien die falschen Fragen gestellt worden. Freud, Marx und ihre Nachfolger haben nichts anderes versucht, als die Prinzipien der klassischen Naturwissenschaften auf die menschliche Seele zu übertragen. Sie untersuchten unser Selbst als handele es sich um fallende Gewichte oder um gekrümmtes Sternenlicht. Der Irrtum scheint verwirrend einfach zu sein. Kurzes Nachdenken würde selbst ein Kind davon überzeugen, daß wir völlig anders sind als alles andere in der Natur. Licht, Schwerkraft und die ganze Natur sind mit uns nur auf sehr oberflächliche Weise verwandt: Wir reflektieren Licht, wir fallen, wenn man uns fallen läßt, und unser Körpersystem ähnelt grob dem vieler Tiere. All dies ist aber belanglos verglichen mit dem einen Merkmal, das wir haben und das der übrigen Natur vorenthalten ist: das Bewußtsein von uns selbst.

Auf gewisse Weise macht diese Tatsache die seltsamen Fehlschläge der Wissenschaft verständlicher. Denn das Problem des Selbst liegt, wenigstens anfänglich, nicht in seinem Ursprung, nicht in seiner Geschichte und nicht einmal in seiner Funktionsweise. Das Problem besteht in der schieren Existenz des Selbst unter Millionen anderen, und, wie es aussieht, auf einem Planeten unter Milliarden von Planeten. Wir wissen – und wir wissen darum, daß wir wissen; Tiere wissen nur, und es ist daher nicht sinnvoll zu behaupten, sie besäßen ein Selbst. Was unsere Stellung im Kosmos betrifft, so können wir im Augenblick nur sagen, daß es so aussieht, als seien wir allein. Auch wenn wir herausfinden sollten, daß wir es nicht sind, wird das nichts an dem Wert, den das Bewußtsein als etwas Seltenes und Eigenartiges für uns hat, ändern. An diesem Punkt wird die »harte« Naturwissenschaft zurückschlagen und zu bestreiten versuchen, daß es überhaupt ein Problem gibt. Das Bewußtsein, das wir von uns selbst haben, sei nur ein Nebenprodukt der von der Evolution erzeugten Komplexität. Tiere entwickeln größere Gehirne, um überlebensfähig zu bleiben. Über Jahrmillionen hinweg erlangen diese Gehirne einen bewundernswerten Grad an Miniaturisierung und Organisation; tatsächlich entwickeln sie sich zu den komplexesten Dingen, die es im Universum gibt. Eines Tages führt diese Komplexität dann zu etwas noch nie Dagewesenem. Die innere funktionale Erklärung ist vielleicht die, daß die Gehirnmaschine derart komplex wird, daß sie neue Verbindungen herzustellen beginnt, die nicht direkt mit den täglichen Erfordernissen des Überlebens zusammenhängen. Durch irgendeinen Zufall in der Konstruktion entsteht ein Überhang an Verarbeitungskapazität, der sich als Bewußtsein von sich selbst manifestiert. Die höheren Primaten werden fähig, Denkprozesse in Gang zu setzen, die zu der kosmisch gesehen verblüffenden Erkenntnis führen: »Ich bin ein höherer Primat.« Vielleicht wird, wie der Biologe Richard Dawkins vermutet hat, der kritische Augenblick dann erreicht, wenn das Gehirn einen so hohen Grad von Komplexität entwickelt hat, ein Modell von sich selbst entwerfen zu können. Oder, wie Douglas Hofstadter es sagt: »Das Selbst entsteht in dem Augenblick, in dem es fähig ist, sich selbst zu reflektieren.«[3]

Von außen betrachtet, liegt die Erklärung jedoch vielleicht in der langsamen Entwicklung eines recht neuen Werkzeugs: der Sprache.

Man stelle sich vor, das Grunzen von Primaten wird zielgerichteter und wandelbarer, bis Worte daraus entstehen. Das Kunststück ist so erfolgreich, daß Worte zu neuen Worten führen, und diese schaffen ihrerseits wiederum neue Bedeutungen, welche ins Gehirn zurückgespeist werden und Denken hervorbringen.

Von dieser Art sind die vollkommen respektablen Spekulationen der »harten« Naturwissenschaften darüber, wie Bewußtsein entstehen könnte. Als eine Realität der Welt mag das Bewußtsein vielleicht nicht die sofort erkennbaren Vorteile von anderen Produkten des evolutionären Prozesses haben wie beispielsweise von Beinen oder Flügeln. Das Bewußtsein läßt sich aber als Ergebnis einer Art wilder Schwelgerei der Evolution verstehen – schließlich lassen sich noch andere Beispiele für nichtfunktionale, ja, sogar alles andere als hilfreiche Attribute von Tieren anführen. Entwicklungen, die infolge der blinden Statistik der tiefen Zeit zustande kamen; das Selbst erscheint uns in diesem Zusammenhang wie ein Pfauenschwanz.

Daß diese Erklärungen als unzureichend empfunden werden, obwohl wir sie als Kinder des Wissenschaftszeitalters im Grunde wahrscheinlich akzeptieren, rührt daher, daß sie nicht schlüssig sind. Sie erklären nicht das Bewußtsein, das man von sich selbst hat, sie erklären vielmehr die Komplexität. Die Einmaligkeit des menschlichen Hirns besteht nicht in seiner Verarbeitungskapazität, sondern in seiner Struktur, in den Bewußtseinsinhalten. Wir können verstehen, wie sich das Gehirn entwickelt, wie es funktioniert und wie es beschaffen sein mag. Aber das sagt nichts über die Inhalte in unserem Hirn aus, zum Beispiel über das Konzept der Farbe Grün, das anscheinend im Gehirn vorhanden ist. Was ist das? Warum gibt es das? Was bewirkt es? Wie fühlt es sich an? Was bedeutet es?

Evolutionstheoretische Erklärungen des Bewußtseins mögen korrekt sein oder auch nicht. Sie werden in jedem Fall unlogisch bleiben, solange nicht näher definiert ist, was genau erklärt werden soll. Und natürlich taucht hierbei das Problem auf, daß das, was man zu definieren versucht, man selbst ist. Es ist keineswegs sicher, ob je eine Definition gelingen wird. In der Tat kann es sich durchaus als logisch unmöglich herausstellen, das Selbst zu definieren. Jede solche Definition müßte die Sprache benutzen und müßte dennoch auch *von* der Sprache handeln. Es wäre, als wolle man von einem fotografischen Film erwarten, daß er sich selbst aufnehme. Wenn man die Lösung dieses Problems von Sprache und Selbst-Bewußtsein verlangt, kommt dabei nichts anderes heraus als eine Reihe unendlicher Regressionen, als ob in unseren Verstand parallele Spiegel eingebaut wären. Die einzige Gewißheit mag einfach die cartesianische sein, daß das Bewußtsein von sich selbst auch die Fähigkeit einschließt, sich zu fragen, was dieses Selbst-Bewußtsein denn ist.

Natürlich kann ein Hardliner der Evolutionstheorie immer noch kontern, das Selbst-Bewußtsein sei ein Nebenprodukt der Komplexität. Die Schnörkel und Absonderlichkeiten in unserer Sprache und in unserem Bewußtsein spiegelten nur eine Art Leerlaufkapazität, die zufällig in unserem Hirn auftritt. Wir haben mehr Neuronen, als unbedingt erforderlich, um uns Nahrung zu beschaffen oder uns fortzupflanzen, und wenn wir sie gerade nicht für letztere Zwecke einspannen – manchmal aber auch gerade dann –, schwatzen sie in unendlichen Zirkelschlüssen drauflos, die nur den Anschein einer Bedeutung haben. In Wahrheit sind sie belanglos – mit Peter Atkins' Worten: »besonders, aber nicht wichtig«.

Diese Aussage ist aber wiederum nicht schlüssig. Wie kann es »nicht wichtig« sein, daß wir imstande sind, die Worte »nicht wichtig« zu benutzen und zu verstehen? Was für einen Sinn kann das Wort »wichtig« in solch einem Zusammenhang haben? Wichtig für was? Wenn Selbst-Bewußtsein »nicht wichtig« ist, wo überhaupt kann man dann Wichtigkeit finden? Atkins versucht, die Phrase »nicht wichtig« erschütternd wirken zu lassen, aber er bemüht sich vergeblich, denn wir wissen ebensogut wie er, was sie bedeutet, und sie kann nicht in dieser Weise umgedeutet werden.

Atkins' Problem, das auch unser Problem ist, lautet: Wissenschaftliche Erkenntnis ist in ihrem Kern paradox. Das Paradoxe liegt darin, daß alle wissenschaftliche »Wahrheit« über die »wirkliche« Welt auf gröbsten Verzerrungen beruht. Beim Erschaffen eines verstehbaren Universums haben wir uns einer schrecklich groben Vereinfachung verschrieben. Wir haben den Mechanismus des Verstehens, das Selbst, ausgeschlossen.

Dieser Sachverhalt wurde von dem Quantenphysiker Erwin Schrödinger auf den Punkt gebracht. Er schrieb:

»Ohne es uns ganz klarzumachen und ohne dabei immer ganz
streng folgerichtig zu sein, schließen wir das *Subjekt der Erkenntnis*
aus aus dem Bereich dessen, was wir an der Natur verstehen wollen. Wir treten mit unserer Person zurück in die Rolle eines *Zuschauers*, der nicht zur Welt gehört, welch letztere eben dadurch zu
einer *objektiven Welt* wird.«[4]

Hannah Arendt sagte das gleiche, als sie schrieb, die Wissenschaften
erwürben ihre Erkenntnis, indem sie einen Bezugspunkt außerhalb
der Erde wählen.[5] Und der Physiologe Lord Adrian zeigte auf, daß
gerade der Prozeß des Nachdenkens über uns selbst uns nötigt, aus
den »Grenzen der Naturwissenschaften« herauszutreten.[6] Schrödinger zitiert auch Carl Gustav Jung:

»Alle Wissenschaft jedoch ist Funktion der Seele, und alle Erkenntnis wurzelt in ihr. Sie ist das größte aller kosmischen Wunder und
die conditio sine qua non der Welt als Objekt. Es ist im höchsten
Grade merkwürdig, daß die abendländische Menschheit, bis auf
wenige, verschwindende Ausnahmen, diese Tatsache anscheinend
so wenig würdigt. Vor lauter äußeren Erkenntnisobjekten trat das
Subjekt aller Erkenntnis zeitweise bis zur anscheinenden Nichtexistenz in den Hintergrund.«[7]

Ich zitiere diese verschiedenen Quellen für ein und dieselbe Aussage, um zu zeigen, wie lange dieses Puzzle schon besteht und wie
entscheidend es ist. Es ist kein abwegiges, analytisches Wortspiel; es
liegt im Zentrum dessen, was wir wissen. Denn alle diese Denker
beschreiben, wie der Glaube der Wissenschaft an die objektive Untersuchung einer wirklichen Welt eine Metaphysik wie jede andere
auch ist. Galilei und seine Nachfolger hatten herausgefunden, daß es
eine funktionierende Methode war, die Welt *von außen* zu betrachten. In seiner Entdeckung, daß die Mondoberfläche nicht so war, wie
die frühere, thomistische Denkweise das erforderlich gemacht hatte,
war Galilei, so könnten wir sagen, objektiv. Aber das ist eine verdrehte Perspektive. Statt dessen sollten wir sagen, Galilei habe in jenem
Augenblick die Objektivität *erfunden*. Er erfand eine Methode, die
besagte, daß der Mond letztlich so ist, wie er ist, ob der Mensch dem

zustimmt, ob es wichtig für ihn ist oder nicht. Heute mag uns das selbstverständlich erscheinen. Aber man führe doch einmal das Gedankenexperiment durch und betrachte den Abendhimmel mit unvoreingenommenen Augen. Plötzlich wird es dann wahrscheinlich und in der Tat offensichtlich, daß dieser Abendhimmel tatsächlich eine Bedeutung für einen selbst hat, daß man von diesem majestätischen Anblick gebannt ist. Für die Belange der Wissenschaft aber muß man diese Einsicht leugnen, muß man dort draußen und noch darüber hinaus den Kosmos sehen. Galileis Entdeckung – oder Erfindung – war die außerordentlich effektive Methode für das Verständnis der Welt: so zu tun, als ob wir nicht existierten.

Nur wenige Glaubensrichtungen, Kulte oder Institutionen können solch eine verstiegene und extreme Forderung an ihre Anhänger gestellt haben. Es ist gerade so, als verlange irgendeine Sekte von ihren Anhängern, sie sollten nur glauben, unsichtbar zu sein, und alles andere werde sich fügen. Man könnte meinen, solch ein Glaube beschränke sich nur auf einige wenige Exzentriker und Unzurechnungsfähige. Doch was die Wissenschaft uns abverlangt, ist sogar noch außergewöhnlicher, und wir bemerken unsere eigene Fügsamkeit und unsere eigene Überspanntheit gar nicht. Sie wird uns deshalb nicht bewußt, weil die Forderung erstaunlicherweise Erfolge zeitigt: Sie funktioniert.

Es gibt noch einen weiteren Grund, warum wir nichts bemerken. Descartes erfand nicht nur eine Methode, um Wissenschaft zu treiben, er erfand auch das Konzept, nach dem der menschliche Körper Teil der objektiven Welt ist. Wir können unsere Körper auf ähnliche Weise untersuchen wie jeden Teil der Natur. Diese Körper sind, so nehmen wir an, nach denselben Prinzipien gebaut und stellen deshalb einen Mechanismus dar. Die cartesianische Seele sitzt im Körper wie ein Pilot in einem Flugzeug. Das ist überzeugend, weil unsere Körper tatsächlich so zu sein scheinen wie die übrige Natur: Beim Erhitzen verbrennen sie, läßt man sie los, so fallen sie. Die Wissenschaft verlangt also nicht, daß wir uns ganz aus der Welt herausnehmen, sondern nur, daß wir unser Selbstbewußtsein daraus entfernen. Unsere Körper gehören in den Bereich des Objektiven, unser Geist, unsere Seele irgendwo anders hin. Festzustellen ist jedoch, daß es für die Naturwissenschaften kein »woanders« gibt!

Trotzdem lassen wir es zu, daß unsere Seelen aus unseren Körpern herausgelöst werden.

Descartes vermied die katastrophalen Konsequenzen aus dieser Anschauung, indem er von der Annahme ausging, ein gütiger Gott bilde die Brücke zurück zur Welt, sei eine Garantie dafür, daß wir nicht ganz so lähmend allein, unwissend und unvermögend dastünden, wie sein Dualismus das propagiert hatte. Das Gewicht des wissenschaftlichen Fortschritts hat diese Brücke zusammenbrechen lassen und ein Paradoxon zurückgelassen – die erfundene Objektivität der Welt. In der Abwesenheit von Descartes' Gott aber wird der menschliche Körper zu einer besonderen Art von Problem. Hier ist er, dieser Mechanismus, mit den Naturgesetzen verbunden, und dennoch habe »ich« Gewalt über ihn – wo immer ich auch sein mag.

In einem Satz, dessen Verrenkungen die Gedankenknoten widerzuspiegeln scheinen, die er entwirren wollte, schreibt Schrödinger:

»Ich – Ich im weitesten Sinn des Wortes, d.h. jedes bewußt denkende geistige Wesen, das sich als ›Ich‹ bezeichnet oder empfunden hat – ist die Person, sofern es überhaupt eine gibt, welche die ›Bewegung der Atome‹ in Übereinstimmung mit den Naturgesetzen leitet.«[8]

In diesem Zusammenhang wird die Anziehungskraft bestimmter Aspekte der Quantenmechanik offenkundig. Die Quantentheorie unterstellt, daß in der Tat irgendeine tiefgehende Art der Wechselwirkung zwischen dem Beobachter und der Welt besteht. Die Objektivität scheint auf der subatomaren Ebene zu verschwinden. Wir sehen nur das, können nur das sehen, was die Gesamtstruktur von Apparatur, Beobachter und Beobachtetem festlegt. Das Beobachtete ist nicht irgendein irreduzibles Absolutes; es scheint vielmehr, außer für den Beobachter, wenig definitive Wirklichkeit zu besitzen. Das Quantum scheint uns zu sagen, daß wir *in* der Welt sind, ob wir das mögen oder nicht, und daß Objektivität eine Illusion ist, eine Erfindung, die nur auf der Stufe der groben Verallgemeinerung wirksam ist. Wenn das wahr ist, können wir uns selbst vielleicht in der Feinstruktur des Universums finden.

Solch eine Ansicht ist natürlich ebenso gefährlich wie jede der gläubigen Folgerungen aus der Quantenmechanik, die ich im letzten Kapitel besprochen habe. Wir können uns nicht darauf verlassen, daß irgendeine Wissenschaft, auch nicht die Quantenmechanik, unserem Verlangen nach einem wiederhergestellten Sinn für das Selbst weiterhilft. Ein Stillstand der Wissenschaft ist unwahrscheinlich. Neue Entwicklungen können eintreten, die das Quantum so, wie Einstein das erwartet hat, sicher und heil in den Schoß der Klassik zurückverlegen.

Doch abgesehen davon: Wie sinnvoll ist es eigentlich, eine neue Harmonie, eine neue Form der persönlichen Erlösung aus den entfernten Bereichen der Mathematik und der experimentellen Physik zu beziehen? Welche Priester, welche Zauberer wären vonnöten, um uns die Botschaft zu bringen, nach der wir uns sehnen? Die Botschaft ist nicht vermittelbar. Als Paul Dirac danach gefragt wurde, was für ihn »Schönheit« in der Mathematik und Physik bedeute, antwortete er: Wenn der Fragende ein Mathematiker wäre, müßte ihm das nicht erklärt werden, und wenn nicht, dann wäre er durch nichts zu überzeugen, was er, Dirac, sagen könnte. Was für eine Wahrheit über uns selbst soll das sein, die nur von solchen unkommunikativen Spezialisten verstanden werden könnte?

Was die Quantenmechanik aber, zusammen mit anderen Entwicklungen, erreicht hat, ist, daß wir in unserer Zeit unser Augenmerk auf die paradoxe Rolle richten, die das Selbst in unserem Wissen spielt. Das Selbst steht in unseren Tagen nach einer Reihe von furchtbaren Niederlagen angeschlagen, aber zu guter Letzt, wenn auch unsicher, doch siegreich da. Aus der Welt herausgenommen, hatte es zuvor nur in winzigen Enklaven der Theologie und Philosophie überlebt. Im 19. Jahrhundert päppelten ungeduldige Geister wie Kierkegaard oder Nietzsche es auf und verherrlichten es in trotziger Art und Weise. Gerade die Tatsache, daß die Wissenschaft darauf bestanden hatte, das Selbst aus ihrer Version von der Natur auszuschließen, machte es zu dem einzig sicheren Zufluchtsort. Was den Mechanisten nichts bedeutete, wurde zum Ein und Alles für die Romantiker.

Inzwischen ist die Verherrlichung des Selbst beinahe zum wichtigsten Qualitätsmerkmal der technisch fortgeschrittenen und wohlhabenden Gesellschaften geworden. Als sicherer Zufluchtsort hat das

Selbst den Charakter eines Erholungsortes angenommen. Eine besonders aufdringliche Spielart von Narzißmus ist die Grundphilosophie der Massenkommunikation. Die Formen, die das annimmt, sind allgegenwärtig: Selbstkultivierung des Körpers wird durch das Einhalten einer Diät, durch Gymnastik und durch exotische Kuren angestrebt, die oft bewußt antiwissenschaftlich sind; Verbesserungen des seelischen Selbst werden mit Hilfe von Ratgeberweisheiten angestrebt, mit unendlichen Analysen von »Beziehungen«, mit einer breiten Palette unterschiedlicher Psychotherapien und manchmal auch mit dem Heilswissen religiöser Sekten.

Vieles davon mag in weiter Entfernung von den Begeisterungsausbrüchen Nietzsches oder den großartigen Gedanken Jungs und Schrödingers liegen. Doch die Verbindung bleibt deutlich: Das Selbst ist nach und nach als religiöser, philosophischer und schließlich auch allgemein narzißtischer Zufluchtsort entdeckt worden. In der letzteren Spielart drückt sich die Verwirrung über die Erblast aus. So zeigt die Wissenschaft zum Beispiel in der narzißtischen Phantasie ein anderes Gesicht. Einige der Zutaten zur Selbstkultivierung werden mit dem Anstrich wissenschaftlicher Seriosität versehen. Die kosmetische Werbung greift fast immer auf eine verwaschene wissenschaftliche Sprache zurück, um die Wirkungskraft ihrer Produkte anzupreisen, und das ganze gängige Terrain der seelischen Gesundheit ist reich gespickt mit Psychiatern und Psychologen und deren charakteristischen, manchmal zweifelhaften Verallgemeinerungen, die schnell mit der folgenden unheildrohenden und überheblichen Redewendung aufwarten: »Wir haben herausgefunden, daß . . .«

Als Kontrast dazu gibt es viele antiwissenschaftliche Meinungen. Die Wissenschaft wird häufig als roher, gewalttätiger Zerstörer angesehen. Ständig wird nach alternativen Gesundheitstherapien gesucht, am meisten Wert wird auf den Gedanken von der Behandlung der »ganzen Person« gelegt, worin eindeutig das weitverbreitete alte intellektuelle Unbehagen an der experimentellen Grundlage der herkömmlichen Naturwissenschaften zum Tragen kommt.

»Reich an Kalzium«, heißt es im Werbetext für ein Heißgetränk, »mit geringem Fettgehalt, ohne künstliche Zusatzstoffe.«

Der schwierige Balanceakt, der die Wissenschaft gleichzeitig Zerstörer und Beschützer sein läßt, wird erkennbar. Die Naturwissenschaften klären uns über unsere eigenen Wünsche auf, teilen uns mit, daß wir Kalzium, aber kein Fett wollen. Doch sie sind auch verantwortlich für die Herstellung von »künstlichen Zusatzstoffen«, auf die wir ebenfalls gerne verzichten. Die Naturwissenschaften werden also zugleich abgelehnt und akzeptiert. Doch der Produktnachweis informiert uns über weit mehr. Das Heißgetränk ist nämlich vollkommen künstlich, um sicherzustellen, daß es viel Kalzium und wenig Fett enthält. Dennoch wollen wir von dem Wort »künstlich« nichts hören, weil es das Bild einer Schranke zwischen uns und der Natur heraufbeschwört, an die wir nicht erinnert werden wollen. Zuerst errichten die Naturwissenschaften diese Schranke, und dann warnen sie vor deren unheilvollen Folgen.

In diesem Zusammenhang wird das Wort »Natur« mehrdeutig. Den Naturwissenschaften als einem optimistischen, angesehenen Unternehmen wird die Erweiterung unseres Wissens über die Natur zugeschrieben – das Wort Natur ist hier synonym mit dem Wort Welt. Und man geht davon aus, daß es sich eindeutig um eine gute Tätigkeit handelt, daß die Naturwissenschaften sich der Natur sozusagen mit Demut nähern. Im modernen Zusammenhang aber wird die Natur als der Idee der Naturwissenschaften eher entgegengesetzt betrachtet. Die Natur wird als sich selbst überlassene Welt gesehen, der sich die Wissenschaft mit dem überheblichen Anspruch nähert, sie zu beherrschen. Die Naturwissenschaften, die künstlich sind, verlieren deshalb ihr gutes Ansehen. Man mißtraut ihnen, wie früher schon einmal, als seien sie mit den schwarzen Künsten im Bunde, dem »Unnatürlichsten«, mit dem der Mensch sich je befaßte.

Dieser Umstand weist auf eine tiefgreifende und im Geschichtszusammenhang bedeutsame moralische Verwirrung hin. Bis zu einem gewissen Grade ist sie eindeutig auf kommerzielle Interessen zurückzuführen, die unseren unklaren Sinn für das, was gut ist, ausbeuten wollen. Der Versuch, Menschen davon zu überzeugen, daß sie etwas tun wollen, wird durch die Forderung forciert, sie müßten etwas tun. So ist zum Beispiel die Glorifizierung von jugendlichem Aussehen die Triebfeder hinter fast allen Vermarktungsstrategien im Bereich der Kosmetik oder der körperlichen Gesundheit. Man redet den Leuten ein, es sei ihr Wunsch, jung auszusehen – aus vielen eigennützigen Motiven sexueller, gesellschaftlicher oder sonstiger Art. Das Verwerfliche dieses Ansinnens wird jedoch nicht leicht übersehen. Daher werden verschiedene Strategien entwickelt, um eine moralische Dimension entstehen zu lassen. Am einfältigsten erweist sich ein Satz wie »Sie sind es sich selbst schuldig« – als ob Moralität durch eine Unterteilung der Persönlichkeit in Schuldner und Gläubiger wiedereingeführt werden könnte!

Raffinierter und hinterhältiger ist der allgemeine Eindruck, das Streben nach Jugend und Gesundheit an sich sei eine gute Sache. An dieser Stelle kann man das simple Werbemittel in einem größeren Zusammenhang betrachten. Zunächst einmal hängt die Verknüpfung von körperlichem Wohlbefinden und Moralität eindeutig mit dem Bedürfnis nach einer gewissen Rationalität zusammen. Das Selbst, dem jegliche verbindliche religiöse Bedeutung versagt ist und das in einem komplexen, gewaltigen gesellschaftlichen und technologischen System verloren ist, zieht sich auf die Pflege seiner selbst zurück, als auf einen Weg, eine Identität zu erlangen, und zwar diejenige, die durch die Bilder- und Wortwelt der Massenkommunikationsmittel propagiert wird. Aber das kann man nur für einen Verteidigungsmechanismus halten. Narzißmus kann nur für vernünftig gehalten werden, wenn die Propaganda für ihn auch die Überzeugung vermittelt, ein Verhalten im Sinne des Narzißmus sei richtig. Das ist selbstverständlich absurd, weil kein sinnvoller äußerer Maßstab dafür vorhanden ist, dennoch wird die »Richtigkeit« als rhetorisches Mittel eingesetzt. Die logische Fortschreibung dieses Gedankens zeigt, wie heimtückisch er ist: Wenn Gesundheit richtig ist, muß Krankheit falsch sein. Die logische Kette beginnt bei Verhaltensweisen, von denen man weiß, daß sie für den Menschen schlecht sind: bei modernen Tabus wie Rauchen oder zuviel Essen. In kosmetischen Kategorien gedacht ist ein dicker Raucher ein schlechter Mensch. Solche Bilder verbreiten sich in der Vorstellung nur allzuleicht, und es besteht die Gefahr, daß sie unrechtmäßig auf andere Bereiche übertragen werden. Dies wird wohl niemals zugegeben, ist aber unweigerlich das Ergebnis des Glaubens, Gesundheit sei immer gut.

Die Erhöhung der narzißtischen Selbstkultivierung auf die Stufe von Tugendhaftigkeit schließt einen Kreis. Dem Selbst wird kein

Platz in der Welt zugesprochen und keine Quelle, aus der es Werte für sich schöpfen könnte. Es findet Zuflucht in einem heidnischen Akt und widmet sich seiner eigenen Pflege und Verehrung. Um dieses Verhalten zu rechtfertigen, wird es als rechtschaffen und gut bezeichnet. Der Kreis schließt sich. Aus den Tatsachen der materiellen Welt wird eine Moral abgeleitet. Was die Philosophen der Aufklärung auf redliche Weise nicht haben tun können, haben wir beschlossen, auf unredliche Weise zu tun. Das Schlimme an diesem Prozeß ist, daß er nur erreicht wird, wenn man das Selbst mit dem relativen Zustand des Körpers gleichsetzt oder – was das seelische Wohlergehen anbelangt – diesen Zustand mit Hilfe der Fachsprache und Verbalhypnose nach außen verlagert. In letzterem Fall wird das Vokabular von »Gefühlen«, »Beziehungen« und »Selbstanalysen« verwendet, das in journalistischen Kreisen als Psychogeschwätz bezeichnet wird und in der freien Welt in die Umgangssprache eingegangen ist.

Man könnte dieses Verhalten als letzten, verzweifelten Versuch werten, das Selbst zu einem lebensfähigen Rückzugsort zu machen. Dieses Vokabular ist eine wilde Mischung von psychoanalytischen Begriffen, und es rechtfertigt sich aus der moralischen Umkehrung, die oben beschrieben wird. Es ist gut, sich selbst zu kultivieren, in diesem Falle durch Reden. Die Absicht dahinter scheint ein fortwährendes Kommentieren emotionaler Zustände zu sein, das zu einer Art Ausgleich führen soll. Beim Reden, so wird angenommen, wird das, was normalerweise privat bliebe, einem öffentlichen, wenngleich vertrauten Bereich preisgegeben, in dem man sich damit befassen kann. In Wirklichkeit schafft aber erst das Reden mit dem entsprechenden Vokabular die meisten Dramen, die zu beschreiben es vorgibt. Doch die Beteiligten denken, ihre Worte würden Zustände beschreiben, die in ihrem Selbst existieren.

Auf einer Ebene ist dieses Phänomen Ausdruck für den Erfolg der Vorstellung, die Psychoanalyse sei ein objektives, beschreibendes Unternehmen. Auf einer anderen scheint es sich aber auch um eine Art neurotischer Verdrängung des Gedankens an die Sterblichkeit zu handeln: Das nach außen gewendete Selbst, das für immer erfaßt bleibt in einem fortschreitenden Prozeß des analysierten Werdens, kann niemals sterben. Hinter diesem Verhalten steht – wie im Falle des nichtrauchenden, kein Fett essenden Gesundheitsfanatikers – die Vorstellung, das Selbst sei der einzige Bereich, wo unserer Erfahrung von der Welt Inhalt oder Sinn zugesprochen werden kann.

Wie ich aber schon weiter oben ausführte, ist es fraglich, ob die Schranke vor dem Zufluchtsort des Selbst von den Wissenschaften überwunden werden kann. Populäre Formen der Psychoanalyse und solche des Gesundheitsbewußtseins machen hierüber selbstverständlich keine Angaben. Einerseits glauben sie, die Wissenschaften könnten in unsere innere Natur vordringen oder ihr behilflich sein, andererseits glauben sie es auch wieder nicht. Sie verlangen das Beste beider Welten und halten deshalb eine Balance von Wahrscheinlichkeiten aufrecht, eine Balance, die in den unterschwelligen Mehrdeutigkeiten der Werbung und der Verkaufsstrategien immer wieder erkennbar wird.

Innerhalb der Wissenschaften selbst sind jedoch die Anstrengungen, die Schranke zu überwinden, immer zielgerichteter geworden. Die mechanistischen, deterministischen Naturwissenschaften hätten natürlich auf ewig so weitermachen können, ohne je den Versuch dazu zu unternehmen. Ihr funktionaler Standort außerhalb des Universums war viel zu effektiv, um aufgegeben zu werden. Freuds Angriff auf das Selbst fand im Namen der Klassik statt, konnte von den Anhängern der Klassik aber leicht für abenteuerlich voreilig gehalten werden, für ein riskantes Unterfangen, mit dem man möglicherweise in Verruf kommen könnte. Was man dringend brauchte, bevor man zu Freuds Beschreibungen gelangen konnte, war eine wirkungsvollere und überzeugende Kartierung des Bewußtseins. Bisher hat die Wissenschaft des 20. Jahrhunderts noch nicht eindeutig feststellen können, ob solch eine Kartierung möglich ist und wie sie aussehen könnte. Aus der Quantentheorie können wir ableiten, daß jedes derartig detaillierte Wissen über das menschliche Selbst notwendigerweise unbestimmt ist; aus der erstaunlichen Genauigkeit desselben Erkenntnisgebäudes läßt sich aber auch ableiten, daß solches Wissen möglich ist.

Es gab spektakuläre Entwicklungen, wie die Enträtselung der DNS, die auf die Möglichkeit eines im mechanischen Sinne verstehbaren Bildes vom Selbst hinzudeuten schienen. Diese Leistung des 20. Jahrhunderts gehörte zu denjenigen, die den mechanistischen Determinismus heil und unversehrt wieder mitten auf die Bühne der Naturwissenschaften zu rücken schienen: Im DNS-Molekül, erzählte man uns, könnten wir die Blaupause für all das erkennen, was wir waren. Was wir waren, war dort, real, in der Welt.

Aber die Frage unserer Zeit, ob das Selbst unangetastet bleiben sollte oder nicht, wird nicht unter dem Mikroskop oder in Teilchenbeschleunigern abgehandelt. Sie kann noch nicht betrachtet werden wie eine Doppelhelix oder ein Quark. Statt dessen suchen wir in den Zahlen nach uns selbst.

In anderen Kapiteln habe ich über das grundlegende Rätsel der Zahlen geschrieben – darüber, ob sie »wirklich« sind, in dem Sinne, daß sie eine wahre Eigenschaft der Natur wiedergeben, oder ob sie nur ein menschliches Konstrukt, ein bequemes Hilfsmittel sind. Beide Gesichtspunkte entsprechen allein der Intuition. Wir haben das Gefühl, daß Zahlen wirklich sind, weil es eindeutig so aussieht, als könne alles gezählt werden. Andererseits scheint es aber keinen Zweifel zu geben, daß es sich bei Zahlen um eine menschliche Erfindung handelt. Wenn sie nämlich für »wirklich« gehalten werden sollen, müssen sie auf irgendeine Weise schon vor uns bestanden haben – eine bizarre Vorstellung, die impliziert, daß zu den Zeiten, als die Dinosaurier die Erde durchstreiften, das Produkt von 8×7 auch schon 56 war.

Pythagoras war überzeugt von der transzendenten Wirklichkeit der Zahl, ein Glaube, der durch die Entdeckung von irrationalen Zahlen, wie die Wurzel aus Zwei eine ist, schwer erschüttert wurde. Dennoch erfuhr dieser platonische Glaube in der Scienza Nuova eine Wiederbelebung. Die Vorstellung von der Arithmetik als etwas unerbittlich Absolutem schien in einem mechanischen Universum vollkommen sinnvoll zu sein.

Im 19. Jahrhundert jedoch zeichneten sich in der Mathematik und in der Physik unheilverkündende Probleme ab. Die klassische Geometrie des Euklid zum Beispiel hatte man so lange für abgeschlossen gehalten, bis die Entdeckung der Möglichkeit nichteuklidischer Geometrien erwiesen war. Nun zeigte auch die Mengentheorie, besonders unter Georg Cantor, eigenartige Paradoxien. Das Problem lag in der klassischen Annahme, Logik und Mathematik könnten vereinigt werden, was eine Vereinheitlichung des philosophischen und des wissenschaftlichen Denkens bedeutet hätte. Logik und Mathematik hielt man letztendlich für ein und dieselbe Sache.

Eine Menge bezeichnet in der Mathematik dasselbe wie in der Alltagssprache, eine Ansammlung von Dingen, denen etwas gemeinsam ist, zum Beispiel die Menge aller Dinge, die rot sind. In der Mathematik Cantors – und später in der Logik Freges – sah es so aus, als ob Mengen ein mächtiges Instrument böten, um Zahlen zu definieren oder das Wesen der Mathematik zu verstehen.

Doch es ergaben sich Probleme, deren berühmtestes das Mengen-Paradoxon ist, das Bertrand Russell definierte. Wenn wir die Mengenvorstellung auf Zahlen übertragen, können wir beispielsweise sagen, die Zahl Drei sei die Menge aller Mengen, die die Eigenschaft des »Dreiseins« haben. Die Bedeutung dieses Aspekts der Theorie liegt in der offenbar richtigen Beschreibung dessen, was eine Zahl ist. Russells Paradoxon geht davon aus, daß es in der Mengentheorie ohne weiteres Mengen geben kann, die ein Element ihrer selbst sind: zum Beispiel die Menge aller Dinge, die nicht rot sind. Eine solche Menge wäre nicht rot und würde daher zu sich selbst gehören. Russell wies außerdem auf die Möglichkeit einer Menge hin, die er R nannte: die Menge aller Mengen, die nicht Elemente ihrer selbst sind. Nun können wir fragen, ob R ein Element von sich selbst ist. Ist es das nicht, gehört es eindeutig zu R. Also scheint R sowohl zu R zu gehören als auch nicht zu R zu gehören. Die beruhigende Solidität und Abgeschlossenheit der Mengentheorie – und damit der Mathematik insgesamt – verflüchtigte sich wie so viele andere Überzeugungen des 19. Jahrhunderts unter dem scharfen, prüfenden Blick des 20. Jahrhunderts.

Gemeinsam mit Alfred North Whitehead versuchte Russell, die Solidität mit der *Principia Mathematica* (1910–1913) wiederherzustellen, einem gewaltigen Werk, das eine Theorie der Typen vorschlug, die jene der Mengen ersetzen sollte. Doch es ist nicht nötig, diese Details hier weiter auszubreiten. Denn Russells Paradoxon hat den Kern des mathematischen Problems bloßgelegt, und es war keines, das durch die Theorie der Typen gelöst werden konnte.

Das Problem ist das scheinbar eingebaute Paradoxon des Selbstbezugs. Dies läßt sich viel anschaulicher durch folgendes einfache Puzzle ausdrücken: »Der folgende Satz ist falsch. Der vorhergehende

Satz ist wahr.« Das Entschlüsseln der Bedeutung dieser Worte führt uns in eine geschlossene Schleife, aus der es kein Entrinnen gibt. Die Sprache scheint wie die Mathematik eigenartige Inseln der Zirkularität zu beinhalten, die sich in kein ordentliches, formales System über das Funktionieren von Worten oder Zahlen einpassen lassen.

Aber das intuitive Gefühl, Mathematik müsse zu Vollständigkeit und Gewißheit imstande sein, läßt sich nicht leicht ableugnen. In der Folge der *Principia* strebten Mathematiker weiterhin nach einem Beweis für die schlüssige und vollständige Definition ihres Gebietes. Dies war eine Forderung, die der deutsche Mathematiker David Hilbert zu Beginn dieses Jahrhunderts ganz ausdrücklich aufgestellt hatte, und 31 Jahre lang war sie vorrangiges Ziel mathematischer Theoriebildung gewesen. Dann erbrachte Kurt Gödel den eindeutigen Beweis dafür, daß das Streben vergeblich war. Er zeigte, daß das Problem der geschlossenen Schleifen keine vorübergehende Absonderlichkeit, sondern eine fundamentale Realität ist, die immer die Vervollständigung eines arithmetischen Systems verhindern wird. Gödels Beweis zu verstehen, ist für Laien ein Glücksspiel; manchmal versteht man den Beweis, manchmal nicht. Aber alles, was man wirklich braucht, um die Konsequenzen zu begreifen, die sich daraus ergeben, liegt in der folgenden einfachen Schlußfolgerung: »Alle konsistenten axiomatischen Formulierungen der Zahlentheorie enthalten Behauptungen, die nicht entschieden werden können.«

Es handelt sich hier um einen jener Sätze aus unserem Jahrhundert, die das Denken am gründlichsten schockieren oder es erheben. Er bedeutet, daß wir innerhalb jedes Systems Behauptungen finden können, von denen wir wissen, daß sie wahr sind, obwohl wir nicht beweisen können, daß sie es sind. Es gibt also einen Unterschied zwischen »wahr« und »formal beweisbar«. Unser Wissen ist anders, es ist mehr als der mathematische Beweis.

Für jene, die ihrem intuitiven Gefühl vertrauend die Mathematik immer für vollständig und konsistent gehalten hatten, war dies eine niederschmetternde Erkenntnis. Die Antwort auf Hilberts Frage war eine verwirrende Negation. In den äußersten Randbereichen der Zahlentheorie hatte man eine Tür entdeckt, die eindeutig geschlossen war. Es sah so aus, als ob die Mathematik hier auf eine endgültige und unbestreitbare Grenze gestoßen war.

War sie das wirklich? Und was hat das mit dem Problem des Selbst zu tun?

Den Ansatz zur Beantwortung dieser Fragen bilden Computer. Charles Babbage hatte im 19. Jahrhundert mechanische Rechenmaschinen entworfen, die außerordentlich schön und komplex waren. Aber erst in den dreißiger und vierziger Jahren hielt man mit der Entwicklung der Elektronik ein wirkliches künstliches »Gehirn« für möglich. Zur gleichen Zeit wurden Theorien der Berechenbarkeit entwickelt – die weittragendsten von dem englischen Mathematiker Alan Turing. Im Jahre 1950 veröffentlichte Turing ein heute noch relevantes Testverfahren zur Entscheidung der Frage, ob man von einer Maschine behaupten kann, sie denke. An diesem Test sind ein Computer und eine Person beteiligt, die vor den Blicken einer weiteren Person verborgen sind. Letztere muß versuchen, mit Hilfe von Fragen, die sie dem Computer und der anderen Person stellt, herauszufinden, ob es sich beim Antwortenden um den Menschen oder um den Computer handelt. Wenn der Fragende das nicht zu entscheiden vermag, muß man dem Computer die Fähigkeit zu denken zubilligen.

Eine noch wichtigere Leistung Turings aber war die Schaffung eines Gegenstücks zum Gödelschen Theorem für die Theorie der Berechenbarkeit. Ebenfalls im Hinblick auf die Hilbertsche Forderung arbeitete er an der Frage, ob es eine mechanische Vorgehensweise gebe, die alle mathematischen Probleme beantworten könne. Er erfand die Turing-Maschine, einen einfachen Computer, der immer anhält, wenn eine Lösung gefunden ist, und er stellte fest, daß man nicht im vorhinein entscheiden kann, ob die Maschine tatsächlich anhalten wird.

Auch in diesem Falle sind keine mathematischen Kenntnisse dazu erforderlich, die Sache zu verstehen; es geht nur darum, die Konsequenzen zu erkennen. Turing hatte nicht nur die mechanische Unlösbarkeit einiger mathematischer Probleme erwiesen, sondern auch gezeigt, daß ganze Gruppen von Problemen von innen heraus unlösbar waren, da wir niemals im voraus wissen können, welche Vorgehensweise zu einer Lösung führen wird – wir können nicht voraussagen, ob die Maschine anhalten wird. Wieder zeigt sich die Unterscheidung zwischen dem, was wahr ist, und dem, was formal beweisbar ist. Vor allem ist diese eine Aussage darüber, daß es nicht darauf ankommt, einen Algorithmus, eine mechanische Verfahrensweise, konstruieren zu können, um ein spezielles Problem zu lösen, sondern darauf, wie wir den richtigen Algorithmus wählen. Es ist, als ob wir, um überhaupt Mathematik betreiben zu können, uns erst einmal neben ihre Methoden stellen müßten. Wenn uns das nicht gelingt, können wir erst gar nicht damit beginnen, mathematische Probleme zu lösen. Offenbar haben wir etwas, was eine Maschine niemals besitzen kann, eine Fähigkeit, die Wahrheit intuitiv und ohne formale Beweise zu erfassen. Also ist unsere Fähigkeit, mathematische Wahrheiten zu »sehen«, für die Vorgehensweise ebenso wichtig wie unsere Fähigkeit, die mathematische Wahrheit zu beweisen. Und diese Fähigkeit geht der Mathematik in irgendeiner Weise voraus. Sie muß ihr vorausgehen, damit wir damit beginnen können, Mathematik zu betreiben. Die Mathematik kann also nicht alles sein.

Jede mathematische Operation, die eine Turing-Maschine nicht innerhalb einer endlichen Zeit ausführen kann, gilt als nicht berechenbar. Wenn nun der menschliche Geist ein Computer ist, sind solche nichtberechenbaren Operationen irrelevant. Wir können dann im Prinzip immer noch einen Computer bauen, der denkt und der sich seiner selbst bewußt ist wie wir. Wenn aber solche Operationen im menschlichen Hirn existieren, sind wir vielleicht niemals imstande, eine Maschinenversion unserer selbst zu bauen. John Barrow erklärt, was dies für die Intelligenz der Maschinen bedeutet:

> »Wenn . . . zur Tätigkeit des menschlichen Geistes nichtberechenbare Operationen gehören, dann kann die Suche nach künstlicher Intelligenz keinen Erfolg haben dabei, Computer-Hardware herzustellen, die imstande ist, die Komplexität des menschlichen Bewußtseins nachzuahmen.«[9]

Für Barrow bedeutet das weder, daß die Mathematik selbst begrenzt ist, noch, daß das Universum nicht in Zahlen beschreibbar ist:

> »Wenn das Universum tatsächlich in irgendeinem tiefen Sinne mathematisch *ist*, dann sind die geheimnisvollen Unentscheidbarkeiten, die Gödel und Turing aufgezeigt haben, ein Teil der Be-

schaffenheit des Universums und nicht nur Produkte unseres Geistes. Sie zeigen, daß sogar ein mathematisches Universum mehr ist als Axiome, mehr als Berechnung, mehr als Logik – und mehr, als Mathematiker wissen können.«[10]

Anscheinend hat die Naturwissenschaft in der Mathematik bewiesen, daß wir nicht der einfache mechanische Zufall sind, für den wir uns einmal gehalten haben. Vielmehr sieht es so aus, als besäßen wir Fähigkeiten, mit Hilfe der Mathematik in die Natur hineinzuschauen – den Maschinen wird dies immer verwehrt bleiben. Unsere Fähigkeit, Lösungen zu »sehen«, ohne dafür eines Beweises zu bedürfen, wäre dann ein Rätsel außerhalb des Bereichs aller denkbaren mathematischen Operationen. Vielleicht ist das Selbst wirklich die eine Grenze, die von den Wissenschaften nicht überwunden werden kann.

Leider können wir nicht unbedingt einen Schluß daraus ziehen. Um die nächste Stufe dieser Frage zu verstehen, müssen wir uns auf das seltsame und verwirrende Gebiet der KI, der Künstlichen Intelligenz, begeben.

Künstliche Intelligenz erscheint in einer ganzen Reihe von Aufmachungen. Im praxisbezogenen, geschäftlichen Sinne handelt es sich einfach um eine Bezeichnung, die man neuen Rechensystemen gegeben hat, welche die Computer flexibler, leichter benutzbar und unabhängiger machen werden. Solche Entwicklungen sind oft bemerkenswert, im Moment aber scheinen sie uns nur eine Verstärkung der Rolle zu sein, die Computer in unserem Leben bereits spielen. Wichtiger für die Thematik dieses Buches ist die anspruchsvollere Debatte über die KI, die im Kern mit der alten Science-fiction-Frage zusammenhängt: Können wir eine Maschine bauen, die denkt?

Allein die Tatsache, daß es Computer gibt, hat viele von uns schon davon überzeugt, daß das möglich ist. Diese Maschinen sind besonders wirkungsvolle, moderne Symbole für die Macht der Wissenschaft. Von den Anfängen des ersten mechanischen Rechenapparates an ist es üblich geworden, im Zusammenhang mit ihnen Begriffe wie »denken« und »die Dinge ausarbeiten« zu verwenden. Heute, wo die riesige Verarbeitungs- und Speicherkapazität allen zugänglich ist, mag es oft einfacher sein, Computer mit semimenschlichen Attributen zu bedenken, als sich weiterhin auf sie wie auf Maschinen zu beziehen. Zum Teil hat das mit der Parallele zwischen dem Bild von Software und Hardware und dem Bild von uns selbst zu tun, eine Parallele, die ich im letzten Kapitel angesprochen habe, und zum Teil hängt es mit der Art der Komplexität zusammen – Computer können nicht einfach mehr als wir, etwa wie ein Auto oder ein Flugzeug das kann, sie können, wie es aussieht, mehr auf unserem eigenen Spezialgebiet der Berechnung und Organisation.

Sie sind uns ähnlich und haben darüber hinaus wie wir auch noch ein Innenleben. Ihre Arbeit ist unsichtbar, wir können nicht zusehen, wie Gänge eingelegt werden oder wie sich Ventile öffnen. Wie wir auch offenbaren sie ihre Arbeitsweise nicht.

Wegen dieser Übereinstimmung in der Arbeitsweise könnte man meinen, zwischen Computern und unseren Hirnen bestehe einzig in der Speicher- und Verarbeitungskapazität ein Unterschied. Computer haben sich durch ständige technische Verbesserungen zu ihrem gegenwärtigen, anspruchsvollen Stand hin entwickelt, haben größere Speicher bekommen und schnellere Verarbeitungsgeschwindigkeiten erreicht. Solche Verbesserungen wird es auch künftig geben, und irgendwann werden Computer die entscheidende Entwicklungsstufe zum Bewußtsein ihrer selbst erreicht haben. Offensichtlich birgt diese Möglichkeit eine Art Idealtest für die einander entgegengesetzten Ansichten über das Selbst – die Ansicht vom Überfluß an Komplexität und die von der nicht reduzierbaren Besonderheit des Selbst. Kann ein sich seiner selbst bewußter Computer gebaut werden, gewinnt die erste Behauptung, wenn nicht, gewinnt die zweite – dann sind wir mehr als Maschinen.

Das Gödel-Turing-Problem scheint die Ansicht zu stärken, man könne keine Maschine bauen, die denkt. Das ist deshalb so, weil das Bauen der Maschine ein mechanisches Verfahren ist, zu dem es gehört, sich für besondere Algorithmen zu entscheiden. Turing scheint zu verdeutlichen, daß gerade diese Entscheidung nicht gefällt werden kann, und Gödel, daß es einen geheimnisvollen Bereich des Wahren, aber Nichtbeweisbaren gibt, der es unmöglich macht, die ganze Qualität menschlichen Denkens mechanisch zu verwirklichen.

An der Entwicklung von Schachcomputern läßt sich ein Aspekt des Problems aufzeigen. Frühe Versuche kamen nicht voran, weil man davon ausgegangen war, der Computer müsse jede mögliche künftige Veränderung jeder Stellung berücksichtigen. In der Praxis erforderte dies eine unmöglich große Speicherkapazität und Jahrhunderte von Rechenzeit. Für die Anfangsposition stellte sich das Problem besonders dringlich, weil hier natürlich alle möglichen Kombinationen des Spiels potentiell vorhanden sind. Der Computer kann das Spiel nicht algorithmisch komprimieren, müßte also erst jedes mögliche Spiel durchspielen, ehe er seinen Zug macht. Allmählich wurde das Problem dadurch überwunden, daß man Möglichkeitshorizonte einbaute, jenseits derer der Computer nicht so genau rechnete, und indem man Methoden erarbeitete, wie er Situationen eher allgemein zu analysieren vermag, als sie in jedem Detail durchzuspielen. Heute können sich Computer mit den besten Spielern messen. Schach ist jedoch eine Sache . . .

. . . das Denken eine andere. Das Argument zugunsten der »harten« KI – der weitestgehenden Ansicht, die besagt, unsere Intelligenz könne mechanisch dupliziert werden – hat noch einen langen Weg vor sich. Zwei gewichtige Bücher haben in den letzten Jahren jeweils eine der beiden Seiten unterstützt. Das erste ist *Gödel, Escher, Bach. An Eternal Golden Braid (Gödel, Escher, Bach. Ein endlos geflochtenes goldenes Band)* von Douglas Hofstadter und das zweite *The Emperor's New Mind (Des Kaisers neuer Geist)* von Roger Penrose.

Das Erstaunlichste an beiden Bücher ist – außer ihrem Umfang – wahrscheinlich der Umstand, daß ihre Autoren sich verpflichtet fühlten, alle derzeit zur Diskussion stehenden Themen in ihre Überlegungen einzubeziehen: Philosophie, Physik, Musik, Quantentheorie, Relativitätstheorie und viele andere weit voneinander entfernte Themen werden aufgeboten, um zu erhellen, was als eine ausschließlich technische, mathematische Debatte beginnt. Diese ist nicht einfach eine kritische Bestandsaufnahme aktueller Fragen. Der Ansatz und die Zielsetzung beider Bücher zeigen, daß Penrose und Hofstadter erkannt haben, was auf dem Spiel steht. In einem letztgültigen Sinne ist die Unantastbarkeit oder Nicht-Unantastbarkeit des menschlichen Selbst das alles umfassende und drängendste Thema der Gegenwart.

Hofstadters expansiver und selbstbewußt exzentrischer Ansatz unterstützt den der »harten« KI. Sein Argument wird allerdings von technischen Details und der Extravaganz seiner Methode, Beispiele zu zitieren, teilweise verdeckt. Es ist aber recht einfach.

Alle Anomalien der Mathematik und der Sprache sind real, und sie alle drehen sich um das Problem, wie irgend etwas wirklich beginnt. Wir können nicht im voraus den richtigen Algorithmus für die Turing-Maschine auswählen. Für Hofstadter ist das ein Sinnproblem. Unser Gehirn erhält Botschaften, die es interpretiert. Um das aber tun zu können, muß es eine weitere Ebene der Botschaft haben, die Anweisungen gibt, wie die Botschaft verstanden werden soll. Dies unterstellt eine komplexe Hierarchie: Zuoberst liegt der Vorgang der Entzifferung des Inhalts der Botschaft, darunter die Fähigkeit zu erkennen, daß es sich um eine Botschaft handelt, darunter die Fähigkeit, unsere Wahrnehmungen zu ordnen und zu unterscheiden, darunter der Mechanismus, der unsere Wahrnehmungen mit unserer Verarbeitungskapazität verbindet, und irgendwo am Ende der Kette finden sich die einzelnen elektrischen Impulse in der Struktur unseres Gehirns. Aber diese Hierarchie erklärt für sich selbst genommen gar nichts, denn sie suggeriert eine endlose Regression: Wenn wir erst einmal auf der Ebene einzelner Elektronen angelangt sind, können wir immer noch nach dem Warum? fragen. Wie können wir jemals in Gang gesetzt werden? Hofstadter antwortet darauf:

»Das geschieht, weil unsere Intelligenz nicht körperlos ist, sondern einem physischen Objekt, nämlich unserem Gehirn, eingepflanzt ist. Seine Struktur verdankt es dem langen Prozeß der Evolution, und seine Operationen gehorchen den Gesetzen der Physik. Da es sich um ein physisches Objekt handelt, *arbeitet unser Gehirn, ohne daß ihm gesagt wird, wie es zu arbeiten hat.* Es ist aber auf der Stufe, auf der Gedanken durch physische Gesetze erzeugt werden, daß Carrolls Regel-Paradoxie zusammenbricht, und gleichermaßen bricht auf der Stufe, auf der das Gehirn die einströmenden Daten als Botschaften interpretiert, die Botschafts-Paradoxie zusammen. Das Gehirn ist anscheinend mit ›Hardware‹ ausgestattet, um gewisse Dinge als Botschaften zu erkennen und diese zu entschlüsseln.

Diese minimale angeborene Fähigkeit, eine innere Bedeutung herauszuziehen, ist das, was den in hohem Grade rekursiven, schneeballartigen Prozeß des Erlernens der Sprache ermöglicht. Die angeborene Hardware ist wie eine Musikbox: Sie liefert die zusätzliche Information, die bloße Auslöser in vollständige Botschaften umwandelt.«[11]

Hofstadters Version ist also eine gehobenere, differenziertere Auffassung davon, das Selbstbewußtsein sei infolge einer evolutionären Redundanz entstanden, nach der die Vorfahren der menschlichen Spezies einen Mechanismus hatten, der in einem gewissen Stadium der Komplexität in das Bewußtsein von sich selbst übersprang. Aber diesem Mechanismus haftet nichts Besonderes an, er ist ein physikalisches System, das physikalischen Gesetzen unterliegt. Alle Unendlichkeiten und alle Paradoxien enden an dieser Stelle. Das Gehirn ist selbststartend. Es gibt kein Geheimnis, sondern nur eine unwahrscheinliche Komplexität, die wir mit der Zeit beherrschen werden. In diesem Zusammenhang wirft die Erfahrung der Farbe Grün keinerlei Probleme auf. Wir können sie von einer Warte innerhalb des Systems betrachten, aus dem »Strudel der Selbstwahrnehmung« des Gehirns, und wir haben die Erfahrung von Grün. Oder wir können sie von einer Warte außerhalb des Systems betrachten und die genaue Wellenlänge von grünem Licht beschreiben. Das Problem des Selbst wird also wieder auf den Bereich der Klassik zurückgeführt, indem man sagt, daß das Problem natürlich besonders schwierig sei, weil das Gehirn ganz offensichtlich das komplizierteste Ding im Universum ist. Aber das Problem unterscheidet sich nicht grundsätzlich von anderen: »Wir sollten daran denken, daß es physikalische Gesetze sind, die das bewirken – ganz weit unten in neuralen Winkeln, die zu weit entfernt sind, als daß wir sie mit unseren introspektiven Bohrungen auf hoher Stufe erreichen könnten.«[12]

Paradoxerweise ist Penrose sowohl nüchterner als auch romantischer als Hofstadter. Er sieht die Position der »harten« KI als zerrissen von Widersprüchen. Er stellt heraus, daß der Glaube der »harten« KI an den Algorithmus eine seltsame intellektuelle Ironie ist. Indem die Anhänger der »harten« KI nämlich auf der Wichtigkeit sowohl der Abstraktion des Algorithmus als auch der Materialität des

Gehirns bestehen, haben sie eine Form des Dualismus wiederbelebt, bei der nur der Algorithmus die Seele ersetzt. Und der Dualismus war es doch gerade, den die Materialisten, die Vorläufer der Anhänger von »harter« KI, am vordringlichsten zerstören wollten. Das Letzte, was sie gebrauchen konnten, war eine Seele!

Kernpunkt aber ist, daß für Penrose die Sachlage »unbeweisbar, aber wahr« entscheidend ist. Wenn wir eher »sehen« als beweisen, daß etwas wahr ist, kann dieses Beobachten nicht in irgendein formales mathematisches System enkodiert werden. Dennoch erhalten wir in einem solchen Augenblick eine Ahnung von der Wahrheit, die der Welt zugrunde liegt. Denn Penrose ist ein Platoniker, der überzeugt ist von der Wirklichkeit der Mathematik und von unserer besonderen Stellung im Universum, dessen Geheimnisse wir entziffern.

Er verteidigt unsere Eingebung, daß im mechanisch-deterministischen Bild vom Universum »irgend etwas fehlen« müsse. Und doch stößt er hier auf ein Problem. Wir nehmen natürlich an, daß das, »was fehlt«, eine Art seelische Dimension ist, und das mag auch für Penrose zutreffen. Genauer gesagt aber ist er überzeugt, daß in unseren Wissenschaften irgend etwas fehlt, das uns zurückhält.

Denn Penrose glaubt, unsere Physik sei zutiefst unvollständig, und insbesondere denkt er, daß uns eine Theorie der Quantengravitation fehlt, die es uns eines Tages möglich machen müßte, »das Phänomen des Bewußtseins zu erhellen«. Das Paradoxe hierbei ist, daß Penrose vielleicht nicht wirklich gegen die »harte« Auffassung von KI argumentiert, sondern einfach nur sagt, wir wüßten noch nicht genug, um die KI zum Erfolg zu bringen . . . vielleicht sagt er es aber auch nicht. Im Gespräch mit ihm hatte ich den Eindruck, als hätte er diese Frage für sich selbst noch nicht entschieden. Der Kernpunkt ist vielleicht einfach der, daß die gegenwärtigen »harten« KI-Argumente für ihn nicht stichhaltig sind.

»Berechenbarkeit ist keinesfalls dasselbe wie mathematische Genauigkeit. Es gibt in der präzisen, platonischen Welt der Mathematik soviel Geheimnisvolles und Schönes wie man es sich nur wünschen kann, und der größte Teil des Geheimnisses liegt in Konzepten, die sich außerhalb des vergleichsweise begrenzten Teils befinden, in dem Algorithmen und Berechenbarkeit das Feld beherrschen.«[13]

Noch ist es eine Frage des Glaubens, welche Seite man in der Frage um die »harte« KI einnimmt, denn es wird noch ein paar Jahre dauern, bevor ein Computer gebaut werden wird, von dem man entfernt behaupten kann, er könne auf erkennbare Weise »denken«. Nach Meinung der »harten« KI wird das natürlich geschehen, und es ist einzig unsere Sentimentalität, die die Tatsache vor uns verbirgt, daß schon etwas geschehen ist. Aus der Sicht eines »harten« KI-Begeisterten »denkt« schon ein einfacher Thermostat, ein kleines Stück Metall, das sich ausdehnt und zusammenzieht und damit unsere Heizung an- oder abdreht, auf primitive Weise wie wir, wenn wir entscheiden, etwas zu tun und es dann ausführen.

Nach dieser Auffassung sind die Computer auf dem Weg zum vollständigen Selbstbewußtsein schon weit vorangekommen. Tatsächlich werden sie schließlich alles übernehmen. Die Evolution auf Siliziumbasis wird der Evolution auf Kohlenstoffbasis folgen. Wir werden unsere Persönlichkeiten auf Maschinen überspielen und unsterblich werden, indem wir eine beliebige Anzahl von Back-up-Kopien von uns selbst anfertigen. Computer bestimmen danach in der Tat den nächsten Entwicklungsabschnitt in der Geschichte des Universums. Das Bewußtsein wird von dem gebrechlichen biologischen Hilfssystem befreit werden und wird das Universum ohne Begrenzungen durchstreifen können. Die Wissenschaften, die unsere Seelen ideell aus unseren Körpern entfernt haben, werden es schließlich auch physisch tun.

Dieses Denken stellt eine moderne Inkarnation des Hegelianismus oder der Liberalen Theologie dar. Die Wissenschaften sind Teil des sich entfaltenden Weltgeschehens, und der Übergang zu einer Existenzform auf Siliziumbasis ist einfach die nächste Phase. Der Liberalismus tröstet sich selbst mit der Vorstellung, daß es dies sein muß, was geschehen soll.

Wenn die Verfechter der »harten« KI recht haben, liegt diese Entwicklung in nicht besonders ferner Zukunft. Die Verarbeitungsfähigkeit von Computern wächst außerordentlich schnell. »Menschengleichwertigkeit« könnte bei der gegenwärtigen Wachstumsrate für einen Supercomputer um das Jahr 2010 erreicht sein, für einen Personal Computer um 2030. Und neuere Berichte legen nahe, daß dies noch viel früher geschehen kann. So müssen wir uns also schon mit der Möglichkeit eines »Silizium-Selbst« mitten unter uns befassen, mitten im Zeitalter der korrupten, kultivierten, neuheidnischen Selbstheit.

Es ist wichtig zu verstehen, daß es sich bei den Unterschieden zwischen Hofstadter und Penrose um Unterschiede des Glaubens handelt. Hofstadters Materialismus macht einen Zirkelschluß: Unser Gehirn arbeitet, es ist ein physikalisches System; es entstehen Schleifen und Paradoxien, weil sie aber in physikalischen Systemen wurzeln, müssen sie ein Ende haben, und dieses wiederum ist so, wie unser Gehirn arbeitet. Mit anderen Worten: Physikalische Systeme sind physikalische Systeme – *quod erat demonstrandum.* Penrose meint dagegen, wir wüßten nicht genug, und das, was wir wüßten, deute darauf hin, daß »harte« KI unmöglich sei. Und als explizites Glaubensbekenntnis fügt er noch hinzu, es gebe eine zugrunde liegende Wirklichkeit der Zahlen, zu der wir einen bevorzugten Zugang hätten.

Wir mögen uns von solchen Fragen abwenden, verwirrt und mit dem Verdacht, daß wir angesichts von Hofstadters Spielen und Penrose' Formeln inkompetent sind. Aber diese Glaubensfrage ist viel einfacher und wichtiger, als jeder von beiden offensichtlich in der Lage ist zuzugestehen. Es handelt sich um die uralte Frage danach, wer wir sind.

Die Naturwissenschaften haben keine Antwort darauf gegeben, aber sie könnten es mit Hofstadters Ansatzpunkt tun. Wenn sie es tatsächlich tun, stehen wir vor einem entsetzlichen Problem. Wie ich oben schon aufzeigte, haben uns die Naturwissenschaften bereits alle möglichen Definitionen unseres Selbst genommen und uns wenig mehr übriggelassen als einen dauernden Zustand der Ungewißheit. Dadurch haben sie das menschliche Selbst in moralischem und kosmischem Sinn reduziert. Wenn sie jetzt entdecken sollten, daß sie dieses Selbst mechanisch wiedererschaffen oder duplizieren können, würde das eine Notsituation heraufbeschwören. Wir würden uns, so scheint es, in einem gewissen letzten Sinne »kennenlernen«, und zwar gerade in dem Augenblick, in dem wir herausgefunden hätten, daß es kaum etwas Lohnendes zu kennen gibt.

Doch auch ohne das plötzliche Entstehen der »harten« KI scheinen wir in einer Krise zu stecken. Wir denken über diese Argumente nach, und nichts kann uns helfen, zwischen ihnen zu entscheiden. Wir haben weder die Autorität noch das Vertrauen. Selbst wenn wir kein Maschinengehirn bauen können – wo finden wir die Werkzeuge, mit denen wir uns selbst wiederaufbauen können?

9. Die Erniedrigung der Wissenschaften

Habe ich die Begründungen erschöpft, so bin ich nun auf dem harten Felsen angelangt, und mein Spaten biegt sich zurück. Ich bin dann geneigt zu sagen: »So handle ich eben.«
Wittgenstein[1]

Die Naturwissenschaften haben uns aufgebaut und haben uns zerstört; es ist an der Zeit, mit dem Reparieren zu beginnen.

Lassen Sie mich zunächst das Bild und die Argumente zusammenfassen, die ich versucht habe darzustellen:

Vor ungefähr 400 Jahren entstanden in Europa unvermittelt eine neue Erkenntnisform und eine neue Handlungsweise, die eine noch nie dagewesene Effektivität an den Tag legten. Wir nennen sie heute Naturwissenschaft.

Sie entwarf ein Bild vom Universum, von der Welt und den Menschen, das allen vorangegangenen Ansichten völlig zuwiderlief. Vor allem versagte sie den Menschen die Möglichkeit, in den Tatsachen der Welt eine letztgültige Bedeutung und einen Sinn für ihr Leben zu finden. Wenn es so etwas wie einen Sinn und ein Ziel gab, dann mußte es außerhalb des Universums existieren, das für die Naturwissenschaft beschreibbar war.

Dies hatte eine philosophische Krise zur Folge, die Descartes als erster definierte. Es handelte sich um eine Krise der Erkenntnis. Auf welche Weise »wußte« der Mensch irgend etwas in einem kalten, bedeutungsleeren Universum, wie zum Beispiel »wußte« er die Naturwissenschaften? Welche Garantien konnte der Mensch für seine Erkenntnis finden? Viel vordringlicher aber war die Krise in der Religion, die der Erfolg der Naturwissenschaften nach sich zog. Während Generationen von Naturwissenschaftlern die Religion ihrer physischen Zeugnisse entkleideten, hat sich der Glaube auf der Suche nach einem sicheren Zufluchtsort nach innen ins eigene Selbst gewandt. Aber der fortschreitende Verfall der Macht der Religion konnte angesichts der überwältigenden Effektivität und des Skeptizismus, die von den Naturwissenschaften ausgingen, dadurch nicht aufgehalten werden.

In unserem Jahrhundert erheben sich den Naturwissenschaften gegenüber jedoch neue Zweifel. Ihre unheilvolleren Schöpfungen, zum Beispiel die Atombombe, haben den Menschen Anlaß gegeben, den Wert der Naturwissenschaften anzuzweifeln und ihre guten Eigenschaften in Frage zu stellen. In der Umweltschutzbewegung ist die Fortschrittsgläubigkeit der Gesellschaft, die auf die Naturwissenschaften zurückgeht, auf Ablehnung gestoßen und durch einen neuen Kodex der friedlichen Koexistenz mit der Natur ersetzt worden.

Die Naturwissenschaften haben sich jedoch selbst ebenfalls verändert. Neue Entwicklungen haben alte Gewißheiten umgestoßen, und viele Menschen behaupten jetzt, die Naturwissenschaften eröffneten keinen düsteren, pessimistischen Ausblick, sondern seien vielleicht sogar in der Lage, uns zu einer neuen Spiritualität zu verhelfen.

Dessen ungeachtet läuft das Programm der »harten« Naturwissenschaften aber weiter und beherrscht unsere Kultur noch immer. Die Naturwissenschaften formieren sich zunehmend zu einer Kultur der ganzen Welt. In unserer heutigen Zeit haben sie es sich zum Ziel gesetzt, herauszufinden, wie das menschliche Selbst funktioniert.

Soweit die Geschichte dieses Buches. Sie beruht auf zwei Überzeugungen: erstens, daß die moderne, liberal-demokratische Gesellschaft durch die naturwissenschaftlichen Methoden, Erkenntnisse und Grundüberzeugungen erschaffen worden ist, und zweitens, daß sowohl diese Gesellschaft als auch die Naturwissenschaft selbst ungeeignet sind, um als Erklärungen oder Leitlinien für das menschliche Leben herzuhalten.

Die Wissenschaft beantwortet Fragen heute so, *als ob* sie eine Religion wäre, und ihre offensichtliche Effektivität führt dazu, daß diese Antworten für die Wahrheit gehalten werden – wiederum so, *als ob* es sich um eine Religion handelte. Sie setzt sich aber in keiner Weise mit den geistigen Fragen nach Sinn und Ziel auseinander. Und inzwischen sieht sie sich aufgrund ihrer wachsenden Macht in der Lage, gerade die Systeme, die sich mit diesen Themen auseinandersetzten, an den Rand unserer Wahrnehmung zu drängen und schließlich völlig zu vertreiben. Wie ich schon gesagt habe: Unsere Naturwissenschaften sind unfähig zur Koexistenz, was immer sie auch vortäuschen mögen.

Ich habe viele der leidenschaftlichen Reaktionen im 20. Jahrhundert auf diesen Zustand beschrieben, und ich will an dieser Stelle kurz begründen, warum ich sie ablehne.

Umweltschutzdenken: Als Forderung nach einer ordentlichen Haushaltsführung auf dem Planeten ist der Umweltschutz nichts anderes als eine vernünftige Praxis, wenn man einmal davon ausgeht, daß die zugrunde liegende Problemanalyse richtig ist. Die Umweltschutzbewegung hat sich jedoch ausgeweitet und ist moralisch, sozial und politisch regelrecht zur Orthodoxie geworden. Als solche hat sie sich mit einer ganzen Reihe von anderen antifortschrittlichen Bewegungen zusammengeschlossen, die sich für die Abschaffung des Wirtschaftswachstums und für die Rückkehr zu »natürlichen« Lebensformen aussprechen.

Das Problem liegt für mich darin, daß ihre Begriffe von Sinn und Ziel völlig negativ sind. Unser Ziel soll es sein, zu überleben, indem wir irgendeine Art von natürlicher Balance wiederherstellen, und unser Sinn wird dann in dieser Balance enthalten sein. Aber im Hinblick auf ein Ziel sagt die Ökologiebewegung nur, daß wir die Verpflichtung zum Überleben haben – was schwerlich eine bedeutsame geistige Einsicht ist. Wie aber kann das bloße Wiedergutmachen unserer ökologischen Sünden mehr sein als ein rein praktisches Programm, das sich aus schierer Notwendigkeit herleitet? Wir können nicht zu einer neuen Spiritualität gezwungen werden, nur weil wir eine Reihe von Fehlern gemacht haben. Die wirkliche Offenbarung bestünde darin, daß wir Gefangene einer Umwelt seien, die es darauf angelegt habe, uns das Beste von uns selbst abzusprechen, indem sie unsere ganze Kultur verwirft.

Schließlich glaube ich nicht daran, daß sich in der bloßen Befürwortung von Harmonie mit der Natur irgendein Sinn oder Trost finden läßt. Unsere Geschichte hat uns zumindest eine – vielleicht nur diese eine – unwiderlegbare Tatsache über das menschliche Leben mitgeteilt: Wir sind grundsätzlich und unwiderruflich anders als die übrige Natur.

Rückkehr zur orthodoxen Religion: Die Strenggläubigkeit ist natürlich niemals ganz ausgestorben. Überlebt hat sie entweder als funda-
mentalistischer Glaube oder in verschiedenen Formen der Liberalen
Theologie, deren Anhänger versuchten, die Religion im Zusammenhang mit dem wissenschaftlichen Fortschritt neu zu definieren.
Mehr läßt sich darüber nicht sagen. Auf einer gedanklich übergeordneten Stufe kann man jedoch wieder darauf hinweisen, daß die Naturwissenschaften niemals mit der Religion koexistieren werden. Der
Glaube wurde von den Naturwissenschaften ausgehöhlt, und das
wird so weitergehen; der Glaube mag für den einzelnen noch eine
Bedeutung haben, aber die Anzahl derer, auf die das zutrifft, wird
eher abnehmen. Als politische und moralische Kraft wird er daher
schwächer werden.

Den Glauben großzügig so umzudefinieren, daß er die Naturwissenschaften miteinbezieht oder neben ihnen existieren kann, ist keine überzeugende Alternative, weil man damit allzu offenkundig das
Beste aus einer schlechten Sache herauszuholen versucht. Es gibt
keinen Anhaltspunkt dafür, wo solche Definitionen enden sollten.
Irgendeine Art von grundlegender Orthodoxie muß aber vorhanden sein, die diese neuen Richtungen davon abhält, allzu hoffnungslos vage zu werden, um noch Religion zu sein. Mit anderen Worten:
Nicht einmal eine liberale Orthodoxie kann ohne Glauben Bestand
haben, und deshalb löst der Liberalismus nicht das Problem der
Notwendigkeit des Glaubens; er ignoriert es vielmehr.

Ich sollte an dieser Stelle jedoch klarstellen, daß die Religion als
solche damit weder diskreditiert noch entkräftet wird. Die Religion
ist den Menschen zwar weniger zugänglich geworden, hat sich deshalb aber nicht als »unwahr« herausgestellt. Meine eigenen Ansichten könnten als vor-religiöses Argument für nicht-religiöse Menschen betrachtet werden.

Eine neue Spiritualität der Naturwissenschaften: Auf bestimmte Weise könnte sich eine solche aus der uneingeschränkten Bejahung der
fortschrittlichen, evolutionären Vision entwickeln, die von den Naturwissenschaften entworfen wird. Sie findet sich in den Schriften
von Bronowski, Sagan, Hawking, Feynman und Hofstadter und
besagt, daß das klassische, naturwissenschaftliche Programm unser

Schicksal ist und daß wir unsere geistige Identität in Beziehung zu diesem Schicksal aufbauen.

Dies erscheint mir eher eine passive Unterwerfung zu sein als ein Weg der Auseinandersetzung mit den Themen, die ich angesprochen habe. Im wesentlichen wird unterstellt, daß die Naturwissenschaften die Wahrheit sind, daß man das nicht ändern kann und daß wir uns deshalb wohl oder übel fügen sollten. Es gibt Philosophen, die dem zugestimmt haben. Bertrand Russell und Alfred Jules Ayer haben ihre Disziplin regelrecht dazu verurteilt, die Stelle der Magd für die Naturwissenschaften einzunehmen. Dies war einer der großen intellektuellen Tiefpunkte unseres Zeitalters. Sie haben die Wahrheit auf die Effektivität reduziert und angenommen, daß ihre Arbeit damit erledigt sei. Wenn Philosophie oder Religion überhaupt eine Bedeutung haben sollen, müßte, denke ich, doch zuallererst einmal eindeutig festgehalten werden, daß sie anders sind als die Naturwissenschaften und unabhängig von ihnen.

Eine neue Spiritualität, die aus den Naturwissenschaften erwächst: Damit meine ich die Hoffnung, die viele Menschen an die modernen Entwicklungen wie Quantenmechanik oder Chaostheorie geknüpft haben. Manche sind mit Fritjof Capra der Meinung, daß sie auf ein mögliches zukünftiges Zusammenfließen der uralten religiösen und der neuen naturwissenschaftlichen Erkenntnisse hindeuten. Andere, wie David Bohm, arbeiten daran, ausgehend von den antimechanistischen Tendenzen der neuen Naturwissenschaften völlig neue Weltbilder zu entwerfen.

Die Wissenschaft, darauf habe ich schon wiederholt hingewiesen, ist aber beweglich und ihrem Wesen nach in ständiger Veränderung begriffen. Die Gewißheit, die eine Generation erlangt hat, wird sehr wahrscheinlich von der nachfolgenden widerrufen werden. Es mag wahr sein, daß die Quantenmechanik auf einen tieferen geistigen Bereich hindeutet – aber das Wissen über diese Wahrheit muß von außen her kommen und unabhängig vom Quantum sein, sonst bleibt es abhängig von den Launen der Naturwissenschaft. Alles läuft darauf hinaus, daß wir die Wahrheit kennen müssen, ehe wir sie im Quantum entdecken können.

Es gibt noch einen allgemeineren Grund, allen diesen Reaktionen skeptisch gegenüberzutreten: Es ist die eigenartige Tatsache, daß ein Grund zu leben nicht erfunden werden kann.

Dies zu erkennen ist wesentlich für das Verständnis der Gegenwart, vielleicht sogar für das der Zukunft, und ganz sicher erklärt diese Tatsache, warum das gesamte Projekt Aufklärung gescheitert ist. Es war ein großartiger Fehlschlag, aber immerhin doch ein Fehlschlag. Ziel des Projekts Aufklärung war es, eine neue Basis für Erkenntnis und Werte zu finden. Dies ist mißlungen, weil es grundsätzlich nicht möglich ist, einen gedanklichen Weg zu dieser Basis zu finden. Max Weber hat, als er das Dilemma des Intellektuellen analysierte, diesen Punkt auf brillante Weise verdeutlicht:

»Das Bedürfnis des literarischen, akademisch-vornehmen oder auch Kaffeehausintellektualismus… in dem Inventar seiner Sensationsquellen und Diskussionsobjekte die ›religiösen‹ Gefühle nicht zu vermissen, das Bedürfnis von Schriftstellern Bücher über diese interessanten Problematiken zu schreiben und das noch weit wirksamere von findigen Verlegern, solche Bücher zu verkaufen, vermögen zwar den Schein eines weit verbreiteten ›religiösen Interesses‹ vorzutäuschen, ändern aber nichts daran, daß aus derartigen Bedürfnissen von Intellektuellen und ihrem Geplauder noch niemals eine neue Religion entstanden ist.«[2]

Die Weisheit dieser Bemerkung und die unendlichen Konsequenzen, die sich daraus ableiten lassen, führen, so scheint mir, direkt zum Kern des modernen Verhängnisses. Meine ganze bisherige Darstellung der Geschichte kann als eine Fußnote zu Webers Einsicht gesehen werden. Diese Geschichte ist nämlich vor allem eine intellektuelle, eine Geschichte der Ideen. Ideen, darauf habe ich immer wieder hingewiesen, erläutern das, was wir sind, und sie legen die Umrisse unserer Identität fest. Sie können aber diese Identität nicht aus sich heraus rechtfertigen, weil wir uns unseren Weg zu Sinn und Ziel nicht mit Denken erschließen können.

Ein Augenblick der Selbstprüfung wird deutlich machen, wie sehr dies zutrifft. Wir erfahren in unserem Alltagsleben, daß wir uns eins mit uns selbst fühlen oder nicht. Wir wissen ebenfalls, daß noch so viele vernünftige Argumente dieses Befinden nicht ändern können.

Ein Arzt findet vielleicht irgendeine hormonelle Erklärung für diesen Zustand; ein Psychoanalytiker stellt vielleicht eine Verbindung zu einer Begebenheit aus der Kindheit her. Tatsächlich aber bieten beide nur Begründungen an, das Gefühl selbst können sie nicht erklären.

Diese Beobachtung läuft auf dasselbe hinaus wie die Bemerkung, die ich über die Farbe Grün angestellt habe. Die Kenntnis der besonderen Wellenlänge von Licht teilt uns nicht unmittelbar etwas über die Erfahrung von Grün mit. Diese Gefühle von Einssein oder Grünsein entstehen, und sie existieren in der Welt ganz zweifelsfrei ebenso wie Flüsse, Berge und Sterne. Die Tatsache, daß wir denken, wir könnten sie auf dem Weg über Hormone, über eine Analyse oder über Wellenlängen verstehen, sagt über die Existenz dieser Gefühle überhaupt nichts aus; sie teilt uns aber sehr viel über die Art von Erklärung mit, der wir glauben möchten.

Kernpunkt meiner Aussage ist, daß die Naturwissenschaft als eine Form von Wahrheit und als Schöpferin unserer Gesellschaft uns mit ihrer fortschreitenden Eroberung immer weiterer Bereiche unseres Lebens nach und nach den unerschütterlichen, nicht reduzierbaren Sinn für unsere eigene Selbstwahrnehmung entzogen hat. Die Ketten der naturwissenschaftlichen Kausalität haben nach und nach unsere Stimmungen und Einsichten mit der gleichen Bestimmtheit »wegerklärt«, mit der sie auch Gott aus der unmittelbaren Nähe des Sonnensystems vertrieben haben. In der Vergangenheit wurde das sichere Gespür für das Selbst von der Religion in vielerlei Gestalt aufrechterhalten; in der Tat kann man behaupten, daß dieses Gespür der religiöse Aspekt in uns allen ist. Die Wissenschaft hat uns aber unsere Religion genommen, und wir können keine neue erfinden, weil Religionen ihrer Definition nach nichts sind, das man erfinden könnte. Sicherlich können Theologien erfunden werden; wenn sie wirksam sein sollen, müssen sie aber aus einer tieferen menschlichen Quelle als aus dem Verstand eines Theologen kommen: Sie müssen aus einer Totalität der menschlichen Erfahrung hervorgehen, sie müssen wir selbst sein. Und wir können uns selbst ebensowenig erfinden, wie wir die Empfindung von Grünsein erfinden können.

Aus all diesen Gründen, vornehmlich aber aus diesem letzten, halte ich alle die bisher beschriebenen Versuche, einen neuen Standort in der Welt für uns zu bestimmen, für nicht überzeugend.

Nun könnte man versucht sein zu sagen, wenn wir den Ausweg aus diesem Problem nicht durch *Denken* finden könnten, dann könne man sowieso nichts tun. Die meisten von uns verbringen ihr Leben ohnehin in ziemlich vernünftiger Balance und geistiger Gesundheit. Wenn also die Wissenschaften funktionieren und die wissenschaftlich-liberale Gesellschaft die effektivste und gerechteste Form sozialer und politischer Organisation ist, die je erfunden wurde, über was soll man sich dann noch den Kopf zerbrechen?

Zunächst einmal läßt sich darauf sagen, daß es eine entsetzliche, passive, tierhafte Ergebenheit bedeuten würde, eine schreckliche Umkehrung menschlicher Wertvorstellungen, wenn man sich keine Sorgen über unsere seelische Verarmung machen wollte.

Eher praxisorientiert könnte man dann auch antworten, daß der Zustand im wissenschaftsgeprägten und reichen Westen nicht stabil ist. Wir können nicht davon ausgehen, daß unsere gegenwärtigen Gesellschaften, die in geistiger Hinsicht unzulänglich, in materieller und politischer aber erfolgreich sind, weiter fortbestehen werden. Und der Hauptgrund dafür ist, daß sie sich zunehmend weniger in der Lage sehen werden, *Gründe* für ihren Fortbestand ausfindig zu machen, denn die Mitglieder dieser Gesellschaften sind im Begriff, ihren Sinn für sich selbst und für ihre Kultur zu verlieren. (Ich weiß, daß der Begriff »Kultur« hier problematisch ist. Das hängt mit der fortschreitenden Schwächung der nichtliberalen, unwissenschaftlichen Seite der Gesellschaft zusammen. Gewöhnlich wird er in Kontexten benutzt, wo er einen kulturellen Relativismus impliziert, das heißt, eine bestimmte von vielen Kulturen meint. In dieser Verwendung wirkt er sich schmälernd auf unser besonderes Verständnis von der Welt aus. Ich verwende ihn im allgemeinen Sinne, schließe aber in dieser Bedeutung gleichzeitig die Totalität unserer Lebensweise und die Art unseres Wissens mit ein. Wesentlich dabei ist, daß mein Begriff von der Totalität der Lebensweise sich dem Kulturbegriff des Dichters T. S. Eliot annähert, der in der Kultur die Verkörperung der Religion einer Nation sah.)

An dieser Stelle möchte ich kurz darauf eingehen, warum es falsch wäre, meine Auffassung als Ablehnung der berühmten Theorie Fukuyamas über das »Ende der Geschichte« zu verstehen. Nach Fukuyama haben die Naturwissenschaften die Geschichte in Richtung Fortschritt gelenkt, dessen Endpunkt die liberale Demokratie ist. Fukuyamas Ansicht unterscheidet sich von meiner eigentlich nur durch die Setzung eines anderen Schwerpunktes. Inmitten seines Triumphes muß Fukuyama eingestehen, daß die wissenschaftlich geprägte, liberale Demokratie für das individuelle menschliche Leben keinen Daseinsgrund bietet. In der Tat gibt er zu, daß das moderne Denken hier in eine Sackgasse geraten ist. Mir scheint dieser Zustand weit instabiler zu sein, als er es nach Fukuyamas Beurteilung ist.

Man denke zum Beispiel an die moralischen Probleme, die in der liberalen Gesellschaft von den Naturwissenschaften fast täglich aufgeworfen werden: Sollen wir jeden Embryo abtreiben, der eine Mißbildung aufweist? Sollen wir den Sterbenden tödliche Dosen von Medikamenten verabreichen? Sollen alle Organe eines jeden Leichnams für Transplantationen verfügbar gemacht werden?

Das sind die typischen Streitfragen, die sich in westlichen Gesellschaften an den Erfordernissen der Wissenschaft entzünden. Mit dem fortdauernden, exponentiellen Wachstum der wissenschaftlichen Innovationen werden in den nächsten Jahrzehnten wahrscheinlich noch Hunderte von Streitfragen hinzukommen. Wenn sie eine gesetzliche Regelung erforderlich machen, sieht unsere liberale Reaktion darauf im allgemeinen so aus: Wir berufen einen Ausschuß, der vorzugsweise aus Wissenschaftlern, Kirchenvertretern und Experten besteht. Dieser arbeitet eine Antwort aus, die einen Kompromiß zwischen den beiden möglichen Extremen bildet. Wenn es zum Beispiel darum geht, Wissenschaftlern zu gestatten, Experimente an menschlichen Embryonen vorzunehmen, lauten die beiden gegensätzlichen Auffassungen: Der Wissenschaftler kann tun, was er will, weil diese Embryonen keine richtigen Menschen sind, oder, der Wissenschaftler kann überhaupt keine Experimente vornehmen, weil diese Embryonen menschlich und daher sakrosankt sind. Der Kompromiß, den der Ausschuß zu diesem Fragenkreis in Großbritannien empfohlen hat, sah vor, Experimente bis zum vierzehnten Tag der Entwicklung des Embryo zuzulassen. Es wurde argumentiert, daß zu diesem Zeitpunkt die »primitive Anlage« sichtbar wird und der Embryo nicht länger wie ein zufälliger Zellklumpen aussieht.

Natürlich ist die Empfehlung überhaupt keine Antwort. Der Ausschuß hat sich einfach den »harten« religiösen und dann den »harten« wissenschaftlichen Standpunkt angehört und zwischen beiden eine geeignete und für den Augenblick überzeugende Grenze gezogen. Sogar diese Grenze war durch die Wissenschaft vorgegeben, denn es waren Wissenschaftler, die dem Ausschuß von der »primitiven Anlage« des Embryos erzählt hatten. Die einzig wirkliche Antwort auf solch eine Frage wäre aber eine grundsätzliche Erklärung und ein Gesetz, das diesem Prinzip Ausdruck verleiht. Ihrer Definition nach ist die liberale Gesellschaft aber zu aufgeschlossen, um bestimmte Grundsätze festzulegen und daran festzuhalten, und deshalb schließt sie Kompromisse zwischen konkurrierenden Forderungen, die in dieser Gesellschaft erhoben werden.

Ich arbeite als Zeitschriftenkolumnist und habe mich mit vielen Themen dieser Art befaßt, auch mit solchen, die zunächst ganz anders zu sein scheinen. Ich fühle mich dazu verpflichtet, mir meine eigene Meinung zu bilden, und deshalb diskutiere ich ausführlich mit den jeweiligen Verfechtern einer These. Das Grundmuster ist dabei, unabhängig vom Themenbereich, immer dasselbe. Jede Seite bringt Argumente, die verschiedenen Grundüberzeugungen entstammen. Die Argumente selbst haben meist keine Bedeutung; sie lenken ab und dienen der Überredung, werden aber nicht wirklich geglaubt. Entscheidend ist nur die Grundüberzeugung. Beim erwähnten Beispiel mit den Embryonen lautet sie entweder: Wissenschaftler müssen frei sein, oder: Menschliches Leben ist in jedem Stadium heilig. Am jeweiligen Glauben wird aus den irrationalen Bedürfnissen des Temperaments, der Herkunft oder des Eigennutzes heraus festgehalten, und deshalb werden die zugehörigen Anhänger untereinander absolut unversöhnlich bleiben. Und weil sie es bleiben und es kein externes Prinzip gibt, auf das sich irgendeiner beziehen könnte, ist der Ausschuß nicht fähig, die Frage zu beantworten, die man an ihn gestellt hat. Deshalb zieht er eine Grenze, die sich in der Nähe der Wissenschaftler oder in der Nähe des religiösen Standpunktes befindet, je nach gerade vorherrschendem politischen oder sozialen Klima.

Bedenkt man die verführerische Effektivität und Überzeugungskraft der Wissenschaften, dann wird deutlich, daß sich diese Grenze im Laufe der Zeit immer weiter zur wissenschaftlichen Lobby hinüberbewegen wird. Der Druck auf der anderen Seite wird nachlassen, und die Wissenschaften werden wegen ihrer zersetzenden und rastlosen Weigerung, mit anderen einvernehmlich zu existieren, weiteres Territorium erobern. Hier zeigen sich also zwei Gesichtspunkte: Alle moralischen Fragen sind in einer liberalen Gesellschaft von innen her unlösbar, und alle derartigen Fragen werden zunehmend auf der Basis einer wissenschaftlichen Version der Welt und der Werte entschieden werden. Mit anderen Worten: Sie werden aufhören, moralische Fragen zu sein, und verwandeln sich in Probleme, die einer Lösung bedürfen. Das Konzept der Moralität wird an den Rand gedrängt und irgendwann zerstört.

Der kritische Punkt ist das Schwächerwerden der Argumente gegenüber den Forderungen der Wissenschaften. Das einzige wirkliche Argument ist das standhafte Vertreten eines Glaubens, doch immer weniger Menschen vertreten mit immer weniger Überzeugung irgendeinen Glauben. Weil die Philosophen der Aufklärung keine andere Antwort gefunden haben, gibt es keine rationale Argumentation, die es mit derjenigen der Wissenschaft aufnehmen kann. Deshalb können jene, die sich bei jedem Experiment am Embryo grundsätzlich unbehaglich fühlen, nicht mehr sagen, als »Wir glauben...«, und in einer liberalen Gesellschaft kann das nur verstanden werden als »Wir sind der Meinung, daß ...«

Ich bin überzeugt davon, daß dieser Prozeß in liberalen Gesellschaften endemisch ist. Das fortschreitende Schwächerwerden des nicht-wissenschaftlichen Standpunktes findet seine Entsprechung im Schwächerwerden des nicht-wissenschaftlichen Verstehens. Dieser Vorgang durchdringt alles und ist ein solch vertrauter Bestandteil unseres Lebens, daß er tatsächlich sehr schwer zu fassen ist.

Man betrachte zum Beispiel die Vorstellungen über den Lebensabschnitt der Kindheit und Jugend. In den fünfziger Jahren war es zu einer Art fester Einrichtung geworden, daß Jugendliche auf ganz bestimmte Weise gegen ihre Eltern rebellierten, und dies verstärkte sich in den sechziger Jahren und nahm die Form eines politischen Programms an. Diese Revolte wurde für unvermeidlich gehalten, für eine biologische, soziologische und historische Notwendigkeit. In Wirklichkeit waren der zunehmende Wohlstand und die Verbreitung der Massenkommunikation verantwortlich für die charakteristischen Merkmale dieser formalisierten Revolte. Man wollte, daß diese Kinder anders waren, damit sie anders konsumieren würden.

Aber jeder Marxist würde den inhaltlichen Aspekt dieses Aufstandes der Jugendlichen hervorheben. Im Kern bestand er aus einer Verherrlichung von Veränderung oder ständiger Bewegung. Die Bilder sprachen eine deutliche Sprache. Auf der einen Seite befand sich die statische, engherzige, spießbürgerliche Welt der Eltern, die die Freiheit der Jungen einschränkte und ihr Widerstand entgegensetzte, auf der anderen Seite waren die Jugendlichen selbst: auf den Straßen, auf Motorrädern oder in Autos, beweglich, sexuell ungebunden und in den Sechzigern auch in Bewußtseinsveränderungen schwelgend, die sie durch Drogenkonsum herbeigeführt hatten. Es galt die Parole, mit dem Strom zu schwimmen, offen und veränderungswillig zu sein – und so lautet sie noch heute. Man könnte es so darstellen, als ob Eltern sich dagegen sträubten; in Wirklichkeit konnten sie es aber nicht. Der Grund dafür ist derselbe, der uns daran hindert, moralische Streitfragen zu lösen: Die Aufklärung hat uns keine Leitlinie gegeben, an der wir uns orientieren könnten, um die Werte der Kultur zu verteidigen. Ihre Aushöhlung ist deshalb unvermeidlich.

Die jugendliche Trotzhaltung ist heute zu einer vertrauten, positiven Eigenschaft geworden. »Mit dem Strom schwimmen« ist zu einer Aufforderung geworden, zu einer klaren Vorstellung vom guten Leben. In der populären Literatur wird die Veränderung gefühlvoll heraufbeschworen. Wir »ändern« uns, um von einer Tragödie oder Schwierigkeit Abstand zu finden, wir »ändern« uns, um ein Trauma zu überwinden, es wird uns suggeriert, daß wir die Veränderung als eine Art ewige Lebenstatsache akzeptieren sollen, über die nachzusinnen zur Weisheit führt. Veränderungen zum Guten sind die Moral der Seifenoper und das Nonplusultra der Ratgeberkolumnen.

Natürlich gehörte der Begriff des Fortschritts bereits zum Inventar der Politik, bevor der Begriff der Veränderung in unserem Wortschatz mit Emotionen besetzt wurde. Im amerikanischen »Traum« oder im europäischen »Ideal« drückt sich der Anspruch nach einer ständigen Vorwärtsbewegung der Dinge aus. Diese Bewegung ist das »Ziel«, das der Liberalismus dem Individuum anbietet. Was wir tun und uns zu erreichen vornehmen, bezieht sich immer auf irgendeinen weit entfernten Punkt in der Zukunft. Mit der Institutionalisierung des Begriffs von der Veränderung und deren Verknüpfung mit der jugendlichen Revolte wird der Prozeß für unser menschliches Leben relevant – unser Dasein ist immer nur vorläufig, es kann sich ständig ändern und zu etwas anderem werden.

In diesem Zusammenhang erhält die Zeit eine besondere moralische Dimension. Zukünftige Zeit ist gut, vergangene Zeit ist schlecht. Wir bewegen uns aus dieser unzulänglichen Zeit heraus auf eine helle, freundliche Zukunft zu. Weil man dem Fortschritt zusehen kann und wir ihn für etwas Gutes halten, erscheint uns die Vergangenheit zwangsläufig als unterentwickelter Bereich – ein verarmtes Afrika der Erinnerung und Phantasie. Ihre Bedeutung wird geschmälert, bis sie nur noch als Vorwort zur Gegenwart und Zukunft fungiert. Die Geschichte ist ein staubiges Archiv von zweifelhaftem Wert.

Ein ganz offensichtlich inhumaner Aspekt dieses Tatbestandes ist, daß die Möglichkeit in Abrede gestellt wird, im Menschenleben selbst Frieden zu erlangen – das gilt für das politische Beharren auf Fortschritt ebenso wie für die kulturelle Tugend, mit dem Strom zu schwimmen. Wenn es nur ein ewiges Projekt des Fortschritts gibt und nur eine dauerhafte Moral der Bewegung gilt, dann hat *mein* Leben keinen Wert. Wenn ich mich zu diesen Idealen bekenne, ist es mein Schicksal, für eine Sache zu leben und zu sterben, die niemals siegen kann. Festzuhalten ist: Beständige Bewegung bietet dem einzelnen keinen anderen Weg, als sein Leben als Episode in einem Ablauf der Zeit zu verstehen. Sie vermag ihm keinen Anhaltspunkt dafür zu geben, wie man Zeit erfassen und sie mit Sinn erfüllen kann in jenem einzigen Zusammenhang, in dem wir sie wirklich erfahren – im Zusammenhang mit der Dauer unseres eigenen Lebens. Uns selbst zum Trotz aber begrüßen wir diese Vorstellung vom fließenden Strom der Zeit, auf dem wir nur eine kurze Strecke zurücklegen.

Diese Doktrin von der undifferenzierten Vorwärtsbewegung läßt sich durch die Art illustrieren, wie wir die großen Gestalten unserer Kultur betrachten und über sie unterrichtet werden. Von Abraham

Lincoln oder Isaac Newton wird uns erzählt, ihre Taten hätten dazu beigetragen, daß wir heute dort stehen, wo wir stehen. Lincoln hat die Schaffung des modernen amerikanischen Staates gefördert, und Newton hat uns den Weg zu unserer Physik und Kosmologie gewiesen. Wenn man diesen Gedanken logisch fortspinnt, würde er nahelegen, nachfolgende amerikanische Politiker oder Physiker seien bedeutender als Lincoln oder Newton. Wir brauchen einen Begriff von Größe, der sich auf die Qualität des individuellen Lebens solcher Persönlichkeiten bezieht und nicht nur auf die, die es als Markstein innerhalb des unendlich dahinfließenden Stroms der Zeit hat. Andernfalls verliert der Begriff Größe seine Bedeutung. Die Geschichte wird sich in eine öde Landschaft von Zeitaltern verwandeln, die keine Individualität mehr besitzen. Und natürlich wird unser Zeitalter im Laufe der Zeit ebenso gesichtslos werden. Alles wird durch den Begriff des Fortschritts und der Veränderung reduziert.

Dieses Klima und diese Haltungen der Menschen sind das Klima und die Haltungen der Naturwissenschaften. Sie schufen die Idee von der ständigen Vorwärtsentwicklung und von der Möglichkeit einer völligen Wandlung. Ihre experimentellen Methoden und Einstellungen finden sich implizit in der Revolte der Jungen. Und natürlich ist ihre rücksichtslose Ablehnung der Vergangenheit in der Ohnmacht der Eltern enthalten. Die Wahrheiten der Wissenschaft benötigen die Weisheit der Vergangenheit nämlich nicht. Ein Informatiker muß nie etwas von Newton gehört haben; eine dünne Schicht neueren Wissens genügt ihm, um seine Kunst ausüben zu können. Der wissenschaftliche Fortschritt ist so radikal, daß er in jedem Stadium fast den ganzen Ballast seiner eigenen Geschichte über Bord werfen kann.

Die geistigen Konsequenzen, die sich daraus für die Erben des naturwissenschaftlichen Vermächtnisses ergeben, sind tiefgreifend und absolut negativ. Der amerikanische Gelehrte Allan Bloom hat sich in seinem Buch *The Closing of the American Mind (Der Niedergang des amerikanischen Geistes)* brillant und bewegend damit auseinandergesetzt. Die Bestürzung über das Schauspiel, das die amerikanischen College-Studenten heute bieten, veranlaßte Bloom zum Schreiben. Ihm erscheinen die Studenten zunehmend »lebloser« und weniger gebildet. Schlimmer noch, sie sind unfähig, ihre eigene Kultur als etwas zu betrachten, das zu verteidigen sich lohnte. Ein fürchterlicher kultureller Liberalismus ist in ihr Leben eingedrungen und nimmt ihnen die Möglichkeit, sich mit Überzeugung für einen Standpunkt zu entscheiden, der ihnen wertvoller als ein anderer ist. Bloom schreibt:

> »Denn das Studium der Geschichte und der Kultur lehrt, daß die ganze Welt in der Vergangenheit verrückt gewesen sein muß; stets glaubten die Menschen sich im Recht, und das führte zu Kriegen, Verfolgungen, Sklaverei, Fremdenhaß, Rassismus und Chauvinismus. Entscheidend ist also nicht, Fehler zu korrigieren und das Richtige zu tun, sondern gar nicht erst auf den Gedanken zu kommen, daß man überhaupt recht haben könnte.«[3]

Bloom versuchte nachzuweisen, wie die allgemeine liberale Haltung der Gesellschaft das Denken der Studenten in Beschlag nimmt und zerstört: Die Leute in der Vergangenheit dachten, sie wären im Recht und richteten in dieser Überzeugung furchtbare Dinge an; deshalb dürfen wir niemals glauben, wir seien im Recht.

Die Wissenschaft und der Liberalismus werden uns niemals die Mittel an die Hand geben, unsere Individualität zu verteidigen, weil sie nicht anerkennen werden, daß ein einzelner im Recht ist. Daher klingen die Rechtfertigungen von Eltern, Lehrern und Vertretern der Kultur immer hohler. Anscheinend gibt es nichts zu lehren, weil jede neue Entwicklung jedes alte Teilstück des Wissens ungültig machen kann. Wir besitzen kein Kernstück der Kultur, kein Wertgebäude, das man übermitteln könnte. Unsere Seelen werden kraftlos. Wir wissen nichts und denken nichts und wandeln durch das Leben, als befänden wir uns in einer verwirrenden Show von Verrückten.

Dieser schwebende Zustand, diese Verweigerung aller Hierarchien zeigt sich gründlich institutionalisiert. In amerikanischen Universitäten findet sich heute das Konzept *PC* (politically correct – politisch korrekt), nach dem der leiseste Hinweis darauf, daß der europäisch-amerikanische Lebensstil besser sei als andere, ausgerottet und verboten sein soll. Den Studenten wird einfach nicht gestattet, die Kultur hochzuschätzen, die sie mehr als alle anderen geformt hat. Und wenn es ihnen verboten ist, können sie auch nicht unterrichtet werden.

(Natürlich produziert dieser Umstand seinerseits das perverse Phänomen eines liberalen Autoritarismus. Gerade weil der Liberalismus so wenig zu sagen weiß, sagt er das, was er kann, mit einer immer weniger liberalen Überzeugung. Bestimmte Einzelhandelsgesellschaften zum Beispiel indoktrinieren heute ihre Angestellten mit grünen, liberalen Wertvorstellungen in einer Aggressivität, die sich kaum von der strengster religiöser oder politischer Sekten unterscheidet.)

Die Inhumanität dieser Haltungen ist unermeßlich. Die Menschen leben ihr Leben, indem sie ständig Wertunterscheidungen vornehmen. Sie bevorzugen ihre Familie und ihre Freunde völlig Fremden gegenüber, sie bevorzugen diese Stadt vor jener und so weiter. Doch Wertunterscheidungen sind nicht erlaubt, und daher bleibt es den Menschen versagt, menschenwürdig zu leben. Bloom macht denselben Übeltäter aus wie ich:

»Die Wissenschaft vernichtet, indem sie die Menschen befreit, zugleich die natürlichen Voraussetzungen, die sie erst menschlich machen. Deshalb entsteht hier zum erstenmal in der Geschichte die Möglichkeit einer Tyrannei, die nicht auf Unwissenheit, sondern auf Wissenschaft gegründet ist.«[4]

Nach Bloom hat die Wissenschaft uns so sehr dafür begeistert, Trugbilder auszurotten und zu zerstören, daß wir diese Aktivität mit Bildung und Aufklärung gleichsetzen. Unsere Weisheit hat ein negatives Vorzeichen bekommen. Alles, was wir an unsere Kinder weitergeben, ist die Überzeugung, daß nichts wahr, endgültig oder dauerhaft ist, auch nicht die Kultur, in der sie aufgewachsen sind. Wissen ist Wissenschaft, alles andere ist Spekulation, Phantasie oder Wunschdenken. Aber diese Auffassung muß falsch sein. Bloom schreibt:

»Man denke an all das, was wir aus dem Glauben an Weihnachtsmänner über die Welt und über die Seele derer lernen, die an sie glauben. Im Gegensatz dazu bringt uns rein systematische Ausmerzung der Phantasie, die Götter und Helden auf die Höhlenwand projiziert, in der Erkenntnis der Seele nicht weiter, denn das käme einer Leukotomie gleich und würde ihre Kräfte lähmen.«[5]

Die liberale Antwort lautet natürlich, daß der Weihnachtsmann nicht »wahr« ist und deshalb keine Form des Wissens konstituieren kann. Er ist ein Trugbild, und solche Dinge auszumerzen ist ein Hauptanliegen des liberal-wissenschaftlichen Unterfangens.

»Eine der größten Wohltaten, welche die Wissenschaft denen erweist, die ihren Geist verstehen, ist die, sie zu befähigen, ohne die schwer faßbare Unterstützung subjektiver Überzeugung auszukommen«, schrieb Bertrand Russell. »Das ist es, warum die Wissenschaft niemals eine Verfolgung wegen subjektiver Überzeugungen begünstigen kann.«[6]

Diese Bemerkung ist unglaublich dumm. Sie spiegelt das liberale Glaubensbekenntnis in seiner niedrigsten Erscheinungsform wider, als Laufbursche der Wissenschaft. Sie ist das kraftlose Glaubensbekenntnis von Blooms amerikanischen Erstsemestlern, das als hohe Philosophie aufgeputzt ist. Was Russell tatsächlich sagt, ist das, wonach diese Studenten leben: Menschen, die in der Vergangenheit geglaubt haben, sie hätten recht, haben furchtbare Dinge angerichtet, und deshalb dürfen wir nie wieder glauben, wir seien im Recht, es sei denn, wir treiben Wissenschaft, weil uns diese nicht zu schrecklichen Taten verführt. Er verlangt die Mißachtung von all dem, was wir wirklich sind, von allem, was wir für real halten, auch, wenn es vielleicht außerhalb der Wissenschaft liegt – als handele es sich dabei nur um eine gefährliche Ansammlung von wertlosen Trugbildern und Ungewißheiten. Russell kommt nicht auf den Gedanken, daß es die fürchterlichen Dinge sind, die es statt der »subjektiven Überzeugung« auszumerzen gilt!

Was mit dem klaren Verstand Galileis begonnen hatte, mit dem visionären Genie Newtons, der seelenvollen Bestürzung Descartes' und der Größe Kants, endet mit dem Schauspiel des fanatisch pragmatischen Russell, der die Philosophie den Wissenschaften unterwirft, den Glauben verhöhnt, die menschliche Phantasie mißachtet und die letzten Funken einer Moralvorstellung auslöscht.

Es sei daran erinnert, daß dieser Exkurs in die Moral und Kultur des Liberalismus eingeschoben wurde, um die Frage zu beantworten, worüber man sich überhaupt noch Sorgen machen soll. In meiner ersten Antwort wies ich auf die Inhumanität hin, sich keine Sorgen um diejenigen von uns zu machen, die seelisch verarmt sind.

Meine zweite Antwort lautet, daß die liberale Gesellschaft instabil und im Verfall begriffen ist. Das wissenschaftliche Verständnis kann nicht als Basis des menschlichen Lebens dienen, und dennoch setzt es seinen Siegeszug fort. Als Folge davon wird das menschliche Leben selbst unzulänglich werden. Das ist es, worum man sich Sorgen machen sollte.

Der Weihnachtsmann existiert jedoch nicht auf wissenschaftlicher Ebene, und wir können ihn durch Argumentieren nicht wieder zum Leben erwecken. Ich weise erneut darauf hin: Eine Rechtfertigung für das Leben kann nicht erfunden werden. Es ist schön und gut, etwas glauben zu wollen, doch wir glauben nichts. Ich werde versuchen, eine Alternative zu beschreiben, die ich nicht erfinden muß, weil sie schon in uns steckt; wir verkörpern sie. Und sie bedarf keines Aktionsprogrammes und keiner Massenbekehrung, weil sie bereits vorhanden ist und von uns gelebt wird.

Als eine Art Präludium zu meiner Alternative möchte ich eine oben gemachte Aussage wiederholen: Die allgemeine Lebenspraxis weist keine Kennzeichen von Liberalität auf. Die Menschen haben Wertvorstellungen, Überzeugungen, Vorlieben und Treuebindungen, mit denen sie ihre Welt einteilen und antreiben.

Während ich dies schreibe, wird in den Nachrichten verbreitet, daß möglicherweise westliche Geiseln aus den Händen von Terroristen im Libanon befreit würden. Ein Brite, John McCarthy, ist gerade freigelassen worden. Es herrscht eine Stimmung ungezügelten nationalen Glücksgefühls. Jemand – ein Liberaler – kritisiert diesen Überschwang als unvernünftig und egoistisch angesichts Hunderter arabischer Flüchtlinge in Israel oder Tausender, die zu Unrecht andernorts festgehalten werden. Diese Kritik ist dumm, denn McCarthy ist einer von uns, und deshalb schätzen wir ihn mehr. Daran ist nichts Falsches.

Ich glaube, daß es für den Menschen unmöglich ist, wirklich liberal zu sein. Die Gesellschaft mag Toleranz und Vorurteilslosigkeit befürworten, aber niemand hält sich daran. Und gerade deshalb bleibt die liberale Gesellschaft am Leben. Die bedingungslose Akzeptanz des wissenschaftlichen Liberalismus würde die Gesellschaft zu einer passiven, viehischen Anarchie verkommen lassen. Es gäbe dann keinen Grund mehr, irgend etwas zu tun, keine Entscidungen, die zu treffen es sich lohnte, und es wäre sicher sinnlos, einen Standpunkt einem anderen gegenüber zu verteidigen. Ich will damit behaupten, daß wir die Lösung schon *leben*, auch wenn es uns nicht bewußt ist. Insofern ist es den Wissenschaften also nicht gelungen, vollständig in unsere Seelen einzudringen, und davor bleiben wir vielleicht auch bewahrt.

Um meine Lösung verständlich zu machen, muß ich mich einer zunächst spitzfindig erscheinenden Sache zuwenden. Ludwig Wittgenstein starb 1951. Zwei Jahre später erschien sein Buch *Philosophische Untersuchungen*. Obwohl er ein Schüler Russells war, wichen Wittgensteins Auffassungen weit von denen seines Lehrers ab. Dieser sollte Wittgensteins Spätphilosophie als »unverständlich« bezeichnen.

Unter anderem enthält seine Schrift einen berühmten Disput darüber, ob es private Sprachen gibt. Beispielsweise eine, die nur für den Benutzer eine Bedeutung hätte. Wittgenstein führt das Beispiel eines Mannes an, der die Erfahrung einer besonderen Empfindung in seinem Tagebuch aufzeichnen möchte. Es handelt sich weder um einen Schmerz noch um ein Jucken; es gibt kein Wort dafür. Deshalb verwendet er den Buchstaben E, um damit jedes Auftreten der Empfindung zu vermerken. Den Buchstaben E könnte man also für das Wort einer privaten Sprache halten, das nur für den Mann eine Bedeutung hat. Wittgensteins Schlußfolgerung aber sieht anders aus: Das Wort »E« hat keine Bedeutung, denn um zu dem Wort »E« zu gelangen, muß der Mann auf die Sprache zurückgreifen, die wir alle benutzen. Um sagen zu können, »E« drücke eine Empfindung aus, muß er auf das Wort »Empfindung« zurückgreifen. Er kann sich und seine Worte nicht aus dem öffentlichen Bereich der Sprache herausnehmen. Er muß Sprache besitzen, ehe er einen Begriff von Empfindung hat. So etwas wie eine private Sprache kann es nicht geben, weil Sprache ihrer Definition nach eine öffentliche Sache ist.

Dies mag, wie ich schon gesagt habe, spitzfindig erscheinen. Wenn man diese Aussage aber mit Descartes in Verbindung bringt, zeigt sich ihre tiefe Bedeutung. Descartes behauptete mit dem Satz *cogito ergo sum*, daß das einzige, dessen er sich gewiß sein konnte, seine eigene Erfahrung auf der Grundlage seines eigenen Denkprozesses war. Doch damit behauptete er letztlich die Existenz einer privaten

Sprache. Sie beruht auf der Vorstellung, daß wir absolut unabhängig von der Außenwelt Worte an uns selbst richten können. Die absolute Unabhängigkeit ist wesentlich, wenn Descartes' Schlußfolgerung überhaupt einen Sinn haben soll; wäre sie von der Außenwelt abhängig, hätte er nichts bewiesen, denn dann zeigte sich sein eigener Gedanke als ein Teil des Phänomens der Existenz, der gegenüber er sich zum vollständigen Skeptizismus verpflichtet hat. Wittgenstein zerstört diesen Punkt: Das *cogito* ist wie das »E«, und wir kommen nur über den öffentlichen Bereich der Sprache zu ihm.

Das cartesianische Selbst war für die Macht der Idee der Naturwissenschaften von zentraler Bedeutung. Die Vorstellung dieses losgelösten, denkenden Dings, das im Körper eingeschlossen und dennoch getrennt von ihm ist, bildete die Basis der modernen Vorstellung von der Welt. Von Descartes' Gott entblößt – der für Descartes die Brücke zurück zur Wirklichkeit der Welt darstellte –, war sie eine Art moderner Grundübereinkunft. Wir waren im Glauben, die von der Aufklärung postulierte Einsamkeit des Selbst sei wahr und notwendig für die Effektivität unserer Erkenntnis. Aber sie ist weder das eine noch das andere, sondern ein Werk des Glaubens und zwar, wie Wittgenstein zeigt, ein in sich widersprüchliches. Sie findet in der Sprache eine absolute innere Grundlage für das Selbst, während die Sprache tatsächlich nur eine externe Basis sein kann. Sie kommt vor dem *cogito* und gibt uns unser Selbst.

In diesem unzugänglichen und schwierigen philosophischen Werk vergraben, ist dies meiner Auffassung nach das erste positive Zeichen dafür, daß wir vielleicht im Begriff sind, uns aus der Einsamkeit der klassischen naturwissenschaftlichen Vision zu befreien. Wenn sich nämlich das wissenschaftlich geprägte Selbst als eine Übereinkunft herausstellt – als ein Trugbild, würde Russell sagen –, dann muß die Wissenschaft auch eine Übereinkunft sein, eine spezielle Wahlmöglichkeit und nicht die erste Straße zur Wahrheit. Die Naturwissenschaften werden dann möglicherweise relativiert und damit erniedrigt werden.

Wittgensteins Einsicht ist philosophisch betrachtet formal, aber sie ist einfach. Sie besteht nicht so sehr in einer Idee, als vielmehr in der Berichtigung eines falschen Begriffs, der in unserer Sicht der Welt verankert ist. In der Tat begriff er die Philosophie nicht als Erzeugerin von Ideen, Theorien oder Neuerungen, sondern als Prozeß, der es uns ermöglicht, die Knoten in unserem Verstand zu lösen. Er erkannte, daß Wissenschaft und Logik die meisten dieser Knoten geknüpft und damit eine merkwürdige Barriere zwischen uns und der Welt aufgebaut hatten. »Wir wollen etwas *verstehen*«, schrieb er, »was schon offen vor unsern Augen liegt. Denn *das* scheinen wir, in irgendeinem Sinne, nicht zu verstehen.«[7]

Beim Entknoten der cartesianischen Philosophie hatte Wittgenstein es mit einem besonders schwierigen Fall zu tun. Er erfand nichts Neues, sondern machte den Schaden, der entstanden war, wieder rückgängig. Man kann sich jedoch nicht Wittgensteins Einsicht zur eigenen Religion machen und sagen: »*Dies* ist es, was ich jetzt glaube.« Man kann nur »sehen«, wie wir uns unnötige Probleme geschaffen haben. Vielleicht – soviel auf Wissenschaft gegründete metaphysische Spekulation will ich für meine Argumentation zulassen – ist dieses »Sehen« dasselbe wie das »Sehen«, mit dem ein Mathematiker wie Roger Penrose eine Wahrheit »sieht«, ohne sie beweisen zu können. Es mag sein, daß Penrose recht hat – diese irrationale, unerklärliche Fähigkeit, Dinge »sehen« zu können, hängt zutiefst damit zusammen, was es bedeutet, Mensch zu sein.

Doch Wittgenstein war viel zu introvertiert und in seine Gedanken vertieft, um direkt über die Folgerungen aus seinem späteren Werk zu sprechen. Er trat nicht als Prophet auf. Und dies hat auch seine Bedeutung, denn er erkannte, daß es tatsächlich nichts zu sagen gab, daß man nur auf die Knoten, die sich gebildet hatten, und den Weg, sie zu entwirren, hinweisen mußte. Und wenn sie entknotet waren, konnte man einen bestimmten Grad von Frieden mit sich selbst erreichen. Der amerikanische Philosoph Stanley Cavell faßte diesen Gedanken zusammen:

»Je mehr man sozusagen seinen eigenen Dreh begreift und seine Probleme angeht, desto weniger kann man *sagen*, was man begriffen hat. Aber nicht deshalb, weil man *vergessen* hat, was es war, sondern weil nichts, was man sagen könnte, einer Antwort oder einer Lösung gleich käme. Es gibt keine Frage oder kein Problem mehr, zu dem die Worte, die man finden könnte, passen würden.«[8]

Meiner Überzeugung nach ist dies die tiefgründigste Weisheit unserer Zeit, aber ich sehe deutlich, daß sie in dieser Form weit entfernt von dem Problem zu liegen scheint, das ich zu lösen versuche – das Problem, wie man zu einer postwissenschaftlichen Gesellschaft gelangen kann. Vor dem Hintergrund eines möglichen Zerfalls des Liberalismus, ist dieses Problem mit Händen zu greifen und dringend. Es kann selbstverständlich nicht von Philosophen gelöst werden.

Doch Wittgensteins Einsicht ist die, daß es gar kein Problem gibt. Zumindest keines, das eine innovative Lösung verlangte. Statt dessen gibt es eine Schwierigkeit, eine Blockade in unserem Verständnis der Welt, die nur durch eine Erkenntnis beseitigt werden kann. In diesem Sinne sind es nach Wittgenstein die Philosophen, die etwas falsch machen, und nicht die Leute, die einfach ihr Leben weiterführen. Das philosophische Denken, das mit Begriffen wie Problem und Lösung operiert, und die hypnotische Wirkung, die vom Wahrheitsbegriff der Wissenschaften ausgeht, wie das Beispiel Russell zeigt, haben die Knoten verursacht. Und wegen des Erfolges der Wissenschaft, die von den Philosophen definiert wurde, finden sich nun in allen unseren Köpfen Knoten. Im 20. Jahrhundert haben die Naturwissenschaften und die Philosophie eine unheilige Allianz gebildet, um uns unseren Sinn für unser Selbst abzusprechen und uns zu entmutigen.

Kehren wir jedoch zur Erkenntnis zurück, daß die Sprache dem cartesianischen *cogito* vorhergeht. Wir sollten aber deshalb nicht etwa unsere Aufmerksamkeit der Analyse der Sprache als dem wichtigsten Bereich wissenschaftlicher Forschung zuwenden, wie das viele getan haben. Es bedeutete nichts anderes als das Knüpfen neuer Knoten, wie sie überall in den Verrenkungen der neueren Formen des Denkens auszumachen sind: im Strukturalismus, Poststrukturalismus, in der Postmoderne und so weiter. Diese hermetischen Intellektualismen entspringen zweifellos der heutigen Erkenntnis über den Primat der Sprache. Aber sie sind nicht mehr als ein Versuch, die Sprache in die Wissenschaften hineinzuziehen. Sie wird zu einem undifferenzierten Strom, in den wir hineingeboren werden und dessen Bewegungen zu verstehen das neue Projekt der Wissenschaft ist.

Aber dies ist eine erstaunlich banale Reaktion, welche die moralische und geistige Bedeutung, die der Sturz des cartesianischen Selbst mit sich bringt, völlig außer acht läßt. Denn die Sprache, von der Wittgenstein schreibt, ist nicht einfach irgendein objektives »Material«, das wir wie einen exotischen Organismus sezieren oder wie das elektromagnetische Spektrum eines Sternes beobachten können. Sie besteht nicht einmal aus den besonderen grammatischen Strukturen, die wir verwenden, wenn wir schreiben oder sprechen. Vielmehr ist sie das wahre Wesen unseres Bewußtseins – unseres *Selbst-Bewußtseins.*

Diese Erkenntnis läßt uns nicht in irgendeinem modischen postmodernen Fluß ertrinken, sondern sie rettet uns aus diesem Fluß und bringt uns zurück in eine Welt, die sich in der wirklichen Erfahrung unserer individuellen Leben konstituiert. Unser Selbst ist wirklich, und es ist uns durch die Gesamtheit der Sprache gegeben, was bedeutet, durch die Gesamtheit der Kultur und Geschichte. Wir werden durch nichts Geringeres als durch die gesamte Kultur definiert. Wittgenstein hat darauf hingewiesen, daß wir, um auch nur eine Note Beethovens verstehen zu können, auf irgendeine Weise in Verbindung mit der Kultur stehen müssen, aus der sie hervorgegangen ist. Wir sind in unsere Geschichte und unsere Art zu leben eingebunden, weil alles in unserer Sprache enthalten ist. Sie ist der einzige »Ort«, dessen Existenz man behaupten kann, und hat uns geformt. Wir werden mit Begriffen des Selbst versorgt, die sich aus dem zusammensetzen, was jemals geschehen ist; wir sind in Geschichte gebadet und verkörpern sie. Und sie besteht ebenso aus Magie und Religion wie aus Wissenschaft, so wie die Farbe Grün ebenso real ist wie das Gefühl, eins mit sich selbst zu sein. Wellenlängen, die Medizin oder die Analyse sind diesen Tatsachen nachgeordnet. Der Kunstgriff der Wissenschaft war es, vorzugeben, sie könne uns erzählen, was *vorher* war.

Einen neueren, brillanten Versuch, Wittgenstein weiterzuführen und ihn mit einem positiven, materialistischen Selbstbegriff zu verbinden, unternahm Daniel C. Dennett in *Consciousness Explained (Erklärtes Bewußtsein).* Er liefert ein umfassendes, materialistisches, aber streng anticartesianisches Konzept vom Geist des Menschen, das die Überzeugung Douglas Hofstadters stützt, es bestehe kein Grund zur

Annahme, künstliche Intelligenz sei unmöglich. Dennett gelangt zu einer moralischen Schlußfolgerung, die im großen und ganzen meiner ähnelt: Die Kultur und unser Selbst sind, so wie sie sind, von unleugbarem und endgültigem Wert, der nicht bestritten oder »wegrationalisiert« werden kann. Aber, so fügt er leider hinzu und vernichtet damit sein Argument, die Dinge ändern sich, und wir können uns nicht an der Überzeugung festhalten, sie blieben wichtig, nur weil sie es jetzt sind.

Auch bei Dennett also zeigt sich diese frustrierende Unvollständigkeit, das Gefühl, etwas Umfassendes werde vom Wesen des individuellen Lebens abgezogen, das Gefühl, als bewegten wir uns in einem Prozeß der Fortschrittsernüchterung nach vorne. Wie faszinierend und befreiend Dennetts Begriff vom Geist auch sein mag, er führt uns nicht aus der Krise der Aufklärung heraus.

Im Gegensatz dazu schreibt der amerikanische Romanschriftsteller John Updike:

> »Eine instinktive Vision von Gesundheit und Frieden liegt unseren Schreckensberichten zugrunde. Das Sein an sich hat nichts Schreckliches; es hat vielmehr etwas von Ekstase, die wir nur noch nicht empfunden haben.«[9]

Updike ist ein Schriftsteller aus der protestantischen Tradition, dessen Worte in dieser Tradition Kants und Kierkegaards ihren Ursprung haben, die auf dem Primat und der Nichtreduzierbarkeit der inneren menschlichen Erfahrung bestand. Ich betone dies, um auf die moralische und erfahrbare Form der Einsicht hinzuweisen, die ich übermitteln möchte. Diese Männer hatten recht, sie erkannten die Grenzen der Wissenschaft und sahen, daß es etwas Wirkliches in der Welt gibt – in Updikes Worten eine Ekstase –, und es ist sinnlos, dies zu leugnen. Kant verwandelte diese Einsicht in ein umfassendes metaphysisches System, Kierkegaard machte sie zur Grundlage für eine echte Entscheidung. Aber sie standen alle denselben Problemen gegenüber, den Problemen des naturwissenschaftlichen, cartesianischen Universums.

Wittgenstein zeigt, und Updike drückt implizit aus, daß es kein Problem gibt, dem man sich stellen muß. Unsere innere Ekstase, unser Selbstbegriff können der Vision der Wissenschaft nicht gegenüberstellt und dadurch möglicherweise zerstört werden, weil die Wissenschaft aus derselben Quelle kommt und ein *Teil* von uns ist – nicht mehr als ein Teil. Vielleicht besteht die moderne Form der echten Entscheidung einfach darin, mit den Selbstzweifeln aufzuhören.

In einem Gespräch mit dem Biologen Richard Dawkins kam ich auf die cartesianische Anschauung zu sprechen, nach der Tiere Maschinen sind. Descartes betrachtete die Menschen deshalb nicht auch als Maschinen, weil sein Gott die Gewähr dafür bot, daß sie mehr waren. Doch Dawkins fragte mich, wie wir ein Wesen definieren könnten, das keine Maschine sei. Er schlug als Unterscheidungskriterium den Besitz einer unsterblichen Seele vor, doch da er an so etwas nicht glaubt, sind die Menschen für ihn Maschinen. Dawkins hat vernünftige und schlüssige Gründe für seinen Glauben. Aber er legt sich die Entscheidung passend zurecht, und nach meiner Auffassung ist diese Festlegung widersprüchlich. Denn die Menschen haben in der Geschichte schon immer gespürt, daß sie eine Seele haben. Dieses Gefühl ist real und wird weder durch die Psychoanalyse noch durch die Physik zerstört. Tatsächlich hat das Wort »Maschine« in der Sprache überhaupt nur einen Sinn, wenn wir die Menschen ausschließen – es bedeutet einen künstlichen Mechanismus, der keine Person ist –, oder es ist bedeutungslos. Das ist keine Wortklauberei, sondern trifft den Kern dessen, was wir sind. Die Sprache läßt uns jederzeit wissen, wie wir wir selbst sein können. Sie teilt uns mit, daß wir keine Maschinen sind. Vielleicht können wir daraus schließen, im Besitz unsterblicher Seelen zu sein. Zugegeben, die Menschheit mag die Idee von der Seele erfunden oder heraufbeschworen haben, aber ist sie deshalb weniger wirklich, weniger beständig? Sie hat bisher alle wissenschaftlichen Begriffsbildungen überdauert.

Allan Blooms Analyse war also hellsichtiger, als es ihm selbst bewußt gewesen war: Das liberal-wissenschaftlich geprägte Establishment ist selbstverständlich davon überzeugt, jedesmal wenn es jemanden belehrt, den Weihnachtsmann gebe es nicht, etwas Nützliches auszurichten. Man bedenke aber, sagt Bloom, was der Weihnachtsmann uns über die menschliche Seele verrät. Doch es gibt eine viel gewaltigere Wahrheit als diese: Der Weihnachtsmann existiert tatsächlich! Er existiert unwissenschaftlich. Ich könnte mir natürlich ein Phantasiemonster ausdenken und behaupten, es existiere in gleichem Sinne. Doch es gilt zu unterscheiden, daß der Weihnachtsmann *mehr* existiert, weil er in der Sprache aller enthalten ist, die jemals an ihn geglaubt oder auch nur von ihm gehört haben. Ein erdachter Drache zu sein, ist eine Form des Daseins, ein Weihnachtsmann zu sein, an den geglaubt wird, eine andere, höhere Form.

Ich betone noch einmal: Es handelt sich hier um eine Erkenntnis und nicht um eine neue Ideologie, Metaphysik oder persönliche Meinung. Das, was ich zuletzt ausgeführt habe, hat dem Denken eine neue Qualität gegeben, die aus der Entdeckung stammt, daß wir uns nicht länger den erstickenden Forderungen des wissenschaftlichen Begriffs unseres Selbst unterwerfen müssen.

Von dieser Perspektive aus betrachtet, kann man vieles von dem, was ich beschrieben habe, für Symptome dieser neuen Qualität des Wissens halten. Das Anthropische Prinzip zum Beispiel veranschaulicht die Notwendigkeit einer grundlegenden Änderung der klassischen wissenschaftlichen Definition unseres Wissens. In gleicher Weise zeugt das Verlangen, geistige Nahrung in den neuen Formen der Wissenschaften zu finden, zeugen vielleicht gar deren Fakten selbst von einem Verblassen der Aura des Heldentums, die dem wissenschaftlichen Streben früher anhaftete. Die Umweltschutzbewegung entspringt demselben Impuls, nimmt aber der Kultur gegenüber eine eher nihilistische Grundhaltung ein, die von den Wissenschaften geprägt wurde. Es handelt sich um eine verständliche Reaktion, aber eine, die viele Werte unserer Kultur vergißt. Es sei hier an meine Ausführungen im siebten Kapitel erinnert, wo ich über die Abwertung der Technologie als eines aufregenden Zieles in sich selbst gesprochen habe und über die Black boxes der Computer, deren Undurchschaubarkeit bewirkte, daß die Faszination für die Utopie einer mechanisierten Welt im populären, unterhaltenden Bereich der Kultur langsam verschwand.

Alle diese Symptome machen deutlich, wie veraltet die Popularisierungen der Wissenschaft von Leuten wie Hawking, Sagan und Bronowski sind und wie abscheulich das Bemühen von Menschen wie Russell ist, die Wissenschaften zu verteidigen. Die Popularisierer sind beliebt, weil sie die schwierige Wissenschaft erklären können, von der uns vage bewußt ist, daß sie uns umgibt. Doch wir glauben an die Fähigkeit dieser Wissenschaft, mehr hervorzubringen als nur eine weitere, hohle, mechanistische Vision. Wenn wir von den seltsamen Verdrehungen der Zeit, von der sagenhaften Exzentrizität des Universums oder dem eigenartigen Spiel von Licht und Materie lesen, fühlen wir uns mit Erleichterung und Begeisterung von dem Gedanken angezogen, die Welt sei außergewöhnlicher, als unsere reduzierte, moderne Vorstellung vom Leben uns das zugestehen will.

Aber dies ist eine Falle. Denn die Verfasser dieser Schriften verkaufen in Wirklichkeit nicht mehr als die hohle, mechanistische Vision, die das bekannte, reduzierte Bild von uns selbst zustande gebracht hat und die uns jetzt zu zerstören droht. Sie werden uns in die Tretmühle ewigen Fortschritts zurückversetzen, unsere Lebensspanne auf ein triviales, zufälliges Zwischenspiel reduzieren und unsere Seelen von unseren Körpern weit entfernen.

Aber die Geschichte, die sie erzählen, ist nur eine. Es gibt viele andere, und eine davon ist von besonderer Wichtigkeit. Es handelt sich um eine geheime Geschichte, die im Flüsterton in den wenigen dunklen Schattenbereichen weitererzählt wurde, die der helle Schein der Aufklärung nicht erreichte. Die Helden dieser Geschichte sind Menschen wie Pascal, Kant, Kierkegaard und Wittgenstein, ganz gewiß intellektuelle Helden, aber solche, die sich einer Erkenntnis näherten, die alles andere als intellektuell ist. Sie waren die Helden, die den historischen Standort bezeichneten, an dem wir uns heute befinden – am Ende der wissenschaftlichen Aufklärung.

Daß dieses Ende ein Neubeginn ist, müssen meine Ausführungen verdeutlicht haben. Die Wissenschaft ist immer noch siegreich, und unsere liberalen Gesellschaften sind immer noch wissenschaftlich geprägt. Aber es ist offensichtlich, daß wir uns in einer dekadenten Phase befinden, und ich glaube, es ist eine Endphase. Die Dekadenz ergibt sich aus dem Versagen des Liberalismus, nichts anderes als nichtssagende Toleranz vermitteln zu können. Er kann sich nicht selbst verteidigen und sich nicht selbst feiern. Bildung und Erziehung befinden sich in einer permanenten Krise, weil weder die Schüler noch die Lehrer an das glauben, was unterrichtet werden soll. Blooms Porträt der amerikanischen College-Studenten ist denkwürdig und eindrücklich, weil es sehr vertraut ist. Die Teenager hat man zur Pluralität und Toleranz erzogen, und daher denken sie, es sei eine Tugend, sich über nichts eine Meinung zu bilden. Sie werden nichtssagende, abgestumpfte Schwimmer im Strom, weil sie den Strom für eine gute Sache halten. Kinofilme über ein Leben auf der Straße, sogenannte ›road movies‹, sind zum Mythos geworden. Gelegentlich unzufrieden, werfen die jungen Leute vielleicht aus einem vagen Bedürfnis nach metaphysischem Beistand einen Blick in die Bücher von Hawking oder Bronowski. Aber sie finden nur Propaganda, die Verbreitung von Unbehagen und den alten Taschenspielertrick der Wissenschaften, der die Effektivität zur Wahrheit macht.

Ich glaube und hoffe, daß viele Leute genügend Phantasie aufbringen, um diese Dekadenz zu erkennen und eine Veränderung unvermeidlich zu machen. Und diese besteht nicht darin, eine bestimmte Anschauung anzunehmen, sondern in einer Haltungsänderung, die zunächst dazu führt, die Wissenschaft zu relativieren und ihren Wert herabzusetzen. Die Wissenschaft würde schließlich als das erscheinen, was sie ist – eine Art Mystizismus, der sich als eigenartig fruchtbar darin erweist, sich selbst Probleme zu stellen, die nur er zu lösen vermag. Er tut es, indem er das ganze bizarre Repertoire von Denkprozessen einsetzt, das ich in diesem Buch beschrieben habe. Seine Effektivität ist fast unvermeidlich, weil er die Möglichkeit der Widerlegung oder des Scheiterns begrenzt.

Die Wissenschaft beginnt mit der Behauptung, sie könne nur *diese* Art der Fragen beantworten, und endet mit der Forderung, *diese* seien die einzigen Fragen, die gestellt werden könnten. Wenn die Konsequenzen und die Oberflächlichkeit dieses Tricks einmal erkannt und vollkommen durchschaut werden, wird die Wissenschaft erniedrigt sein, und wir werden frei sein, unser Selbst wieder zu schätzen. Dies wiederum würde es der Wissenschaft ermöglichen, wieder sie selbst zu sein, und nicht als quasi-religiöses Gefäß all unseres Glaubens zu dienen, wie es die Popularisierer definieren. Es wäre uns dann gelungen, sie zur Koexistenz gezwungen zu haben, indem wir sie in etwas anderes, etwas Menschlicheres verwandelt hätten.

Es gibt noch einen weiteren wichtigen Hinweis auf die endzeitliche Dekadenz des wissenschaftlichen Liberalismus. Liberales Denken hat lange nach einer besonderen Definition von Werten und Tugenden gesucht. Doch diese Suche blieb ergebnislos, weil ein solches

Vorhaben offensichtlich unmöglich ist. Wie könnten Pluralität und Toleranz allein für Begriffe wie »Gerechtigkeit« oder »das Gute« eine Basis bilden? Heute hat sich das soziale und politische Denken in großen Teilen von dieser Idee abgewandt, hin zu einem aristotelischen Begriff vom »Guten«, der in der Anerkennung von spezieller Vortrefflichkeit innerhalb eines sozialen Kontextes liegt. Dies ist eine antipluralistische, antiegalitaristische, ja sogar antitolerante Einstellung, denn sie verlangt, daß eine Entscheidung getroffen wird zwischen Handlungen, die für sich genommen für gut gehalten werden, und sie verlangt weiter, daß zwischen dem Verhalten der Menschen Unterschiede gemacht werden, unabhängig von den jeweiligen privaten Gründen für ihr Verhalten.

Was uns selbst betrifft, so können wir damit beginnen, unser Leben so zu definieren, wie wir es ohnehin tun, wenn wir ganz uns selbst überlassen sind. Wir können nichtreduzierbare Neigungen, Werte und Überzeugungen haben. Diese brauchen in ihrem Kern nicht weiter verteidigt zu werden, weil sie nur unsere Zugehörigkeit zu unserer Kultur ausdrücken, wogegen man keinen Einspruch erheben kann.

»Habe ich die Begründungen erschöpft, so bin ich nun auf dem harten Felsen angelangt, und mein Spaten biegt sich zurück. Ich bin dann geneigt zu sagen: ›So handle ich eben‹«, schrieb Wittgenstein.

Am Beginn der Geschichte der Aufklärung findet sich eine Parallele in den Gedanken Pascals: »Wessen die Tugend eines Menschen fähig ist, soll nicht an der Spitze, sondern am Alltag gemessen werden.«[10]

Was wir sind, ist das, was wir normalerweise sind, das, was wir tun. Wir sind unsere eigene Verkörperung. Wenn der Leser an dieser Stelle den Verdacht schöpft, ich habe ihm nichts erzählt, was er nicht schon vorher wußte, ist das genau das, worauf es mir ankommt.

Ich bin geboren und werde sterben, und zwischen diesen Ereignissen gibt es Visionen – *meine* Visionen. Dies ist die einzige Zeitspanne, die ich habe, und die einzige, in der sich mein Wert und mein Ziel finden lassen. Ich entscheide mich dafür, nicht der Zukunft zugeschrieben zu werden und mich nicht von den technologischen Forderungen der heute noch Ungeborenen verführen zu lassen.

Das ist kein Egoismus, sondern höchste Selbstlosigkeit, denn es bedeutet, daß ich mein Selbst kenne – ein Ausdruck und eine Schöpfung unserer Kultur, einer Kultur, die nahe daran ist, sich selbst auf dem Altar der Naturwissenschaften, eines nur kleinen Bestandteils ihrer selbst, zu opfern. Ich verdanke mich selbst aber dieser *ganzen* Kultur, und sie muß zweifellos mit meinem Leben verteidigt werden, denn sie ist mein Leben.

Solch ein Bekenntnis bedeutet das Ende der Herrschaft der Wissenschaft, weil es die unendliche Offenheit für und die Bereitwilligkeit zum Wandel verweigert, welche die Wissenschaft für ihr fortgesetztes Eindringen in unsere Seelen benötigt. Es bedeutet auch ein Bestehen darauf, daß meine Seele dahin zurückgebracht wird, wohin sie gehört – in meinen Körper und nicht in das entlegene Gefilde, in das die Wissenschaft sie vor 400 Jahren verbannt hat. Diese Erkenntnis macht für sich genommen meine Seele vielleicht nicht unsterblich und wird mir auch kein Leben nach dem Tode und keine Erlösung versprechen. Doch deshalb anzunehmen, ich sei noch an genau derselben Stelle, an der ich vorher schon war – sterblich, leidend und so verloren wie eh und je –, wäre falsch. Es gibt einen ganz entscheidenden Unterschied: Ich werde letzten Endes nicht allein sein.

Anmerkungen

Einleitung

Stephen W. Hawking: *A Brief History of Time. From the Big Bang to Black Holes*, New York 1988, S. 175 (dt.: *Eine kurze Geschichte der Zeit. Die Suche nach der Urkraft des Universums*, Reinbek 1988, S. 217).

Kapitel 1: Wissenschaft funktioniert, aber ist sie die Wahrheit?

1. Jawaharlal Nehru: Proceedings of the National Institute of Sciences of India 27 A, 564 (1961), zitiert nach: Max Perutz: *Ging's ohne Forschung besser? Der Einfluß der Naturwissenschaften auf die Gesellschaft*, Stuttgart 1982, S. 5.
2. Stephen W. Hawking: a. a. O., S. 218.
3. Ebd., S. 11/12.
4. Jawaharlal Nehru: a. a. O.
5. Max Perutz: *Ging's ohne Forschung besser? Der Einfluß der Naturwissenschaften auf die Gesellschaft*, Stuttgart 1982, S. 12.
6. Blaise Pascal: *Über die Religion und einige andere Gegenstände (Pensées)*, Heidelberg [8]1978, S. 43/44.
7. John D. Barrow: *The World Within the World*, Oxford 1988, S. 161.
8. Freeman Dyson: *Infinite in All Directions*, Harmondsworth 1988, S. 8.
9. Ludwig Wittgenstein: *Tractatus logico-philosophicus*, in: *Werkausgabe*, Bd. 1, Frankfurt a. M. 1984, S. 85.

Kapitel 2: Die Geburt der Wissenschaft

1. Johannes Kepler: *Dioptrice* [Augsburg 1611], in: *Gesammelte Werke*, Bd. 4: *Kleinere Schriften 1602–1611*, Hg. M. Caspar u. F. Hammer, München 1942, S. 350.
2. Max Weber: *Grundriß der Sozialökonomik, III. Abt.: Wirtschaft und Gesellschaft*, Tübingen 1922, S. 293.
3. Blaise Pascal: *Über die Religion und einige andere Gegenstände (Pensées)*, Heidelberg [8]1978, S. 120.
4. Galileo Galilei: *Sidereus Nuntius* [1610], in: *Schriften. Briefe. Dokumente*, Hg. A. Mutry, Bd. 1, München 1987, S. 101.

5. Johannes Kepler: a. a. O.
6. Pietro Redondi: *Galilei – der Ketzer*, München 1989, S. 42.
7. Francesco Petrarca: *Von seiner und vieler Leute Unwissenheit* [1371], in: *Briefe an die Nachwelt*, Jena 1910, S. 135.
8. Vgl. Pietro Redondi.
9. Frank E. Manuel: *A Portrait of Isaac Newton*, Columbia/S. C. 1980, S. 380.
10. Isaac Newton: Brief vom 30. 6. 1691, in: *The Correspondence of Isaac Newton*, Bd. 3; 1688–1694, Hg. H. W. Turnbull, Cambridge 1961, S. 153.
11. Albert Einstein: *Prinzipien der Forschung. Rede zum 60. Geburtstag von Max Planck*, in: *Mein Weltbild*, Hg. C. Seelig, Frankfurt a. M. u. a., S. 109.
12. Zitiert nach: Freeman Dyson: *Infinite in All Directions*, Harmondsworth 1989, S. 49.
13. Zitiert nach: ebd., S. 48.
14. Frank E. Manuel: a. a. O., S. 388/89.
15. Freeman Dyson: a. a. O., S. 50.
16. Zitiert nach: John D. Barrow: *The World Within the World*, Oxford 1988, S. 30.
17. Zitiert nach: Frank E. Manuel: a. a. O., S. 119.

Kapitel 3: Die Erniedrigung des Menschen

1. Stephen Jay Gould: *Hen's Teeth and Horse's Toes*, New York 1983 (dt.: *Wie das Zebra zu seinen Streifen kommt. Essays zur Naturgeschichte*, Frankfurt a. M. 1991, S. 41).
2. Bertrand Russell: *A History of Western Philosophy*, London 1961 (dt.: *Philosophie des Abendlandes. Ihr Zusammenhang mit der politischen und sozialen Entwicklung*, Wien/Zürich [5]1988, S. 541).
3. Frank E. Manuel: *A Portrait of Isaac Newton*, Columbia/S. C. 1980, S. 387.
4. Alasdair MacIntyre: *Against the Self-Images of the Age. Essays on Ideology and Philosophy*, London 1971, S. 76/77.
5. Blaise Pascal: *Über die Religion und einige andere Gegenstände (Pensées)*, Heidelberg [8]1978, S. 52/53.
6. John Donne: »An Anatomy of the World« [1611], in: *The Anniverseries*, Hg. F. Manley, Baltimore 1963.
7. Blaise Pascal: a. a. O., S. 139.
8. Ebd., S. 147.
9. Richard Henry Tawney: *Religion and the Rise of Capitalism*, Harmondsworth 1987, S. 273.
10. Bernard Williams: *Descartes. The Project of Pure Enquiry*, Hassocks

1978 (dt.: *Descartes. Das Vorhaben der reinen philosophischen Untersuchung*, Königstein/Ts. 1981, S. 4).

11. Alexander Pope: »Intended for Sir Isaac Newton«, in: *Poetical Works* (The Aldine Edition), Bd. 3, London 1934, S. 142.

12. Pierre Simone de Laplace: *Philosophischer Versuch über die Wahrscheinlichkeit* [1814], Hg. R. v. Mises, Leipzig 1932, S. 1/2.

13. Richard Dawkins: *The Blind Watchmaker*, Harmondsworth 1989, S. 4 (dt.: *Der blinde Uhrmacher. Ein neues Plädoyer für den Darwinismus*, München 1987, S. 19).

14. Allan Bloom: *The Closing of the American Mind*, New York 1987 (dt.: *Der Niedergang des amerikanischen Geistes. Ein Plädoyer für die Erneuerung der westlichen Kultur*, Hamburg 1988, S. 207).

15. Immanuel Kant: *Kritik der praktischen Vernunft* [1788], in: *Werke in zehn Bänden*, Hg. W. Weischedel, Bd. 6, Darmstadt 1975, S. 140.

16. Zitiert nach: Stephen Jay Gould: *An Urchin in the Storm*, Harmondsworth 1990, S. 99.

17. Zitiert nach: Stephen Jay Gould: *Time's Arrow – Time's Cycle. Myth and Metaphor in the Geological Time*, Cambridge/Mass. 1987 (dt.: *Die Entdeckung der Tiefenzeit. Zeitpfeil oder Zeitzyklus in der Geschichte unserer Erde*, München 1990, S. 94).

18. Richard Dawkins: a. a. O., S. 19.

19. Arthur Schopenhauer: *Die Welt als Wille und Vorstellung* [1819/1844], in: *Sämtliche Werke*, Hg. W. Frhr. v. Löhneysen, Bde. 1–2, Frankfurt a. M. 1986, Bd. 2, S. 11.

20. Zitiert nach: Stephen Jay Gould: *Hen's Teeth and Horse's Toes. Further Reflections in Natural History*, New York 1983 (dt.: *Wie das Zebra zu seinen Streifen kommt. Essays zur Naturgeschichte*, Frankfurt a.M. 1991, S. 41).

21. Ernest Jones: *The Life and Work of Sigmund Freud*, 2 Bde., London 1954–1957 (dt.: *Das Leben und Werk von Sigmund Freud*, 3 Bde., Stuttgart 1960–1962, Bd. 3, S. 35).

22. Sigmund Freud: *Die Zukunft einer Illusion* [1927], in: *Studienausgabe*, Hg. A. Mitscherlich u. a., Bd. 9, Frankfurt a. M. 1989, S. 165/66.

23. Sir William Cecil Dampier, *A Shorter History of Science*, London 1945 (dt.: *Kurze Geschichte der Wissenschaft in ihren Beziehungen zu Philosophie und Religion*, Zürich 1946, S. 145).

24. Sigmund Freud: *Das Unbehagen in der Kultur* [1930], in: *Studienausgabe*, Bd. 9, S. 223/24.

25. Ebd., S. 217.

26. Ebd., S. 215.

Kapitel 4: Den Glauben verteidigen

1. Matthew Arnold: »Dover Beach«, in: *Poems*, London 1885, S. 63/64.
2. Stephen Jay Gould: »Nonmoral Nature«, in: *Hen's Teeth and Horse's Toes. Further Reflections in Natural History*, New York 1983 (dt.: *Wie das Zebra zu seinen Streifen kommt. Essays zur Naturgeschichte*, Frankfurt a. M. 1991, S. 33).
3. Friedrich Nietzsche: *Ecce Homo*, in: *Werke in drei Bänden*, Bd. 2, München [8]1977, S. 1148.
4. Ebd., S. 1153.
5. Ebd., S. 1066.
6. Ebd., S. 1066.
7. John Keats: »Ode on a Grecian Urn«, in: *Poetical Works*, Oxford 1970, S. 210.
8. Max Weber: *Grundriß der Sozialökonomik. III. Abt.: Wirtschaft und Gesellschaft*, Tübingen 1922, S. 238.
9. Ebd., S. 293.
10. Der Autor spielt an auf: Julien Benda: *La trahison de clercs*, Paris 1927 (dt.: *Der Verrat der Intellektuellen*, München 1978).
11. John D. Barrow: *The World Within the World*, Oxford 1988, S. 149.
12. Max Weber: a. a. O., S. 265.
13. Karl Marx u. Friedrich Engels: *Werke*, Bd. 3, Berlin 1969, S. 7.
14. Zitiert nach: Alasdair MacIntyre: *Against the Self-Images of the Age. Essays on Ideology and Philosophy*, London 1971, S. 17.
15. Irving Babbitt: *Rousseau and Romanticism*, Austin/Tex. 1977, S. 96.
16. Richard Henry Tawney: *Religion and the Rise of Capitalism. A Historical Study*, Harmondsworth 1987, S. 55.
17. Max Weber: a. a. O., S. 274.
18. Ebd., S. 289/90.
19. Sigmund Freud: *Die Zukunft einer Illusion* [1927], in: *Studienausgabe*, Hg. A. Mitscherlich u. a., Bd. 9, Frankfurt a. M. 1989, S. 164.
20. Ebd., S. 270.
21. Zitiert nach: Stephen Jay Gould: *An Urchin in the Storm*, Harmondsworth 1990, S. 180.
22. Matthew Arnold: a. a. O.

Kapitel 5: Vom Entsetzen über die Naturwissenschaften bis zur grünen Lösung

1. James Lovelock: *Gaia. A New Look at Life on Earth*, Oxford 1982 (dt.: *Unsere Erde wird überleben. GAIA – Eine optimistische Ökologie*, München 1979, S. 199. – Übersetzung nicht übernommen).
2. T. S. Eliot: »The Hollow Men«, in: *Collected Poems 1909–1962*, Lon-

don 1974, S. 89 (dt.: »Die hohlen Männer«, in: *Gesammelte Gedichte 1909–1962*, Hg. E. Hesse, Frankfurt a. M. 1972, S. 130 ff.).

3. Max Weber: *Grundriß der Sozialökonomik. III. Abt.: Wirtschaft und Gesellschaft*, Tübingen 1922, S. 286.
4. Norman Stone: *Europe Transformed 1878–1919*, London 1983, S. 390.
5. Irving Babbitt: *Rousseau and Romanticism*, Austin/Tex. 1977, S. 13.
6. Wilfred Owen: »Futility«, in: *Collected Poems*, London 1963, S. 58.
7. Ezra Pound: »E. P. Ode pour l'election de son sepulchre«, in: *Selected Poems*, London 1935 (dt.: in: *Personae. Masken. Der Ausgewählten Werke Erster Teil*, Zürich 1959, S. 297 u. 299).
8. Hugh Thomas: *An Unfinished History of the World*, London 1981 (dt.: *Geschichte der Welt*, Stuttgart 1984, S. 469/70).
9. Max Perutz, *Is Science Necessary? Essays on Science and Scientists*, Oxford 1991, S. 96/97 (Text nicht in gekürzter dt. Ausgabe enthalten).
10. Martin Amis: *Einstein's Monster*, London 1987, S. 8.
11. James Lovelock: a. a. O.
12. Dennis Meadows u. a.: *The Limits to Growth: A Report for the Club of Rome's Project on the Predicament of Mankind*, New York 1972 (dt.: *Die Grenzen des Wachstums. Bericht des Club of Rome zur Lage der Menschheit*, Stuttgart [15]1990, S. 128).
13. Ebd., S. 175.
14. Bill McKibben: *The End of Nature*, New York/Toronto 1990 (dt.: *Das Ende der Natur*, München 1990, S. 68).
15. Ebd., S. 56 (Übersetzung abgeändert).
16. Ebd., S. 216.

Kapitel 6: Eine neue, fremdartige Maske für die Naturwissenschaften

1. Zitiert nach Hanbury Brown: *The Wisdom of Science. Its Relevance to Culture and Religion*, Cambridge 1986, S. 78.
2. Ebd., S. 66.
3. Peter W. Atkins: *The Creation*, Oxford 1981 (dt.: *Schöpfung ohne Schöpfer. Was war vor dem Urknall?*, Reinbek 1984, S. 13).
4. Aus: Arnold Sommerfeld: »Gedächtnisfeier der Physikalischen Gesellschaft in Württemberg-Baden«, in: *Annalen der Physik*, 6. Folge, Bd. 3, 1948, S. 5).
5. Arthur Conan Doyle: *The Sign of Four*, London 1893, S. 93 (dt.: *Das Zeichen der Vier*, Stuttgart 1905, S. 82).
6. Ronald W. Clark: *Einstein. The Life and Times*, London u. a. 1973 (dt.: *Albert Einstein. Leben und Werk*, München 1974, ern. 1991, S. 171).

7. Max Planck: *Kausalgesetz und Willensfreiheit. Öffentlicher Vortrag gehalten in der Preußischen Akademie der Wissenschaften am 17. 2. 1923*, Berlin 1923, S. 43.

8. Zitiert nach: Roger Penrose: *The Emperor's New Mind. Concerning Computers, Minds and The Laws of Physics*, New York 1990, S. 361.

9. Zitiert nach: Werner Heisenberg: *Das Teil und das Ganze. Gespräche im Umkreis der Atomphysik*, München 1969, S. 60.

10. Joseph Ford zitiert nach: James Gleick: *Chaos – Making a New Science*, New York 1988 (dt.: *Chaos – Die Ordnung des Universums. Vorstoß in Grenzbereiche der Physik*, München 1988, S. 15).

Kapitel 7: Neue Wunder . . . neuer Sinn und neue Bedeutungen?

1. Richard Feynman: *What Do You Care What Other People Think? Further Adventures of a Curious Character*, London 1990, S. 244.

2. Ebd., S. 11.

3. Ebd., S. 72.

4. Stephen W. Hawking: *A Brief History of Time. From the Big Bang to Black Holes*, New York 1988 (dt.: *Eine kurze Geschichte der Zeit. Die Suche nach der Urkraft des Universums*, Reinbek 1988, S. 12).

5. Freeman Dyson, *Infinite in all Directions*, London 1990, S. 163.

6. John D. Barrow: *Theories of Everything. The Quest for Ultimate Explanation*, Oxford 1991, S. 74.

7. Blaise Pascal: *Über die Religion und einige andere Gegenstände (Pensées)*, Heidelberg [8]1978, S. 115.

8. John D. Barrow u. Frank J. Tipler: *The Anthropic Cosmological Principle*, Oxford 1988, S. 677.

9. Rupert Sheldrake: *The Presence of the Past. Morphic Resonance and the Habits of Nature*, London 1988 (dt.: *Das Gedächtnis der Natur. Das Geheimnis der Entstehung der Formen in der Natur*, München [5]1991, S. 393).

10. David Bohm: *Wholeness and the Implicate Order*, London 1980 (dt.: *Die implizite Ordnung. Grundlagen eines dynamischen Holismus*, München 1985, S. 186).

11. Ebd., S. 230.

12. Max Planck: *Where is Science going?*, Ü. u. Hg. H. Murphy, London 1933, S. 66.

13. Fritjof Capra: *The Tao of Physics: An Exploration of the Parallels Between Modern Physics and Eastern Mysticism*, London 1990 (dt.: *Das Tao der Physik. Die Konvergenz von westlicher Wissenschaft und östlicher Philosophie*, München 1984, S. 20).

14. Ebd., S. 307.

Kapitel 8:
Der Anschlag auf das Selbst

1. Søren Kierkegaard: *Die Krankheit zum Tode* [1849], Hg. L. Richter, Frankfurt a. M. 1984, S. 9.
2. Ebd.
3. Douglas R. Hofstadter: *Gödel, Escher, Bach. An Eternal Golden Braid*, New York 1979 (dt.: *Gödel, Escher, Bach. Ein Endlos Geflochtenes Band*, Stuttgart 1985, S. 756).
4. Erwin Schrödinger: *Mind and Matter*, in: *What is Life?/Mind and Matter*, Cambridge 1967 (dt.: *Geist und Materie*, Braunschweig 1959, S. 28).
5. Hannah Arendt: *The Human Condition*, Chicago 1958 (dt.: *Vita activa oder Vom tätigen Leben*, Stuttgart 1960).
6. Zitiert nach: Oliver Sacks: *Neurology and the Soul*, in: The New York Review of Books, 22. 11. 1990, S. 45.
7. Carl Gustav Jung, in: Eranos Jahrbuch, 1946, S. 398, zitiert nach: Erwin Schrödinger: *Geist und Materie*, Braunschweig 1959, S. 30.
8. Erwin Schrödinger, *Was ist Leben? Die lebende Zelle mit den Augen des Physikers betrachtet*, München ³1989, S. 149.
9. John D. Barrow: »The Mathematical Universe«, in: The World and I, Mai 1989, S. 311.
10. Ebd.
11. Douglas R. Hofstadter: a. a. O., S. 183.
12. Ebd., S. 757.
13. Roger Penrose: *The Emperor's New Mind. Concerning Computers, Minds, and the Laws of Physics*, New York/Toronto 1990, S. 579.

Kapitel 9:
Die Erniedrigung der Wissenschaft

1. Ludwig Wittgenstein: *Philosophische Untersuchungen*, in: *Werkausgabe*, Bd. 1, Frankfurt a. M. 1984, S. 350.
2. Max Weber: *Grundriß der Sozialökonomik. III. Abt.: Wirtschaft und Gesellschaft*, Tübingen 1922, S. 296.
3. Allan Bloom: *The Closing of the American Mind*, New York 1987 (dt.: *Der Niedergang des amerikanischen Geistes. Ein Plädoyer für die Erneuerung der westlichen Kultur*, Hamburg 1988, S. 28).
4. Ebd., S. 387.
5. Ebd., S. 51.
6. Bertrand Russell: *The Impact of Science on Society*, London 1985, S. 102.
7. Ludwig Wittgenstein: a. a. O., S. 291.

8. Stanley Cavell: *Must We Mean What We Say?*, Cambridge 1976, S. 85.

9. John Updike: *Self-Consciousness*, London 1989 (dt.: *Selbst-Bewußtsein*, Reinbek 1990, S. 298).

10. Blaise Pascal: *Über die Religion und einige andere Gegenstände (Pensées)*, Heidelberg [8]1978, S. 163.

Bibliographie

Arendt, Hannah: *The Human Condition*, Chicago 1958 (dt.: *Vita activa oder Vom tätigen Leben*, Stuttgart 1960).

Atkins, P. W.: *The Creation*, Oxford 1981 (dt.: *Schöpfung ohne Schöpfer. Was war vor dem Urknall?*, Reinbek 1984).

Ayer, A. J.: *Ludwig Wittgenstein*, London 1985.

Babbitt, Irving: *Rousseau and Romanticism*, Austin/Tex. 1977.

Bacon, Francis: *The Works of Francis Bacon*, Hg. J. Spedding u. a., 14 Bde., London 1857–1874.

Barrow, John D.: *The World Within the World*, Oxford 1988.

Barrow, John D.: *Theories of Everything. The Quest for Ultimate Explanation*, Oxford 1991.

Barrow, John D., u. Tipler, Frank J.: *The Anthropic Cosmological Principle*, Oxford 1986.

Bell, Daniel: *The End of Ideology. On the Exhaustion of Political Ideas in the Fifties*, Glence/Ill. 1960.

Bloom, Allan: *The Closing of the American Mind*, New York 1987 (dt.: *Der Niedergang des amerikanischen Geistes. Ein Plädoyer für die Erneuerung der westlichen Kultur*, Hamburg 1988).

Boden, Margaret A.: *The Creative Mind. Mythos and Mechanisms*, London 1990.

Bohm, David: *Wholeness and the Implicate Order*, London 1980 (dt.: *Die implizite Natur. Grundlagen eines dynamischen Holismus*, München 1985).

Bohm, David: *Causality and Chance in Modern Physics*, London 1984.

Bramwell, Anna: *Ecology in the 20th Century. A History*, London 1988.

Braudel, Fernand: *Ecrits sur l'histoire*, Paris 1969.

Bronowski, Jacob: *The Ascent of Man*, London 1976.

Brown, Alan: *Modern Political Philosophy. Theories of the Just Society*, Gretna/La. 1986.

Brown, Hanbury: *The Wisdom of Science. Its Relevance to Culture and Religion*, Cambridge 1986.

Capra, Fritjof: *The Tao of Physics. An Exploration of the Parallels Between Modern Physics and Eastern Mysticism*, London 1990 (dt.: *Das Tao der Physik. Die Konvergenz von westlicher Wissenschaft und östlicher Philosophie*, München 1984).

Carson, Rachel: *Silent Spring*, London 1963 (dt.: *Der stumme Frühling*, München 1965).

Cavell, Stanley: *Must We Mean What We Say?*, Cambridge 1976.

Cellini, Benvenuto: *Leben des Benvenuto Cellini, florentinischen Goldschmieds und Bildhauers, von ihm selbst geschrieben*, Hg. u. Ü. J. W. v. Goethe, Tübingen 1803; Nachdr. Reinbek 1957.

Clark, Ronald W.: *Einstein. The Life and Times*, London u. a. 1973 (dt.: *Albert Einstein. Leben und Werk*, München 1974; ern. 1991, S. 171).

Cohen, I. Bernard: *The Birth of a New Physics*, New York u. a. 1985.

Cupitt, Don: *The Leap of Reason*, Philadelphia 1976.

Cupitt, Don: *The Sea of Faith. Christianity in Change*, London 1984.

Cupitt, Don: *The World to Come*, London 1982.

Darwin, Charles: *On the Origin of Species by Means of Natural Selection*, London 1859 (dt.: *Die Entstehung der Arten durch natürliche Zuchtwahl*, Stuttgart 1963).

Davies, Paul, u. Gribbin, John: *The Matter Myth. Towards 21st-Century Science*, New York/Toronto 1991.

Davis, Philip J., u. Hersh, Reuben: *Descartes' Dream. The World According to Mathematics*, London 1986 (dt.: *Descartes' Traum. Über die Mathematisierung von Zeit und Raum*, Frankfurt a. M. 1988).

Dawkins, Richard: *The Blind Watchmaker*, London 1986 (dt.: *Der blinde Uhrmacher. Ein neues Plädoyer für den Darwinismus*, München 1987).

Dawkins, Richard: *The Selfish Gene*, Oxford 1976.

Dennett, Daniel C.: *Consciousness Explained*, Boston 1991.

Descartes, René: *Discours de la Méthode* [1637], Ü. u. Hg. L. Gäbe, Hamburg 1960 (frz.-dt.).

Dyson, Freeman: *Infinite in All Directions*, New York 1988.

Eliot, T. S.: *Notes Towards the Definition of Culture*, London 1948.

Feynman, Richard P.: *What Do You Care What Other People Think? Further Adventures of a Curious Character*, London 1988.

Freud, Sigmund: *Studienausgabe*, Hg. A. Mitscherlich u. a., 10 Bde., Frankfurt a. M. 1989.

Fukuyama, Francis: *The End of History and the Last Man*, New York 1991 (dt.: *Das Ende der Geschichte. Wo stehen wir?*, München 1992).

Gardner, Martin: *Gardner's Whys and Wherefores*, Chicago/Ill. 1989.

Gleick, James: *Chaos. Making a New Science*, New York 1987 (dt.: *Chaos – die Ordnung des Universums. Vorstoß in Grenzbereiche der modernen Physik*, München 1988).

Gould, Stephen Jay: *Hen's Teeth and Horse's Toes. Further Reflections in Natural History*, New York 1983 (dt.: *Wie das Zebra zu seinen Streifen kommt. Essays zur Naturgeschichte*, Frankfurt a. M. 1991).

Gould, Stephen Jay: *An Urchin in the Storm*, New York/London 1987.

Hawking, Stephen W.: *A Brief History of Time. From the Big Bang to Black Holes*, New York 1988 (dt.: *Eine kurze Geschichte der Zeit. Die Suche nach der Urkraft des Universums*, Reinbek 1988).

Heisenberg, Werner: *Das Teil und das Ganze. Gespräche im Umkreis der Atomphysik*, München 1969.

Hofstadter, Douglas R.: *Gödel, Escher, Bach. An Eternal Golden Braid*, New York 1979 (dt.: *Gödel, Escher, Bach. Ein Endlos Geflochtenes Band*, Stuttgart 1985).

Howard, Jonathan: *Darwin*, Oxford 1982.

Huxley, Aldous: *Literature and Science*, London 1963.

Jones, Ernest: *The Life and Work of Sigmund Freud*, 2 Bde., London 1954–1957 (dt.: *Das Leben und Werk von Sigmund Freud*, 3 Bde., Stuttgart 1960–1962).

Kant, Immanuel: *Kritik der reinen Vernunft* [1781], in: *Werke in zehn Bänden*, Hg. W. Weischedel, Bd. 3, Darmstadt 1975.

Kenny, Anthony (Hg.): *Rationalism, Empiricism, and Idealism. British Academy Lectures on the History of Philosophy*, Oxford 1986.

Kierkegaard, Søren: *Entweder – Oder. Ein Lebensfragment*, Hg. H. Diem u. W. Rest, München 1975.

Kierkegaard, Søren: *Die Krankheit zum Tode* [1849], Hg. L. Richter, Frankfurt a. M. 1984.

Kuhn, Thomas S.: *The Copernican Revolution. Planetary Astronomy in the Development of Western Thought*, Cambridge 1957.

Lovelock, James: *Gaia. A New Look at Life on Earth*, Oxford 1979 (dt.: *Unsere Erde wird überleben. GAIA – Eine optimistische Ökologie*, München 1979).

Lovelock, James: *The Ages of Gaia. A Biography of our Living Earth*, Oxford 1988.

Meadows, Dennis L. u. a.: *The Limits to Growth. A Report for the Club of Rome's Project on the Predicament of Mankind*, New York 1972 (dt.: *Die Grenzen des Wachstums. Bericht des Club of Rome zur Lage der Menschheit*, Stuttgart [15]1990).

MacIntyre, Alasdair: *After Virtue. A Study in Moral Theory*, London 1981 (dt.: *Der Verlust der Tugend. Zur moralischen Krise der Gegenwart*, Frankfurt a. M. 1987).

MacIntyre, Alasdair: *Against the Self-Images of the Age. Essays on Ideology and Philosophy*, London 1971.

McKibben, Bill: *The End of Nature*, New York/Toronto 1990 (dt.: *Das Ende der Natur*, München 1990).

Manuel, Frank E.: *A Portrait of Isaac Newton*, Cambridge 1968.

Medawar, Peter: *The Limits of Science*, Oxford 1985.

Monk, Ray: *Ludwig Wittgenstein. The Duty of Genius*, London 1990 (dt.: *Wittgenstein. Das Handwerk des Genies*, Stuttgart 1992).

Mumford, Lewis: *The Urban Prospect*, New York 1968.

Nietzsche, Friedrich: *Ecce Homo*, in: *Werke in drei Bänden*, München [8]1977.

Pascal, Blaise: *Über die Religion und einige andere Gegenstände (Pensées)* [1670], Heidelberg [8]1978.

Penrose, Roger: *The Emperor's New Mind. Concerning Computers, Minds, and The Laws of Physics*, New York/Oxford 1989.

Perutz, Max: *Ging's ohne Forschung besser? Der Einfluß der Naturwissenschaften auf die Gesellschaft*, Stuttgart 1982.

Planck, Max: *Where is Science Going?*, Ü. u. Hg. J. Murphy, London 1933.

Polkinghorne, J. C.: *The Quantum World*, London 1984.

Redondi, Pietro: *Galilei – der Ketzer*, München 1989.

Russell, Bertrand: *History of Western Philosophy*, London 1961 (dt.: *Philosophie des Abendlandes. Ihr Zusammenhang mit der politischen und sozialen Entwicklung*, Wien/Zürich [5]1988).

Russell, Bertrand: *The Impact of Science and Society*, London 1952.

Schopenhauer, Arthur: *Die Welt als Wille und Vorstellung*, in: *Sämtliche Werke*, Hg. W. Frhr. v. Löhneysen, Bde. 1–2, Frankfurt a. M. 1986.

Schrödinger, Erwin: *What is Life?/Mind and Matter*, Cambridge 1967 (dt.: *Was ist Leben? Die lebende Zelle mit den Augen des Physikers betrachtet*, München [3]1989, u. *Geist und Materie*, Braunschweig 1959).

Sheldrake, Rupert: *The Presence of the Past. Morphic Resonance and the Habits of Nature*, London 1988 (dt.: *Das Gedächtnis der Natur. Das Geheimnis der Entstehung der Formen in der Natur*, München [5]1991).

Stewart, Ian: *Does God Play Dice? The Mathematics of Chaos*, New York 1989.

Stone, Norman: *Europe Transformed 1878–1919*, London 1983.

Strauss, David Friedrich: *Das Leben Jesu. Kritisch bearbeitet*, Tübingen 1835/36.

Tawney, R. H.: *Religion and the Rise of Capitalism*, Harmondsworth 1987.

Thomas, Hugh: *An Unfinished History of the World*, London 1979.

Weber, Max: *Grundriß der Sozialökonomik. III. Abt.: Wirtschaft und Gesellschaft*, Tübingen 1922.

Williams, Bernard: *Descartes. The Project of Pure Enquiry*, Hassocks 1978 (dt.: *Descartes. Das Vorhaben der reinen philosophischen Untersuchung*, Frankfurt a. M. 1988).

Wittgenstein, Ludwig: *Werkausgabe in acht Bänden*, Frankfurt a. M. 1984.

Zohar, Danah: *The Quantum Self*, London 1990.